高等学校“十三五”规划教材

CHAOSHENG JIANCE

超声检测

主　编　王秋萍

副主编　夏蔡娟　魏忠瑞　郝红娟

西北工业大学出版社

西　安

【内容简介】 本书阐述了超声检测基本原理、方法和主要应用，包括超声检测的物理基础、超声波发射声场、超声检测设备和器材、超声检测工艺方法、超声检测的应用、超声检测新技术、超声检测工艺文件的编制和超声检测标准等内容。

本书可作为高等学校相关专业的教材，也可供从事超声检测的工程技术人员、质量管理人员、安全监察人员及研究机构相关人员学习参考。

图书在版编目(CIP)数据

超声检测 / 王秋萍主编．—西安：西北工业大学出版社，2018.11

ISBN 978－7－5612－6374－7

Ⅰ.①超… Ⅱ.①王… Ⅲ.①超声检测-高等学校-教材 Ⅳ.①TB553

中国版本图书馆 CIP 数据核字(2018)第 261973 号

策划编辑：季　强

责任编辑：李阿盟

出版发行：西北工业大学出版社

通信地址：西安市友谊西路 127 号　　**邮编**：710072

电　　话：(029)88493844　88491757

网　　址：www.nwpup.com

印 刷 者：兴平市博闻印务有限公司

开　　本：787 mm×1 092 mm　1/16

印　　张：17.75

字　　数：466 千字

版　　次：2018 年 11 月第 1 版　2018 年 11 月第 1 次印刷

定　　价：48.00 元

前　言

本书依据中华人民共和国能源行业标准 NB/T 47013 — 2015《承压设备无损检测》，按照金属材料检测类专业培养目标以及学员考证的需求编写，本着实用的原则安排内容。

全书内容编排上分为 9 章，主要包括超声检测的物理基础、超声波发射声场、超声检测设备和器材、超声检测工艺方法、超声检测的应用、超声检测新技术、超声检测工艺文件的编制和超声检测标准等内容。

本书的主要特点是在超声检测通用技术和检测工艺基础上，介绍了常用工程材料检测的共性方法和原理，内容系统全面，具有一定的先进性、实用性。书中编写了较多的例题和典型案例，便于学生和读者自学，并加强对基础知识的理解和掌握；将基本概念、结论性描述等文字突出显现，加深读者印象。内容设置既注重理论与实际应用的结合，又紧跟科技前沿，既介绍了超声检测常用的方法，又重点突出特种设备检测的自身特点。

本书由西安工程大学王秋萍主编，西安工程大学夏蔡娟、山东瑞祥模具有限公司魏忠瑞和西安工程大学郝红娟参加了编写。其中第 1 章由夏蔡娟编写；第 2 章和第 3 章由夏蔡娟和王秋萍合作编写；第 4 章和第 6 章由王秋萍和魏忠瑞合作编写；第 5 章、第 8 章和第 9 章由王秋萍编写；第 7 章由王秋萍和郝红娟合作编写。

写作本书曾参阅了相关文献、资料，在此谨向其作者深表谢意。

由于水平有限，书中疏漏和不足之处在所难免，敬请广大读者批评指正。

编　者

2018 年 8 月

目　录

第1章 绪 论

无损检测是指在不损坏被检测对象的前提下，以物理或化学方法为手段，借助相应的设备器材，按照规定的技术要求，对检测对象的内部及表面的结构、性质或状态进行检查和测试，并对结果进行分析和评价的一门技术。无损检测技术的发展大致经历了无损探伤(Non－destructive Inspecting，NDI)、无损检测(Non－destructive Testing，NDT)和无损评价(Non－destructive Evaluation，NDE)三个阶段。各阶段之间没有严格的时间界限，彼此之间有继承与发展，且各有侧重。

第一阶段属于无损检测发展的初级阶段，是在不破坏被检对象的前提下，发现其内部是否存在缺陷。

第二阶段不但要回答被检测对象中是否有缺陷，还要进一步测量缺陷的位置、大小以及判断缺陷的性质等信息。

第三阶段要求根据缺陷的大小、位置和性质等信息，评价缺陷的存在对检测材料性能的影响，并对其做出整体评价。

目前常用的无损检测方法有超声检测(Ultrasonic Testing，UT)、射线检测(Radiographic Testing，RT)、磁粉检测(Magnetic Particle Testing，MT)、渗透检测(Penetrant Testing，PT)和涡流检测(Eddy Current Testing，ET)五种，称为五大常规检测方法。此外，还有一些非常规的无损检测方法，如声发射检测(Acoustic Emission Testing，AE)、泄漏检测(Leak Testing，LT)、全息检测(Holographic Testing)、红外热成像(Infrared Thermography)和微波检测(Microwave Testing)等。

超声检测技术是一门以物理、电子、机械以及材料学科为基础的常规无损检测技术，是目前国内外应用最广泛、使用频率最高且发展较快的一种无损检测技术，广泛应用于工业探伤、医疗检查以及海洋探测等领域，已成为产品制造中实现质量控制、节约原材料、改进工艺、提高劳动生产效率的重要手段，也是保障设备安全运行的重要手段之一。

1.1 超声检测原理

声波是机械振动在弹性介质中传播的一种机械波。如果用频率来表征声波，并以人耳的可感觉频率为界限，则可将声波划分为次声波、可闻声波和超声波。频率在 20 Hz～20 kHz 之间的机械振动能够引起人耳听觉，称为可闻声波；频率低于 20 Hz 的机械振动称为次声波；频率高于 20 kHz 的机械振动称为超声波，其实质是以波动形式在弹性介质中传播的机械振动。次声波和超声波人耳是感受不到的。

超声波能够广泛地应用于无损检测领域，主要是基于其具有以下重要特性：

(1)超声波具有良好的指向性，频率越高，指向性越好。

(2)超声波能量高。超声检测所用的频率很高，而能量(声强)与频率的二次方成正比。

(3)超声波能在界面上发生反射、折射、衍射和波型转换。在超声检测中，特别是脉冲反射法检测中，利用了超声波几何声学的一些特点，如在均匀介质中沿直线传播，遇到异质界面发生反射、折射等现象，还可以发生纵波与横波之间的波型转换。

(4)超声波穿透能力强。超声波能量很高，且在大多数介质中传播时能量损失小，传播距离大，因此对各种材料的穿透力较强。在一些金属材料中其穿透能力可达几米，这是其他检测手段所无法比拟的。

超声检测是指使超声波与工件相互作用，利用工件材料本身或内部缺陷的声学性质对超声波传播的影响，就反射、透射和散射波进行研究，对工件进行宏观缺陷检测、几何特性测量、组织结构和力学性能变化的检测和表征，进而对其特定应用性进行评价的无损检测技术。在特种设备行业中，超声检测通常指宏观缺陷测量和材料厚度测量。

对于宏观缺陷的检测，常用的频率为 0.5～25 MHz；对钢等金属材料的检测，常用的频率为 1～10 MHz。

以脉冲反射法超声检测为例，如图 1.1 所示。超声检测仪产生高频脉冲电信号，经超声波探头转化为超声脉冲波进入工件中。超声波以一定的速度向前传播，遇到异质界面时部分超声波被反射，检测设备接收、显示并分析反射声波的幅度和位置等信息，由此判断工件中是否存在缺陷以及评估缺陷的大小、位置等。图 1.1 中 B_1 和 B_2 表示工件底面与空气界面的反射波，称为一次底波和二次底波；F_1 和 F_2 表示工件材料和内部缺陷界面的反射波，称为一次缺陷波和二次缺陷波。

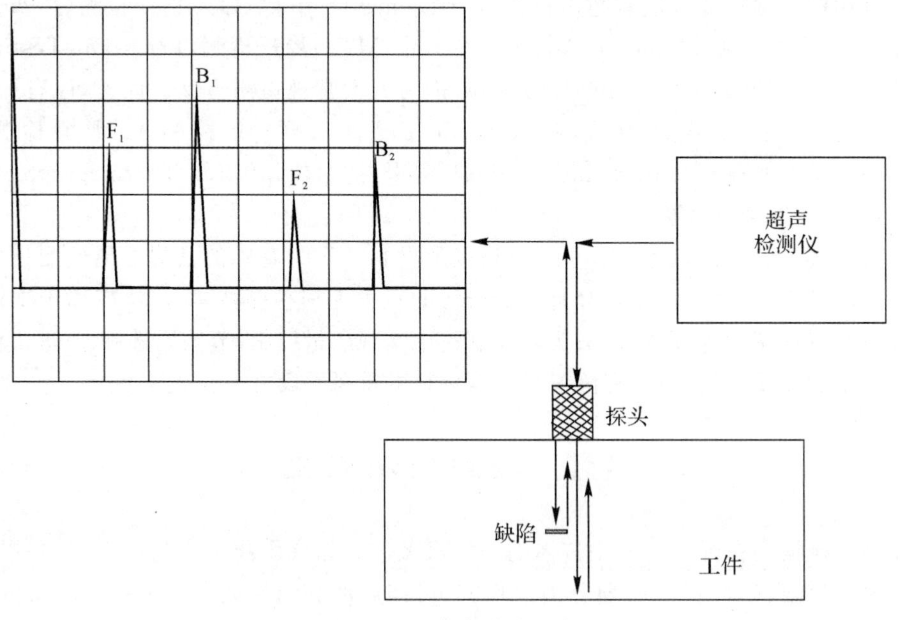

图 1.1　超声检测原理图

1.2 超声检测的特点

1. 超声检测的优点

(1)能检出原材料(板材、复合板材、锻件、管材等)和零部件中存在的缺陷;

(2)适用于金属、非金属、复合材料等多种制件的无损检测;

(3)穿透能力强,可对较大厚度范围内的工件内部缺陷进行检测,如对金属材料,可检测厚为1～2 mm的薄壁管材和板材,也可检测厚为几米的钢锻件;

(4)对工件内部缺陷的定位较准确(比其他无损检测方法有综合优势);

(5)灵敏度高,可检测出工件内部很小的缺陷,对面积型缺陷检出率较高;

(6)仅需从一侧接近工件,便于复杂形状工件的检测;

(7)检测成本低、速度快,设备轻便,对人体及环境无害,可作现场检测;

(8)所用参数设置及有关波形均可存储,供以后分析调用。

2. 超声检测的缺点

(1)对缺陷作精确的定性、定量表征仍需作深入研究;

(2)为使超声波能以常用的压电换能器为声源进入工件,一般需用耦合剂;

(3)对工件形状的复杂性有一定限制;

(4)缺陷的位置、取向和形状对检测结果有一定影响;

(5)工件材质、晶粒度对检测有较大影响;

(6)常用手工A型脉冲反射法检测时结果显示不直观,检测结果无直接见证记录。

1.3 超声检测的适用范围

超声检测的适用范围非常广泛。从检测对象的材料来说,可用于金属、非金属和复合材料;从检测对象的制造工艺来说,可用于锻件、铸件、焊接件和胶接件等;从检测对象的形状来说,可用于板材、棒材、管材等;从检测对象的尺寸来说,厚度可小至1 mm,大至数米;从检测部位来说,既可以检测表面缺陷,也可以检测内部缺陷。

除此之外,超声检测还可用于起重机械、游乐设施等机电类特种设备的无损检测。

导入案例——超声波的应用

1. 超声波清洗

超声波清洗是指把被清洗物件放入盛有清洗液的清洗槽内,利用超声波在液体中的空化作用、加速度作用以及直进流作用,对液体和污物直接、间接地作用,使被清洗物件表面的污垢层被分散、乳化、剥离,从而达到清洗目的。

2. 超声波焊接

超声波焊接分为超声波塑料焊接和超声波金属焊接。

超声波塑料焊接是指热塑性塑料在超声波振动作用下,由于表面分子间摩擦生热而使两块塑料熔接在一起的焊接方法,如塑料袋超声波封口技术。超声波塑料焊接是熔接热塑性制品的一种技术，焊接过程不需要溶剂、黏结剂或其他辅助品。

超声波金属焊接是指在不向金属试件通电流和施以高温热源的情况下，只利用超声波振动能量转变为待焊接金属试件间的摩擦功，形成能量有限的温升，接头间的冶金结合使母材发生熔化的情况下实现的一种固态焊接。超声波金属焊接方法有效地克服了电阻焊接时产生的飞溅和氧化等现象，它能对铜、银、铝、镍等有色金属的细丝或薄片进行单点、多点焊接和短条状焊接，可广泛地应用于可控硅引线、熔断器片、电器引线、锂电池极片、极耳的焊接。

3. 超声雾化

超声雾化的典型应用是家用超声波加湿器和医用超声雾化器。

超声波加湿器的工作原理是利用超声波高频振荡，将水雾化为 1～5 μm 的超微粒子，通过风动装置，将水雾扩散到空气中，从而达到均匀加湿空气的目的。

医用超声雾化器的工作原理是利用超声波高频振荡使药液雾化成微小粒子，使药物分子通过气雾直接进入患者毛细血管或肺泡，能够增进治疗效果。

第1章习题

1.单项选择题

(1)超声波是频率超出人耳听觉的机械波，其频率范围是(　　)。

A.高于 20 000 Hz　　B.1～10 MHz

C.高于 200 Hz　　D.0.25～15 MHz

(2)在金属材料的超声波检测中，使用最多的频率范围是(　　)。

A.10～25 MHz　　B.1～1 000 kHz

C.1～5 MHz　　D.大于 20 000 MHz

2.简答题

(1)什么是超声波？超声波能够应用于无损检测的主要原因是什么？

(2)简述超声检测的基本原理。

第 2 章　超声检测的物理基础

超声波是一种机械波，是机械振动在弹性介质中的传播。机械振动和机械波的基本规律是进一步学习超声波在弹性介质中的传播性质和正确应用超声检测技术、解决实际检测中遇到的各种问题的必要基础。本章在讨论机械振动、机械波的概念和主要性质的基础上，重点介绍超声场以及超声波和物质相互作用的一些主要性质。

2.1　机械振动与机械波

2.1.1　机械振动

物体在其稳定平衡位置附近所做的往复运动称为机械振动，简称振动。振动是自然界和人类生产实践中普遍存在的一种运动形式，如心脏的跳动、单摆的摆动、琴弦的振动、活塞往复运动、晶体中原子的振动、一切发声体的振动、火车过桥引起桥梁的振动等都是机械振动。

振动是往复运动，可用周期和频率表示振动的快慢。

振动物体围绕其平衡位置往复运动完成一次全振动所需的时间称为周期，用 T 表示，单位为秒(s)。单位时间内物体完成全振动的次数称为频率，用 f 表示，单位为赫兹(Hz)。根据定义可知，频率等于周期的倒数，即

$$f=\frac{1}{T} \tag{2.1}$$

按物体的振动规律可将机械振动分为简谐振动、阻尼振动和受迫振动。

1. 简谐振动

简谐振动是最简单、最基本的振动，弹簧振子的振动就是一种简谐振动。如图 2.1 所示，弹性系数为 K 的轻质弹簧一端固定，另一端系一质量为 m 的物体，该系统称为弹簧振子。把弹簧振子置于光滑的水平面上，物体所受的阻力不计。假设在 O 点弹簧没有形变，此处物体所受的合力为零，称 O 点为其平衡位置。如果把物体稍微拉离平衡位置至 B 点(B 点相对于 O 点的对称位置为 C 点)，然后无初速度释放，由于受到弹簧弹性力的作用，物体就在其平衡位置 O 点附近(B,C 两点间)做来回往复的周期性运动。物体所受的弹性力的方向总与物体相对于平衡位置的位移方向相反，始终指向平衡位置，称为回复力。按照胡克定律，回复力 F 的大小与物体相对于平衡位置的位移 x 成正比，即

$$F=-Kx \tag{2.2}$$

式中　K——弹簧的弹性系数，负号表示回复力与位移方向相反。

物体在受到和位移大小成正比而方向相反的回复力的作用时而产生的运动就是简谐振动。

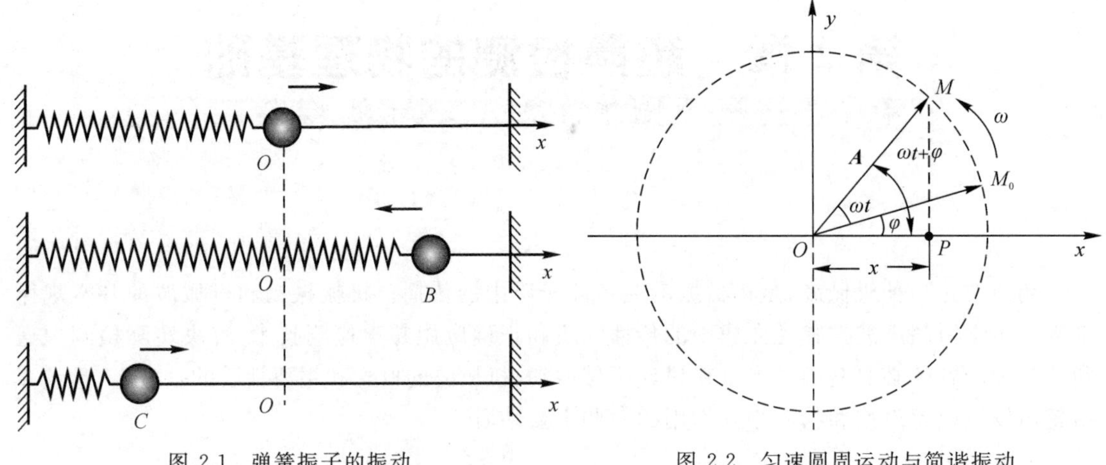

图 2.1　弹簧振子的振动　　　　图 2.2　匀速圆周运动与简谐振动

简谐振动是变加速运动，为讨论方便，可引入一个匀速圆周运动。如图 2.2 所示，让矢量 $\mathbf{A}$ 在 xOy 平面内绕点 O 以角速度 ω 沿逆时针方向转动。在 t_0 时刻，矢量 $\mathbf{A}$ 的矢端点在位置 M_0，它与 Ox 轴的夹角为 φ；在 t 时刻，矢量 $\mathbf{A}$ 转过了角度 ωt 后到达位置 M，它与 Ox 轴的夹角为 $\omega t+\varphi$。由图 2.2 可见，矢量 $\mathbf{A}$ 在 Ox 轴上的投影点 P 的运动，可以表示物体在 Ox 轴上的简谐运动，其振动方程为

$$x = A\cos(\omega t + \varphi) \tag{2.3}$$

这就是简谐振动的运动学方程。因此将位移随时间的变化符合余弦（或正弦）规律的振动称为简谐振动，简称谐振动，其位移随时间的变化曲线如图 2.3 所示。

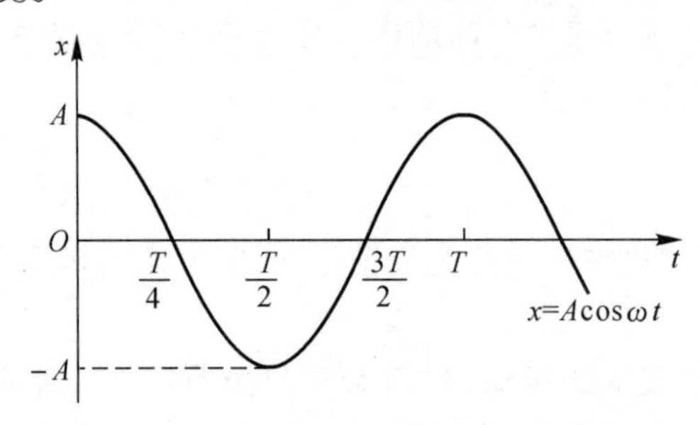

图 2.3　简谐振动位移随时间的变化曲线

图 2.2 中矢量 $\mathbf{A}$ 旋转一周，相当于物体在 Ox 轴上做一次全振动。其中，圆周运动的角速度 ω 就等于振动的圆频率，$\omega=2\pi/T$；矢量 $\mathbf{A}$ 的模等于振动的振幅 A；某一时刻旋转矢量与 Ox 轴的夹角 $\omega t+\varphi$ 等于振动的相位，初始时刻做圆周运动的质点的矢径与 x 轴的夹角 φ 就是振动的初相位；x 是任一时刻质点的位移。

必须强调指出，式(2.2)和式(2.3)关于谐振动的描述是一致的，前者是从动力学角度描述谐振动的，而后者则是从运动学角度描述谐振动的。

谐振动的振幅、频率和周期保持不变，其频率等于振动物体的固有频率。物体在做简谐振

动的过程中，只有弹性力或重力做功，系统的机械能守恒。其动能 E_k、势能 E_p 和总能量 E 随时间的变化关系如图 2.4 所示，物体处于平衡位置时动能最大，势能为零，在位移最大时势能最大，动能为零，其总能量保持不变。

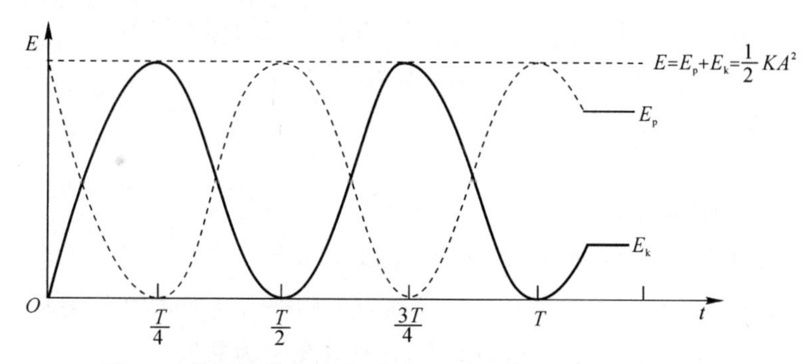

图 2.4　简谐振动的动能、势能和总能量随时间的变化曲线

2. 阻尼振动

简谐振动是一种理想条件下的振动，即不考虑阻力情况下的自由振动。实际中，任何振动的物体总会不可避免地受到各种阻力的作用，使其机械能不断地转化为其他形式的能量，如转化为热能而耗散，转化为周围介质的能量并以波的形式向外传播，振动系统的振幅不断减小，如无其他能量补充，振动最终趋于停止。这种振幅随时间不断减小的振动称为阻尼振动。当阻尼较小时，阻尼振动方程为

$$x = A_0 e^{-\beta t} \cos(\omega t - \varphi_0) \tag{2.4}$$

式中　β——阻尼系数；

ω——阻尼振动的圆频率，$\omega = \sqrt{\omega_0^2 - \beta^2}$，$\omega_0$ 为物体的固有频率。

阻尼振动方程中的 $A_0 e^{-\beta t}$ 可看作是阻尼振动的振幅，振幅随时间按指数规律衰减，阻尼越大，衰减越快。

由式(2.4)可得，阻尼振动的位移随时间的变化关系如图 2.5 所示。阻尼振动受到阻力作用，其振幅不断减小，系统机械能不守恒。

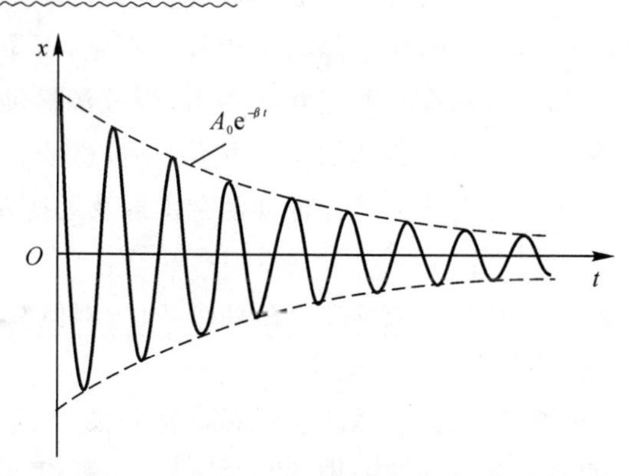

图 2.5　阻尼振动位移随时间的变化曲线

超声波探头中，为了使晶片振动尽快停止，减小超声脉冲的宽度，通常在晶片后粘贴阻尼块以增大阻力。

3. 受迫振动

物体在周期性外力作用下产生的振动称为受迫振动。受迫振动的物体在振动过程中除受弹性回复力和阻力外，还受到一个维持振动状态的周期性外力 $F\cos\omega t$，这个外力称为策动力。

受迫振动的振幅不变，而频率与策动力的频率相同。其振动方程为

$$x = A\cos(\omega t + \varphi) \tag{2.5}$$

式中 A——受迫振动的振幅；

ω——策动力的圆频率；

φ——受迫振动的初相位。

受迫振动的物体受到策动力作用，系统的机械能不守恒。

受迫振动的振幅与策动力的频率有关。策动力的频率 ω 与物体的固有频率 ω_0 越接近，振动的振幅就越大，二者相等时，振幅达到最大，这种现象称为共振。

实际生活、生产中广泛地应用共振技术，比如提琴、胡琴弦的振动之所以能发出响亮、悦耳、动听的乐曲，是由于共鸣箱和琴弦的振动发生共振。人们能够从众多电台中选择出感兴趣的电台，并清晰地听到、看到该电台的节目，是由于收音机、电视机等内调谐电路的频率与某电台发射的电磁波频率重合发生共振，此时，电路从这个电台吸收能量较大。共振在实际工程技术中也会带来一些不利影响，甚至会造成严重的后果，比如机械加工时共振会影响加工精度，飞机机翼处于共振状态将会有折断的风险。

超声波探头中的压电晶片在发射超声波时，一方面在高频电脉冲激励下产生受迫振动，另一方面在其振动后受到晶片背面阻尼块作用，又是阻尼振动。压电晶片在接收超声波时同样产生受迫振动和阻尼振动。在设计探头中的压电晶片时，若使高频电脉冲的频率等于压电晶片的固有频率，就会产生共振，这时压电晶片的电声能转换效率最高。

2.1.2 机械波

1. 机械波的产生

机械振动在弹性介质中的传播称为机械波，如声波、绳波、水波等。以水波为例，如图 2.6 所示。水可以认为是由许多质点组成的，向平静的水中投一石子，石子落水处首先发生振动，称为波源。水是弹性介质，相邻质点间存在着相互作用力，当波源振动时，就会带动它相邻的质点振动，这些质点的振动又会带动各自相邻的质点发生振动，总是前一个质点带动后一个质点振动，后一个质点跟着前一个质点振动。这样振动就会由近及远地在水中逐渐传播开来，形成水波。

由水波的产生过程可知，产生机械波必须要具备两个条件，即做机械振动的波源和机械波赖以传播的弹性介质，二者缺一不可。

机械振动与机械波是互相关联的，振动是产生机械波的根源，机械波是振动状态的传播。在波的传播过程中，介质中的质点并不随波前进，而是按照与波源相同的振动频率在各自平衡位置上振动，并将能量传递给周围的质点。因此，机械波的传播不是物质的传播，而是振动状态的传播和振动能量的传递。

图 2.6　水波

2. 机械波的描述

描述机械波的主要物理量有周期、频率、波长和波速。

沿波传播方向相邻的、相位差为 2π 的两个振动质点之间的距离，即一个完整波形的长度，叫作波长，用 λ 表示，单位为米(m)。

波前进一个波长的距离所需要的时间称为周期，用 T 表示，单位为秒(s)。

周期的倒数叫作频率，用 f 表示，单位为赫兹(Hz)，频率等于单位时间内波动所传播的完整波的数目。由于波源做一次全振动，波就前进一个波长的距离，所以波动的周期(或频率)等于波源的振动周期(或频率)。

在波动过程中，振动状态在单位时间内所传播的距离叫作波速，用 c 表示，单位为米/秒($\mathrm{m \cdot s^{-1}}$)。

波速与波长、周期及频率的关系为

$$c=\frac{\lambda}{T}=\lambda f \tag{2.6}$$

必须强调指出，波速是波动在弹性介质中的传播速度，其大小由介质的性质决定。而频率和周期仅与波源有关，与介质的性质无关。

2.1.3　波动方程

简谐波是最简单、最基本的一种波动形式，即在均匀、无吸收的弹性介质中，当波源做简谐振动时，在介质中形成的波就是简谐波。如图 2.7 所示，某一简谐波以速度 c 在介质中沿 x 轴正方向传播。取 O 点为原点，假设初始相位为零，则其振动方程为

$$y=A\cos\omega t \tag{2.7}$$

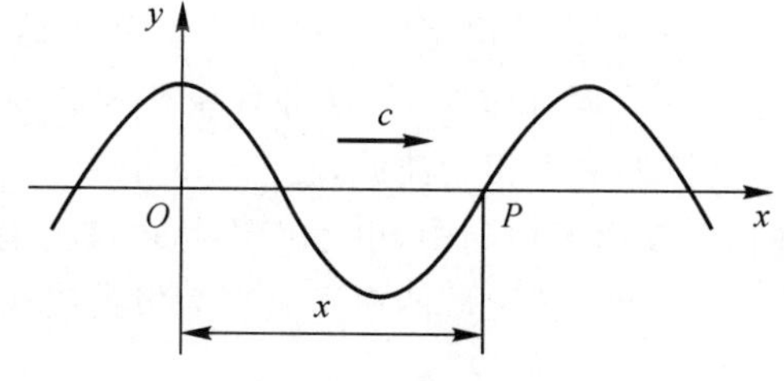

图 2.7　平面简谐波

当振动从 O 点传播到 P 点时，P 点将以相同的振幅和频率开始振动，但波动从 O 点传播到 P 点所需要的时间为 x/c，即 P 点的振动滞后于 O 点 x/c 的时间，故 P 点的振动方程为

$$y = A\cos\omega\left(t - \frac{x}{c}\right) = A\cos(\omega t - kx) \tag{2.8}$$

式中　k——波数，$k = \frac{\omega}{c} = \frac{2\pi}{\lambda}$；

　　x——P 点至 O 点的距离。

式(2.8)即为简谐波的波动方程，它描述了波动过程中波线上任一点在任意时刻的位移情况。

思考题

1.什么是机械振动和机械波？二者有何关系？

2.什么是简谐振动、阻尼振动和受迫振动？三者有何不同？超声检测中的压电晶片在发射或接收超声波时产生何种振动？

3.什么是波动的频率、波速和波长？三者有何关系？

4.在波动的水面上漂浮的树叶只是在远处上下沉浮，并不随波移向远方，这是为什么？

2.2　波的干涉和衍射

2.2.1　波的叠加

几列波同时在介质中传播时，不管它们是否相遇，都各自保持自己原有的特性(频率、波长、振动方向、振幅、传播方向)向前传播，彼此互不影响，称为波的独立性。几个人同时讲话时，能听到每个人的声音，这是声波传播的独立性的例子。天空中同时有许多无线电波在传播，能接收到某一电台的广播，这是电磁波传播的独立性的例子。

如果几列波在同一介质中传播并在空间某处相遇，则相遇处质点的振动是各列波在该点振动的合成，称为波的叠加原理。之后，各列波将以其原有的频率、波长、振动方向等特性继续传播。显然，波的叠加性是以其独立性为前提的。

2.2.2　波的干涉

如果频率相同、振动方向相同、相位差恒定的两列波在空间相遇，介质中两波相遇各点的合振动表现为有的地方被加强，有的地方被减弱，这种现象称为波的干涉，如图 2.8 所示。产生干涉的几列波称为相干波，其波源称为相干波源，见图 2.8 中的 S_1 和 S_2。

波的干涉前提是波的叠加。在超声检测中，由于产生超声波的有限尺寸的平面声源所发射的超声波在声源附近产生干涉，所以该区域的声压表现为极大值和极小值交替出现。

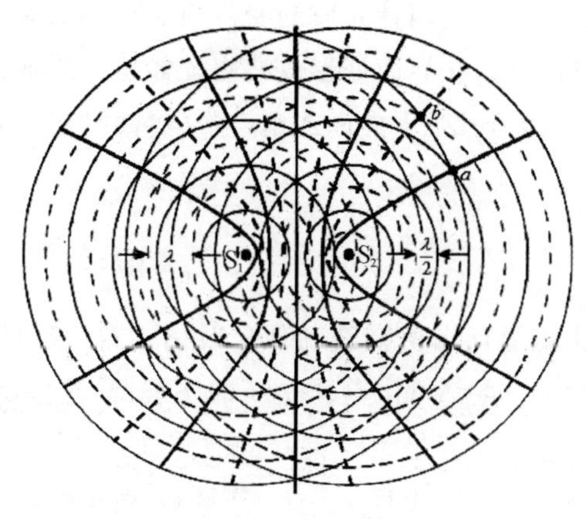

图 2.8　波的干涉图样

2.2.3 驻波

1. 驻波

驻波是波的干涉的特例。两列振幅相同的相干波在同一直线上沿相反方向传播时，互相叠加而形成的波称为驻波。

设入射波和反射波的波动方程分别为

$$\left.\begin{aligned} y_{入} &= A\cos 2\pi(ft - x/\lambda) \\ y_{反} &= A\cos 2\pi(ft + x/\lambda) \end{aligned}\right\} \tag{2.9}$$

两列波叠加后形成驻波，驻波的振动方程为

$$y = y_{入} + y_{反} = 2A\cos(2\pi x/\lambda)\cos(2\pi ft) \tag{2.10}$$

由驻波方程可知：

(1)在给定的坐标 x 处，质点做振幅为 $|2A\cos(2\pi x/\lambda)|$、频率为 f 的简谐振动。

(2)当 $x = n\lambda/2$ 时，$\cos(2\pi x/\lambda) = 1$，振幅最大为 $2A$，称为波腹；当 $x = (2n+1)\lambda/4$ 时，$\cos(2\pi x/\lambda) = 0$，振幅最小为 0，称为波节；波线上其余各点的振幅介于 $0 \sim 2A$ 之间。

驻波波节处的质点始终静止不动，看上去波动似乎未向前行进，只是在做分段振动，因此称为驻波。

(3)驻波波线上波节和波腹的位置总是固定不变的，相邻两波节或波腹的间距为 $\Delta x = \lambda/2$，相邻波节与波腹的间距为 $\Delta x = \lambda/4$。

2. 共振

从驻波理论可知，当超声波(连续波)垂直入射到两表面平行的工件底面时，发生全反射。若工件的厚度等于半波长的整数倍时，反射波与入射波互相叠加形成驻波，称该物体发生了共振。

当连续波在两表面相互平行的工件界面上发生全反射时会形成驻波，脉冲波在薄板中的反射也会形成驻波。

在超声波探头设计中，为了在晶片中形成驻波，须将晶片厚度设计成半波长的整数倍(一般为 $\lambda/2$)。此波长对应的频率是晶片的固有频率，该频率下晶片发生共振，振动的幅度最大。

在界面处产生波节还是波腹，与两种介质的密度有关。当波从波疏介质垂直入射到波密介质时，在界面处形成波节；反之，在界面处形成波腹。如超声波垂直入射到水/钢界面时在界面处形成波节；超声波垂直入射到钢/水界面或钢/空气界面时在界面处形成波腹。

2.2.4 波的衍射

1. 惠更斯原理

1690 年，荷兰物理学家惠更斯在研究波动现象时引入"次波"的概念，提出了著名的惠更斯原理：行进中的波阵面上任一点都可以看作是新的次波源，这些次波源各自发射球面子波，其后任意时刻，这些子波的包络面就是该时刻新的波阵面。如图 2.9 所示，SS′是某时刻的波阵面，SS′上的各点发出球面子波，以半径 $r=vt_1$ 作圆（r 表示波动在 t_1 时间内传播的距离），这些子波的包络面 S_1S_1' 就表示 t_1 时间后的波振面。

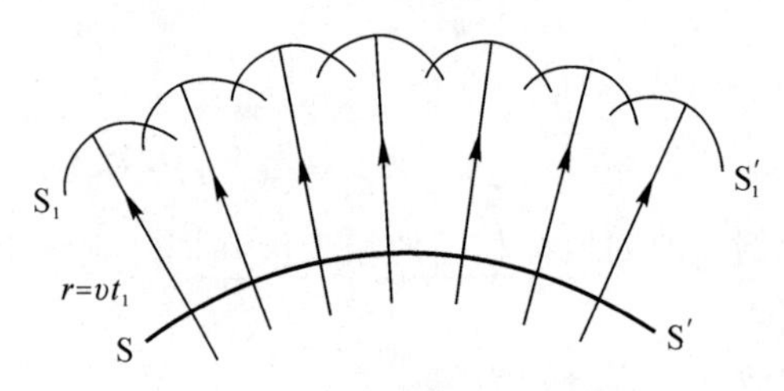

图 2.9 惠更斯原理示意图

2. 波的衍射

声波绕过障碍物的边缘并进入其几何阴影（称为声影）后继续向前传播的现象，称为波的衍射，如图 2.10 所示。

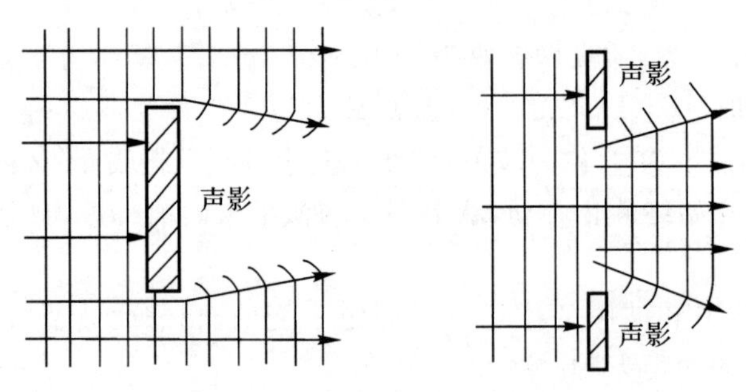

图 2.10 障碍物声衍射示意图

声波在均匀的各向同性介质中沿直线传播。在传播过程中，遇到障碍物后可能会发生反射或衍射现象。而到底发生哪种现象，与障碍物的尺寸有关。在图 2.10 中，设入射波的波长为 λ，障碍物或孔的尺寸为 D_f。在超声检测中，当 $D_f \ll \lambda$ 时，波的绕射强，反射小，这时缺陷回波很低，容易漏检。超声检测灵敏度约为 $\lambda/2$，这是其中很重要的一个原因。当 $D_f \gg \lambda$ 时，反射强，绕射弱，声波几乎全反射。

如图 2.11 所示，平面波在介质中传播时，遇到缺陷 AB，根据惠更斯原理，缺陷边缘 A，B 可以看作新的次波源，声波向各个方向衍射，从而使衍射时差法超声检测成为可能。

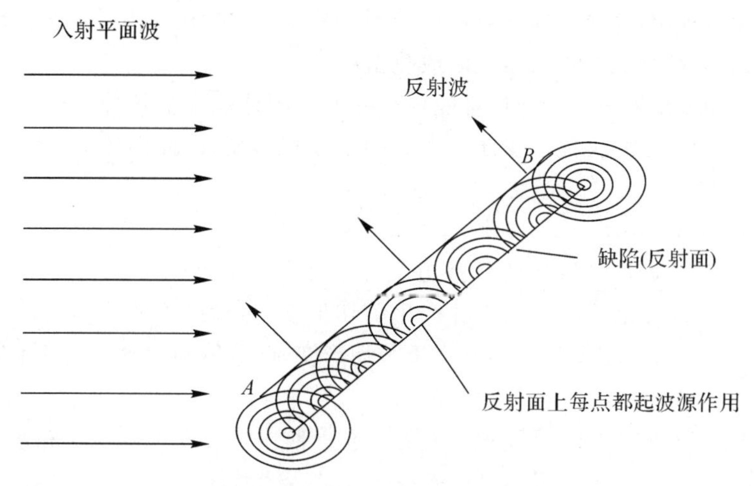

图 2.11　缺陷处超声波的衍射现象

思考题

1.什么是波的叠加原理？什么是波的干涉现象？两列波发生干涉的条件是什么？
2.什么是驻波？试说明驻波在超声检测中的应用。
3.什么叫惠更斯原理？它的作用是什么？
4.什么是波的衍射？衍射现象与哪些因素有关？

2.3　超声波的分类

2.3.1　按波型分类

根据介质中质点的振动方向与波的传播方向的关系，可以将超声波分为纵波、横波、表面波和板波等不同波型。

1. 纵波(Longitudinal Wave，L 波)

介质中质点的振动方向与波的传播方向平行的波，称为纵波，如图 2.12 所示。

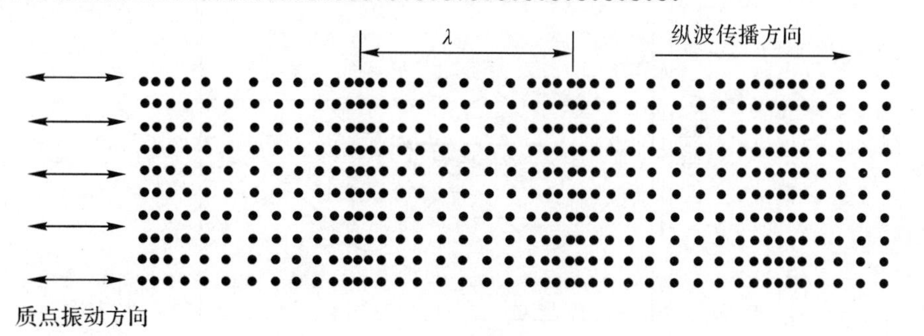

图 2.12　纵波

在纵波传播过程中，介质中的质点由于受到交替变化的拉压应力并产生伸缩形变，因此呈现疏密相间的状态，故纵波亦称为压缩波或疏密波。

凡能承受拉伸或压缩应力的介质都能传播纵波。固体能承受拉伸或压缩应力，液体和气体虽然不能承受拉伸应力，但能承受压应力而产生体积形变，因此固体、液体和气体均可以传播纵波。

2. 横波(Shear Wave，S 波)

介质中质点的振动方向与波的传播方向垂直的波，称为横波。在横波传播过程中，介质中的质点受到交替变化的剪切应力并产生剪切形变，故横波亦称为剪切波或切变波。

只有固体介质才能承受剪切应力并产生剪切形变，而液体和气体介质则不能，因此横波只能在固体介质中传播。

根据质点的振动方向不同，可将横波分为垂直偏振的横波(SV 波)和水平偏振的横波(SH 波)。

SV 波。各质点振动方向垂直于固体表面且垂直于波的传播方向，如图 2.13 所示。垂直偏振的 SV 横波是工业超声检测中最常用的横波。

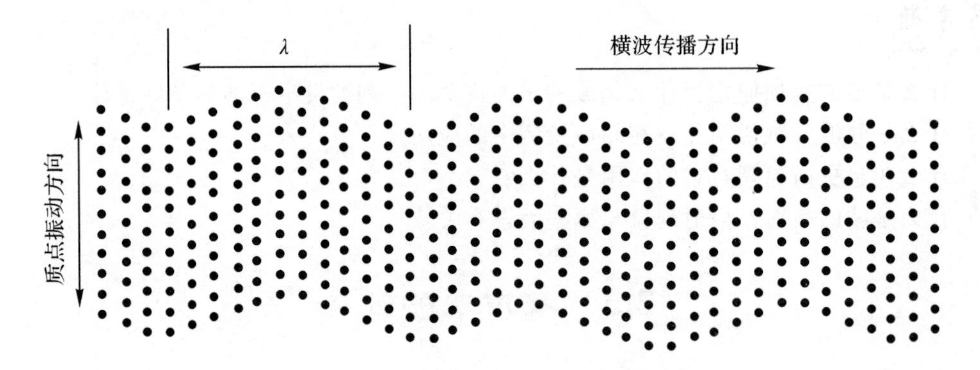

图 2.13　SV 波

SH 波。各质点的振动方向平行于固体表面且垂直于波的传播方向，如图 2.14 所示。SH 波也称为乐甫波(Love Wave)，是地震波的一种振动模式。水平偏振的 SH 横波也是一种沿固体表面传播的表面波，但目前在工业检测中未获得实际应用。

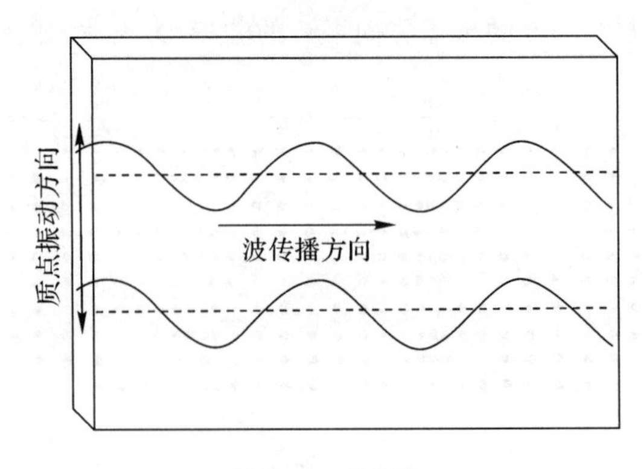

图 2.14　SH 波

3. 表面波(Surface Wave,SW 波)

当厚度大于波长的固体介质表面受到交替变化的表面张力作用时,产生沿介质表面传播的波,称为表面波。表面波是英国物理学家瑞利于 1887 年首先提出来的,因此也称为瑞利波(Rayleigh Wave,R 波)。

表面波使介质表面质点产生纵向和横向的复合振动,其振动轨迹是绕其平衡位置的椭圆,如图 2.15 所示,椭圆的长轴垂直于波的传播方向,短轴平行于波的传播方向。

表面波只能在固体介质中传播,其能量随传播深度的增加而迅速减弱。当传播深度超过 2λ 时,质点的振幅就已经很小了(在表面下 1λ 处,振幅减小到约为原振幅的 1/5;在表面下 2λ 处,振幅减小到约为原振幅的 1/100)。因此,在实际检测中,表面波检测只能发现固体介质表面下 2λ 深度范围内的缺陷。

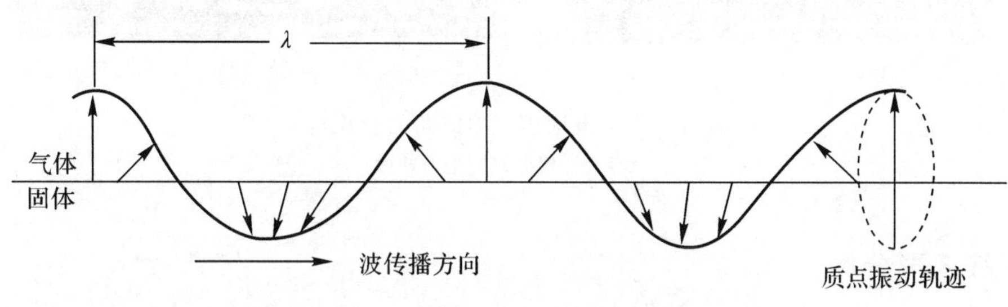

图 2.15　表面波

4. 板波(Plate Wave,P 波)

在厚度与波长相当的薄板中传播的波,称为板波。1916 年英国力学家兰姆最先提出兰姆波并用来描述板波的传播特性,故又称板波为兰姆波(Lamb Wave)。

兰姆波在薄板中传播时,板的上下两表面质点振动状态介于纵波和横波之间,质点的振动轨迹为一椭圆。根据振动模式的不同,兰姆波可分为对称型和非对称型。

对称型(S 型)兰姆波的特点是薄板中部质点做纵向振动,上下表面质点做椭圆运动,振动的相位相反并对称于中心,如图 2.16(a)所示。

非对称型(A 型)兰姆波的特点是薄板中部质点做横向振动,上下表面质点做椭圆运动,振动的相位相同,不对称,如图 2.16(b)所示。

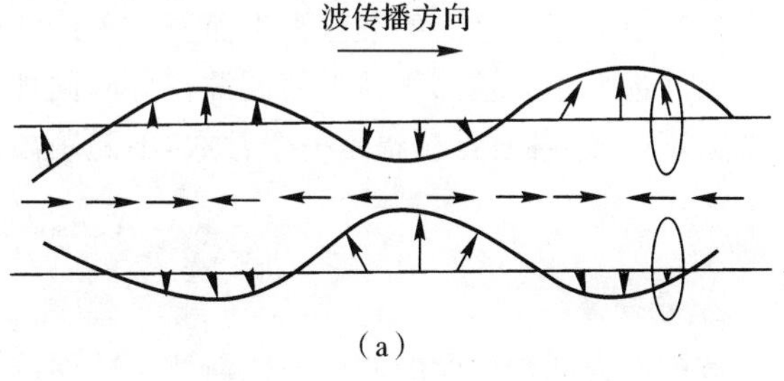

(a)

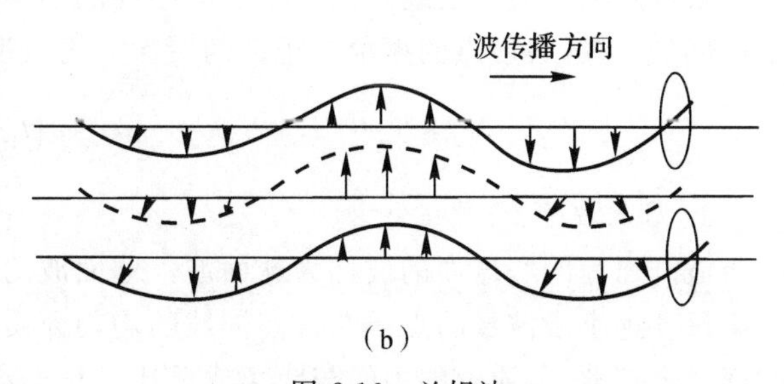

(b)

图 2.16　兰姆波

(a)对称型(S 型);(b)非对称型(A 型)

导入案例

地震波同时含有纵波和横波的成分。图 2.17 所示为地震导致的两段被扭曲的路面及铁轨,其中图 2.17(a)是 1995 年 1 月 17 日日本神户市发生 7.2 级直下型地震导致路面及铁轨的严重变形，图 2.17(b)是 1976 年 7 月 28 日河北唐山发生 7.8 级地震导致路面及铁轨的严重弯曲变形。

(a)

(b)

图 2.17　被地震扭曲的路面及铁轨

(a)上下弯曲；(b)左右扭曲

2.3.2　按波形分类

波形是指波阵面的形状。同一时刻，介质中振动相位相同的所有质点所构成的面，称为波阵面。某一时刻，波动所到达的空间各点所连成的面，称为波前。波的传播方向称为波线。

由以上定义可知，波前是最前面的波阵面，是波阵面的特例。任意时刻，波前只有一个，而波阵面却有很多。在各向同性介质中，波线垂直于波阵面。

根据波阵面的形状不同，可以把不同波源发出的波分成平面波、柱面波和球面波。

1. 平面波

波阵面为平行平面的波称为平面波。平面波的波源为一平面，如图 2.18(a)所示。

尺寸远大于波长的刚性平面波源在各向同性的均匀介质中辐射的波可视为平面波。平面波波束不扩散，各质点振幅是一个常数，不随距离而变化。平面波的波动方程为

$$y = A\cos\omega\left(t - \frac{x}{c}\right) \tag{2.11}$$

2. 柱面波

波阵面为同轴柱面的波称为柱面波。柱面波的波源为一条线，如图 2.18(b)所示。

长度远大于波长的线状波源在各向同性的均匀介质中辐射的波可视为柱面波。柱面波波束向四周扩散，各质点的振幅与距离的二次方根成反比。柱面波的波动方程为

$$y = \frac{A}{\sqrt{x}}\cos\omega\left(t - \frac{x}{c}\right) \tag{2.12}$$

3. 球面波

波阵面为同心球面的波称为球面波。球面波的波源为一点，如图 2.18(c)所示。

尺寸远小于波长的点源在各向同性的均匀介质中辐射的波可视为球面波。球面波波束向四面八方扩散，各质点的振幅与距离成反比。球面波的波动方程为

$$y = \frac{A}{x}\cos\omega\left(t - \frac{x}{c}\right) \tag{2.13}$$

4. 活塞波

当平面声源沿其法线方向做简谐振动，且其表面上各质点具有相同的相位和振幅，这样的声源称为活塞声源，其在各向同性介质中辐射的声波称为活塞波，如图 2.18(d)所示。实际应用中的超声波探头可近似认为是活塞声源，其振动近似活塞振动。当距离波源足够远时，活塞波类似于球面波。

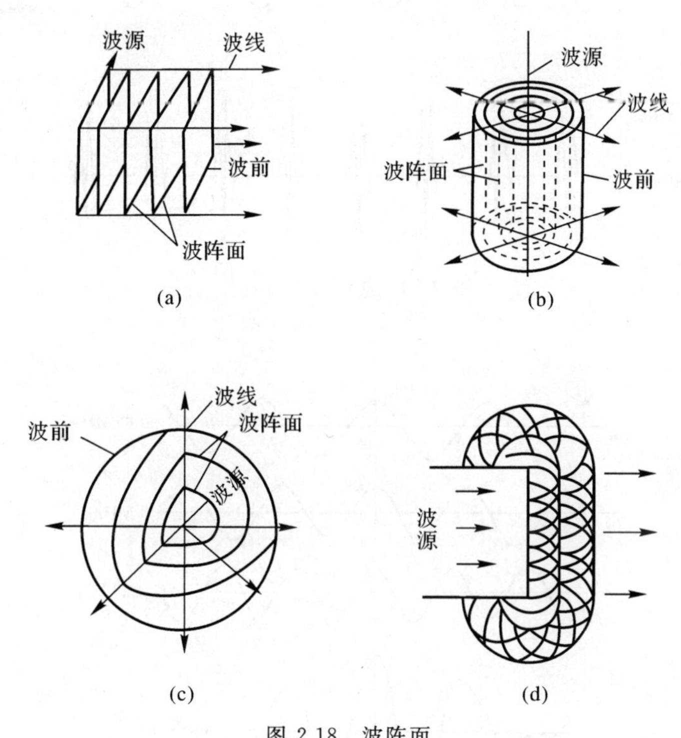

图 2.18　波阵面

(a)平面波；(b)柱面波；(c)球面波；(d)活塞波

2.3.3　连续波与脉冲波

根据波源振动持续的时间长短，将波动分为连续波和脉冲波。

1. 连续波

波源持续不断地振动所辐射的波称为连续波，如图 2.19(a)所示。超声波穿透法检测常采用连续波，此时检测仪发射频率不变的连续波。在共振法厚度测量中用的也是连续波，此时检测仪器发射频率可调的连续波。

2. 脉冲波

当波源振动时间很短(一般为微秒数量级)时，其间歇性地辐射的波称为脉冲波，如图 2.19(b)所示。目前超声检测中最常用的波是脉冲波。

一个脉冲波是由多个不同频率的谐振波叠加而成的，图 2.20 所示为 1 MHz 脉冲波可由三个具有不同频率的正弦连续波合成。

一个声脉冲的频谱特征可用专门的频谱仪分析得到。图 2.21 所示是频谱分析结果示意图，其中几个较为重要的参数是峰值频率 f_p、频带宽度(f_u-f_1)和中心频率 f_c。

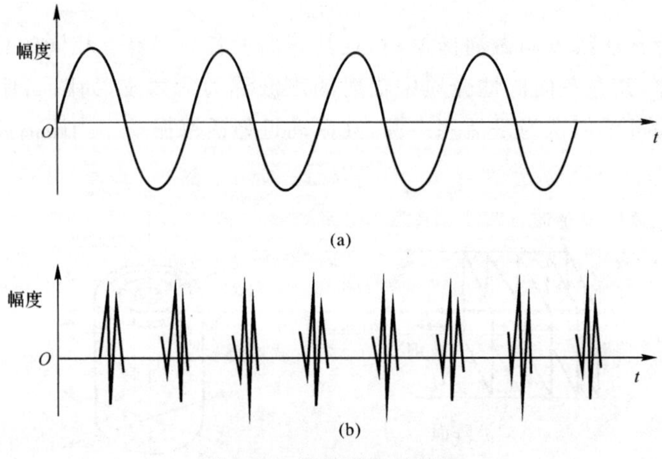

图 2.19　连续波与脉冲波

(a)连续波;(b)脉冲波

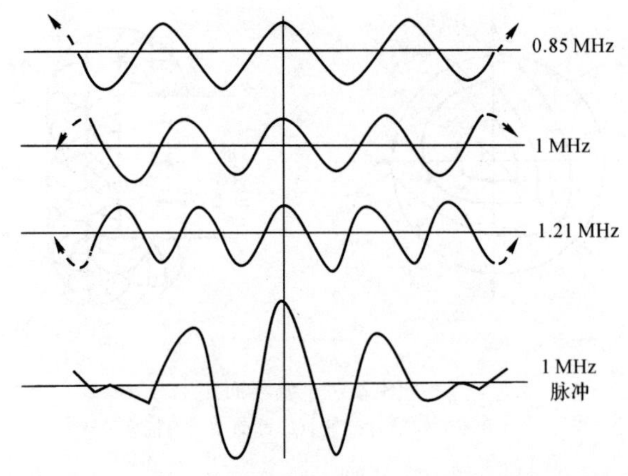

图 2.20　由 0.85 MHz,1 MHz,1.21 MHz 的正弦波合成的 1 MHz 脉冲波

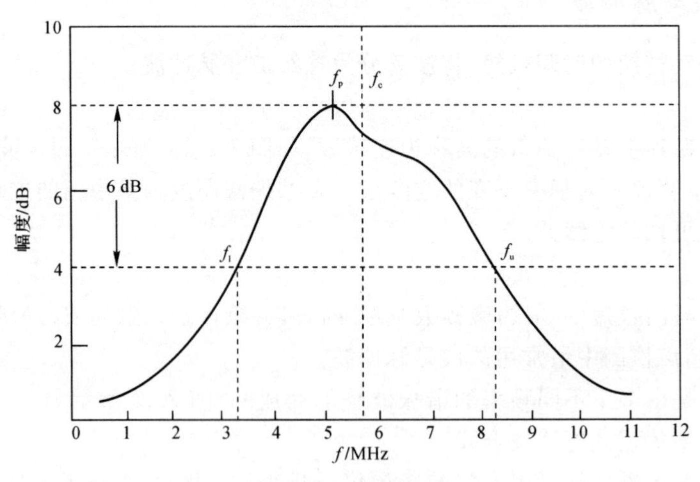

图 2.21　频谱图

幅度峰值所对应的频率值称为峰值频率，用符号 f_p 表示。两侧幅度下降为峰值一半时的两点频率值 f_l 和 f_u 之间的频率范围称为频带宽度，简称带宽或－6 dB 带宽。脉冲越短，频带越宽。f_l 和 f_u 的算术平均值称为中心频率，用符号 f_c 表示。

思考题

1.什么是纵波、横波、表面波和板波？

2.在固体和液体介质中分别可以传播哪种类型的波？为什么？

3.实际应用的超声波探头发出的超声波属于什么类型的波？

2.4　超声场的特征值

超声波所波及的范围称为超声场。描述超声场的特征参量有声压、声强和声阻抗。

2.4.1　声压

超声场中某一点在某一瞬时所具有的压强 P_1 与没有超声场存在时该点的静态压强 P_0 之差，叫作该点的瞬时声压，常用 P 表示，即

$$P = P_1 - P_0 \tag{2.14}$$

声压的单位是帕斯卡(Pa)、微帕斯卡(μPa)。

设一平面波的超声场中面积元 $\mathrm{d}S$ 上的声压为 P，如图 2.22 所示。面积元所受压力 $F = P\mathrm{d}S$。以 $\mathrm{d}x$ 表示超声波在 $\mathrm{d}t$ 时间内传播的距离，质点振动速度为 u，体积元质量为 $m = \rho \mathrm{d}S\mathrm{d}x$。

根据动量守恒定律有

$$F\Delta t = \Delta(mu)$$

设初速度为零，并对上式取微分形式：

$$P\mathrm{d}S\mathrm{d}t = \rho u\mathrm{d}S\mathrm{d}x$$

即

$$P = \rho u\mathrm{d}x/\mathrm{d}t = \rho cu$$

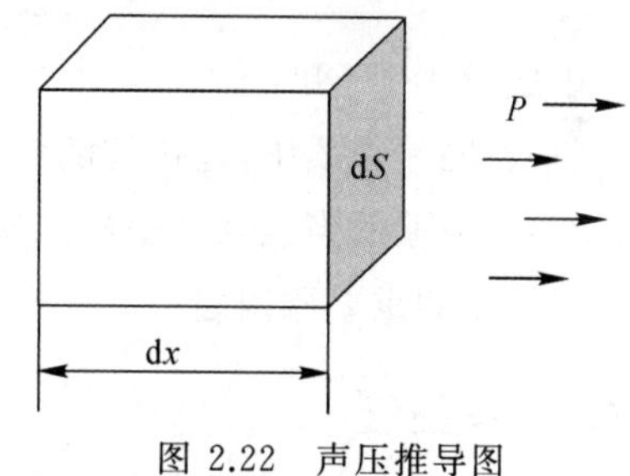

图 2.22　声压推导图

由波动方程式(2.11)可得，质点的振动速度为

$$u = \frac{\partial y}{\partial t} = -A\omega\sin\omega\left(t - \frac{x}{c}\right) \tag{2.15}$$

由此可得声压为

$$P = \rho cu = -\rho cA\omega\sin\omega\left(t - \frac{x}{c}\right)$$

声压幅值

$$P = \rho c\omega A = \rho cu \tag{2.16}$$

式中　ρ——介质密度；

c——声波在介质中的传播速度，$c = \mathrm{d}x/\mathrm{d}t$；

u——质点的振动速度，其幅值为 $u = \omega A = 2\pi fA$。

由式(2.16)可以看出，声压幅值正比于质点振动的振幅。

超声检测仪器显示的信号幅值的本质就是声压，示波屏上的波高与声压成正比。在超声检测中，就缺陷而言，声压幅值反映缺陷的大小。

2.4.2 声阻抗

超声波在介质中传播时，超声场中任一点的声压 P 与该处质点的振动速度 u 之比叫作该点的声阻抗，常用 Z 表示，即

$$Z=\frac{P}{u}=\frac{\rho cu}{u}=\rho c \tag{2.17}$$

由式(2.17)可知，在同一声压下，ρc 越大，质点的振动速度越小；反之，ρc 越小，质点的振动速度越大。因此把 ρc 称为介质的声特性阻抗，简称声阻抗。

声阻抗是表征介质声学特性的重要物理量，表示声场中介质对质点振动的阻碍作用。

材料的声阻抗与温度有关。因为大多数材料的密度 ρ 和声速 c 随温度升高而减小，所以一般材料的声阻抗随温度升高而降低。

2.4.3 声强

在垂直于超声波传播方向上单位面积、单位时间内通过的声能量称为声强度，简称声强，常用 I 表示，单位为 $\mathrm{W/cm^2}$。

声学中，声强 I 与声压 P 之间的关系为

$$I=\frac{P^2}{2Z}=\frac{(\rho cu)^2}{2\rho c}=\frac{1}{2}\rho cu^2=\frac{1}{2}\rho cA^2\omega^2 \tag{2.18}$$

由式(2.18)可知：

(1)在同一介质中，超声波的声强与声压的二次方成正比。

(2)超声波的声强与频率的二次方成正比。因此超声波的能量是非常高的，这是超声波用于无损检测的重要原因之一。

2.4.4 声强级

在实际生产和科学实验中，声振动的能量范围极其广泛。比如人们通常讲话的声功率只有 10^{-5} W，而强力火箭的噪声功率可高达 10^9 W，两者相差 14 个数量级，声压也相差 7 个数量级。范围如此广泛，采用绝对值来度量是不方便的，若使用对数标度就比较方便了。另一方面，从声音的接收角度考虑，人的耳朵在接收到声振动以后，主观上产生的响度感觉并不是正比于声强的绝对值，而是更接近于与声强的对数成正比。

基于以上两个方面的原因，在声学中普遍用对数标度声压和声强，分别称为声压级和声强级，单位用分贝(dB)表示。

1. *声强级与分贝*

在声学中，引起人耳听觉的声波不仅在频率上有一定的范围，而且在强度上也有一定的范围。强度的范围因频率而异，在 1 000 Hz 时，一般的人听觉最高声强为 $10^{-4}\ \mathrm{W/cm^2}$，高于此范围将引起痛觉；最低声强为 $10^{-16}\ \mathrm{W/cm^2}$，低于此范围就感受不到。

通常将引起听觉的最低声强 10^{-16} W/cm^2 作为声强的标准，在声学上称为“声阈”，用 I_0 表示。某一声强 I 与 I_0 之比的对数称为声强级，用 L_I 表示，即

$$L_I = \lg(I/I_0)\ (\text{B}) \tag{2.19}$$

式(2.19)定义的声强级的单位为贝尔 (B)。在实际应用中认为贝尔这个单位太大，因而引入了比它小 10 倍的分贝(dB)作为声强级的单位，此时声强级定义为

$$L_I = 10\lg(I/I_0)\ (\text{dB}) \tag{2.20}$$

通常说某处的噪声为多少分贝，就是以 I_0 为参考标准利用式(2.20)计算得到的。如人谈话时的声强约为 10^{-11} W/cm^2，声强级为 50 dB。

因为声强与声压的二次方成正比，所以声压级定义为

$$L_P = 20\lg(P/P_0)\ (\text{dB}) \tag{2.21}$$

在超声检测中，检测仪显示的信号幅值的本质就是声压，示波屏上出现的波高信号与电压信号有关，电压信号又与探头所接收的声压大小有直接关系。当仪器垂直线性良好时，波高与声压成正比。因此同一点的任意两个波高比等于相应的声压比，两者的分贝差为

$$\Delta = 20\lg(P_2/P_1) = 20\lg(H_2/H_1)\ (\text{dB}) \tag{2.22-1}$$

这里声压基准 P_1 或波高基准 H_1 可以任意选取。

如果对 P_2/P_1 取自然对数，则计算结果的单位为奈培(NP)，即

$$\Delta = 20\ln(P_2/P_1) = 20\ln(H_2/H_1)\ (\text{NP}) \tag{2.22-2}$$

由上述内容可得：1NP＝20lge＝8.68 dB，1 dB＝0.115 NP。

2. 分贝的应用

分贝是两个量纲相同的量之比取以 10 为底的对数后的单位。分贝在声学和电学中得到广泛的应用，特别是在超声检测中应用更为广泛。例如示波屏上两波高进行比较时，就常采用分贝表示。

【例 2.1】 已知超声检测仪示波屏上有 A，B 两个波，其中 A 波高为 80 mm，B 波高为 20 mm，则 A 波比 B 波高多少分贝？

解 根据式(2.22－1)得

$$\Delta_{AB} = 20\lg(H_A/H_B) = 20\lg(80/20) = 12\ \text{dB}$$

答：A 波比 B 波高 12 dB。

【例 2.2】 已知超声检测仪示波屏上有 A，B，C 三个波，其中 A 波比 B 波高 3 dB，C 波比 B 波低 3 dB，已知 B 波高 50 mm，求 A，C 波高分别是多少？

解 根据式(2.22－1)得

$$\Delta_{AB} = 20\lg(H_A/H_B) = 3,\quad 所以\ H_A = 10^{0.15} \times H_B = 1.4 \times 50 = 70\ \text{mm}$$

$$\Delta_{CB} = 20\lg(H_C/H_B) = -3,\quad 所以\ H_C = 10^{-0.15} \times H_B = 0.7 \times 50 = 35\ \text{mm}$$

答：A，C 波高分别是 70 mm 和 35 mm。

用分贝值表示回波幅度的相互关系，不仅可以简化运算，在确定基准波高以后，还可直接用仪器衰减器的读数表示缺陷波相对高度。因此，分贝概念的引用对超声检测有很重要的实用价值。此外，在超声波的定量计算和衰减系数的测定中也常用到分贝。

思考题

1.什么是超声场？描述超声场的特征参量有哪些？

2.什么是分贝和奈培？二者有何关系？平常说某人讲话的声音为 50 dB,是相对于什么而言的？

2.5 超声波的传播速度

超声波在介质中的传播速度称为声速。它是表征介质声学特性的重要参数。

2.5.1 固体介质中的声速

1. 无限大固体介质中的声速

无限大固体介质是相对于波长而言的，当介质的尺寸远大于波长时即可视为无限大介质。

纵波声速为

$$c_{\mathrm{L}}=\sqrt{\frac{E}{\rho}}\sqrt{\frac{(1-\sigma)}{(1+\sigma)(1-2\sigma)}} \tag{2.23}$$

式中 E——杨氏模量；

σ——介质的泊松比，其值在 0.2～0.5 之间；

ρ——介质的密度。

横波声速为

$$c_{\mathrm{S}}=\sqrt{\frac{G}{\rho}}=\sqrt{\frac{E}{2\rho(1+\sigma)}} \tag{2.24}$$

式中 G——剪切模量。

表面波声速为

$$c_{\mathrm{R}}=\frac{0.87+1.12\sigma}{1+\sigma}\sqrt{\frac{G}{\rho}}=\frac{0.87+1.12\sigma}{1+\sigma}c_{\mathrm{S}} \tag{2.25}$$

由式(2.23)～式(2.25)可知：

(1)声速与介质的性质(密度和弹性模量等)有关，介质不同，声速不同。介质的弹性模量越大，密度越小，声速越大。

(2)声速与波型有关。在同一种固体介质中，波型不同，声速也不同。

比较式(2.23)～式(2.25)，可得

$$\frac{c_{\mathrm{L}}}{c_{\mathrm{S}}}=\sqrt{\frac{2(1-\sigma)}{1-2\sigma}}>1,\qquad \frac{c_{\mathrm{R}}}{c_{\mathrm{S}}}=\frac{0.87+1.12\sigma}{1+\sigma}<1$$

对于一般的固体介质，其泊松比 σ 大约为 0.33，故 $c_{\mathrm{L}}/c_{\mathrm{S}}\approx2.0$，$c_{\mathrm{R}}/c_{\mathrm{S}}\approx0.9$。对于钢，$\sigma=0.28$，故 $c_{\mathrm{L}}/c_{\mathrm{S}}\approx1.8$，$c_{\mathrm{R}}/c_{\mathrm{S}}\approx0.9$。

这表明，在同一固体介质中，纵波声速大于横波声速，横波声速大于表面波声速，即 $c_{\mathrm{L}}>c_{\mathrm{S}}>c_{\mathrm{R}}$。通常可以认为横波声速为纵波声速的一半，表面波声速为横波声速的 0.9 倍，故又称表面波为慢波。

2. 细长棒中的纵波声速

在细长棒中(棒的直径 $d \ll \lambda$)轴向传播的纵波声速为

$$c_{\mathrm{Lb}}=\sqrt{\frac{E}{\rho}} \tag{2.26}$$

常用固体材料中的密度、声速与声阻抗见表2.1。

表2.1　常用固体材料的密度、声速与声阻抗

种　类	$\rho/(\mathrm{g\cdot cm^{-3}})$	σ	$c_{\mathrm{Lb}}/(\mathrm{m\cdot s^{-1}})$	$c_{\mathrm{L}}/(\mathrm{m\cdot s^{-1}})$	$c_{\mathrm{S}}/(\mathrm{m\cdot s^{-1}})$	$\rho c_{\mathrm{L}}/(10^6\mathrm{g\cdot cm^{-2}\cdot s^{-1}})$
铝(Al)	2.7	0.34	5 040	6 260	3 080	1.69
铁(Fe)	7.7	0.28	5 180	5 850～5 900	3 230	4.50
铸铁	6.9～7.3			3 500～5 600	2 200～3 200	2.5～4.2
钢	7.8	0.28		5 880～5 950	3 230	4.53
铜(Cu)	8.9	0.35	3 710	4 700	2 260	4.18
铅	11.1	0.42	1200	2 170	700	2.46
不锈钢	7.67			7 390	2 900	5.67
有机玻璃	1.18	0.324		2 730	1 460	0.32
聚苯乙烯	1.05	0.341		2 340～2 350	1 150	0.25
聚乙烯	0.92			1 900		0.171
环氧树脂	1.1～1.25			2 400～2 900	1 100	0.27～0.36
尼龙	1.1～1.2			1 800～2 200		0.198～0.264

设一柱体,其纵向尺寸为 l,横向尺寸为 d,横截面积为 S。当柱体两端面受到外力 F 作用时,在柱体的弹性形变范围内,柱体的纵向伸长量为 Δl,横向缩短量为 Δd,如图2.23(a)所示。

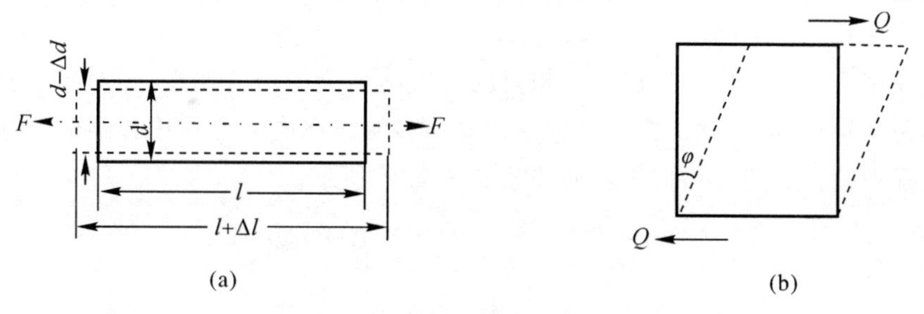

图2.23　σ,E 和 G 的物理意义解释

泊松比 σ 是介质横向相对缩短与纵向相对伸长之比,即

$$\sigma=\frac{\Delta d/d}{\Delta l/l} \tag{2.27}$$

设一柱体,两端面上受到切向力 Q 的作用,在其弹性形变范围内,产生的切向应变为 φ,如图2.23(b)所示。若柱体端面积为 S,则切向应力为 Q/S。

杨氏模量是介质产生单位相对伸长所需要的应力,即

$$E=\frac{F/S}{\Delta l/l} \tag{2.28}$$

剪切模量是介质产生单位弹性切向应变所需要的切向应力，即

$$G=\frac{Q/S}{\varphi} \tag{2.29}$$

3. 声速与温度、应力、均匀性的关系

一般固体中的声速随介质温度的升高而降低。纯铁中声速与温度的关系见表2.2。

表 2.2　纯铁中的声速与温度的关系

T/℃	26	100	200	300
$c_S/(\mathrm{m\cdot s^{-1}})$	3 229	3 185	3 154	3 077

固体介质所受到的应力作用对声速有一定的影响。当应力方向与声波传播方向一致时，若应力为压应力，则应力增大，声速加快；反之，若应力为拉应力，则应力增大，声速减慢。

固体材料组织均匀性对声速的影响在铸铁中表现较为突出。铸铁表面冷却快，晶粒细，声速大；中心冷却慢，晶粒粗，声速小。

4. 兰姆波声速

兰姆波可分为对称型和非对称型两类，如图2.24所示。由于兰姆波传播时受到板的上下界面的影响，其声速与纵波、横波、表面波不同，它不仅与介质的性质有关，而且与板厚、频率等有关。

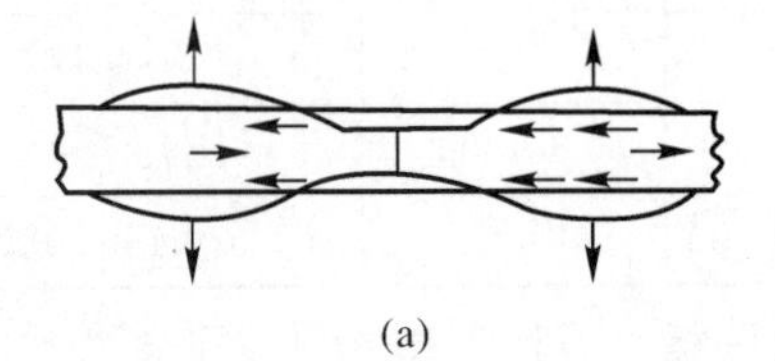

(a)

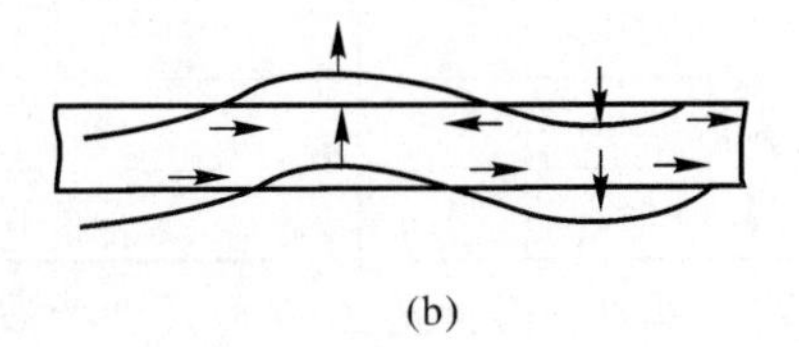

(b)

图 2.24　兰姆波的类型

(a)对称型；(b)非对称型

兰姆波速度分为相速度和群速度。相速度是振动相位传播的速度，是对单一频率连续谐振波定义的传播速度；群速度是指多个频率相差不多的波在同一介质中传播时互相合成后的包络线的传播速度。相速度与群速度的关系如图2.25所示。

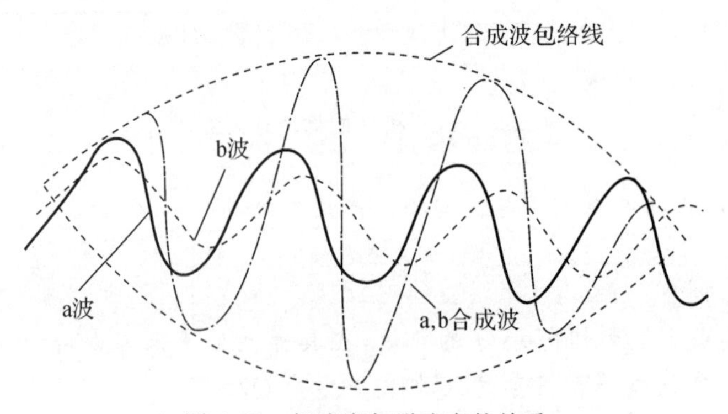

图 2.25　相速度与群速度的关系

兰姆波声速与频率、板厚符合下述频率方程：

对称型(S)：

$$\frac{\tan\pi fd\left(\dfrac{\left|c_S^2-c_P^2\right|}{c_S^2\times c_P^2}\right)^{\frac{1}{2}}}{\tan\pi fd\left(\dfrac{\left|c_L^2-c_P^2\right|}{c_L^2\times c_P^2}\right)^{\frac{1}{2}}}=\frac{4\left[\left(1-\dfrac{c_P^2}{c_L^2}\right)\left(1-\dfrac{c_P^2}{c_S^2}\right)\right]^{\frac{1}{2}}}{\left(2-\dfrac{c_P^2}{c_S^2}\right)^2} \tag{2.30}$$

非对称型(A)：

$$\frac{\tan\pi fd\left(\dfrac{\left|c_S^2-c_P^2\right|}{c_S^2\times c_P^2}\right)^{\frac{1}{2}}}{\tan\pi fd\left(\dfrac{\left|c_L^2-c_P^2\right|}{c_L^2\times c_P^2}\right)^{\frac{1}{2}}}=\frac{\left(2-\dfrac{c_P^2}{c_S^2}\right)^2}{4\left[\left(1-\dfrac{c_P^2}{c_L^2}\right)\left(1-\dfrac{c_P^2}{c_S^2}\right)\right]^{\frac{1}{2}}} \tag{2.31}$$

式中　f——声波频率；

d——板厚；

c_S——横波声速；

c_L——纵波声速；

c_P——兰姆波相速度。

由式(2.30)和式(2.31)可知，兰姆波相速度 c_P 与频率和板厚的乘积 fd，c_L，c_S 有关。对于确定的介质，c_L 和 c_S 为定值，c_P 仅是乘积 fd 的函数，即 $c_P=c_P(f,d)$。这说明兰姆波相速度不仅与介质的性质有关，而且与频率和板厚有关。

在实际应用中，若是频率单一的连续波，兰姆波声速就是相速度；若是脉冲波，兰姆波声速就是群速度。由于群速度求解非常困难和繁杂，因此，为了方便起见，把脉冲波中振幅最大的频率及其附近频率的群速度作为脉冲波的群速度，用符号 c_g 表示。群速度与相速度一样与 fd，c_L，c_S 有关。

兰姆波的相速度 c_P 和群速度 c_g 可以通过查看相应的速度图来确定。

钢板中的相速度 c_P 与 fd 的关系如图 2.26 所示，群速度 c_S 与 fd 的关系如图 2.27 所示。图中 S_0，S_1，S_2，…表示不同类型的对称型兰姆波，A_0，A_1，A_2，…表示不同类型的非对称型兰姆波。

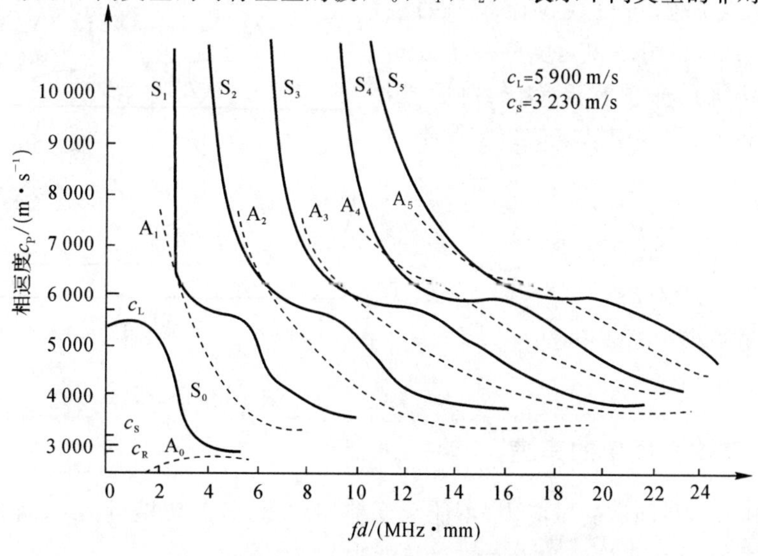

图 2.26　钢板中的相速度与频率、板厚的关系

由图 2.26 可知，当 fd 一定时，不同类型的兰姆波相速度不同。例如，当 $fd=10$ MHz·mm 时，$c_P(S_1)\approx 3\ 600$ m/s，$c_P(S_2)\approx 5\ 300$ m/s，$c_P(A_2)\approx 4\ 100$ m/s。当兰姆波的波型一定时，改变 fd，c_P 随之改变。例如，用兰姆波 S_1 检测 $d=3$ mm 厚的薄板，当 $f=2$ MHz 时，$fd=6$ MHz·mm，$c_P\approx 5\ 000$ m/s；当 $f=3$ MHz 时，$fd=9$ MHz·mm，$c_P\approx 3\ 800$ m/s。

由图 2.27 可知，当 fd 一定时，不同类型的兰姆波群速度不同。例如，当 $fd=6$ MHz·mm 时，$c_g(S_1)\approx 2\ 600$ m/s，$c_g(S_2)\approx 4\ 200$ m/s，$c_g(A_1)\approx 2\ 600$ m/s，$c_g(A_2)\approx 3\ 700$ m/s。当兰姆波的波型一定时，改变 fd，c_g 随之改变。例如，用兰姆波 S_1 检测 $d=2$ mm 厚的薄板，当 $f=2$ MHz 时，$fd=4$ MHz·mm，$c_g\approx 5\ 100$ m/s；当 $f=4$ MHz 时，$fd=8$ MHz·mm，$c_g\approx 2\ 600$ m/s。

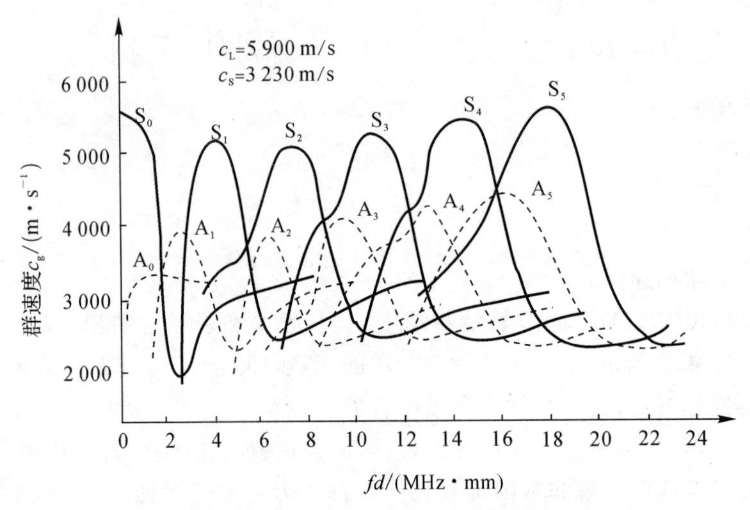

图 2.27 钢板中的群速度与频率、板厚的关系

对于某一给定材料的薄板，当工作频率和板厚确定时，可以通过改变入射角的方法在板中得到不同模式的板波。当外力的节奏与板中的振动合拍，即共振时，可以获得比较强的板波。如图 2.28 所示，兰姆波相速度的一个波长 λ_B 与透声楔中纵波的一个波长 λ_A 相对应时，板的振动就刚好与透声楔中纵波的振动产生共振。此时有

$$\sin\alpha_I=\frac{\lambda_A}{\lambda_B}=\frac{c_L}{c_P} \tag{2.32}$$

式中 α_I—— 纵波入射角；

c_L—— 透声楔中纵波声速；

c_P—— 板中相速度。

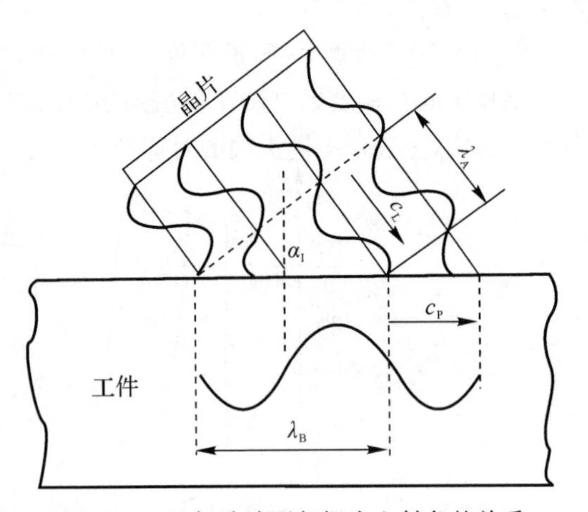

图 2.28 兰姆波波型与探头入射角的关系

2.5.2 液体、气体介质中的声速

由于液体和气体只能承受压应力，不能承受剪切应力，即剪切模量为 0，因此液体和气体中只能传播纵波，不能传播横波和表面波。其纵波声速为

$$c=\sqrt{\frac{B}{\rho}} \tag{2.33}$$

式中　B——介质的体积模量。

几乎除了水以外的所有液体，当温度升高时，体积模量减小，声速降低。唯有水例外，温度在74℃左右时声速达最大值，当温度低于74℃时，声速随温度升高而增加；当温度高于74℃时，声速随温度升高而降低。水中声速与温度的关系为

$$c=1\,557-0.024\,5(74-t)^2 \tag{2.34}$$

式中　t——水的温度(℃)。

不同温度下水中声速见表2.3。常见液体与气体中的声速见表2.4。

表2.3　不同温度下水中声速

温度/℃	10	20	25	30	40	50	60	70	80
声速/($m\cdot s^{-1}$)	1 448	1 483	1 497	1 510	1 530	1 554	1 552	1 555	1 554

表2.4　常用液体、气体的密度、声速与声阻抗

介质种类		$\rho/(g\cdot cm^{-3})$	$c/(m\cdot s^{-1})$	$\rho c/(10^6\ g\cdot cm^{-2}\cdot s^{-1})$
轻油		0.810	1 324	0.107
变压器油		0.859	1 425	0.122
汽油		0.805	1 250	0.101
煤油		0.825	1 295	0.106
酒精		0.790	1 440	0.114
水(20℃)		0.997	1 480	0.148
甘油	100%	1.270	1 880	0.238
	33%(体积)水溶液	1.084	1 670	0.180
	20%(体积)水溶液	1.050	1 600	0.168
	10%(体积)水溶液	1.025	1 560	0.158
水玻璃	100%	1.70	2 350	0.399
	33%(体积)水溶液	1.26	1 720	0.217
	20%(体积)水溶液	1.14	1 600	0.182
	10%(体积)水溶液	1.06	1 560	0.166
空气		0.001 3	344	0.000 04

思考题

1.超声波在介质中的传播速度与哪些因素有关？钢中纵波、横波和表面波的声速关系如何？

2.兰姆波的相速度与群速度有什么不同？它们与哪些因素有关？

3.固体介质和液体介质中的声速与温度分别有什么关系？

2.6 超声波垂直入射到界面的反射和透射

2.6.1 单一平界面的反射率和透射率

当超声波由声阻抗为 $Z_1=\rho_1 c_1$ 的介质垂直入射到声阻抗为 $Z_2=\rho_2 c_2$ 的无限大平面界面时，将在第一介质中产生一个与入射波方向相反的反射波，在第二介质中产生一个与入射波方向相同的透射波，如图 2.29 所示。

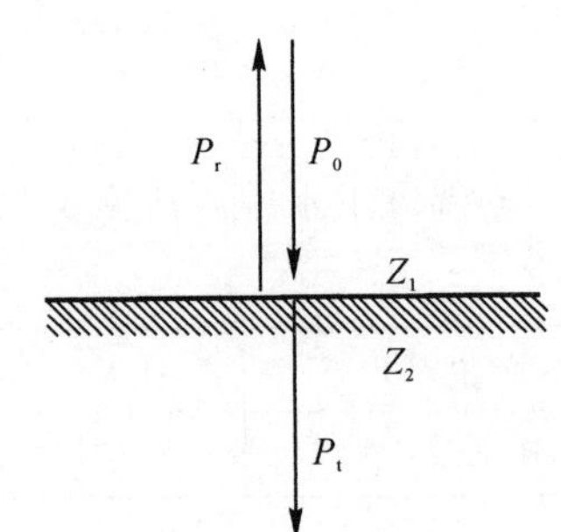

图 2.29 声波垂直入射到平界面时的反射和透射示意图

设入射波的声压为 P_0（声强为 I_0），反射波的声压为 P_r（声强为 I_r），透射波的声压为 P_t（声强为 I_t）。在垂直入射时介质两侧声波必须满足以下两个声学边界条件。

(1)界面两侧的声压连续，否则两侧受力不等，界面发生运动，即

$$P_r+P_0=P_t$$

(2)界面两侧质点速度振幅保持连续，也就是界面两侧质点振动速度振幅相等，即

$$(P_0-P_r)/Z_1=P_t/Z_2$$

界面上反射波声压 P_r 与入射波声压 P_0 之比，称为声压反射率，用 r 表示。界面上透射波声压 P_t 与入射波声压 P_0 之比，称为声压透射率，用 t 表示。结合上述两个边界条件和声压反射率、透射率的定义可得

$$1+r=t, \quad (1-r)/Z_1=t/Z_2$$

由此可得声压反射率和透射率分别为

$$r=\frac{P_r}{P_0}=\frac{Z_2-Z_1}{Z_2+Z_1} \tag{2.35}$$

$$t=\frac{P_t}{P_0}=\frac{2Z_2}{Z_2+Z_1} \tag{2.36}$$

界面上反射波声强 I_r 与入射波声强 I_0 之比，称为声强反射率，用 R 表示；界面上透射波声强 I_t 与入射波声强 I_0 之比，称为声强透射率，用 T 表示。

$$R=\frac{I_r}{I_0}=\left(\frac{Z_2-Z_1}{Z_2+Z_1}\right)^2 \tag{2.37}$$

超声波在界面两侧的能量守恒，因此有 $R+T=1$，由此可得 $T=1-R$，即

$$T=\frac{I_t}{I_0}=\frac{4Z_1Z_2}{(Z_2+Z_1)^2} \tag{2.38}$$

式(2.35)～式(2.38)说明，超声波入射到平界面上时，声压或声强的分配比例仅与界面两侧介质的声阻抗有关。

实际上，声波在不同介质界面上反射和透射的声压值是不相同的，以超声波入射到钢/水界面（见图 2.30(a)）和水/钢界面（见图 2.30(b)）为例进行分析讨论。

(1)当 $Z_1>Z_2$ 时，入射波和反射波的质点振动速度同相位，而入射波和反射波的声压反相位，总声压相互抵消而减小，故透射波声压很小，如图 2.30(a)所示。此时，$r<0, 0<t<1$，好

比非弹性碰撞，质点有过冲趋势，速度方向不变，反射波声压方向改变 180°。

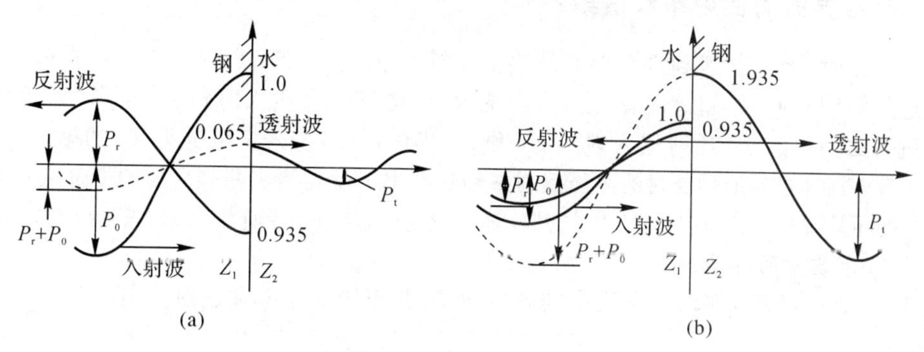

图 2.30　声波垂直入射

如果 $Z_1 \gg Z_2$ 时，比如钢/空气界面，$Z_1 = 4.5 \times 10^6$ g/(cm^2 · s)，$Z_2 = 0.000\ 04 \times 10^6$ g/(cm^2 · s)，此时，$r \approx -1$，$t \approx 0$，$R \approx 1$，$T \approx 0$。这说明当第一介质声阻抗远大于第二声阻抗时，声波几乎全部反射，无透射。因此在超声检测中，探头和工件之间必须施加耦合剂，否则超声波在固(探头)/气(空气)界面将 100% 反射而无法进入被检测工件中。

(2)当 $Z_1 < Z_2$ 时，入射波和反射波的声压同相位而叠加，故透射波声压较大。如图 2.30(b)所示，此时 $r > 0$，$t > 1$，好比弹性碰撞，质点被反弹回来，速度方向改变 180°，声压方向不变。

(3)当 $Z_1 \approx Z_2$ 时，$r = 0$，$t = 1$，声波不发生反射，全部透射。这说明超声波垂直入射到两种声阻抗相差很小的异介质界面时，几乎全部透射，无反射。因此在焊缝检测中，若母材与填充金属界面没有任何缺陷时，是不会产生界面回波的。

(4)横波垂直入射时，上述情况同样适用。但在固/液、固/气界面上横波将会发生全反射，因为横波只能在固体中传播。

常用物质界面的纵波声压反射率见表 2.5。

表 2.5　常用物质界面的纵波声压反射率 r　　(单位：%)

种　类	声阻抗 Z/(10^6 g · cm^{-2} · s^{-1})	空气(24℃)	酒精	变压器油	水(20℃)	甘油	环氧树脂	有机玻璃	铝	铜	钢
钢	4.53	100	95	94	94	90	87	86	45	4	0
铜	4.18	100	95	94	93	89	85	85	42	0	
铝	1.69	100	88	86	84	75	69	68	0		
有机玻璃	0.33	100	50	44	37	16	2	0			
环氧树脂	0.32	100	49	42	36	14	0				
甘油	0.24	100	37	30	23	0					
水(20℃)	0.15	100	15	7	0						
变压器油	0.13	100	8	0							
酒精	0.11	100	0								
空气(24℃)	0.000 04	0									

$$r = \frac{Z_2 - Z_1}{Z_2 + Z_1} \times 100\%$$

2.6.2 薄层界面的反射率和透射率

超声检测时，经常会遇到耦合层和缺陷薄层等问题，这些都可归结为超声波在薄层界面的反射和透射问题。此时，超声波首先由声阻抗为 Z_1 的第一介质入射到 Z_1 和 Z_2 界面，然后通过声阻抗为 Z_2 的第二介质薄层入射到 Z_2 和 Z_3 界面，最后进入声阻抗为 Z_3 的第三介质。

由于超声波通过异质薄层时的声压反射率和透射率不仅与薄层两侧介质的声阻抗有关，而且与薄层厚度同其波长之比 d_2/λ_2 有关，故其计算比较复杂，这里不予详细介绍，只给出推导结果。

1. 均匀介质中的异质薄层

对于 $Z_1=Z_3\neq Z_2$，即均匀介质中的异质薄层，其声压反射率和透射率为

$$r=\sqrt{\frac{\frac{1}{4}\left(m-\frac{1}{m}\right)^2\sin^2\frac{2\pi d_2}{\lambda_2}}{1+\frac{1}{4}\left(m-\frac{1}{m}\right)^2\sin^2\frac{2\pi d_2}{\lambda_2}}} \tag{2.39}$$

$$t=\sqrt{\frac{1}{1+\frac{1}{4}\left(m-\frac{1}{m}\right)^2\sin^2\frac{2\pi d_2}{\lambda_2}}} \tag{2.40}$$

式中 d_2——异质薄层的厚度；

λ_2——异质薄层中的波长；

m——两种介质声阻抗之比，$m=Z_1/Z_2$。

由式(2.39)和式(2.40)可知：

(1)当 $d_2=n\times\frac{\lambda_2}{2}$($n$ 为整数)时，$r\approx0$，$t\approx1$。这说明当薄层两侧介质声阻抗相等，薄层厚度为其半波长的整数倍时，超声波全透射，几乎无反射，好像不存在异质薄层一样，这种透声层称为半透声层。

(2)当 $d_2=(2n+1)\times\frac{\lambda_2}{4}$($n$ 为整数)时，即异质薄层厚度等于其 $\lambda/4$ 的奇数倍时，声压透射率最低，反射率最高。

这个结论可以用来分析工件中存在缺陷时超声波的反射问题。

图 2.31 和图 2.32 所示是由式(2.39)和式(2.40)得到的，分别表示在钢和铝中存在一个充满空气或水的缝隙时的声压透射率和声压反射率。

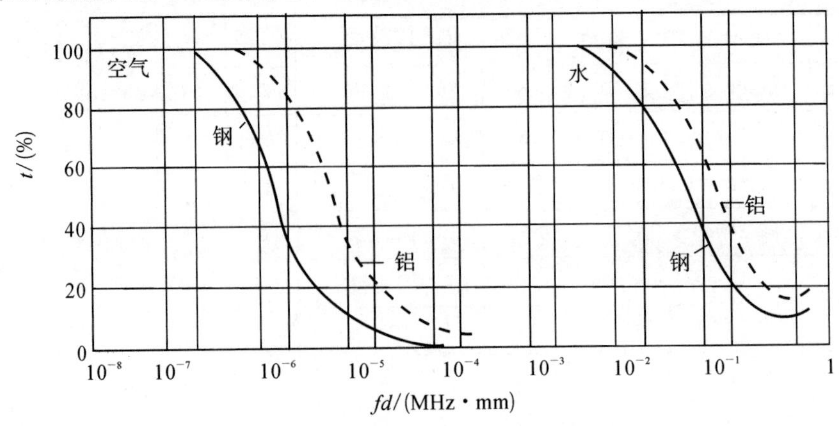

图 2.31 钢和铝中气隙、水隙声压透射率

(1)当 $f=1$ MHz 时,钢中厚度为 $d=10^{-5}$ mm 的气隙几乎能100%反射。两块紧贴在一起的十分精密的块规之间的间隙也有 10^{-5} mm。可见超声波对检测含有气体介质的裂纹等缺陷灵敏度是很高的。

(2)当材料中的气隙或水隙厚度一定时,频率增加,声压反射率也随之增加。假设钢中气隙的厚度 $d=10^{-7}$ mm,当 $f=1$ MHz 时,$r=20\%$;当 $f=5$ MHz 时,$r=60\%$。可见提高超声检测频率对于提高检测灵敏度是有利的。

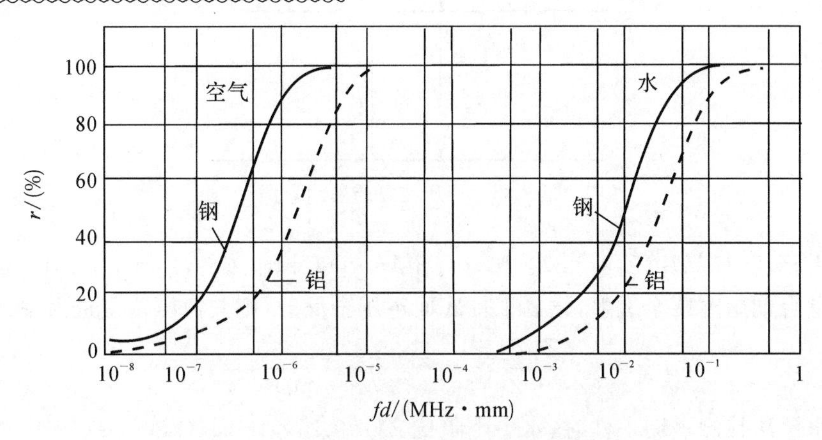

图 2.32 钢和铝中气隙、水隙声压反射率

2. 薄层两侧介质不同的双界面

对于 $Z_1 \neq Z_2 \neq Z_3$,即非均匀介质中的薄层,例如晶片—保护膜—工件,其声强透射率为

$$T=\frac{4Z_1Z_3}{(Z_1+Z_3)^2\cos^2\frac{2\pi d_2}{\lambda_2}+\left(Z_2+\frac{Z_1Z_3}{Z_2}\right)^2\sin^2\frac{2\pi d_2}{\lambda_2}} \tag{2.41}$$

由式(2.41)可知:

(1)当 $d_2=n\times\frac{\lambda_2}{2}$($n$ 为整数)时,$T=\frac{4Z_1Z_3}{(Z_1+Z_3)^2}$。

这表明超声波垂直入射到两侧介质声阻抗不同的薄层时,若薄层厚度等于半波长的整数倍,则通过薄层的声强透射率与薄层的性质无关,好像不存在薄层一样。

(2)当 $d_2=(2n+1)\times\frac{\lambda_2}{4}$($n$ 为整数)且 $Z_2=\sqrt{Z_1Z_3}$ 时,$T=\frac{4Z_1Z_3}{\left(Z_2+\frac{Z_1Z_3}{Z_2}\right)^2}=1$。

这表明超声波垂直入射到两侧介质声阻抗不同的薄层,若薄层厚度等于其 $\lambda/4$ 的奇数倍,且薄层声阻抗为其两侧介质声阻抗的几何平均值时,其声强透射率等于1,超声波全透射。这对于直探头保护膜的设计具有重要的指导意义。

3. 声压往复透射率

在超声波单探头检测中,探头兼作发射和接收超声波。探头发出的超声波透过界面进入工件,在固/气底面全反射后再通过同一界面被探头接收,如图2.33所示。探头接收到的回波声压 P_a 与入射波声压 P_0 之比称为声压往复透射率,用 $T_{往}$ 表示,即

$$T_{往}=\frac{P_a}{P_0}=\frac{P_t}{P_0}\times\frac{P_a}{P_t}=\frac{4Z_1Z_2}{(Z_1+Z_2)^2} \tag{2.42}$$

比较式(2.38)和式(2.42)可以看出，超声波垂直入射时，在底面全反射的条件下，声压往复透射率与声强透射率在数值上相等。

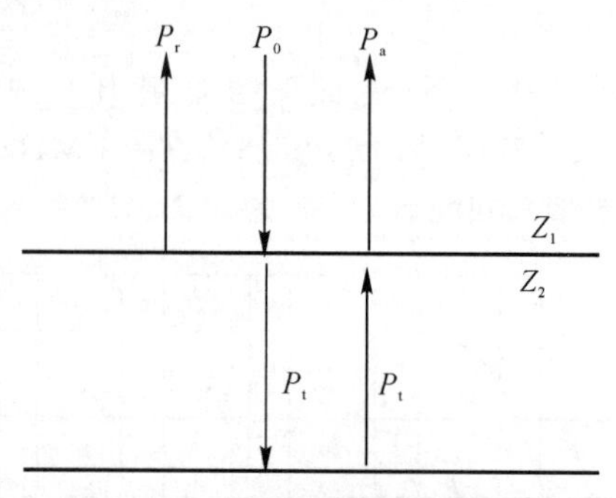

图 2.33 声压往复透射示意图

例如，用PZT-5晶片($Z_1=3.37\times10^6$ g/(cm^2 · s))对钢制工件($Z_2=4.50\times10^6$ g/(cm^2 · s))检测时，若耦合剂中声压全透射，钢制工件底面声压全反射，则其声压往复透射率为

$$T_{往}=\frac{4Z_1Z_2}{(Z_1+Z_2)^2}=\frac{4\times3.37\times4.50}{(3.37+4.50)^2}=97.8\%$$

又如，水浸法检测钢制工件时，水中声阻抗 $Z_1=0.15\times10^6$ g/(cm^2 · s)，钢中声阻抗 $Z_2=4.50\times10^6$ g/(cm^2 · s)，若底面声压全反射，则超声波在水/钢界面的声压往复透射率为

$$T_{往}=\frac{4Z_1Z_2}{(Z_1+Z_2)^2}=\frac{4\times0.15\times4.50}{(0.15+4.50)^2}=12.5\%$$

常用物质界面纵波声压往复透射率列于表 2.6。

表 2.6 常用物质界面的纵波声压往复透射率 $T_{往}$ （单位：%）

介质种类	变压器油	水(20℃)	甘　油	有机玻璃
钢	11	12.5	19	26
铜	12	13	22	29
铝	26	28	43	55
有机玻璃	80	84	98	100

由此可知，声压往复透射率与界面两侧介质声阻抗有关，与超声波从何种介质入射到界面无关。界面两侧介质的声阻抗相差越小，声压往复透射率就越高，反之就越低。

声压往复透射率高低直接影响检测灵敏度的高低，声压往复透射率高，检测灵敏度高。反之，检测灵敏度低。

思考题

1.什么是声压反射率和透射率？超声波垂直入射到 Z_1/Z_2 界面时，其声压反射率和透射率与哪些因素有关？在什么情况下声压反射率最高？

2.超声波垂直入射到 $Z_1<Z_2$ 的界面时，其声压透射率 $t>1$，这是否违反能量守恒定律？为什么？

3.什么是声压往复透射率？它与哪些因素有关？

4.超声波垂直入射到均匀介质中的异质薄层(如水中钢板、钢中裂纹)时,在什么情况下声压反射率最高?

5.超声波垂直入射到薄层两侧介质不同的界面(如晶片 Z_1/保护膜 Z_2/工件 Z_3)时,在什么情况下声压往复透射率最高?

2.7 超声波倾斜入射到界面上的反射和折射

2.7.1 波型转换与反射、折射定律

当超声波倾斜入射到异质界面上时,不仅会产生同种类型的反射波和折射波,还会产生不同类型的反射波和折射波,这种现象称为波型转换。如第一介质为有机玻璃,第二介质为钢,其反射、折射及波型转换的情况如图 2.34 所示。

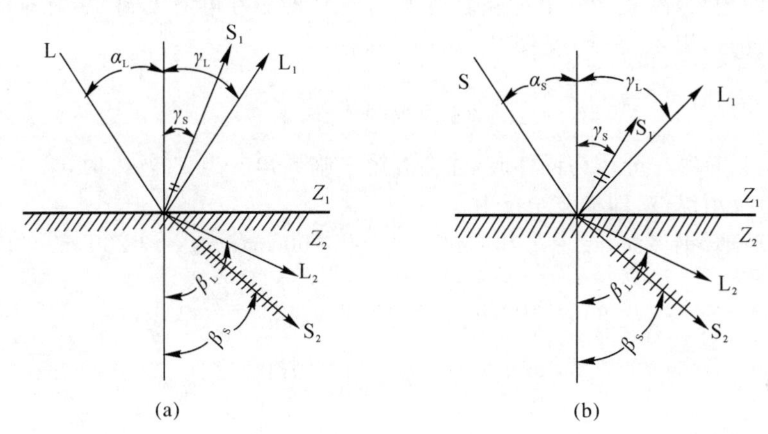

图 2.34 声波倾斜入射

(a)纵波入射;(b)横波入射

图 2.34(a)为纵波倾斜入射,图 2.34(b)为横波倾斜入射,入射波、反射波和折射波与法线间的夹角分别为 α,γ 和 β,各种反射波和折射波方向符合反射、折射定律,即

$$\frac{\sin\alpha_L}{c_{L_1}}=\frac{\sin\gamma_L}{c_{L_1}}=\frac{\sin\gamma_S}{c_{S_1}}=\frac{\sin\beta_L}{c_{L_2}}=\frac{\sin\beta_S}{c_{S_2}} \tag{2.43}$$

$$\frac{\sin\alpha_S}{c_{S_1}}=\frac{\sin\gamma_S}{c_{S_1}}=\frac{\sin\gamma_L}{c_{L_1}}=\frac{\sin\beta_S}{c_{S_2}}=\frac{\sin\beta_L}{c_{L_2}} \tag{2.44}$$

式中 c_{L_1}——第一介质中的纵波声速;

c_{L_2}——第二介质中的纵波声速;

c_{S_1}——第一介质中的横波声速;

c_{S_2}——第二介质中的横波声速。

由式(2.43)和式(2.44)可知:

(1)设入射波为纵波,且 $c_{L_2}>c_{L_1}$,则随着纵波入射角 α_{L_1} 的增大,纵波折射角 β_{L_2} 也随之增大。但纵波折射角始终大于纵波入射角,即 $\beta_{L_2}>\alpha_{L_1}$。当纵波折射角增大到 90°时对应的纵波入射角称为第一临界角,用 α_{I} 表示,如图 2.35(a)所示。

$$\alpha_{\mathrm{I}}=\arcsin\frac{c_{\mathrm{L}_1}}{c_{\mathrm{L}_2}} \tag{2.45}$$

(2)设入射波为纵波，且 $c_{\mathrm{S}_2}>c_{\mathrm{L}_1}$，则随着纵波入射角 α_{L_1} 的增大，横波折射角 β_{S_2} 也随之增大。但横波折射角始终大于纵波入射角，即 $\beta_{\mathrm{S}_2}>\alpha_{\mathrm{L}_1}$。当横波折射角增大到 90°时对应的纵波入射角称为第二临界角，用 α_{II} 表示(见图 2.35(b))，则有

$$\alpha_{\mathrm{II}}=\arcsin\frac{c_{\mathrm{L}_1}}{c_{\mathrm{S}_2}} \tag{2.46}$$

当 $\alpha_{\mathrm{L}}<\alpha_{\mathrm{I}}$ 时，在第二介质中既有折射横波，又有折射纵波。当用 $\alpha_{\mathrm{L}}=\alpha_{\mathrm{I}}\sim\alpha_{\mathrm{II}}$ 时，在第二介质中只有折射横波，没有折射纵波。这就是常用横波探头的设计原理。当 $\alpha_{\mathrm{L}}>\alpha_{\mathrm{II}}$ 时，在第二介质中既没有折射纵波，也没有折射横波，而在介质表面产生表面波。这就是常用表面波探头的设计原理。

(3)设入射波为横波，纵波反射角恒大于横波入射角，即 $\gamma_{\mathrm{L}_1}>\alpha_{\mathrm{S}_1}$，如图 2.34(b)所示。随着横波入射角的增大，纵波反射角也随之增大。当纵波反射角增大到 90°时对应的横波入射角称为第三临界角，用 α_{III} 表示(见图 2.35(c))，则有

$$\alpha_{\mathrm{III}}=\arcsin\frac{c_{\mathrm{S}_1}}{c_{\mathrm{L}_1}} \tag{2.47}$$

显而易见，只有第一介质为固体时，才会有第三临界角。当 $\alpha_{\mathrm{S}}>\alpha_{\mathrm{III}}$ 时，第一介质中只存在反射横波，没有反射纵波，即横波全反射。

对于有机玻璃/钢界面，$c_{\mathrm{L}_1}=2\ 730$ m/s，$c_{\mathrm{L}_2}=5\ 900$ m/s，$c_{\mathrm{S}_2}=3\ 230$ m/s，则

$$\alpha_{\mathrm{I}}=\arcsin\frac{c_{\mathrm{L}_1}}{c_{\mathrm{L}_2}}=\arcsin\frac{2\ 730}{5\ 900}=27.6^\circ$$

$$\alpha_{\mathrm{II}}=\arcsin\frac{c_{\mathrm{L}_1}}{c_{\mathrm{S}_2}}=\arcsin\frac{2\ 730}{3\ 230}=57.7^\circ$$

$$\alpha_{\mathrm{III}}=\arcsin\frac{c_{\mathrm{S}_1}}{c_{\mathrm{L}_1}}=\arcsin\frac{3\ 230}{5\ 900}=33.2^\circ$$

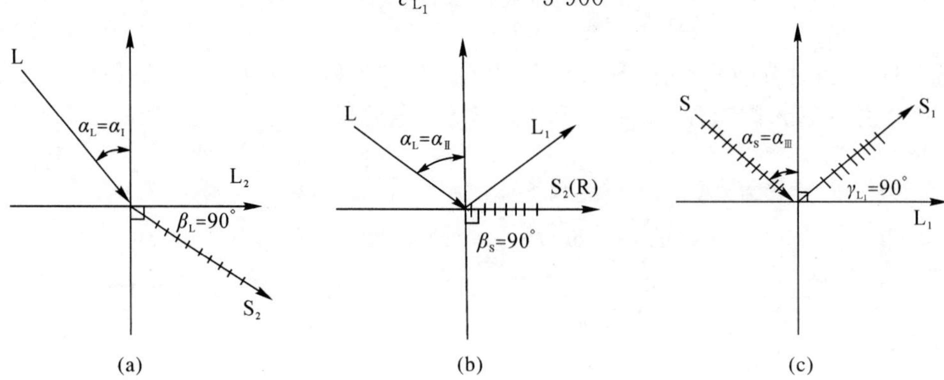

图 2.35 临界角示意图

(a)第一临界角；(b)第二临界角；(c)第三临界角

2.7.2 声压反射率

超声波反射、折射定律只讨论了反射波和折射波的方向问题，并未涉及声压反射率和透射率的问题。

1. 纵波倾斜入射到钢/空气界面的反射

如图 2.36 所示，当纵波倾斜入射到钢/空气界面时，纵波声压反射率 $r_{LL}\left(r_{LL}=\dfrac{P_{rL}}{P_{0L}}\right)$ 与横波声压反射率 $r_{LS}\left(r_{LS}=\dfrac{P_{rS}}{P_{0L}}\right)$ 随入射角 α_L 而变化。当 $\alpha_L=60°$ 时，r_{LL} 很低，r_{LS} 较高。因为纵波斜入射时，当 $\alpha_L=60°$ 左右时产生一个较强变型反射横波。

2. 横波倾斜入射到钢/空气界面的反射

如图 2.37 所示，当横波倾斜入射到钢/空气界面时，横波声压反射率 $r_{SS}\left(r_{SS}=\dfrac{P_{rS}}{P_{0S}}\right)$ 与横波声压反射率 $r_{SL}\left(r_{SL}=\dfrac{P_{rL}}{P_{0S}}\right)$ 随入射角 α_S 而变化。当 $\alpha_S=30°$ 左右时，r_{SS} 很低，r_{SL} 较高。$\alpha_S\geqslant 33.2°(\alpha_{\mathrm{III}})$ 时，$r_{SS}=100\%$，即钢中横波全反射。

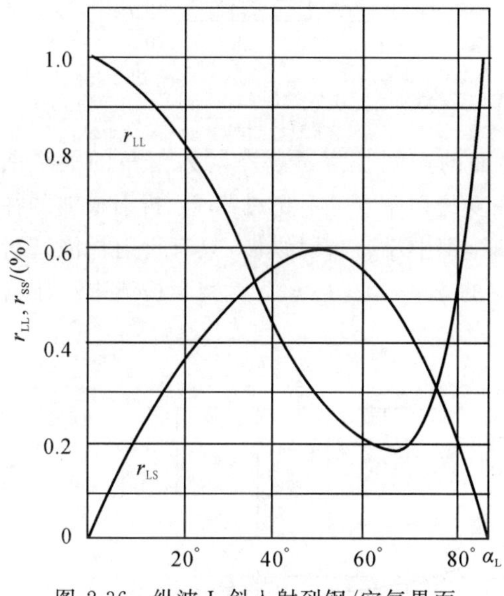

图 2.36 纵波 L 斜入射到钢/空气界面

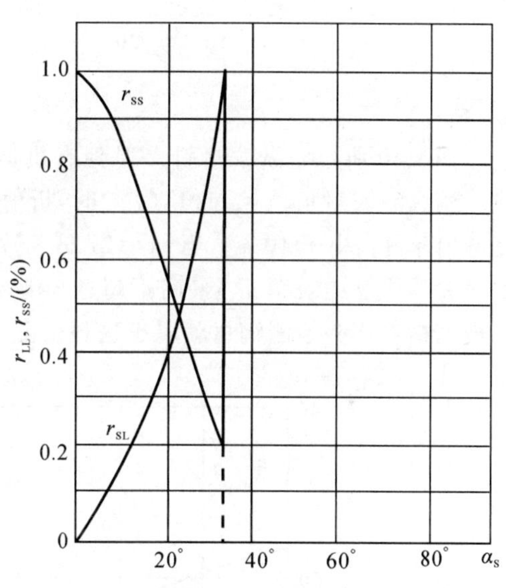

图 2.37 横波 S 斜入射到钢/空气界面

2.7.3 声压往复透射率

超声检测中，常常采用反射法，超声波往复透过同一检测面，因此声压往复透射率更具有实际意义。

如图 2.38 所示，超声波倾斜入射，折射波全反射，探头接收到的回波声压 P_a 与入射波声压 P_0 之比称为声压往复透射率，用 $T_{往}$ 表示，则 $T_{往}=\dfrac{P_a}{P_0}$。

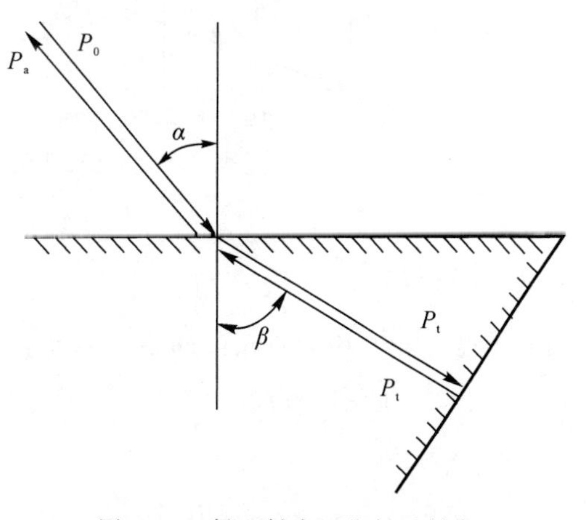

图 2.38 斜入射声压往复透射率

图 2.39 所示为纵波倾斜入射到水/钢界面的声压往复透射率与入射角的关系曲线。当

纵波入射角 α_L<14.5°(α_{I})时,折射纵波的往复透射率 T_{LL} 不超过 13%,折射横波的往复透射率 T_{LS} 小于 6%。当 α_L=14.5°~27.27°(α_{II})时,钢中没有折射纵波,只有折射横波,其折射横波的往复透射率 T_{LS} 最高不到 20%。实际检测中水浸法检测钢材就属于这种情况。

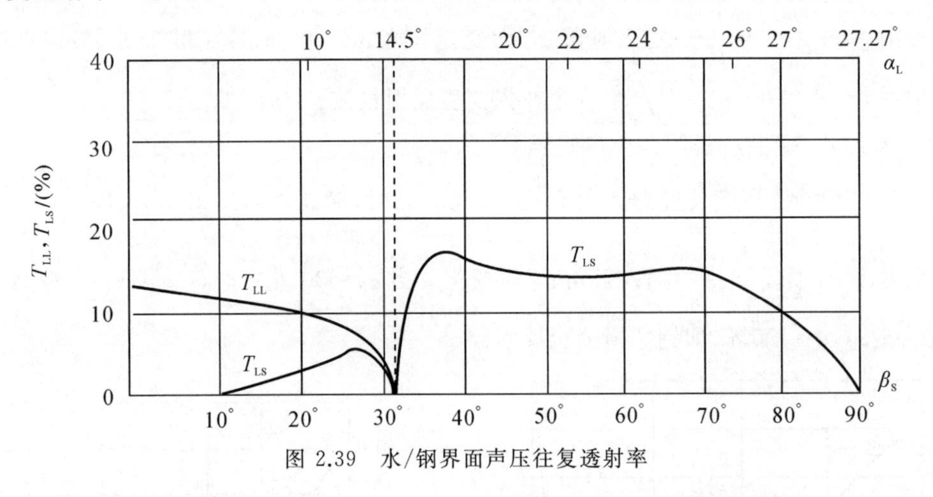

图 2.39　水/钢界面声压往复透射率

图 2.40 所示为纵波倾斜入射到有机玻璃/钢界面的声压往复透射率与入射角的关系曲线。当纵波入射角 α_L<27.6° (α_{I})时,折射纵波的往复透射率 T_{LL} 不超过 25%,折射横波的往复透射率 T_{LS} 小于 10%。当 α_L=27.6°~57.7°(α_{II})时,钢中没有折射纵波,只有折射横波。折射横波的往复透射率 T_{LS} 最高不超过 30%,这时对应的 $\alpha_L\approx30°$,$\beta_S\approx37°$。实际检测中采用有机玻璃横波探头检测钢材就属于这种情况。

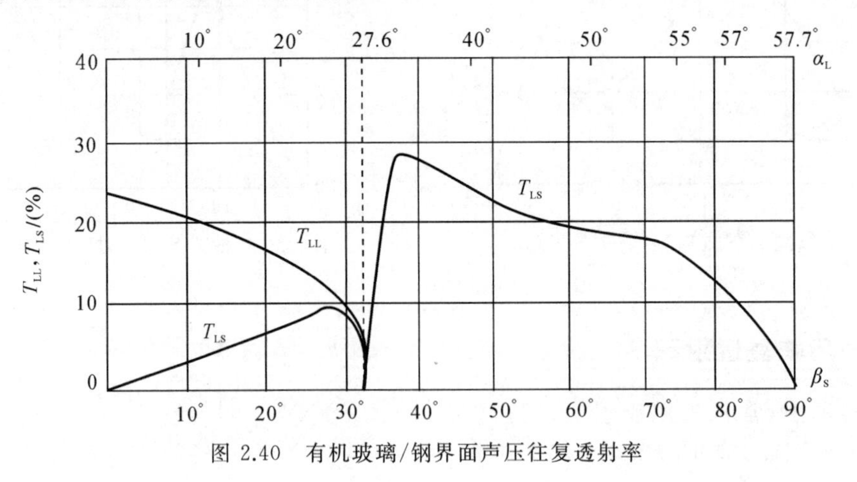

图 2.40　有机玻璃/钢界面声压往复透射率

2.7.4　端角反射

超声波在相互构成直角的两个平面内的反射叫作端角反射,如图 2.41 所示。在端角反射中,超声波经历了两次反射。当不考虑波型转换时,二次反射波与入射波互相平行,即 $P_a // P_0$,且 $\alpha+\gamma=90°$。

回波声压 P_a 与入射波声压 P_0 之比称为端角反射率,用 $T_{端}$ 表示,则 $T_{端}=\frac{P_a}{P_0}$。

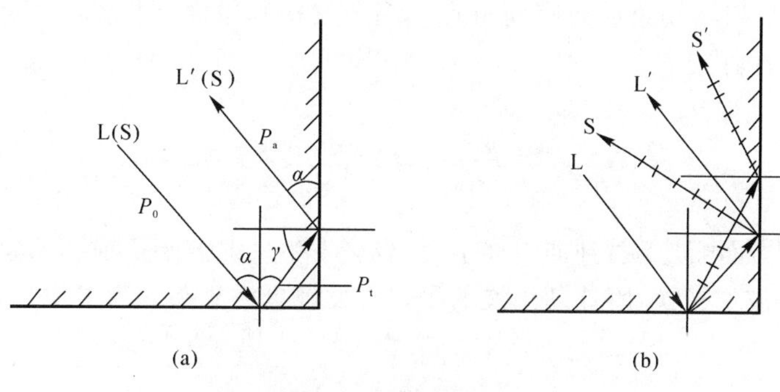

图 2.41 端角反射

(a)不考虑波型转换;(b)考虑波型转换

图 2.42 所示是钢/空气界面上钢中的端角反射率。由图 2.42(a)可知,纵波入射时,端角反射率都很低,这是因为纵波在端角的两次反射中都分离出较强的横波。

由图 2.42(b)可知,当横波入射角 α_S 在 30°或 60°附近时,端角反射率最低。当 $\alpha_S=35°\sim55°$ 时,端角反射率达 100%。实际中,横波检测焊缝未焊透或根部裂纹就类似这种情况,当横波入射角 α_S(等于横波探头的折射角 β_S)$=35°\sim55°$时,即 $K=\tan\beta_S=0.7\sim1.43$ 时,检测灵敏度较高。

从图 2.42 中还可以看出,$\alpha_L(\alpha_S)$在 0°或 90°附近时,无论是纵波还是横波,端角反射率理论上都很高,但实际上由于入射波、反射波在边界互相干涉而部分抵消,因此实际上这时检测灵敏度并不高。

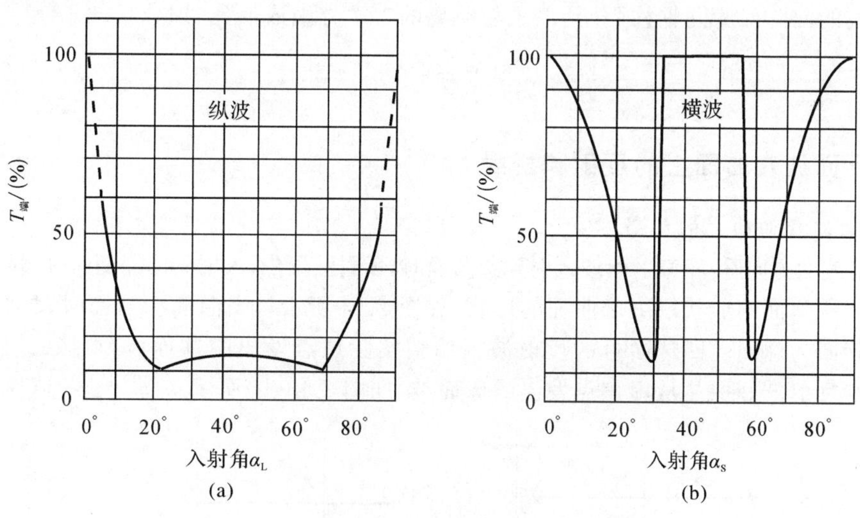

图 2.42 端角反射率

(a)纵波入射;(b)横波入射

思考题

1.什么是波型转换?产生波型转换的条件是什么?

2.什么是第一、第二临界角?根据第一、第二临界角的定义说明常用横波探头和表面波探头的设计原理。

3.什么叫端角反射？端角反射有何特点？超声波检测单面焊根部未焊透等缺陷时，探头的 K 值应在什么范围内？

2.8 超声波的聚焦与发散

与可见光类似，超声波入射到曲界面上时，也会发生反射波和折射波的聚焦或发散。由于超声波还可能产生波型转换，因此超声波的聚焦与发散更为复杂。为了便于讨论问题，这里不考虑波型转换。

2.8.1 声压距离公式

1. 平面波

平面波波束不扩散，其波阵面是互相平行的平面，因此声压不随距离而变化，即 $P=P_0$。

2. 球面波

球面波的波阵面为同心球面，其声压与距离成反比，即

$$P=\frac{P_1}{x} \tag{2.48}$$

式中 P_1——距离为单位距离处的声压；

x——某点至曲面顶点的距离。

3. 柱面波

柱面波的波阵面为同轴柱面，其声压与距离的二次方根成反比，即

$$P=\frac{P_1}{\sqrt{x}} \tag{2.49}$$

2.8.2 平面波在曲面上的反射和折射

1. 平面波在曲面上的反射

从入射波的方向看，超声平面波入射到凹曲面时，反射波聚焦；入射到凸曲面时，反射波发散。

反射波波阵面的形状取决于曲面的形状，如图 2.43 所示。当曲面为球面时，具有焦点，反射波的波阵面为球面。凹球面上的反射波好像从实际焦点发出的球面波，如图2.43(a)所示；凸球面上的反射波好像是从虚焦点发出的球面波，如图 2.43(b)所示。

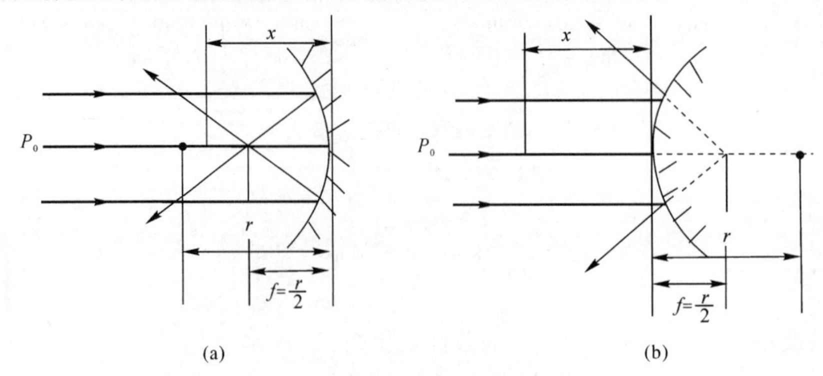

图 2.43 平面波入射到曲面上的反射

(a)凹曲面聚焦；(b)凸曲面发散

当曲面为柱面时，反射波的波阵面为同轴柱面，具有焦轴。凹柱面上的反射波好像从实际焦轴发出的柱面波；凸柱面上的反射波好像是从虚焦轴发出的柱面波。

在球曲面和柱曲面的声束中心轴线上，距离曲面顶点 x 处的反射波的声压分别为

球面波：
$$P_x = P_0 \left| \frac{f}{x \pm f} \right| \tag{2.50}$$

柱面波：
$$P_x = P_0 \sqrt{\left| \frac{f}{x \pm f} \right|} \tag{2.51}$$

式中　f——焦距，$f = r/2$（r 为曲率半径）；

x——轴线上某点至曲面顶点的距离；

P_0——曲面顶点处入射波声压；

"±"——发散取"+"，聚焦取"−"。

实际检测中，球形气孔和柱形气孔对超声波的反射分别属于以上两种情况。

2. 平面波在曲面上的折射

超声平面波入射到曲面上时，折射波同样会产生聚焦或发散。如图 2.44 所示，折射波是聚焦还是发散，不仅与曲面的曲率有关，而且与介质两侧的声速有关。根据折射定律，从入射波方向看，对于凹曲面，当 $c_1 < c_2$ 时折射波聚焦，当 $c_1 > c_2$ 时折射波发散；对于凸曲面，当 $c_1 > c_2$ 时折射波聚焦，当 $c_1 < c_2$ 时折射波发散。

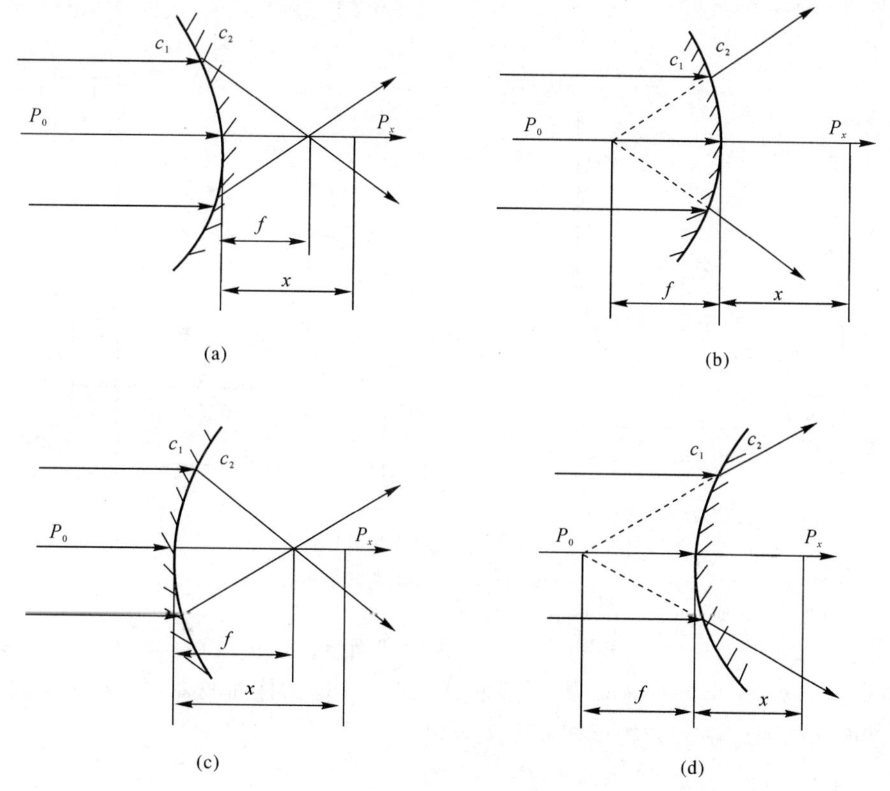

图 2.44　平面波入射到曲面上的折射

(a)$c_1 < c_2$；(b)$c_1 > c_2$；(c)$c_1 > c_2$；(d)$c_1 < c_2$

折射波波阵面的形状取决于曲面的形状。如果曲面为球面，则其折射波的波阵面为球面，折射波可视为从焦点发出的球面波。如果曲界面为柱面，折射波可视为从焦轴发出的柱面波。

在声束的中心轴线上，球曲面和柱曲面的折射波声压分别为

球面波：
$$P_x = tP_0 \left| \frac{f}{x \pm f} \right| \tag{2.52}$$

柱面波：
$$P_x = tP_0 \sqrt{\left| \frac{f}{x \pm f} \right|} \tag{2.53}$$

式中　t——声压透射率；

f——焦距，$f = \dfrac{r}{(1-c_2/c_1)}$（$r$ 为曲率半径）；

“±”——发散取“+”，聚焦取“-”。

实际检测用的水浸聚焦探头就是根据平面波入射到有机玻璃声透镜/水界面（$c_1 > c_2$）的凸曲面上折射波发生聚焦的特点来设计的，如图 2.44(b)所示，这样可以提高检测灵敏度。

2.8.3　球面波在曲面上的反射和折射

1. 球面波在曲面上的反射

球面波入射到曲面上时，其反射波将发生聚焦或发散，如图 2.45 所示。凹曲面的反射波聚焦，凸曲面的反射波发散。

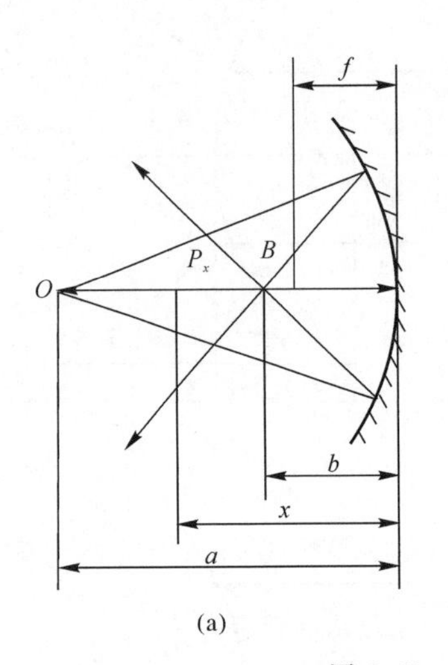

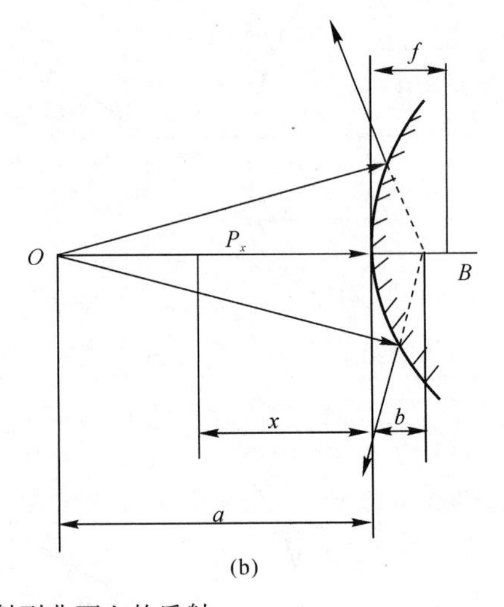

图 2.45　球面波入射到曲面上的反射

(a)凹曲面聚焦；(b)凸曲面发散

球面波在球面上的反射，可视为从像点发出的球面波。球面波在柱面上的反射波，既不是单纯的球面波，也不是单纯的柱面波，而是近似为两个不同的柱面波叠加。在声束的中心轴线上，距离球面和柱面顶点 x 处的反射波声压分别为

球面反射波：
$$P_x = \frac{P_1}{a} \left| \frac{f}{x \pm f(1 + x/a)} \right| \tag{2.54}$$

柱面反射波：
$$P_x = \frac{P_1}{a} \sqrt{\left| \frac{f}{(1 + x/a)[x \pm f(1 + x/a)]} \right|} \tag{2.55}$$

式中　$\frac{P_1}{a}$——曲面顶点处入射波声压；

a——曲面顶点至波源的距离；

f——焦距，$f=r/2$（r 为曲率半径）；

“±”——发散取“+”，聚焦取“−”。

在实际检测中，至波源较远的球形气孔缺陷对入射超声波的反射就类似于球面波在球面上的反射。由于反射波进一步发散，因此回波较低，这就是超声检测气孔时灵敏度低的原因。实际检测中，超声波径向检测大型圆柱形锻件就类似于球面波在柱面上的反射。

2. 球面波在曲面上的折射

球面波入射到曲面上时，其折射波同样会发生聚焦或发散，如图 2.46 所示。

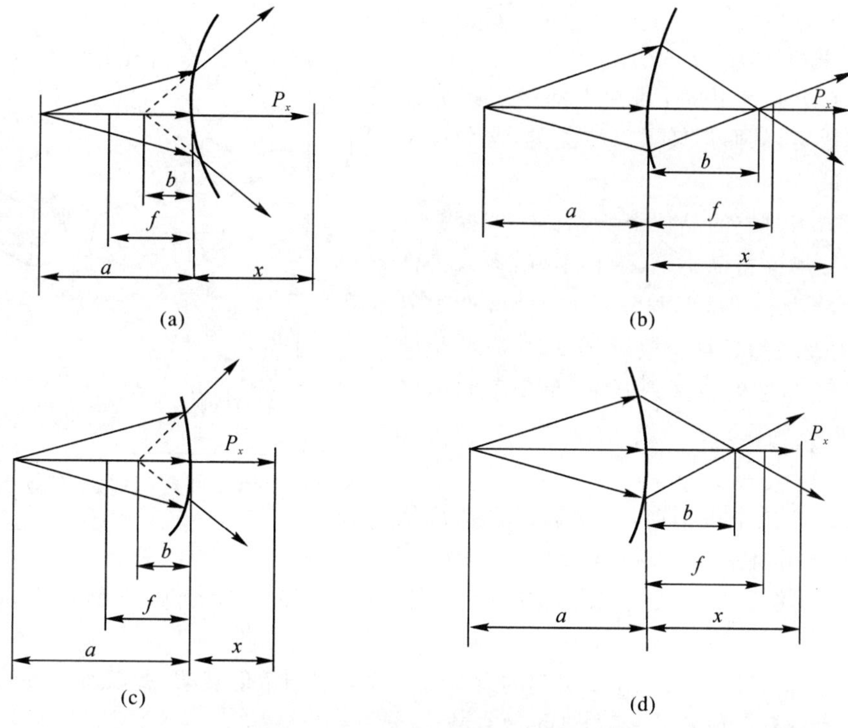

图 2.46　球面波入射到曲面上的折射

(a)$c_1<c_2$；(b)$c_1>c_2$；(c)$c_1>c_2$；(d)$c_1<c_2$

在声束的中心轴线上，距离曲面顶点 x 处的折射波声压为

球面折射波：
$$P_x = t\frac{P_1}{a}\frac{f}{[x \pm f(1+xc_2/ac_1)]} \tag{2.56}$$

柱面折射波：
$$P_x = t\frac{P_1}{a}\sqrt{\frac{f}{(1+xc_2/ac_1)[x \pm f(1+xc_2/ac_1)]}} \tag{2.57}$$

式中　c_1/c_2——透射介质与入射介质中波速之比。

实际检测中，水浸检测圆形或圆柱形工件就属于图 2.46(a)所示情况。由于折射波发散，检测灵敏度很低，为了提高灵敏度，常采用聚焦探头。

2.9 超声波的衰减

超声波在介质中传播时,随着距离的增加超声波能量逐渐减弱的现象叫作超声波的衰减。

2.9.1 衰减的原因

引起超声波衰减的主要原因有波束扩散、晶粒散射和介质吸收。

1. 扩散衰减

超声波在介质中传播时,其波阵面因距离增加而不断扩大,某点处超声波的能量随距离增加而逐渐减弱,导致声压和声强的衰减,这种现象称为扩散衰减。

平面波的波束不扩散,不存在扩散衰减。

2. 散射衰减

超声波在介质中传播,遇到不同声阻抗界面时就会产生散射,从而消耗了声波能量,这种现象称为散射衰减。

散射衰减与材质的晶粒密切相关。如探头首先遇到工件接触面粗糙不平,耦合不好,透入工件的声能大为减少。其次是材料晶粒粗大,产生界面反射、散射及波型转换。散射严重时,有些小缺陷的回波无法与散射波区别开来,呈现草状散射回波,如图 2.47 所示。

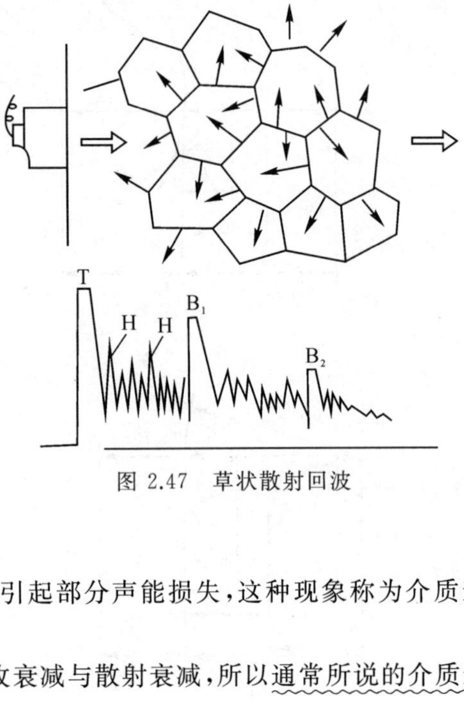

图 2.47 草状散射回波

3. 吸收衰减

超声波在介质中传播时,介质黏滞性造成质点之间相互摩擦,使一部分声能转变为热能,同时,由于介质的热传导,介质质点之间进行热交换也引起部分声能损失,这种现象称为介质衰减或黏滞衰减。

在以上三种衰减中,由于介质引起的衰减有吸收衰减与散射衰减,所以通常所说的介质衰减是指吸收衰减和散射衰减,不包括扩散衰减。

2.9.2 衰减方程与衰减系数

1. 衰减方程

平面波在介质中传播时不存在扩散衰减,只存在介质衰减,其声压衰减方程为

$$P_x = P_0 e^{-\alpha x} \tag{2.58}$$

式中 P_0——波源的起始声压;

P_x——至波源距离为 x 处的声压;

x——至波源的距离;

α——介质衰减系数,单位为 NP/mm;

e——自然对数底数(e=2.718…)。

球面波与柱面波既存在扩散衰减,又存在介质衰减,它们的声压衰减方程分别为

球面波：

$$P = \frac{P_1}{x} e^{-\alpha x} \tag{2.59}$$

柱面波：

$$P = \frac{P_1}{\sqrt{x}} e^{-\alpha x} \tag{2.60}$$

式中　P_1——至波源距离为单位距离处的声压。

2. 衰减系数

衰减系数 α 只考虑了介质散射衰减和吸收衰减，未涉及扩散衰减。对于金属材料等固体介质而言，衰减系数 α 等于散射衰减系数 α_S 和黏滞衰减系数 α_a 之和，即

$$\alpha = \alpha_S + \alpha_a \tag{2.61}$$

$$\alpha_a = c_1 f$$

$$\alpha_S = \begin{cases} c_2 F d^3 f^4, & d < \lambda \\ c_3 F d f^2, & d \approx \lambda \\ c_4 F/d, & d > \lambda \end{cases} \tag{2.62}$$

式中　f——超声波频率；

d——介质的晶粒直径；

λ——波长；

F——各向异性系数；

c_1, c_2, c_3, c_4——常数。

由式(2.62)可知：

(1)介质的吸收衰减与频率成正比。

(2)介质的散射衰减与超声波频率、介质的不均匀性和晶粒大小等因素有关。在实际检测中，当介质晶粒粗大时，若采用较高的频率，将会引起严重衰减，示波屏上出现大量草波，使信噪比下降，检测灵敏度降低。因此在检测晶粒较大的奥氏体钢和一些铸件时宜采用频率较低的探头。

对于液体介质而言，超声波的衰减主要是介质的吸收衰减，即

$$\alpha = \alpha_a = \frac{8\pi^2 f^2 \eta}{2\rho c^3} \tag{2.63}$$

式中　η——介质的黏滞系数；

ρ——液体介质的密度；

c——超声波在液体中的传播速度。

温度升高时，分子热运动加剧，有利于声波的传播。因此一般介质的衰减系数 α 随温度的升高而降低。

思考题

1.平面波入射到曲面界面上时，其反射波和折射波在什么情况下聚焦？在什么情况下发散？说明常用水浸聚焦探头中声透镜的设计原理。

2.什么是超声波的衰减？引起超声波衰减的原因是什么？通常所说的介质衰减是指什么衰减？

第2章习题

1.是非题(对的在后面括弧中画“√”,错的画“×”)

(1)波只能在弹性介质中传播。( )

(2)传声介质的弹性模量越大,密度越小,声速就越大。( )

(3)频率相同的纵波,在水中的波长大于在钢中的波长。( )

(4)对同一材料而言,横波的比纵波的衰减系数大。( )

(5)超声波以12°角入射到水/钢界面,反射角等于12°。( )

(6)超声波入射至钢/水界面时,第一临界角约为14.5°。( )

(7)以有机玻璃作为声透镜的水浸聚焦探头,有机玻璃/水界面为凹曲面。( )

(8) 超声波垂直入射到异质界面时,界面一侧的总声压等于另一侧的总声压。( )

(9)超声波垂直入射时,界面两侧的声阻抗差越小,声压往复透射率越低。( )

(10)超声平面波不存在扩散衰减和材质衰减。( )

(11)在钢中折射角为60°的斜探头,用于检测铝时,其折射角将变大。( )

(12)超声波倾斜入射到异质界面时,同种波型的折射角总大于入射角。( )

(13)如果有机玻璃/铝界面的第一临界角大于有机玻璃/钢界面的第一临界角,则前者的第二临界角也一定大于后者的第二临界角。( )

(14)横波斜入射至钢/空气界面时,入射角在30°左右时,横波声压反射率最低。( )

(15)超声波入射到 $c_1<c_2$ 的凹曲面时,其透过波发散。( )

2.单项选择题

(1)超声波在弹性介质中传播时,下面( )是错误的。

A.介质由近及远,一层一层地振动

B.能量逐层向前传播

C.遇到障碍物的尺寸只要大于声束宽度就会全部反射

D.遇到很小的缺陷会产生绕射

(2)超声波在介质中的传播速度与( )有关。

A.介质的弹性　B.介质的密度　C.超声波波型　D.以上都对

(3)钢中超声波纵波速度为5 900 m/s,若频率为10 MHz,则其波长为( )。

A.59 mm　B.5.9 mm　C.0.59 mm　D.2.36 mm

(4)在实际检测中,一般表面波只能发现固体介质表面下( )深度的缺陷。

A.0.5λ　B.λ　C.1.5λ　D.2λ

(5)脉冲反射法超声波检测主要利用超声波传播过程中的( )。

A.扩散特性　B.反射特性　C.折射特性　D.散射特性

(6)当超声波垂直入射到钢/水界面时,其声压反射率小于0,说明( )。

A.超声波无法透入水中　B.透射能量大于入射能量

C.反射超声波振动相位与入射超声波的振动相位互成180°　D.以上都不对

(7)超声波入射到异质界面时,可能发生( )。

A. 反射　B.折射　C.波型转换　D.以上都是

(8)用入射角为 52°的斜探头检测方钢,下图中(　　)所示声束路径是正确的。

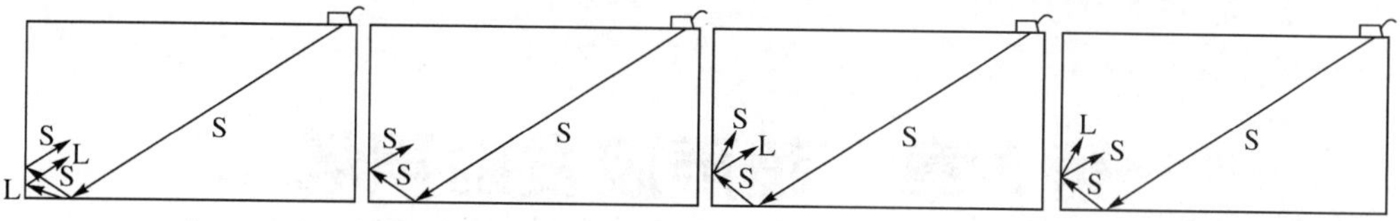

A　　B　　C　　D

(9)直探头纵波检测具有倾斜底面的锻钢件,下图中(　　)所示声束路径是正确的。

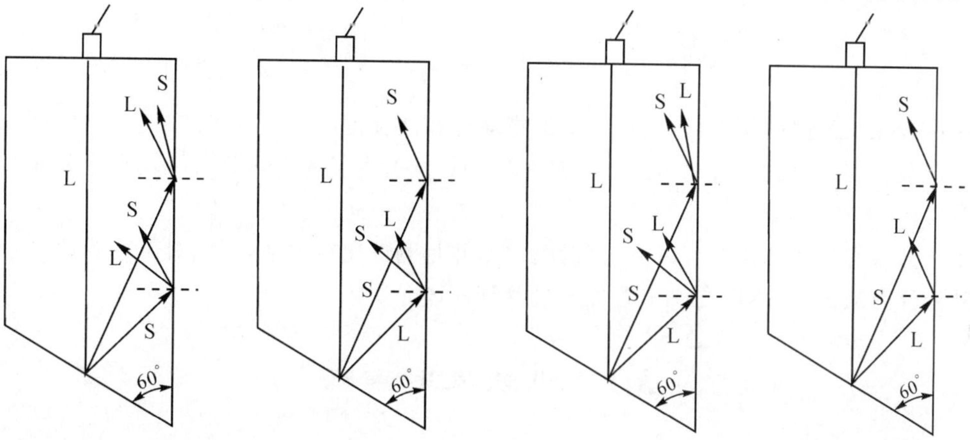

A　　B　　C　　D

(10)斜探头直接接触法检测钢板焊缝时,其横波(　　)。

A.在有机玻璃斜楔块中产生　　B.从晶片上直接产生

C.在有机玻璃与耦合层界面上产生　　D.在耦合层与钢板界面上产生

(11)在液浸法检测中,(　　)会迅速衰减。

A.纵波　　B.横波　　C.表面波　　D.切变波

(12)在同一固体介质中,当分别传播纵、横波时,它的声阻抗将(　　)。

A.一样大　　B.传播横波时大　　C.传播纵波时大　　D.无法确定

(13)超声波倾斜入射至异质界面时,其传播方向的改变主要取决于(　　)。

A.界面两侧介质的声阻抗　　B.界面两侧介质的声速

C.界面两侧介质的衰减系数　　D.以上全部

(14)在水/钢界面上,水中入射角为 17°,在钢中传播的主要振动波型为(　　)。

A.表面波　　B.横波　　C.纵波　　D.B 和 C

(15)当超声纵波由有机玻璃以入射角 15°射向钢界面时,可能存在(　　)。

A.反射纵波　　B.反射横波　　C.折射纵波和折射横波　　D.以上都有

(16)如果超声纵波由水以 20°入射到钢界面,则在钢中横波折射角为(　　)。

A.约 48°　　B.约 24°　　C.39°　　D.以上都不对

(17)一般均要求斜探头楔块材料的纵波速度小于被检材料的纵波声速,因为只有这样才有可能(　　)。

A.在工件中得到纯横波　　B.得到良好的声束指向性

C.实现声束聚焦　　D.减少近场区的影响

第3章 超声波发射声场

超声波探头发射的超声场，具有一定的指向性和波及范围。只有当缺陷位于超声场内时，才有可能被发现。因此了解超声波探头晶片(波源)发射声场的空间分布特点有着十分重要的现实意义。

由于液体介质中的声压可以进行线性叠加，并且测试比较方便，因此对声场的理论分析研究先从液体介质入手，然后在一定条件下过渡到固体介质。

3.1 纵波发射声场

3.1.1 圆盘波源辐射的纵波声场

超声波探头所用的压电晶片一般为圆形或矩形，而且压电晶片在电场的激励下做活塞振动。理想的圆盘声源是指圆形的平面声振动源，当它沿平面法线方向振动时，其面上各点的振动速度幅值和相位均相同，它所发射的波称为活塞波。

1. 波源轴线上的声压

如图 3.1 所示，设圆盘声源在液体介质中做连续的简谐振动，不考虑介质的衰减，则液体介质中圆盘声源上任一面元 $\mathrm{d}S$ 辐射的球面波在波源轴线上 Q 点处引起的声压为

$$\mathrm{d}P = \frac{P_0 \mathrm{d}S}{\lambda r}\sin(\omega t - kr)$$

式中 P_0——波源的起始声压；

$\mathrm{d}S$——点波源的面积；

r——点波源至 Q 点的距离；

k——波数，$k=\omega/c=2\pi/\lambda$；

ω——圆频率，$\omega=2\pi f$。

根据波的叠加原理，做活塞振动的圆盘波源上各点波源在轴线上 Q 点引起的声压为

$$P = \iint_S \mathrm{d}P = 2P_0 \sin\frac{\pi}{\lambda}\left(\sqrt{R_S^2 + x^2} - x\right)\sin(\omega t - kx)$$

其声压幅值为

$$P = 2P_0 \sin\frac{\pi}{\lambda}\left(\sqrt{R_S^2 + x^2} - x\right) \tag{3.1}$$

式中 R_S——波源半径；

x——轴线上 Q 点至波源的距离。

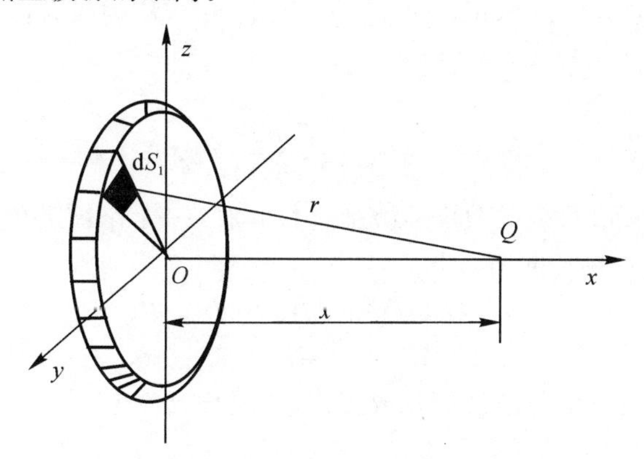

图 3.1　圆盘源轴线上声压推导图

当 $x \geqslant 2R_S$ 时，根据牛顿二项式 $(1+x)^m = 1 + mx + \frac{m(m-1)}{2!}x^2 + \cdots + x^m$，由于 $\frac{R_S}{x} \leqslant \frac{1}{2}$，将式(3.1)化简，得

$$P = 2P_0 \sin \frac{\pi x}{\lambda}\left[\sqrt{1+\left(\frac{R_S}{x}\right)^2} - 1\right] \approx 2P_0 \sin\left(\frac{\pi}{2} \times \frac{R_S^2}{\lambda x}\right) \tag{3.2}$$

式(3.2)中令 $\theta = \pi R_S^2/(2\lambda x)$。当 $\theta \leqslant \pi/6$，即 $x > 3R_S^2/\lambda$ 时，根据 $\sin\theta \approx \theta$（$\theta$ 很小时），式(3.2)可简化为

$$P = P_0 \frac{\pi R_S^2}{\lambda x} = P_0 \frac{F_S}{\lambda x} \tag{3.3}$$

式中　F_S——波源面积，$F_S = \pi R_S^2 = \pi D_S^2/4$（$D_S$ 为波源直径）。

式(3.3)表明，当 $x \geqslant 3R_S^2/\lambda$ 时，圆盘源轴线上的声压与距离成反比，与波源面积成正比。波源轴线上的声压随距离变化的情况如图 3.2 所示。

(1)近场区。波源附近出现一系列声压极大值、极小值区域，称为超声场的近场区，又叫菲涅耳区。近场区声压分布不均，是由于波源各点至轴线上某点的距离不同，存在波程差，互相叠加时存在相位差而互相干涉，使某些地方的声压互相加强，另一些地方的声压互相减弱，从而形成了声压极大值点和极小值点。

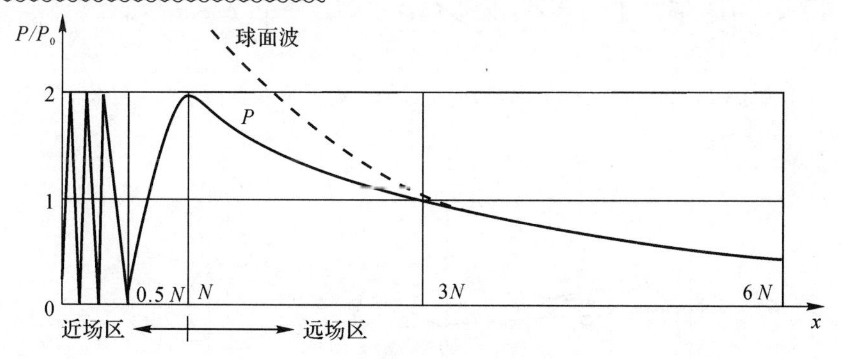

图 3.2　圆盘轴线上声压分布

波源轴线上最后一个声压极大值至波源的距离称为近场区长度，用 N 表示。

当 $\sin\frac{\pi}{\lambda}\left(\sqrt{\frac{D_S^2}{4}+x^2}-x\right)=\sin(2n+1)\frac{\pi}{2}=1$ 时，声压 P 为极大值，化简得极大值对应的距离为

$$x=\frac{D_S^2-\lambda^2(2n+1)^2}{4\lambda(2n+1)}$$

式中 n——整数，$n=0,1,2,\cdots<(D_S-\lambda)/(2\lambda)$，共有 $n+1$ 个极大值，其中 $n=0$ 对应最后一个声压极大值。因此近场长度为

$$N=\frac{D_S^2-\lambda^2}{4\lambda}\approx\frac{D_S^2}{4\lambda}=\frac{R_S^2}{\lambda}=\frac{F_S}{\pi\lambda} \tag{3.4}$$

由式(3.4)可知，近场长度与波源面积成正比，与波长成反比。

当 $\sin\frac{\pi}{\lambda}\left(\sqrt{\frac{D_S^2}{4}+x^2}-x\right)=\sin(2n+1)n\pi=0$ 时，声压 P 为极小值，化简得极小值对应的距离为

$$x=\frac{D_S^2-(2n\lambda)^2}{8n\lambda}$$

式中 n——整数，$n=1,2,\cdots<D_S/(2\lambda)$，共有 n 个极小值，$n=1$ 时对应最后一个声压极小值。

在近场区检测是不利的，处于声压极小值处的较大缺陷回波可能较低，而处于声压极大值处的较小缺陷回波可能较高，这样就容易引起误判，甚至漏检，因此应尽可能避免近场区检测。

(2)远场区。波源轴线上至波源的距离大于近场区长度 N 的区域称为远场区。远场轴线上的声压随距离的增大单调递减。当 $x>3N$ 时，声压与距离成反比，近似球面波声压规律，如图 3.2 中的虚线所示。这是因为距离足够大时，波源各点至轴线上某点的波程差很小，引起的相位差也很小，这时干涉很弱，甚至不发生干涉，所以远场区不会出现声压极大极小值。

2. 超声场横截面上的声压

超声场的近场区与远场区各横截面上的声压分布是不同的，如图 3.3～图 3.5 所示。

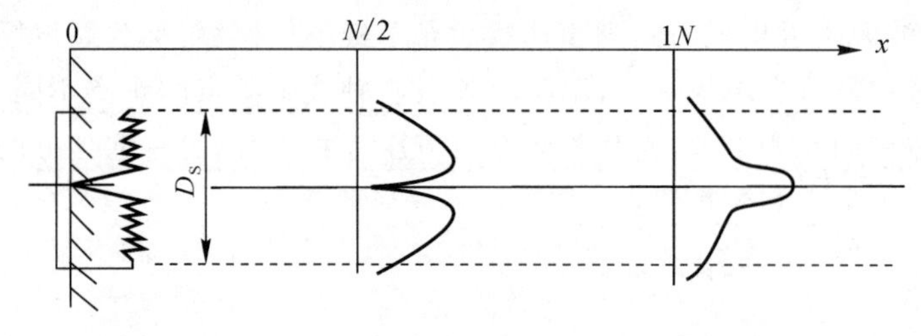

图 3.3 圆盘源($D/\lambda=16$)近场中在 $x=0,N/2,N$ 横截面上声压的分布

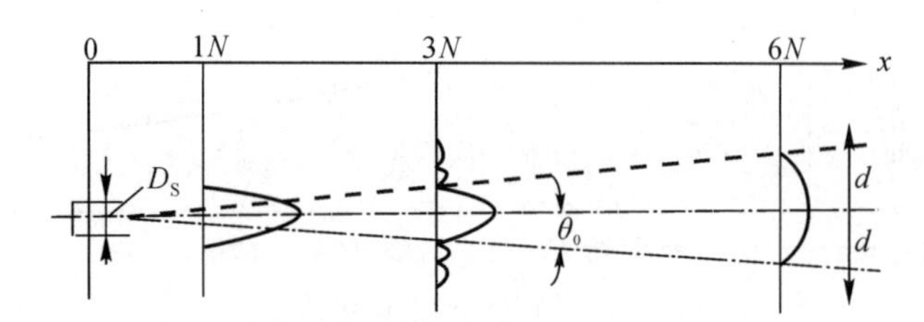

图 3.4 圆盘源($D/\lambda=16$)远场中在 $x=N,3N,6N$ 横截面上声压的分布

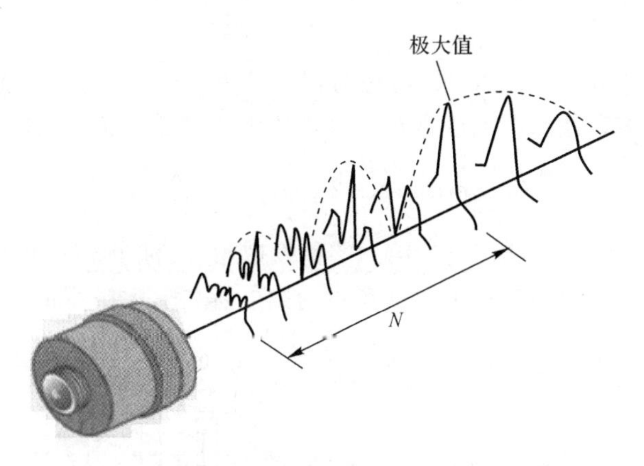

图 3.5　圆盘源声场声压沿轴线和横截面分布图

在 $x<N$ 的近场区内，存在中心轴线上声压为 0 的截面，如 $x=0.5N$ 的截面，中心声压为 0，偏离中心的声压较高。在 $x\geqslant N$ 的远场区内，轴线上的声压最高，偏离中心声压逐渐降低，且同一横截面上的声压分布是完全对称的。实际检测中，测定探头波束轴线的偏离和横波斜探头 K 值时，规定要在 $2N$ 以外进行就是这个原因。

3. 波束指向性和半扩散角

(1)波源轴线外任意一点的声压分布。如图 3.6 所示，在圆盘声源上取任意一面源 $\mathrm{d}S$，其在离波源充分远的任意一点 $P(r,\theta)$ 处引起的声压为

$$\mathrm{d}P=\frac{P_0\mathrm{d}S}{\lambda h}\sin(\omega t-kh)$$

整个圆盘在点 $P(r,\theta)$ 处引起的总声压幅值为

$$P=P_0\frac{F_{\mathrm{S}}}{\lambda r}\left[\frac{2J_1(kR_{\mathrm{S}}\sin\theta)}{kR_{\mathrm{S}}\sin\theta}\right] \tag{3.5}$$

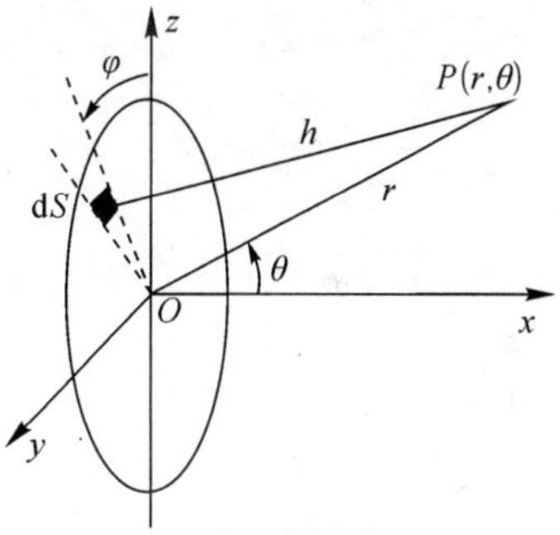

图 3.6　远场声压推导图

式中　r——点 $P(r,\theta)$ 至波源中心的距离；

θ——r 与波源轴线的夹角；

h——点波源至 $P(r,\theta)$ 点的距离；

J_1——第一阶贝塞尔函数。

令 $y=kR_{\mathrm{S}}\sin\theta$，则有

$$J_1(y)=\sum_{k=0}^{\infty}(-1)^k\frac{y^{2k+1}}{2^{2k+1}+k!\ (k+1)!}$$

(2)指向性系数。波源前充分远处任意一点的声压 $P(r,\theta)$ 与波源轴线上同距离处声压 $P(r,0)$ 之比，称为指向性系数，用 $D(\theta)$ 表示，则有

$$D(\theta)=\frac{P(r,\theta)}{P(r,0)}=\frac{2J_1(kR_{\mathrm{S}}\sin\theta)}{kR_{\mathrm{S}}\sin\theta}=\frac{2J_1(y)}{y} \tag{3.6}$$

(3)半扩散角及指向性。根据指向性函数画出指向性图，$D(\theta)$ 与 y 的关系如图 3.7 所示。由图 3.7 可知：

1)$D(\theta)=P(r,\ \theta)/P(r,\ 0)\leqslant 1$，这说明超声场中至波源充分远处同一横截面上各点的声压是不同的，轴线上的声压最高。实际检测中，只有当波束轴线垂直于缺陷时，缺陷回波最

高就是这个原因。

2）当 $y=kR_S\sin\theta=3.83,7.02,10.17,\cdots$ 时，$D(\theta)=P(r,\theta)/P(r,0)=0$，即 $P(r,\theta)=0$，这说明圆盘源辐射的声束截面声场中存在一些声压为零的点。由 $y=kR_S\sin\theta=3.83$，可得

$$\theta_0=\arcsin\left(1.22\frac{\lambda}{D_S}\right)\approx 70\frac{\lambda}{D_S}(^\circ) \tag{3.7}$$

式中 θ_0——圆盘源辐射的纵波声场的第一零值发散角，又称半扩散角。

此外对应于 $y=7.02,10.17,\cdots$ 的发散角称为第二、第三，……零值发散角。

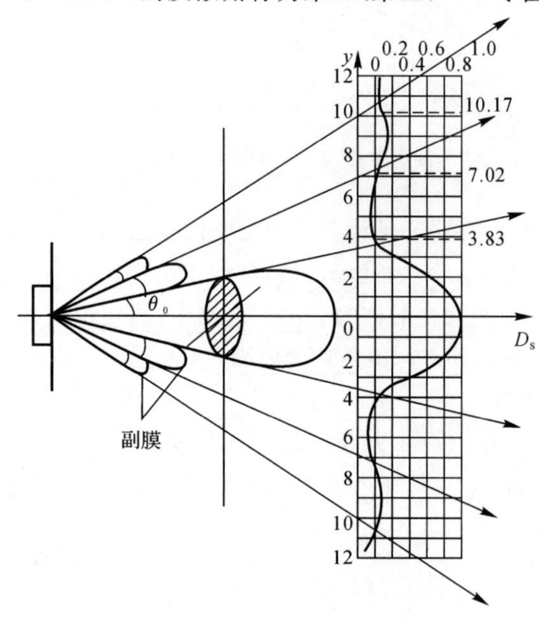

图 3.7 圆盘源波束指向性示意图

3）当 $y>3.83$，即 $\theta>\theta_0$ 时，$|D(\theta)|<0.15$，这说明半扩散角 θ_0 以外的声场声压很低，超声波能量主要集中在半扩散角 θ_0 以内。因此可以认为半扩散角限制了波束的范围。$2\theta_0$ 以内的波束称为主波束，实际检测中，只有当缺陷位于主波束范围内时，缺陷波才最高，缺陷才容易被发现。这种以确定的扩散角向特定的方向辐射超声波的特性称为波束指向性。

4）在超声波主声束之外还存在一些副瓣，副瓣内超声波能量很低，又因为介质对超声波的衰减作用，从波源附近开始传播后声能衰减很快。

5）由 $\theta_0\approx 70\frac{\lambda}{D_S}$ 可知，增大探头直径，提高检测频率，半扩散角将减小，声束指向性得到改善，超声波能量更集中，如图 3.8 所示。声束指向性好，检测灵敏度高。

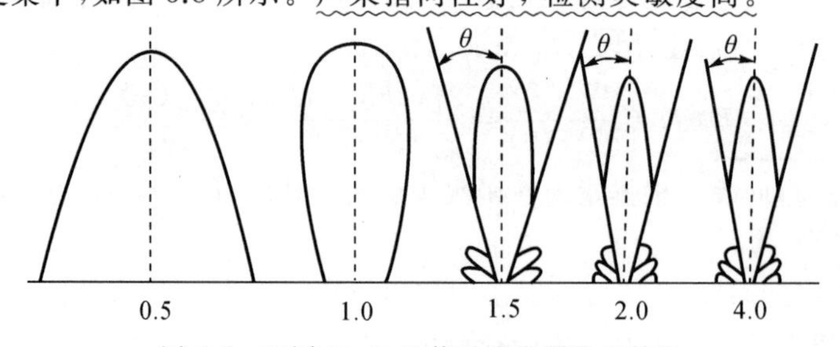

图 3.8 不同 D_S/λ 比值的圆盘源指向特性

6)由 $N=\frac{D_S^2}{4\lambda}$ 可知,增大探头直径,提高检测频率,近场长度将增大,对检测不利。

4. 波束扩散区与未扩散区

声源辐射的超声波以特定的角度向外扩散,但并不是从波源就开始扩散,而是在波源附近存在一个未扩散区域,如图 3.9 所示。

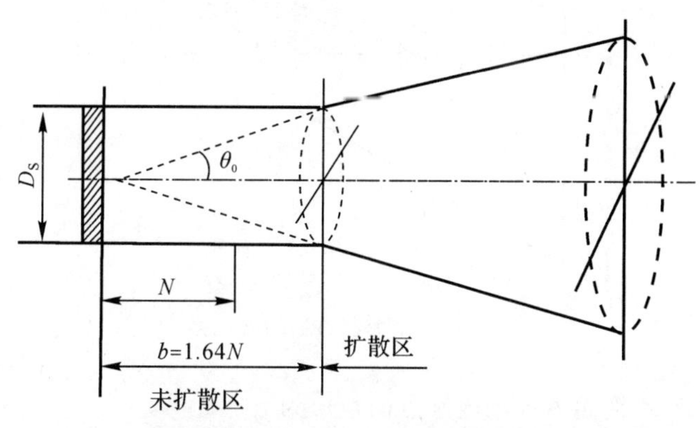

图 3.9　圆盘声源理想声场中的波束未扩散区和扩散区

由 $\sin\theta_0=1.22\frac{\lambda}{D_S}=\frac{D_S/2}{\sqrt{b^2+(D_S/2)^2}}$ 得未扩散区长度 b 为

$$b\approx\frac{D_S^2}{2.44\lambda}=1.64N \tag{3.8}$$

在波束未扩散区内,波束不扩散,不存在扩散衰减,各截面平均声压基本相同。薄板的前几次底波相差无几,就是因为它处于未扩散区内。

到波源的距离 $x>b$ 的区域称为扩散区,扩散区内声束扩散,存在扩散衰减。

【例 3.1】 若用 $f=2.5$ MHz,$D_S=20$ mm 的直探头检测钢工件($c_L=5\ 900$ m/s),那么近场区长度 N,半扩散角 θ_0 和未扩散区长度 b 分别是多少?

解 $\lambda=\frac{c}{f}=\frac{5\ 900\times10^3}{2.5\times10^6}\ \text{mm}=2.36\ \text{mm}$, $N=\frac{D_S^2}{4\lambda}=\frac{20^2}{4\times2.36}\ \text{mm}=42.4\ \text{mm}$

$$\theta_0=70\frac{\lambda}{D_S}=70\times\frac{2.36}{20}(°)=8.26°,\quad b=1.64N=1.64\times42.4\ \text{mm}=69.5\ \text{mm}$$

3.1.2 矩形波源辐射的纵波声场

如图 3.10 所示,矩形波源做活塞振动时,在液体介质中辐射的纵波声场,其远场区声束轴线外任意一点 Q 处的声压可表示为

$$P(r,\theta,\varphi)=P_0\frac{F_S}{\lambda r}\frac{\sin(ka\sin\theta\cos\varphi)}{ka\sin\theta\cos\varphi}\frac{\sin(kb\sin\varphi)}{kb\sin\varphi} \tag{3.9}$$

式中　F_S——矩形波原面积,$F_S=4ab$。

当 $\theta=\varphi=0°$时,由式(3.9)得,远场声束轴线上某点的声压为

$$P(r,0,0)=P_0\frac{F_S}{\lambda r} \tag{3.10}$$

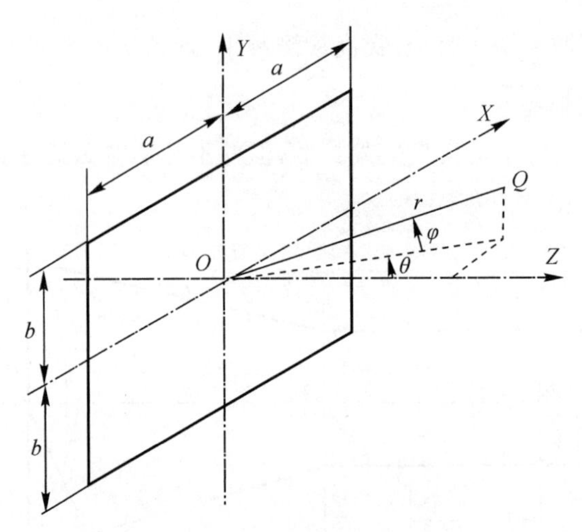

图 3.10　矩形源声场的坐标系

当 $\theta=0°$时，得 YOZ 平面内远场内某点的声压为

$$P(r,0,\varphi)=P_0\frac{F_S}{\lambda r}\frac{\sin(kb\sin\varphi)}{kb\sin\varphi}\tag{3.11}$$

令 $y=kb\sin\varphi$，则在 YOZ 平面内的指向性系数 D_r 为

$$D_r=\frac{P(r,0,\varphi)}{P(r,0,0)}=\frac{\sin(kb\sin\varphi)}{kb\sin\varphi}=\frac{\sin y}{y}\tag{3.12}$$

根据式(3.12)绘制 D_r-y 关系曲线，如图 3.11 所示。

从图 3.11 中可以看出，当 $y=kb\sin\varphi=3.14$ 时，$D_r=0$。此时对应的 YOZ 平面内的半扩散角为

$$\varphi_0=\arcsin\frac{\lambda}{2b}\approx 57\frac{\lambda}{2b}(°)\tag{3.13}$$

同理可得 XOZ 平面内的半扩散角为

$$\varphi_0=\arcsin\frac{\lambda}{2a}\approx 57\frac{\lambda}{2a}(°)\tag{3.14}$$

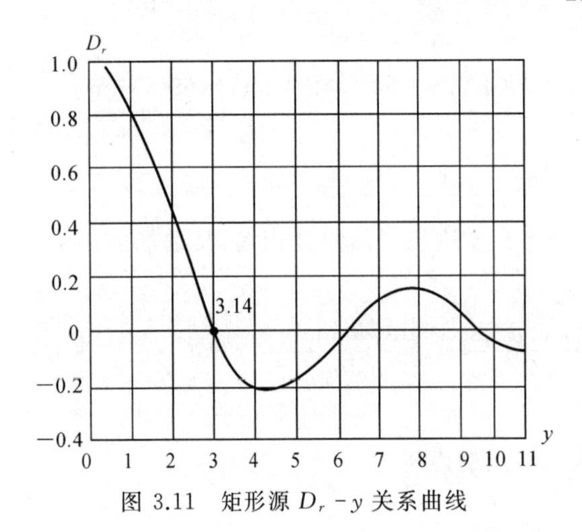

图 3.11　矩形源 D_r-y 关系曲线

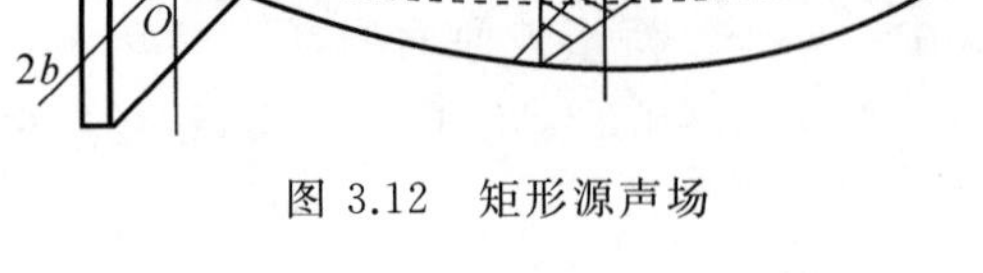

图 3.12　矩形源声场

由上述讨论可知，矩形波辐射的纵波声场与圆盘源不同，矩形波源有两个不同的半扩散角，其声场为矩形，如图 3.12 所示。

矩形波源的近场区长度为

$$N=\frac{F_S}{\pi\lambda} \tag{3.15}$$

3.1.3　纵波声场近场区分布在两种介质中

近场区长度 $N=\frac{D_S^2}{4\lambda}$ 只适用于均匀介质。在实际检测中近场区可能会分布在两种不同介质中，比如水浸法检测。如图 3.13 所示，超声波先进入水中，然后再进入工件中。当水层厚度较小时，近场区就会分布在水、钢两种介质中。设水层厚度为 L，钢中剩余近场区长度为 N'。

基于钢中近场区长度计算，有

$$N'=N_2-L\,\frac{c_1}{c_2}=\frac{D_S^2}{4\lambda_2}-L\,\frac{c_1}{c_2} \tag{3.16}$$

基于水中近场区长度计算，有

$$N'=(N_1-L)\,\frac{c_1}{c_2}=\left(\frac{D_S^2}{4\lambda_1}-L\right)\frac{c_1}{c_2} \tag{3.17}$$

式中　N_1——介质 1 水中的近场区长度；

N_2——介质 2 钢中的近场区长度；

c_1——介质 1 水中的声速；

c_2——介质 2 钢中的声速；

λ_1——介质 1 水中的波长；

λ_2——介质 2 钢中的波长。

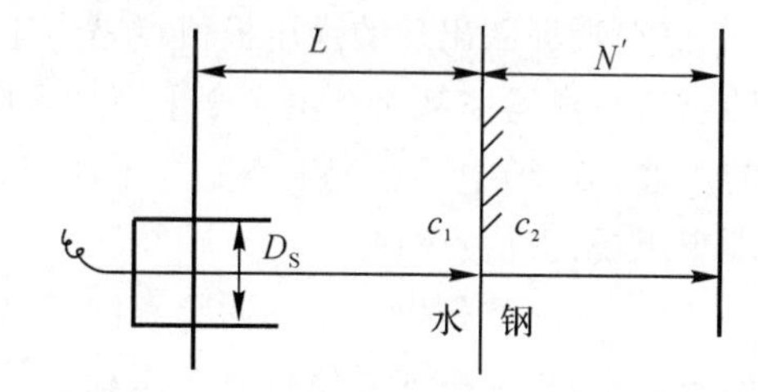

图 3.13　近场区分布在两种介质中

【例 3.2】　用 $f=2.5$ MHz，$D_S=14$ mm 的纵波直探头水浸法检测钢板。已知水层厚度为 20 mm，水中声速 $c_1=1\ 480$ m/s，钢中声速 $c_2=5\ 900$ m/s，求钢中近场区长度。

解　(1)根据公式(3.16)：钢中波长　$\lambda_2=\frac{c_2}{f}=\frac{5.9}{2.5}\ \text{mm}=2.36\ \text{mm}$

钢中近场区长度　$N'=\frac{D_S^2}{4\lambda_2}-L\,\frac{c_1}{c_2}=\left(\frac{14^2}{4\times2.36}-20\times\frac{1\ 480}{5\ 900}\right)\text{mm}=15.7\ \text{mm}$

(2)根据公式(3.17)：水中波长　$\lambda_1=\frac{c_1}{f}=\frac{1.48}{2.5}\text{mm}=0.592\ \text{mm}$

钢中近场区长度　$N'=\left(\frac{D_S^2}{4\lambda_1}-L\right)\frac{c_1}{c_2}=\left(\frac{14^2}{4\times0.592}-20\right)\times\frac{1\ 480}{5\ 920}\ \text{mm}=15.7\ \text{mm}$

3.1.4　实际声场与理想声场比较

以上讨论的是在液体介质中，波源做活塞振动，辐射连续波等理想条件下的声场，简称理想声场。实际检测对象往往是固体介质，波源非均匀激发，辐射脉冲波声场，简称实际声场。实际声场与理想声场不完全相同，如图 3.14 所示。

在远场区，实际声场与理想声场在波源轴线上的声压分布基本一致，声压随距离的增加单调递减，$3N$ 以外声压均与距离成反比，近似球面波声压规律。这是因为当至波源的距离足够远时，波源各点至轴线上某点的波程差明显减小，波的干涉大大减小，甚至不产生干涉。

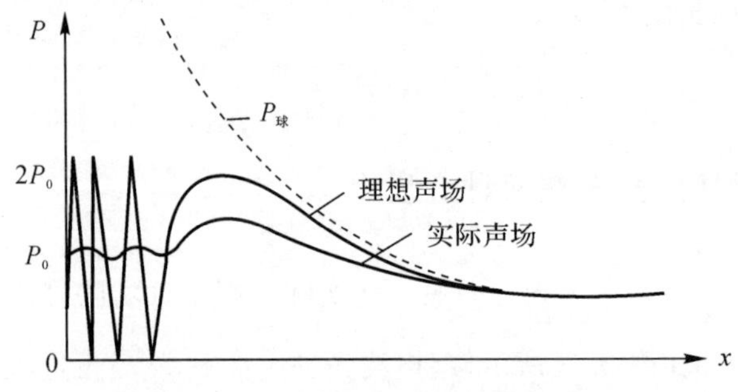

图 3.14　实际声场与理想声场声压比较

在近场区内，实际声场与理想声场在波源轴线上的声压虽然都有极大值与极小值交替出现，但又存在明显区别。理想声场波源轴线上声压极大值为 $2P_0$，极小值为零，波动幅度大。实际声场波源轴线上声压极大值远小于 $2P_0$，极小值远大于零，波动幅度小，同时极值点的数目也减少了。

存在这些差别主要有以下原因：

(1)近场区出现的声压极值点是由于波的干涉造成的。理想声场是连续波，波源各点辐射的声波在声场中某点产生完全干涉。实际声场是脉冲波，脉冲波持续时间很短，波源各点辐射的声波在声场中某点产生不完全干涉，从而使实际声场近场区波源轴线上声压变化幅度小于理想声场，极值点减少。

(2)脉冲波是由多个不同频率的简谐波叠加而成的，每种频率的波在空间干涉时形成不同的极值点，相互叠加后使得总声压趋于均匀。由式(3.1)可知，波源轴线上声压的极值点的位置与波长有关，不同频率下声场的极值点不同，它们互相叠加后总声压趋于均匀。

(3)实际声源是非均匀激发的，圆盘中心的质点振动幅度大，边缘的质点振动幅度小，波源边缘引起的波程差较大，对干涉影响也较大。因此实际声源产生的干涉要明显小于均匀激发的理想声源产生的干涉。

(4)理想声场是针对液体介质而言的，而实际检测的介质多为固体，声波在固体介质和液体介质中的传播性质是有区别的。在液体介质中，液体内某点的压强在各个方向上的大小是相同的，波源各点在液体中某点引起的声压可视为同方向而线性叠加。在固体介质中，波源各点在固体中某点引起的声压方向在二者连线上。对于波源轴线上的点，由于具有对称性，垂直于轴线方向的声压分量互相抵消，平行于轴线方向的声压分量互相叠加。显然这种叠加干涉要小于液体介质中的叠加干涉，使得实际声场近场区域轴线上的声压分布趋于均匀。

3.2　横波发射声场

3.2.1　假想横波波源

在实际检测中使用较多的是横波探头，使纵波倾斜入射到界面上，通过波型转换得到纯的横波，从而实现横波检测。当纵波入射角 α_L 大于第一临界角 α_{I} 且小于第二临界角 α_{II} 时，纵波全反射，第二种介质中只有折射横波。

横波探头辐射的声场由第一介质中的纵波声场和第二介质中的横波声场组成，两部分声场在界面处是折断的，如图 3.15 所示。为了便于计算，可将第一介质中的纵波波源转换为轴线与第二介质中横波波束轴线重合的假想横波波源，这时整个声场可视为由假想横波波源辐射出来的连续的横波声场。

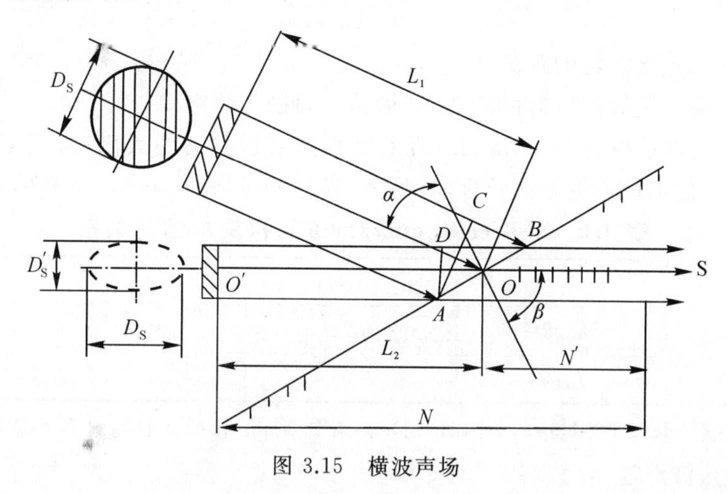

图 3.15　横波声场

当实际波源为圆形时，其假想波源为椭圆形，椭圆的长轴等于实际波源的直径 D_S，短轴 D'_S 为

$$D'_S = D_S \frac{\cos\beta}{\cos\alpha} \tag{3.18}$$

式中　α——纵波入射角；

β——横波折射角。

3.2.2　横波声场的结构

1. 波束轴线上的声压

横波声场和纵波声场一样，由于波的干涉存在近场区和远场区。当 $x \geqslant 3N$ 时，横波声场波束轴线上的声压为

$$P = k \frac{F_S}{\lambda_{S_2} x} \frac{\cos\beta}{\cos\alpha} \tag{3.19}$$

式中　k——系数；

F_S——波源的面积；

λ_{S_2}——第二介质中的横波波长；

x——轴线上某点至假想波源的距离。

由式(3.19)可知，当 $x \geqslant 3N$ 时，横波声场波束轴线上的声压与波源面积成正比，与至假想波源的距离成反比，类似于纵波声场。

2. 近场区长度

横波声场近场区长度为

$$N_{S}=\frac{F_{S}}{\pi\lambda_{S_2}}\frac{\cos\beta}{\cos\alpha} \tag{3.20}$$

N_S 由假想的波源 O' 点算起，与波长成反比，与波源面积成正比。

实际上，横波声场近场区长度包括两部分：横波在斜楔中的声程 L_2 和在试件中(即第二介质中)的近场区长度 N'，则有

$$N'=N_{S}-L_{2}=\frac{F_{S}}{\pi\lambda_{S_2}}\frac{\cos\beta}{\cos\alpha}-L_{1}\frac{\tan\alpha}{\tan\beta} \tag{3.21}$$

式中 L_1——入射点至波源的距离；

L_2——入射点至假想波源的距离，即横波在斜楔中的声程。

我国横波探头常采用 $K(K=\tan\beta_S)$ 值来表示横波折射角的大小，常用 K 值为 1.0，1.5，2.0，2.5，…。为了便于计算近场区长度，特将 K 值与 $\cos\beta/\cos\alpha$，$\tan\alpha/\tan\beta$ 的关系列于表 3.1。

表 3.1　$\cos\beta/\cos\alpha$，$\tan\alpha/\tan\beta$ 与探头 K 值的关系

K 值	1.0	1.5	2.0	2.5
$\cos\beta/\cos\alpha$	0.88	0.78	0.68	0.6
$\tan\alpha/\tan\beta$	0.75	0.66	0.58	0.5

【例 3.3】 试计算 2.5 MHz，14 mm×16 mm 矩形晶片 $K=1.0$ 和 $K=2.0$ 横波探头的近场长度 N(钢中横波声速 $c_{S_2}=3\ 230$ m/s)。

解

$$\lambda_{S_2}=\frac{c_{S_2}}{f}=\frac{3\ 230\times10^{3}}{2.5\times10^{6}}\text{mm}\approx1.29\ \text{mm}$$

$$N(K=1.0)=\frac{ab}{\pi\lambda_{S_2}}\frac{\cos\beta}{\cos\alpha}=\frac{14\times16}{3.14\times1.29}\times0.88\ \text{mm}\approx48.7\ \text{mm}$$

$$N(K=2.0)=\frac{ab}{\pi\lambda_{S_2}}\frac{\cos\beta}{\cos\alpha}=\frac{14\times16}{3.14\times1.29}\times0.68\ \text{mm}\approx37.7\ \text{mm}$$

【例 3.4】 有一 2.5 MHz，10 mm×12 mm 矩形晶片 $K=2.0$ 横波探头，其有机玻璃中入射点至晶片的距离为 12 mm，求此探头在钢中的近场长度 N'(钢中横波声速 $c_{S_2}=3\ 230$ m/s)。

解

$$\lambda_{S_2}=\frac{c_{S_2}}{f}=\frac{3\ 230\times10^{3}}{2.5\times10^{6}}\text{mm}\approx1.29\ \text{mm}$$

$$N'=\frac{ab}{\pi\lambda_{S_2}}\frac{\cos\beta}{\cos\alpha}-L_{1}\frac{\tan\alpha}{\tan\beta}=\left(\frac{10\times12}{3.14\times1.29}\times0.68-12\times0.58\right)\text{mm}\approx13\ \text{mm}$$

3. 半扩散角

从假想横波声源辐射的横波声场同纵波声场一样，具有良好的指向性，可以在被检测材料中定向辐射，只是声束的对称性与纵波声场有所不同，如图 3.16 所示。

(1)纵波斜入射到第二介质中产生横波声场，其声束不再对称于声束轴线，而是存在上、下两个半扩散角，其中上半扩散角 $\theta_上$ 大于下半扩散角 $\theta_下$，有

$$\left.\begin{aligned}\theta_上&=\beta_2-\beta\\ \theta_下&=\beta-\beta_1\end{aligned}\right\} \tag{3.22}$$

式中

$$\sin\beta_1=a-b,\quad \sin\beta_2=a+b$$

$$a=\sin\beta\sqrt{1-(1.22\lambda_{L_1}/D_S)^2},\quad b=\frac{1.22\lambda_{L_1}c_{S_2}}{D_S c_{L_1}}\cos\alpha$$

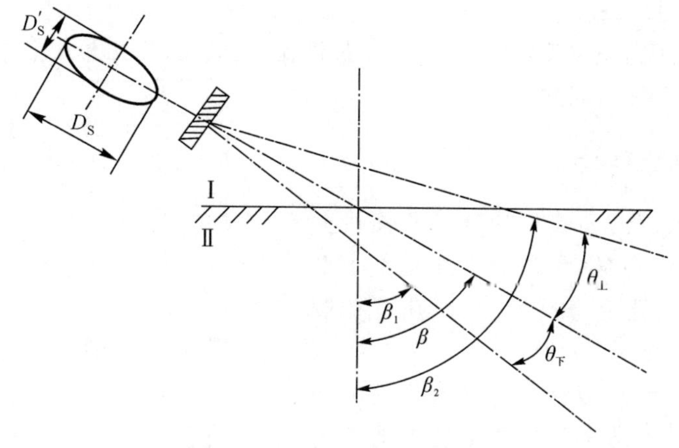

图 3.16　横波声束半扩散角

(2)横波垂直入射时，其声束对称于轴线，这时半扩散角可按下式计算。

对于圆片形声源，有

$$\theta_0=\arcsin\left(1.22\frac{\lambda_{S_2}}{D_S}\right)\approx 70\frac{\lambda_{S_2}}{D_S}(°) \tag{3.23}$$

对于正方形声源，有

$$\theta_0=\arcsin\frac{\lambda_{S_2}}{2a}\approx 57\frac{\lambda_{S_2}}{2a}(°) \tag{3.24}$$

在频率、探头尺寸、声速等条件相同的情况下，横波声束的指向性比纵波的好，横波能量更集中，检测灵敏度更高。对于圆盘声源，横波斜入射时的上半扩散角 $\theta_上$ 等于纵波正入射时的扩散角 θ_0，$\theta_0=\theta_上>\theta_下$。

思考题

1.圆盘源活塞波声场可分为哪几个区？各有什么特点？

2.为什么要尽量避免在近场区检测定量？

3.什么叫波束的指向性？指向性与哪些因素有关？

4.什么叫半扩散角？半扩散角与哪些因素有关？为什么半扩散角以外的缺陷都难以发现？

5.在相同的情况下，横波和纵波的检测灵敏度哪个更高？为什么？

3.3　规则反射体的回波声压

上述讨论了超声波发射声场中声压的分布情况，实际检测中常用反射法。反射法是根据缺陷反射回波声压的高低来评价缺陷大小的。但工件中的缺陷形状、取向、性质等各不相同，目前的检测技术还难以确定缺陷的真实大小和形状。回波高度相同的缺陷实际大小可能相差很大，为此引入当量法。当量法是指在同样的检测条件下，当自然缺陷回波与规则人工反射体回波等高时，则该人工规则反射体的尺寸就是此自然缺陷的当量尺寸。自然缺陷的实际尺寸往往大于其当量尺寸。

超声检测中常用的规则反射体有平底孔、长横孔、短横孔、球孔和大平底面等，下面分别讨论以上各种规则反射体的回波声压。

3.3.1 平底孔回波声压

如图3.17所示，在 $x \geqslant 3N$ 的圆盘源轴线上存在一平底孔(圆形)缺陷，设波束轴线垂直于平底孔，超声波在平底孔上全反射，平底孔直径较小，表面各点声压近似相等。

根据惠更斯原理，可以把平底孔当作新的圆盘源，其起始声压就是入射波在平底孔处的声压 $P_x = P_0 F_S / \lambda x$，所以探头接收到的平底孔回波声压为

$$P_f = \frac{P_x F_f}{\lambda x} = P_0 \frac{F_S F_f}{\lambda^2 x^2} \tag{3.25}$$

式中 P_0——探头波源的起始声压；

F_S——探头波源面积，$F_S = \pi D_S^2 / 4$；

F_f——平底孔缺陷面积，$F_f = \pi D_f^2 / 4$；

x——平底孔至波源的距离。

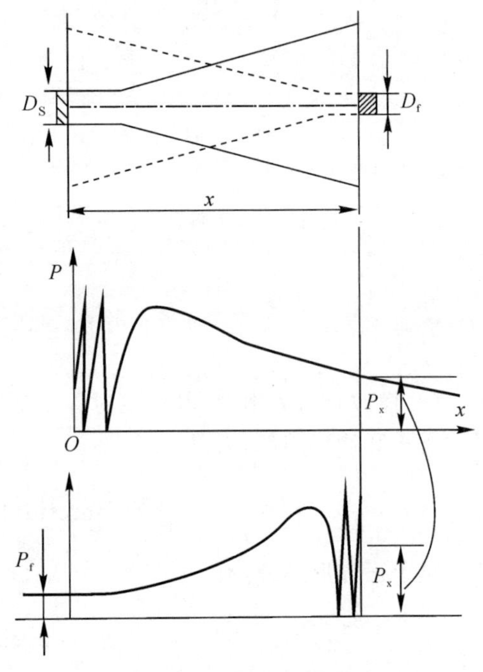

图 3.17 平底孔回波声压

由式(3.25)可知，当检测条件(F_S，λ)一定时，任意两个距离和直径不同的平底孔回波声压之比为

$$\frac{P_1}{P_2} = \frac{D_1^2 x_2^2}{D_2^2 x_1^2}$$

两个平底孔回波声压的分贝差为

$$\Delta_{12} = 20\lg \frac{P_1}{P_2} = 40\lg \frac{D_1 x_2}{D_2 x_1} \tag{3.26}$$

(1)当 $D_1 = D_2$，$x_2 = 2x_1$ 时，有

$$\Delta_{12} = 20\lg \frac{P_1}{P_2} = 40\lg \frac{x_2}{x_1} = 40\lg 2\ \text{dB} = 12\ \text{dB}$$

这说明平底孔直径一定，距离加倍，回波下降12 dB。

(2)当 $x_1 = x_2$，$D_1 = 2D_2$ 时，有

$$\Delta_{12} = 20\lg \frac{P_1}{P_2} = 40\lg \frac{D_1}{D_2} = 40\lg 2\ \text{dB} = 12\ \text{dB}$$

这说明平底孔距离一定，直径加倍，其回波升高12 dB。

3.3.2 长横孔回波声压

如图3.18所示，在 $x \geqslant 3N$ 的圆盘源轴线上有一长横孔，其截面直径 D_f 较小，长度大于波束截面尺寸，超声波垂直入射到长横孔上全反射，类似于球面波在柱面上的反射。

将 $a=x,f=D_f/4,P_1/a=P_0F_S/\lambda x$ 代入式(2.55),凸面反射取"+",考虑到 $D_f \ll x$,得长横孔的回波声压为

$$P_f=\frac{P_1}{a}\sqrt{\frac{f}{\left(1+\frac{x}{a}\right)\left[x+f\left(1+\frac{x}{a}\right)\right]}}=\frac{P_0F_S}{2x\lambda}\sqrt{\frac{D_f}{2x+D_f}}\approx\frac{P_0F_S}{2x\lambda}\sqrt{\frac{D_f}{2x}} \tag{3.27}$$

以上情况类似于超声波径向检测空心柱体(管)。当检测条件(F_S,λ)一定时,任意两个距离、直径不同的长横孔回波声压的分贝差为

$$\Delta_{12}=20\lg\frac{P_1}{P_2}=10\lg\frac{D_1x_2^3}{D_2x_1^3} \tag{3.28}$$

(1)当 $D_1=D_2,x_2=2x_1$ 时,有

$$\Delta_{12}=20\lg\frac{P_1}{P_2}=30\lg\frac{x_2}{x_1}=30\lg2\ \text{dB}=9\ \text{dB}$$

这说明长横孔直径一定时,距离加倍,回波下降 9 dB。

(2)当 $x_1=x_2,D_1=2D_2$ 时,有

$$\Delta_{12}=20\lg\frac{P_1}{P_2}=10\lg\frac{D_1}{D_2}=10\lg2\ \text{dB}=3\ \text{dB}$$

这说明长横孔距离一定时,直径加倍,其回波升高 3 dB。

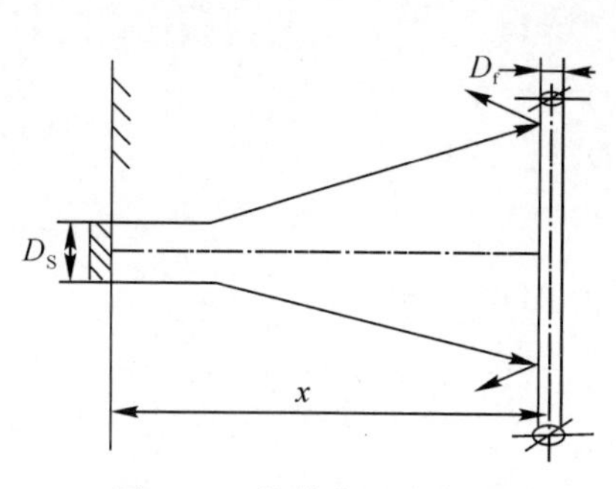

图 3.18 长横孔回波声压

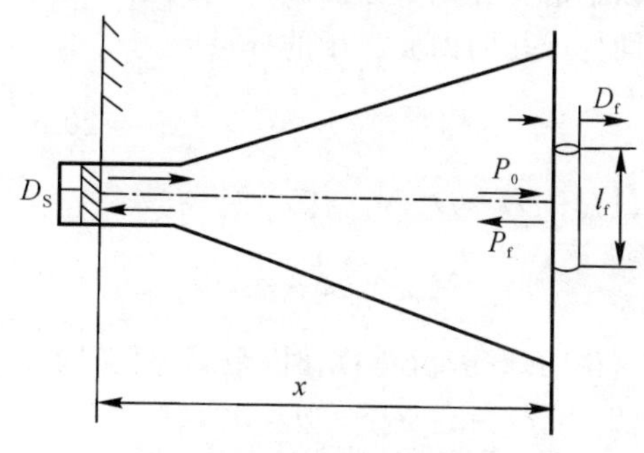

图 3.19 短横孔回波声压

3.3.3 短横孔回波声压

如图 3.19 所示,超声波垂直入射到长度 l_f 小于波束截面尺寸的横孔上,并在其上发生全反射。当 $x\geqslant 3N$ 时,超声波在短横孔上的反射回波声压为

$$P_f=\frac{P_0F_S}{\lambda x}\frac{l_f}{2x}\sqrt{\frac{D_f}{\lambda}} \tag{3.29}$$

当检测条件(F_S,λ)一定时,任意两个距离和直径不同的短横孔回波声压的分贝差为

$$\Delta_{12}=20\lg\frac{P_1}{P_2}=10\lg\frac{l_1^2}{l_2^2}\frac{x_2^4}{x_1^4}\frac{D_1}{D_2} \tag{3.30}$$

(1)当 $D_1=D_2,l_1=l_2,x_2=2x_1$ 时,有

$$\Delta_{12}=20\lg\frac{P_1}{P_2}=40\lg\frac{x_2}{x_1}=40\lg2\ \text{dB}=12\ \text{dB}$$

这说明短横孔直径和长度一定，距离增加一倍，回波下降 12 dB，与平底孔变化规律相同。

(2) 当 $D_1=D_2, x_1=x_2, l_1=2l_2$ 时，有

$$\Delta_{12}=20\lg\frac{P_1}{P_2}=20\lg\frac{l_1}{l_2}=20\lg 2\ \mathrm{dB}=6\ \mathrm{dB}$$

这说明短横孔直径和距离一定，长度增加一倍，其回波上升 6 dB。

(3) 当 $x_1=x_2, l_1=l_2, D_1=2D_2$ 时，有

$$\Delta_{12}=20\lg\frac{P_1}{P_2}=10\lg\frac{D_1}{D_2}=10\lg 2\ \mathrm{dB}=3\ \mathrm{dB}$$

这说明短横孔长度和距离一定，直径增加一倍，其回波升高 3 dB。

3.3.4 球孔回波声压

如图 3.20 所示，设球孔直径 D_f 足够小，超声波垂直入射并发生全反射。当 $x\geqslant 3N$ 时在球孔上的反射就类似于球面波在球面上的反射。

将 $a=x, f=D_f/4, P_1/a=P_0F_S/\lambda x$ 代入式(2.54)，凸面反射取"+"，考虑到 $D_f\ll x$，得球孔的回波声压为

$$P_f=\frac{P_1}{a}\frac{f}{x\pm f\left(1+\frac{x}{a}\right)}=\frac{P_0F_S}{2x\lambda}\frac{D_f}{2x+D_f}\approx\frac{P_0F_S}{\lambda x}\frac{D_f}{4x} \tag{3.31}$$

以上情况类似于球面波在气孔上的反射。当检测条件(F_S,λ)一定时，任意两个距离、直径不同的球孔的回波声压的分贝差为

$$\Delta_{12}=20\lg\frac{P_1}{P_2}=20\lg\frac{D_1x_2^2}{D_2x_1^2} \tag{3.32}$$

(1) 当 $D_1=D_2, x_2=2x_1$ 时，有

$$\Delta_{12}=20\lg\frac{P_1}{P_2}=40\lg\frac{x_2}{x_1}=40\lg 2\ \mathrm{dB}=12\ \mathrm{dB}$$

这说明球孔直径一定时，距离加倍，回波下降 12 dB，与平底孔变化规律相同。

(2) 当 $x_1=x_2, D_1=2D_2$ 时，有

$$\Delta_{12}=20\lg\frac{P_1}{P_2}=20\lg\frac{D_1}{D_2}=20\lg 2\ \mathrm{dB}=6\ \mathrm{dB}$$

这说明球孔距离一定时，直径加倍，其回波升高 6 dB。

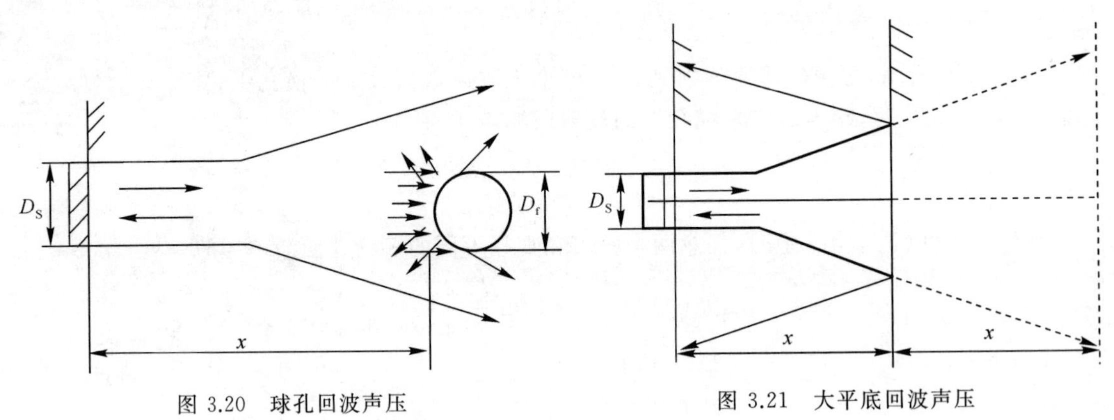

图 3.20　球孔回波声压　　　图 3.21　大平底回波声压

3.3.5 大平底回波声压

如图3.21所示，当 $x \geqslant 3N$ 时，超声波在与波束轴线垂直、表面光洁的大平底面上的反射就是球面波在平面上的反射。超声波在大平底上全反射后向相反的方向传播，探头接收到的回波声压就相当于距离声源 $2x$ 处的入射声压，其回波声压为

$$P_B = \frac{P_0 F_S}{2\lambda x} \tag{3.33}$$

由式(3.33)可知，当检测条件(F_S，λ)一定时，大平底面的反射回波与距离成反比。两个不同距离处大平底的回波声压的分贝差为

$$\Delta_{12} = 20\lg\frac{P_1}{P_2} = 20\lg\frac{x_2}{x_1} \tag{3.34}$$

当 $x_2 = 2x_1$ 时，有

$$\Delta_{12} = 20\lg\frac{P_1}{P_2} = 20\lg\frac{x_2}{x_1} = 20\lg 2 \text{ dB} = 6 \text{ dB}$$

这说明大平底距离增加一倍，回波下降6 dB。

3.3.6 圆柱体回波声压

1. 实心圆柱体

超声波径向检测 $x \geqslant 3N$ 的实心圆柱体时，类似于球面波在凹柱面上的反射。将 $a = x$，$f = D_f/4$，$P_1/a = P_0 F_S/\lambda x$ 带入式(2.55)，凹面反射取"－"，得实心圆柱体凹曲面底面的回波声压为

$$P_B = \frac{P_1}{a}\sqrt{\frac{f}{\left(1+\dfrac{x}{a}\right)\left[x - f\left(1+\dfrac{x}{a}\right)\right]}} = \frac{P_0 F_S}{2\lambda x} \tag{3.35}$$

这说明实心圆柱体回波声压与大平底回波声压相同。

2. 空心圆柱体

探头置于外圆径向检测空心圆柱体，$x \geqslant 3N$ 时类似于球面波在凸柱面上的反射，如图3.22所示，探头置于 A 位置，将 $a = x = (D-d)/2$，$f = d/4$，$P_1/a = P_0 F_S/\lambda a$ 代入式(2.55)，凸面反射取"＋"，得外圆检测空心圆柱体凸柱曲底面的回波声压为

$$P_B = \frac{P_1}{a}\sqrt{\frac{f}{\left(1+\dfrac{x}{a}\right)\left[x + f\left(1+\dfrac{x}{a}\right)\right]}} = \frac{P_0 F_S}{2\lambda x}\sqrt{\frac{d}{D}} \tag{3.36}$$

这说明外圆检测空心圆柱体时，由于凸柱面反射波发散，其回波声压低于大平底回波声压。

探头置于圆柱体内测，从内孔检测圆柱体，$x \geqslant 3N$ 时类似于球面波在凹柱面上的反射，如图3.22所示，探头置于 B 位置，将 $a = x = (D-d)/2$，$f = D/4$，$P_1/a = P_0 F_S/\lambda a$ 代入式(2.60)，凹面反射取"－"，得内圆检测空心圆柱体凹柱曲底面的回波声压为

$$P_B = \frac{P_1}{a}\sqrt{\left|\frac{f}{\left(1+\dfrac{x}{a}\right)\left[x - f\left(1+\dfrac{x}{a}\right)\right]}\right|} = \frac{P_0 F_S}{2\lambda x}\sqrt{\frac{D}{d}} \tag{3.37}$$

这说明从内孔检测圆柱体时，因凹柱面反射波聚焦，其回波声压大于大平底回波声压。

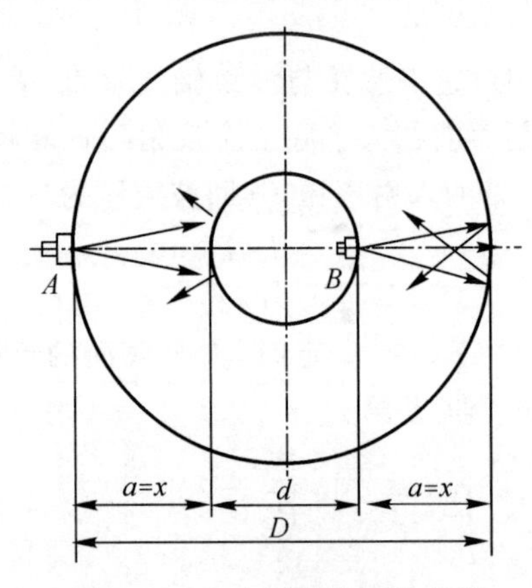

图 3.22 空心圆柱体回波声压

以上各种规则反射体的回波声压公式均未考虑介质衰减，如果考虑介质衰减，则式(3.25)、式(3.27)、式(3.29)、式(3.31)、式(3.33)、式(3.35)～式(3.37)均需要乘以衰减因子 $e^{\frac{-2\alpha x}{8.68}}$。以平底孔和大平底为例，则有

平底孔回波声压为

$$P_f = P_0 \frac{F_S F_f}{\lambda^2 x_f^2} e^{\frac{-2\alpha x_f}{8.68}} \tag{3.38}$$

大平底回波声压为

$$P_B = \frac{P_0 F_S}{2\lambda x_B} e^{\frac{-2\alpha x_B}{8.68}} \tag{3.39}$$

式中 x_f——反射体至波源的距离，mm；

α——介质单程衰减系数，dB/mm。

此时，不同直径与距离处的平底孔，其回波声压的分贝差为

$$\Delta_{12} = 20\lg \frac{P_1}{P_2} = 40\lg \frac{D_1 x_2}{D_2 x_1} + 2\alpha(x_2 - x_1) \tag{3.40}$$

不同距离处的平底孔与大平底回波声压的分贝差为

$$\Delta_{Bf} = 20\lg \frac{P_B}{P_f} = 20\lg \frac{2\lambda x_f^2}{\pi D_f^2 x_B} + 2\alpha(x_f - x_B) \tag{3.41}$$

由式(3.41)可知，由介质衰减引起的回波声压的分贝差为 $2\alpha(x_f - x_B)$，等于衰减系数与声程差的乘积。

【例 3.5】 用 2.5P20Z 探头检测钢锻件，在 100 mm 厚的大平底试块上，底波高 50 dB。已知：c_L＝5 900 m/s，锻件中 α_f＝0.01 dB/mm，试块中 α_B＝0.005 dB/mm，二者表面耦合损失差为 5 dB。检测时在 150 mm 处发现一缺陷，其波高为 15 dB，求此缺陷的当量尺寸。

解 $\lambda = \frac{c_L}{f} = \frac{5.9}{2.5}\text{mm} = 2.36\ \text{mm}$，$N = \frac{D^2}{4\lambda} = \frac{20^2}{4\times 2.36}\text{mm} = 42.4\ \text{mm}$

$x_f = 150\ \text{mm} > 3N = 127.2\ \text{mm}$，所以可以采用计算法。

由题意可知，大平底与平底孔的回波声压分贝差 Δ_{Bf}＝(50－15－5) dB＝30 dB。根据式

(3.41),有 $\Delta_{Bf}=20\lg\dfrac{P_B}{P_f}=20\lg\dfrac{2\lambda x_f^2}{\pi D_f^2 x_B}+2(\alpha_f x_f-\alpha_B x_B)\ \text{dB}=30\ \text{dB}$

代入数值得 $20\lg\dfrac{2\times2.36\times150^2}{3.14\times D_f^2\times100}+2(0.01\times150-0.005\times100)=30$

解得 $D_f=3.67\ \text{mm}$

答:此缺陷的当量尺寸为3.67 mm。

思考题

1.什么是缺陷的当量尺寸?在超声检测中为什么要引进当量的概念?

2.写出平底孔、长横孔、短横孔、球孔、大平底、实心圆柱和空心圆柱内、外表面的回波声压公式,说明式中各参量的物理意义和公式建立的条件。

第3章习题

1.是非题(对的在后面括弧中画"√",错的画"×")

(1)超声检测的实际声场中声束轴线上不存在声压为零的点。( )

(2)近场区由于波的干涉检测定位和定量都不准。( )

(3)探头频率越高,声束扩散角越小。( )

(4)频率和晶片尺寸相同时,横波声束指向性比纵波好。( )

(5)面积相同、频率相同的圆晶片和方晶片,其声束指向角也相同。( )

(6)面积相同、频率相同的圆晶片和方晶片,其声场的近场区长度一样长。( )

(7)在超声场的未扩散区,可将声源辐射的超声波看成平面波,平均声压不随距离增加而改变。( )

(8)横波声场中假想声源的面积大于实际声源面积。( )

(9) 200 mm 处 ϕ4 mm 长横孔的回波声压比 100 mm 处 ϕ2 mm 长横孔的回波声压低。( )

(10)同声程的理想大平底与平底孔回波声压的比值随频率的增大而减小。( )

2.单项选择题

(1)ϕ12 mm,5 MHz的直探头在钢中的指向角是( )。

A.5.6° B.3.5° C.6.8° D.24.6°

(2)在未扩散区内大平底距声源距离增大1倍,其回波减弱( )。

A.9 dB B.6 dB C.3 dB D.0 dB

(3)下列直探头指向性最好的是( )。

A.2.5P20Z B.3P14Z C.4P20Z D.5P14Z

(4)圆盘源轴线上声压分布最后一个声压极小值的位置是( )。

A.0.25N B.0.5N C.0.75N D.N

(5)活塞波声场,声束轴线上最后一个声压极大值到声源的距离称为( )。

A.近场区长度 B.未扩散区长度 C.主声束 D.超声场

(6)远场范围的超声波可视为(　　)。

A.平面波　　B.球面波　　C.柱面波　　D.活塞波

(7)同直径的平底孔在球面波声场中距离增大1倍,则回波减弱(　　)。

A.6 dB　　B.12 dB　　C.3 dB　　D.9 dB

(8)对于球面波,距离增大1倍,则声压(　　)。

A.增大6 dB　　B.减小6 dB　　C.增大3 dB　　D.减小3 dB

(9)对于柱面波,距离增大1倍,则声压(　　)。

A.增大6 dB　　B.减小6 dB　　C.增大3 dB　　D.减小3 dB

(10)比ϕ3 mm长横孔回波声压小7 dB的同声程长横孔直径是(　　)。

A.ϕ0.6 mm　　B.ϕ1 mm　　C.ϕ2 mm　　D.ϕ0.3 mm

(11)当量大的缺陷实际尺寸(　　)。

A.一定大　　B.不一定大　　C.一定不大　　D.等于当量尺寸

(12)当量小的缺陷实际尺寸(　　)。

A.一定小　　B.不一定小　　C.一定不小　　D.等于当量尺寸

(13)超声场的未扩散区长度(　　)。

A.约等于近场区长度　　B.约等于近场区长度0.6倍

C.约等于近场区长度1.6倍　　D.约等于近场区长度3倍

(14)外径为D、内径为d的实心圆柱体,以相同的灵敏度在内壁和外圆检测,如忽略耦合差异,则底波高度比为(　　)。

A.$\dfrac{d}{D}$　　B.$\sqrt{D/d}$　　C.$\dfrac{D}{d}$　　D.$\sqrt{d/D}$

第4章　超声检测设备和器材

超声检测系统必须包括超声检测仪、探头、试块、耦合剂和机械扫查装置等。其中超声检测仪器、探头和试块是最基本的超声检测设备和器材，仪器和探头对超声检测系统的能力起关键性作用，了解其原理、构造和作用及其性能的测试方法，是正确选择检测设备与器材并进行有效检测的保证。耦合剂是为了增强超声波的透声能力而在探头与工件表面之间施加的一层液体透声介质，将在“5.2.3　耦合剂的选用”一节详细介绍。

4.1　超声检测仪器

超声检测仪器是超声检测的主体设备，它的主要功能是产生高频电振荡并加于探头（换能器）上，激励探头发射超声波。同时将探头接收回的电信号进行放大后，通过一定的方式显示出来，从而得到被检测工件内部有无缺陷及缺陷的位置和大小等信息。

4.1.1　超声检测仪的分类

超声波检测技术在现代工业中的应用日益广泛，由于检测对象、检测目的、检测场合、检测速度等方面的要求不同，有各种不同设计的超声检测仪，常见的有以下几种。

1. 按超声波的通道数目分类

（1）单通道检测仪。这种仪器由一个或一对探头单独工作，是目前超声检测中应用最广泛的仪器。

（2）多通道检测仪。这种仪器由多个或多对探头交替工作，每一通道相当于一台单通道检测仪。

2. 按发射超声波的特征分类

（1）脉冲波超声检测仪。在检测过程中，这种检测仪周期性地发射一个持续时间很短的电脉冲，激励探头发射脉冲超声波传入工件，并通过探头接收工件中的回波信息，通过超声波信号的传播时间和回波幅度判断工件中是否存在缺陷以及评定缺陷的位置和大小。这是目前最常用的一种超声检测仪。

（2）连续波超声检测仪。这种检测仪通过探头向工件发射连续且频率不变（或在小范围内周期性变化）的超声波，根据透过工件的超声波强度变化判断工件中有无缺陷以及评定缺陷的当量大小。

这种仪器适合检测超声波衰减大的材料，同时也避免了盲区，但检测灵敏度低，不能检测小缺陷，也不能对缺陷定位，目前逐步被脉冲反射法所代替。

(3)调频式超声检测仪。调频式超声检测仪通过探头向工件发射频率连续可调的周期性变化的超声波，主要利用超声波的谐振特性对被检工件进行评价。根据连续波在工件中形成驻波的情况，可用于共振测厚，根据发射波与反射波的差频变化判断工件中有无缺陷。但由于这类仪器只适合于检测与检测面平行的缺陷，故大多被脉冲波超声检测仪所代替。

3. 按缺陷显示方式分类

(1)A 型显示。A 型显示是一维波形显示，检测仪示波屏的横坐标代表声波的传播时间，纵坐标代表反射波的幅度。如果超声波在均质介质中传播，声速恒定，传播时间可转换为传播距离($s=ct$)。根据波传播的时间可以确定缺陷的位置，根据回波的幅度可以评定缺陷的当量尺寸。

A 型显示波形具有检波和非检波两种形式，如图 4.1 所示。非检波信号又称为射频信号(RF)，是超声回波脉冲未经检波处理的波形形式，可根据波形显示特征(相位、上下振幅差、周期数等)分析信号特征(频谱和相位)，辅助判断缺陷的性质。检波形式是超声回波信号经检波后显示的视频波形。由于检波形式可将时基线从屏幕中间移到刻度板底线，使可观察的幅度范围增加一倍，同时图形较为清晰简单，便于判断回波信号的存在及读出信号幅度，在常规超声检测仪中得到广泛的应用。检波形式与非检波形式相比，失去了相位信息。

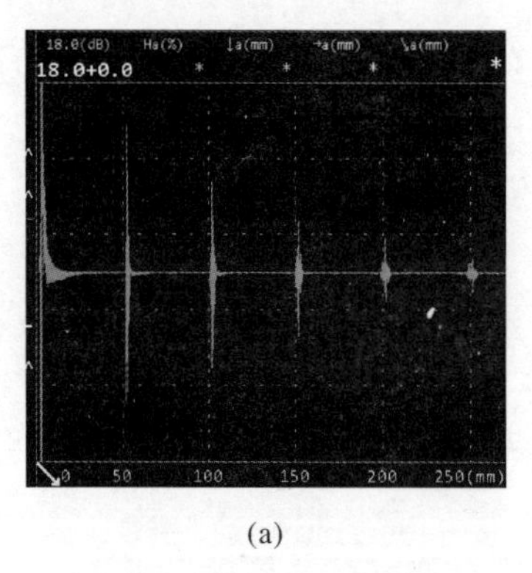

(a)

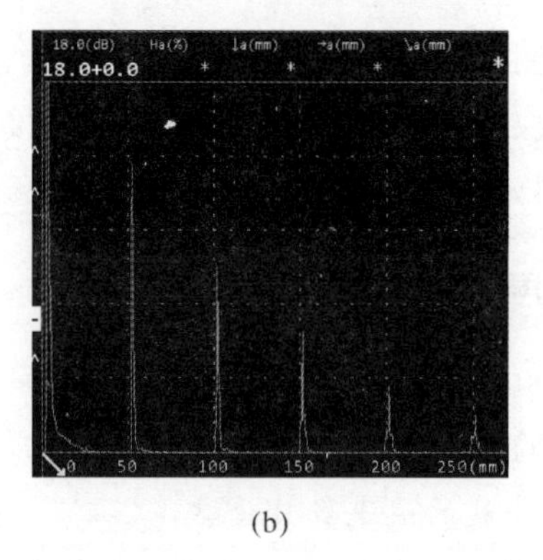

(b)

图 4.1 A 型显示波形

(a)射频波形(非检波)；(b)视频波形(检波)

图 4.2 所示为利用脉冲反射法检测得到的典型 A 型显示波形，左侧幅度很高的脉冲 T 称为始脉冲或始波，是发射脉冲直接进入接收电路后在示波屏上的起始位置显示出来的脉冲信号；右侧的回波 B 称为底面回波，简称底波，是超声波传播到与入射面相对的工件底面产生的反射波；中间的回波 F 是工件中的缺陷反射波。

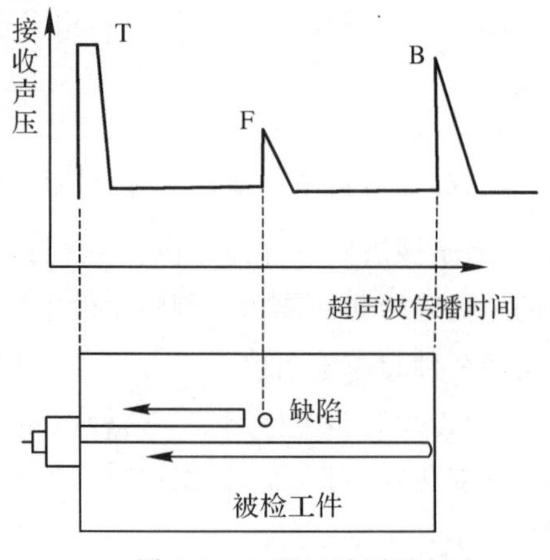

图 4.2 A 型显示原理

(2)B 型显示。B 型显示是工件的侧视二维图像，示波屏的横坐标代表探头的扫描轨迹，即探头的移动距离，纵坐标代表声波的传播时间(距离)，即检测深度。它可以直观地显示出被检测工件任一纵截面上缺陷的位置、取向与深度，如图 4.3 所示。

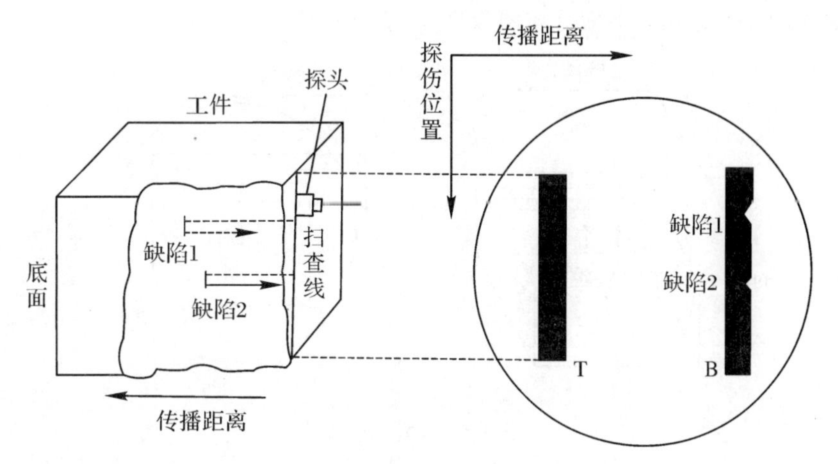

图 4.3　B 型显示原理

图 4.4 所示为一工件的纵截面 B 扫描图像。

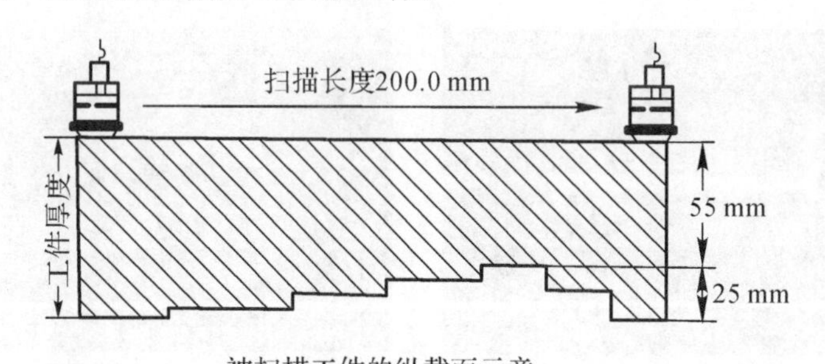

被扫描工件的纵截面示意

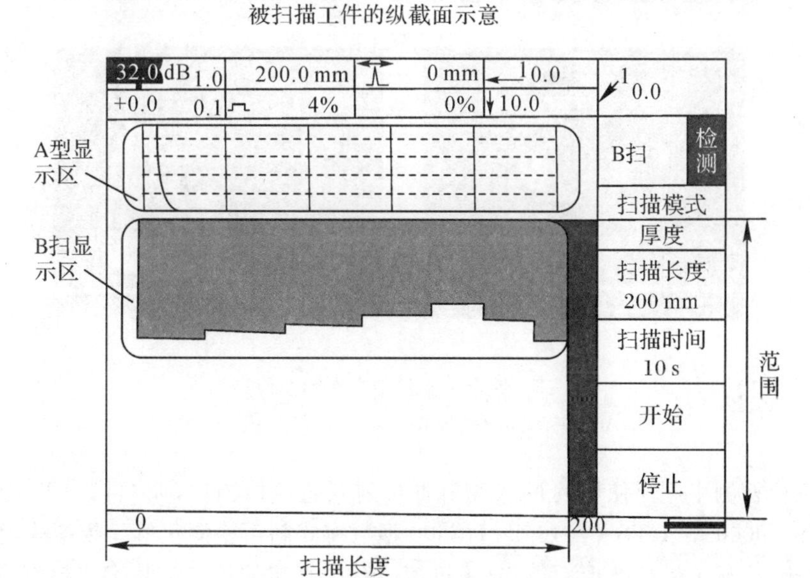

图 4.4　仪器屏幕上厚度模式 B 扫描图像

(3)C 型显示。C 型显示是工件的俯视二维平面投影图,如图 4.5 所示,探头在工件表面作二维扫查,示波屏上横坐标和纵坐标均代表探头扫查的位置,即探头在工件表面的位置。它可以显示缺陷的二维形状与平面分布图像,但不能显示缺陷的深度。

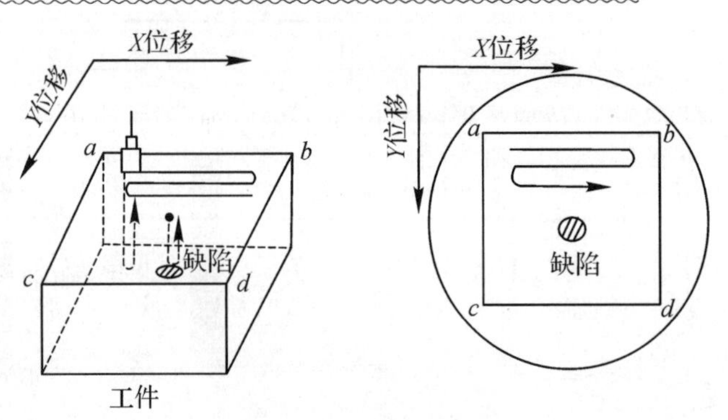

图 4.5 C 型显示原理

图 4.6 所示为钛合金工件中夹杂物的 A 型、B 型、C 型三种显示以及将这三种显示组合所得到的三维显示图。

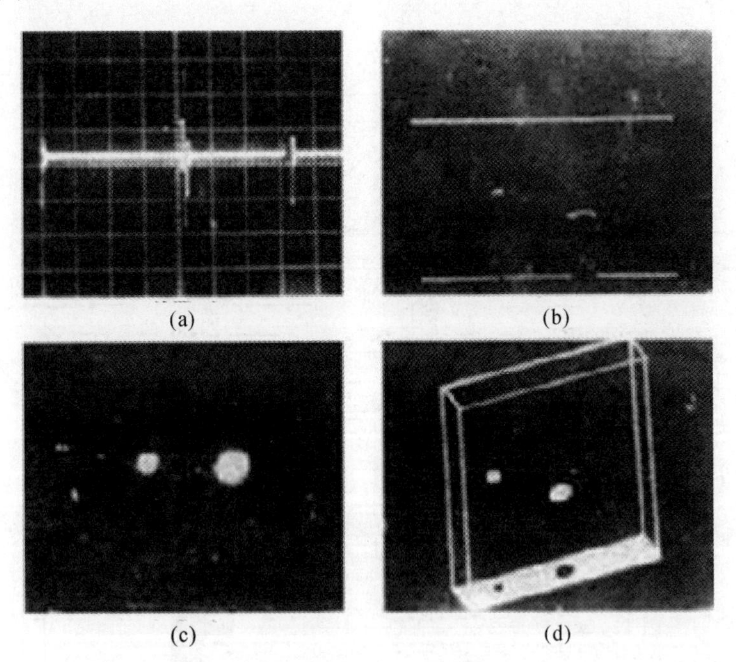

图 4.6 钛合金工件中夹杂物图像显示

(a)A 型显示;(b)B 型显示;(c)C 型显示;(d)组合三维图

目前,工业检测中广泛使用的是 A 型脉冲反射式超声检测仪,如 CTS－22 型模拟式超声检测仪,CTS－9006 型、CTS－1010 型、HS600 型数字式超声检测仪等。模拟式超声检测仪是常规超声检测仪,显示模拟波形,具有显示迅速、细腻、真实的特点。数字式超声检测仪以常规超声检测仪为基础,加上数模转换及存储器,具有存储、显示和打印输出缺陷的当量值和位置等参数的功能。另外,还可以实时得到缺陷的位置和当量大小等主要信息,而且为数字信号处理奠定了良好的基础。

4.1.2　A 型脉冲反射式超声检测仪的工作原理

1. 仪器的电路框图

仪器的电路框图是把仪器每一部分用一方框来表示，各方框之间用线条连起来，表示各部分之间的关系。框图只能说明仪器的大致结构和工作原理，看不出电路的详细连接方式和元件的具体位置。

A 型脉冲反射式超声检测仪相当于一种专用示波器，尽管型号、外形、体积和功能各不相同，但它们的基本结构和原理都大同小异。各种检测仪都由同步电路、扫描电路、发射电路、接收电路、显示电路和电源等几个主要部分组成。

2. 仪器的工作原理

A 型脉冲反射式超声检测仪的工作原理如图 4.7 所示。同步电路产生的触发脉冲同时加至扫描电路和发射电路，扫描电路受触发开始工作，产生锯齿波扫描电压，加至示波管水平偏转板上，使电子束发生水平偏转，在示波屏上产生一条水平扫描线。与此同时，发射电路受触发产生高频窄脉冲，加至探头，激励压电晶片振动，在工件中产生超声波。超声波在工件中传播，遇到缺陷或底面发生反射，返回探头时，又被压电晶片转换为电信号，经接收电路放大和检波，加至示波管垂直偏转板上，使电子束发生垂直偏转。在水平扫描线的相应位置上产生缺陷波和底波。根据缺陷波的位置可以确定缺陷的埋藏深度，根据缺陷波的幅度可以评定缺陷当量的大小。

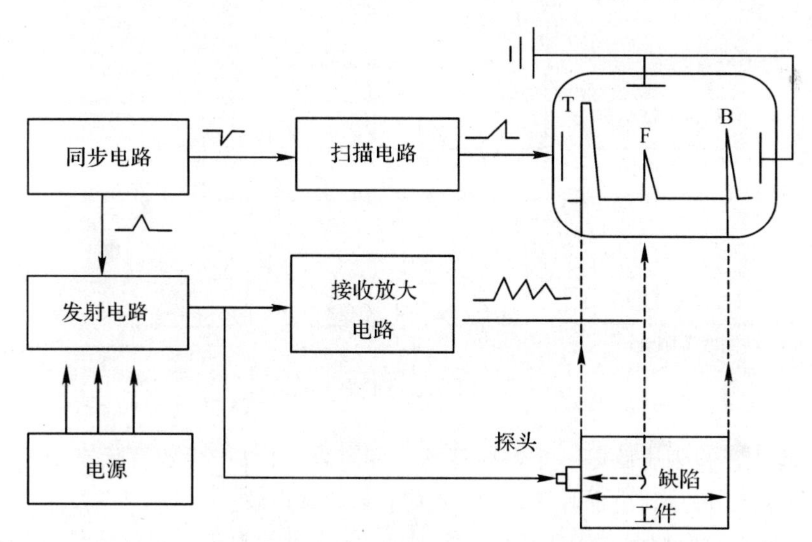

图 4.7　A 型脉冲反射式超声检测仪电路框图和工作原理图

3. 仪器主要组成部分的作用

(1)同步电路。同步电路又称触发电路，主要由振荡器和微分电路等组成。多谐振荡器每秒钟产生数十至数千个周期性的矩形同步脉冲，经微分电路后变为尖脉冲，作为检测仪的扫描电路、发射电路以及其他辅助电路的触发脉冲，使各电路步调一致、有条不紊地工作。它相当于整个检测仪的指挥中心。

描述同步电路的一个重要参数是重复频率。重复频率是指超声检测仪每秒钟内发射同步脉冲的次数，它决定了扫描电路、发射电路每秒钟的工作次数，即决定了检测仪每秒钟向被检工件内发射超声脉冲的次数。

在一些仪器上设有重复频率调节旋钮供使用者选择。选择重复频率对自动化检测很重要。自动化检测的优势之一就是可以自动记录超声信号，因而可以实现高速扫查。这就需要有高重复频率。但是，高重复频率使两次脉冲间隔时间变短，有可能使未充分衰减的多次反射进入下一周期，形成所谓的“幻象波”，造成缺陷误判。因此，自动化检测的扫描速度也受到可用的最大重复频率限制的。在手动检测目视观察的情况下，提高重复频率可使波形显示亮度增加，便于观察。

(2)扫描电路。扫描电路又称时基电路，它用来产生锯齿波电压，加在示波管水平偏转板上，使示波屏上的光点沿水平方向从左至右做等速移动，产生一条水平扫描时基线。检测仪上的深度粗调、微调、扫描延迟旋钮都是扫描电路的控制旋钮。改变扫描速度(锯齿波的斜率)即可改变示波屏上的时间范围，也就是改变超声波的传播距离。扫描电路框图及其波形如图 4.8 所示。

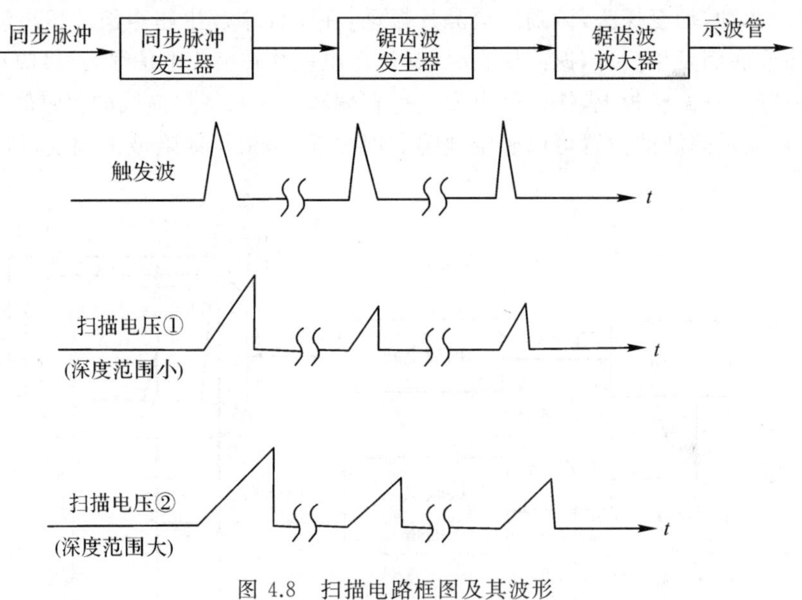

图 4.8　扫描电路框图及其波形

(3)发射电路。发射电路是一个电脉冲信号发生器，可以产生数百伏至上千伏的电脉冲。电脉冲加于探头上，激励压电晶片振动，使之发射脉冲超声波。

发射电路通常分为调谐式和非调谐式两种，目前常见的超声检测仪多采用非调谐式电路，如图 4.9 所示。为了使探头的能量转换效率达到最高，并保证发射的超声波具有所要求的频谱，通常要求发射脉冲频带范围要包含探头自身的频带范围。非调谐式电路发射一短脉冲，脉冲频带较宽，可适应不同频带范围的探头。频带越宽，发射脉冲越窄，可能达到的分辨力越好。

发射电路中的 R_0 称为阻尼电阻，用发射强度旋钮可改变 R_0 的阻值。阻值大，发射强度高；阻值小，发射强度低。因 R_0 与探头并联，改变 R_0 的同时也改变了探头阻尼的大小，即影响探头的分辨力。通常电压越高、脉冲越宽，则发射能量越大，但同时也增大了盲区，使脉冲变宽,分辨力变差。因此,使用时需根据检测对象的特点加以调节,以适应对穿透能力和分辨力的不同要求。

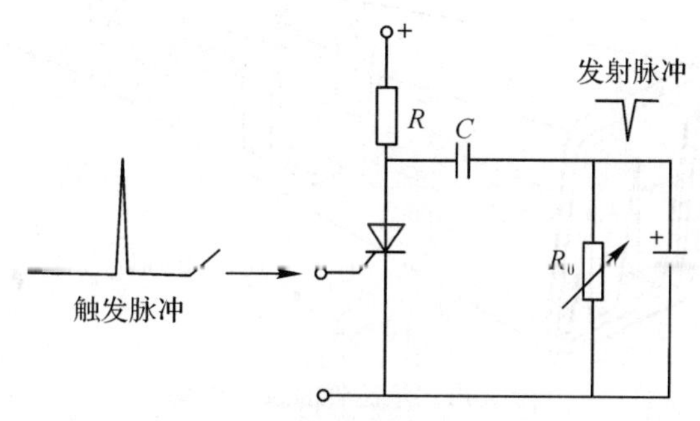

图 4.9　非协调式发射电路原理

(4)接收电路。接收电路由衰减器、射频放大器、检波器和视频放大器等组成。它先将来自探头的电脉冲进行放大、检波,最后加至示波管的垂直偏转板上,并在示波屏上显示。接收电路的性能对检测仪的性能影响非常大,它直接影响到检测仪的垂直线性、动态范围、检测灵敏度、分辨力等重要技术指标。

接收电路框图及其波形如图 4.10 所示。由于接收电路接收到来自压电晶片产生的射频电信号非常微弱,一般只有数百微伏到数伏,而示波管显示所需要的电压为数百伏,所以接收电路必须具有约 10^5 的放大能力。一般用分贝表示放大器的电压放大倍数量,即

$$K_V = 20\lg \frac{U_{出}}{U_{入}} \ (\text{dB}) \tag{4.1}$$

式中　K_V——电压放大倍数的分贝值(dB);

$U_{出}$——放大器的输出电压(V);

$U_{入}$——放大器的输入电压(V)。

一般仪器的电压放大倍数可达 $10^4 \sim 10^5$ 倍,相当于 80～100 dB。

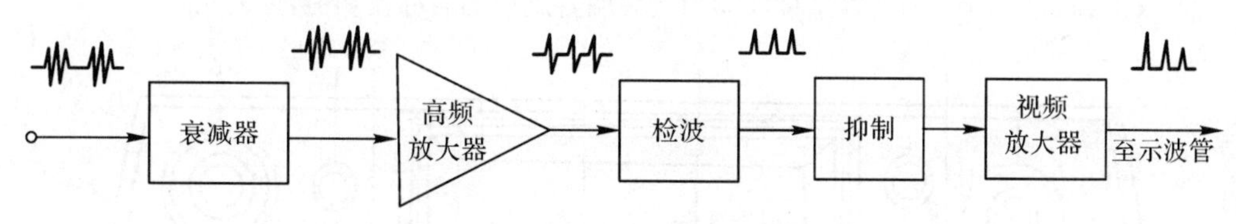

图 4.10　接收电路框图及其波形

检测仪面板上的增益旋钮、衰减器旋钮、抑制旋钮等都是放大电路的控制旋钮。增益旋钮用来改变放大器的增益,增益数值大,检测灵敏度高。衰减器旋钮是用来改变衰减器的衰减量,一般来讲,衰减读数大,灵敏度低。但是,有的检测仪为了使用时读数方便统一,将衰减器读数按增益方式标出,在这种情况下,衰减读数大,灵敏度高。抑制旋钮的作用是抑制草状杂波。但应注意,使用“抑制”时,仪器的垂直线性和动态范围均会下降,在实际检测中容易漏掉小缺陷,因此一般不用抑制。

(5)显示电路。显示电路主要由示波管以及外围电路组成。示波管用来显示检测图形,由电子枪、偏转系统和示波屏组成,其基本结构如图 4.11 所示。

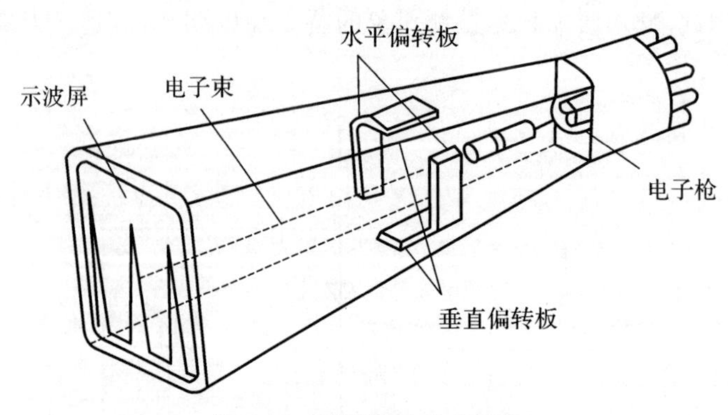

图 4.11　示波管的基本结构

电子枪发射的聚焦电子束以很高的速度轰击示波屏时，使示波屏上的荧光物质发光，在示波屏上形成亮点。扫描电路的扫描电压和接收电路的信号电压分别加至水平偏转板和垂直偏转板上，使电子束发生偏转，亮点就在示波屏上移动，扫描出检测图形。由于扫描速度非常快，人眼视觉的暂留作用使图像看起来好像是静止的，所以当探头稳定地放在工件表面上时，看到的是静止的回波波形，便于对信号进行观察和评定。当探头在工件上移动时，图像是闪烁变化的。因此，在采用目视观察波形进行检测时，探头移动的速度不宜太快，以保证缺陷波能够产生重复图像，使人眼捕捉到缺陷回波。

示波管前通常装有刻度板，便于读出回波位置和高度。

(6)电源。电源的作用是给检测仪各部分提供适当的电能，使整机电路工作。一般检测仪用 220 V 或 110 V 交流电源。小型便携式检测仪多用蓄电池供电，用充电器给蓄电池充电。

除上述基本组成电路之外，还有各种辅助电路，如延迟电路、DAC 电路、闸门电路等。

4. 仪器主要开关旋钮的作用及调节

检测仪面板上有许多开关和旋钮，用于调节检测仪的功能和工作状态。图 4.12 为 CTS－22 型超声检测仪的面板示意图，下面以这种仪器为例说明各旋钮的名称及功能，见表 4.1。

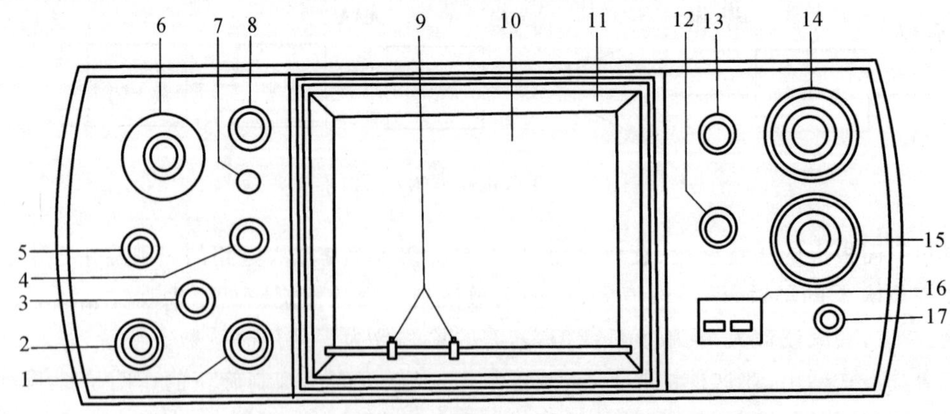

图 4.12　CTS－22 型超声检测仪的面板示意图

1—发射插座；2—接收插座；3—工作方式选择；4—发射强度；5—粗调衰减器；6—细调衰减器；7—抑制；8—增益；9—定位游标；10—荧光屏；11—遮光罩；12—聚焦；13—深度范围；14—深度细调；15—脉冲移位；16—电源电压指示器；17—电源开关

表 4.1 超声检测仪各部分旋钮的名称及功能

名称		功能
显示部分	辉度旋钮	用于调节波形的亮度。当波形亮度过高或过低时,可调节辉度旋钮,使亮度适中,但要兼顾聚焦性能。一般辉度调节后应重新调节聚焦和辅助聚焦功能
	聚焦旋钮	调节电子束的聚焦程度,使荧光屏波形清晰
	水平旋钮	调节水平旋钮,可使扫描线或扫描线上的回波一起左右移动一段距离,但不改变回波间距。调节检测范围时,用深度粗调和细调旋钮调好回波间距,用水平旋钮进行零位校正
	垂直旋钮	调节扫描线的垂直位置。调节垂直旋钮,可使扫描线上下移动
发射部分	工作方式选择旋钮	选择探测方式,即“双探”或“单探”方式。当开关置于位置“”时,为双探头一发一收工作状态,可用一个双晶探头或两个单探头检测,发射探头和接收探头分别连接到发射插座“”和接收插座“”。当开关置于位置“”或“”时,为单探头自发自收工作状态,可用一个单探头检测,此时发射插座和接收插座从内部连接,探头可插入任一插座
	发射强度旋钮	改变仪器的发射脉冲功率,从而改变仪器的发射强度。增大发射强度时,可提高仪器灵敏度,但脉冲变宽,分辨力变差。因此,在检测灵敏度能满足要求的情况下,发射强度旋钮应尽可能较低
	重复频率旋钮	调节脉冲重复频率,即改变发射电路每秒钟发射脉冲次数。重复频率低时,示波屏图形较暗,仪器灵敏度有所提高;重复频率较高时,示波屏图形较亮,这有利于野外检测观察波形。应该指出,重复频率要视被检工件厚度进行调节,厚度大,应使用较低的重复频率;厚度小,可使用较高的重复频率。但重复频率过高时,易出现“幻象波”
接收部分	衰减器旋钮	调节检测灵敏度和测量回波幅度。调节灵敏度时,衰减读数大,灵敏度低;衰减读数小,灵敏度高。测量回波幅度时,衰减读数大,回波幅度高;衰减读数小,回波幅度低。一般检测仪的衰减器分粗调和细调两种,粗调每挡为 10 dB 或 20 dB,细调每挡为2 dB 或1 dB,总衰减量为 80 dB 左右
	增益旋钮	增益旋钮也称增益微调旋钮,改变接收放大器的放大倍数,进而连续改变检测仪的灵敏度。仪器灵敏度调好后,检测过程中一般不再调节增益旋钮
	频率选择旋钮	可选择接收电路的频率响应
	检波方式旋钮	可选择非检波、全检波、正检波和负检波
	抑制旋钮	使幅度较小或认为不必要的杂乱反射波不在示波屏上显示,从而使示波屏显示的波形清晰
时基线部分	深度粗调旋钮	粗调示波屏扫描线所代表的检测范围。调节深度范围旋钮,可较大幅度地改变时间扫描线的扫描速度,从而使示波屏上回波间距大幅度地压缩或扩展
	深度细调旋钮	精确调整检测范围,调节细调旋钮,可连续改变扫描线的扫描速度,从而使示波屏上的回波间距在一定范围内连续变化
	延迟旋钮	调节延迟旋钮,可使扫描线和扫描线上的回波一起左右移动一段距离,但不改变回波间距。调节检测范围时,用深度粗调和细调旋钮调好回波间距,用延迟旋钮进行零位校正

导入案例

GT－1A 型手推式铁路钢轨探伤车(见图 4.13)是为 43～75 kg/m 铁路钢轨的超声检测而设计的专用设备,具有多路发射接收系统和报警闸门,一次推行中可检出钢轨上的各种有害缺陷,是保证铁路行车安全的重要设备之一。图 4.14 为钢轨检测现场照片。

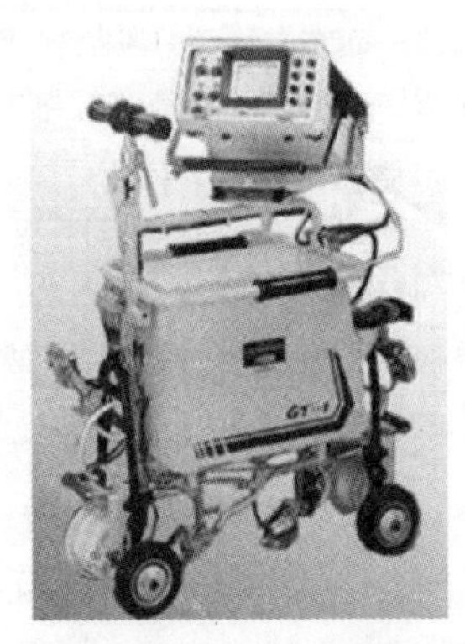

图 4.13　GT－1A 型手推式铁路钢轨探伤仪

图 4.14　钢轨检测现场

思考题

1.超声检测仪的主要作用是什么?

2.试用方框图简单说明 A 型脉冲反射式超声检测仪的工作原理和各部分电路的主要作用。

4.2　超声波探头

超声波探头是产生超声波的器件,其功能主要是实现声能与其他形式的能量转换,因此也称为超声波换能器。它是组成超声检测系统最重要的组件之一。根据探头工作时能量转换方式的不同,可分为压电换能器、磁致伸缩换能器、电磁声换能器、激光超声换能器等,其中最常用的是压电换能器。压电换能器依据压电效应工作,实现电-声能的转换,从而完成超声波的发射与接收。

4.2.1　压电效应

某些晶体材料在交变拉压应力作用下发生形变,在晶体两表面会出现符号相反的极化电荷,晶体内部产生交变电场,这种效应叫作正压电效应;反之,晶体在交变电场作用下产生伸缩变形,从而产生机械振动,这种效应称为逆压电效应。正、逆压电效应统称为压电效应。

超声波的发射是把电能转换为机械能的过程,利用的是压电材料的逆压电效应。

超声波的接收是把机械能转换为电能的过程,利用的是压电材料的正压电效应。

由于压电材料同时具有正、逆压电效应,因此超声检测中可以只用一个探头发射超声波,同时接收从界面、缺陷以及底面反射回来的超声波。

具有压电效应的材料称为压电材料，压电材料分为单晶材料和多晶材料。常用的单晶材料有石英（SiO_2）、硫酸锂（Li_2SO_4）、铌酸锂（$LiNiO_3$）等。常用的多晶材料有钛酸钡（$BaTiO_3$）、锆钛酸铅（$PbZrTiO_3$，缩写为PZT）、钛酸铅（$PbTiO_3$）等。多晶材料又称为压电陶瓷，目前应用最广泛的是锆钛酸铅（PZT）压电陶瓷。

4.2.2　压电材料的主要性能参数

1. 压电应变常数 d_{33}

压电应变常数表示在压电晶体上施加单位电压时所产生的应变大小，则有

$$d_{33}=\frac{\Delta s}{U}\ (\mathrm{m/V}) \tag{4.2}$$

式中　U——施加在压电晶片两面的电压；

Δs——晶片在厚度方向的形变量。

压电应变常数 d_{33} 是衡量压电晶体材料发射性能的重要参数。d_{33} 值大，发射性能好，发射灵敏度高。

2. 压电电压常数 g_{33}

压电电压常数表示作用在压电晶体上单位应力所产生的电压梯度大小，则有

$$g_{33}=\frac{U_p}{\sigma}(\mathrm{V/(m\cdot N)}) \tag{4.3}$$

式中　σ——施加在压电晶片两面的应力；

U_p——电压梯度，即施加在晶片两面的电压 U 与晶片厚度 t 之比，$U_p=U/t$。

压电电压常数 g_{33} 是衡量压电晶体材料接收性能的重要参数。g_{33} 值大，接收性能好，接收灵敏度高。

3. 介电常数 ε

$$\varepsilon=C\,\frac{t}{A} \tag{4.4}$$

式中　C——电容器电容；

t——电容器极板间距；

A——电容器极板面积。

由式(4.4)可知，当电容器极板间距离和面积一定时，介电常数 ε 越大，电容 C 也就越大，电容器所储存的电量就越多。压电晶体的介电常数 ε 应根据不同用途来选取。超声检测用的压电晶体，频率一般要求比较高，此时介电常数应小一些好。介电常数 ε 越小，电容 C 就越小，电容器充放电时间越短，频率越高。

4. 机电耦合系数 K

机电耦合系数表示压电材料机械能与电能之间的转换效率，则有

$$K=\frac{\text{转换的能量}}{\text{输入的能量}}$$

对于正压电效应：K＝转换的电能/输入的机械能；

对于逆压电效应：K＝转换的机械能/输入的电能。

探头晶片振动时，同时产生厚度方向和径向两个方向的伸缩变形，因此机电耦合系数分为厚度方向 K_t 和径向 K_P。K_t 大，检测灵敏度高；K_P 大，低频谐振波增多，发射脉冲变宽，导致分辨力降低，盲区增大。

5. 机电品质因子 Q_m

压电晶片在谐振时储存的机械能 $E_{储}$ 与在一个周期内损耗的能量 $E_{损}$ 之比称为机械品质因子，即

$$Q_m = \frac{E_{储}}{E_{损}}$$

压电晶片振动损耗的能量主要是由内摩擦引起的。Q_m 值对分辨力有较大的影响，Q_m 值大，表示损耗小，晶片持续振动时间长，脉冲宽度大，分辨力低。反之，Q_m 值小，表示损耗大，脉冲宽度小，分辨力高。

6. 频率常数 N_t

由驻波理论可知，压电晶片在高频脉冲激励下产生共振的条件为

$$t = \frac{\lambda_L}{2} = \frac{c_L}{2f_0}$$

式中 t——晶片厚度；
λ_L——晶片中纵波波长；
c_L——晶片中纵波声速；
f_0——晶片固有频率。

由上式可知：

$$N_t = tf_0 = \frac{c_L}{2} \text{（常数）} \tag{4.5}$$

这说明压电晶片的厚度与频率的乘积是一个常数，称这个常数为频率常数，用 N_t 表示。晶片材料一定时，制作高频探头时，晶片厚度较小；制作低频率探头时，晶片厚度较大。发射超声波的频率主要取决于晶片的厚度和晶片中的声速。

7. 居里温度 T_c

压电材料的压电效应与温度有关，它只能在一定的温度范围内产生，超过一定的温度，压电效应就会消失。使压电材料的压电效应消失的温度称为压电材料的居里温度，用 T_c 表示。

超声波探头常用压电材料的主要性能参数见表 4.2。

表 4.2 超声波探头常用压电材料主要性能参数

名称		$\frac{d_{33}}{10^{-12}\,m \cdot V^{-1}}$	$\frac{g_{33}}{10^{-3}\,V \cdot m \cdot N^{-1}}$	K_t	$\frac{c}{m \cdot s^{-1}}$	$\frac{Z}{10^5\,g \cdot cm^{-2} \cdot s^{-1}}$	Q_m	$\frac{T_c}{℃}$	$\frac{N_t}{MHz \cdot mm}$
单晶材料	石英	2.31	5.0	0.1	5 740	15.2	$10^4 \sim 10^6$	550	2.87
	硫酸锂	16	17.5	0.3	5 470	11.2	—	75	2.73
	碘酸锂	18.1	32	0.51	4 130	18.5	<100	256	2.06
	铌酸钡	6.0	2.3	0.49	7 400	34.8	$>10^5$	1 200	3.70
多晶材料	钛酸钡	190	1.8	0.38	5 470	30.0	300	115	2.6
	钛酸铅	58	3.3	0.43	4 240	32.8	1 050	460	2.12
	PZT-4	289	2.6	0.51	4 000	30.0	500	328	2.0
	PZT-5	374	2.48	0.49	4 350	33.7	75	365	1.89
	PZT-8	225	2.5	0.48	4 580	33	1 000	300	2.07

超声波探头对晶片的一般要求如下：

(1)机电耦合系数 K 较大，以便获得较高的转换效率。

(2)机械品质因子 Q_m 较小，以便获得较高的分辨力和较小的盲区。

(3)压电应变常数 d_{33} 和压电电压常数 g_{33} 较大，以便获得较高的发射灵敏度和接收灵敏度。

(4)频率常数 N_t 较大，介电常数 ε 较小，以便获得较高的频率。

(5)居里温度 T_c 较高，声阻抗 Z 适当。

4.2.3　探头的结构

压电换能器探头一般由压电晶片、阻尼块、接头、电缆线、保护膜和外壳组成。斜探头中通常还有一个使晶片与入射面成一定角度的斜楔块。图 4.15 所示为探头的基本结构，其各部分的作用如下：

(1)压电晶片。压电晶片的作用是发射和接收超声波，实现电-声能的转换。晶片可制成圆形、方形或矩形。晶片的两面涂覆银层作为电极，以便使晶片上的电压能均匀分布。

(2)阻尼块。阻尼块是由环氧树脂和钨粉按一定的比例配成的阻尼材料，其声阻抗尽可能接近压电晶片的声阻抗，紧贴在压电晶片或楔块后。

阻尼块主要有以下三项作用：①对压电晶片的振动起阻碍作用，可以使晶片起振后能尽快停下来，从而使脉冲宽度减小，分辨力提高；②可以吸收晶片向其背后发射的超声波；③对晶片起支撑作用。

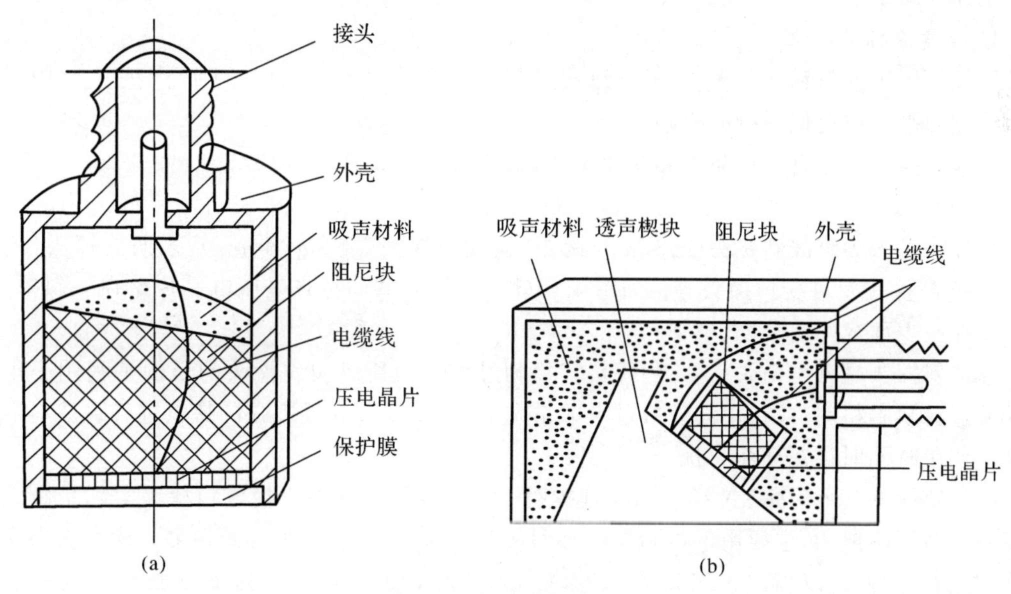

图 4.15　探头的基本结构

(a)直探头；(b)斜探头

(3)保护膜。保护膜的作用是保护压电晶片不致磨损或损坏。当保护膜的厚度为 $\lambda/4$ 的奇数倍，且其声阻抗 Z_2 为晶片声阻抗 Z_1 和工件声阻抗 Z_3 的几何平均值($Z_2=\sqrt{Z_1Z_3}$)时，超声波全透射。

保护膜可分为硬保护膜和软保护膜,硬保护膜用于表面较光洁的工件检测,软保护膜可用于表面粗糙的工件检测。保护膜会使始波加宽,分辨力变差,灵敏度降低。在这方面,硬保护膜比软保护膜更严重。石英晶片不易磨损,可不加保护膜。

(4)斜楔。如图4.15(b)所示,斜楔是斜探头中为了使超声波倾斜入射到检测面而装在晶片前面的楔块。斜楔使探头的晶片与工件表面形成一个严格的夹角,以保证晶片发射的超声波按设定的角度倾斜入射到楔块与工件的界面,从而能在界面处产生所需要的波型转换,以便在工件内形成特定波型和角度的声束。同时,晶片前面有了斜楔,就不再需要加保护膜了。

斜楔中的纵波声速必须要小于工件中的纵波声速,具有适当的衰减系数,且耐磨、易加工。一般斜楔由有机玻璃制成。有些斜楔在前面开槽,或者将斜楔做成牛角形,使反射波进入牛角而不返回晶片,从而减少杂波。

(5)电缆线。探头与检测仪之间的连接采用高频同轴电缆,这种电缆可消除外来电波对探头的激励脉冲及回波脉冲的影响,并防止这种高频脉冲以电波形式向外辐射。

(6)外壳。将各部分组合在一起,并起保护作用。

4.2.4 常用压电超声波探头

超声波探头种类很多,根据波型不同可分为纵波探头、横波探头、表面波探头、兰姆波探头等;根据耦合方式分为接触式探头和水浸探头;根据波束分为聚焦探头与非聚焦探头;根据晶片数不同分为单晶探头、双晶探头等。此外,还有高温探头、微型探头等特殊用途的探头。下面介绍几种典型探头。

1. 纵波直探头

直探头用于发射和接收纵波,又称纵波直探头。其结构如图4.15(a)所示,它主要用于检测与检测面平行或近似平行的缺陷。

一般直探头上标有工作频率和晶片尺寸,如2.5P14Z,2.5P13×13Z。

2. 斜探头

斜探头可分为纵波斜探头($\alpha_L < \alpha_{\text{I}}$)探头、横波斜探头($\alpha_L = \alpha_{\text{I}} \sim \alpha_{\text{II}}$)、表面波探头($\alpha_L \geqslant \alpha_{\text{I}}$)、兰姆波探头及可变角探头等。如图4.15(b)所示,其共同特点是压电晶片贴在一斜楔上,晶片与探头表面成一定角度。

纵波斜探头是入射角$\alpha_L < \alpha_{\text{I}}$的探头。检测过程中使用纵波斜探头的目的是利用小角度的纵波进行缺陷检测,或在横波衰减过大的情况下,利用纵波穿透力强的特点进行纵波斜入射检测。使用时同时存在横波干扰。

横波斜探头是入射角$\alpha_L = \alpha_{\text{I}} \sim \alpha_{\text{II}}$且折射波为纯横波的探头。横波斜探头实际是由纵波直探头和斜楔组成的,主要用于检测与检测面成一定角度的缺陷,如焊缝检测。横波斜探头的标称方式有三种:①以纵波入射角来标称,如$\alpha_L = 30°, 40°, 45°, 50°$等,如苏联和我国有些探头;②以横波折射角$\beta_S$标称,如$\beta_S = 40°, 45°, 50°, 60°, 70°$等,如西方国家和日本,如2.5P8×9×45°;③以钢中折射角的正切值K($K = \tan\beta_S$)来标称,常用的K值有0.8,1.0,1.5,2.0,2.5,3.0等,这是我国提出来的一种标称方法,在计算钢中缺陷位置时用起来比较方便。目前国产横波斜探头大多采用K值系列,一般横波斜探头上常标有工作频率、晶片尺寸和K值,如2.5P14K2.0、5P13×13K2.0。

对于有机玻璃/钢界面，常用 K 值对应的横波折射角 β_S 和纵波入射角 α_L 的换算关系见表 4.3。

表 4.3　常用 K 值对应的 β_S 和 α_L

K 值	1.0	1.5	2.0	2.5	3.0
β_S	45°	56.3°	63.4°	68.2°	71.6°
α_L	36.7°	44.6°	49.1°	51.6°	53.5°

表面波探头是横波斜探头的一个特例，它的结构与横波斜探头的一样，唯一的区别是斜楔的倾斜角度不同，即 $\alpha_L \geqslant \alpha_{\mathrm{II}}$（略大于），表面波探头用于表面或近表面缺陷的检测。

兰姆波探头的角度是根据板厚、频率和所选定的兰姆波模式而定的，主要用于薄板中缺陷的检测。

可变角探头可以连续改变入射角，一般入射角的变化范围为 0°～70°，以产生纵波、横波、表面波和兰姆波，其结构如图 4.16 所示。

3. 双晶探头

双晶探头的结构如图 4.17 所示，其延迟块后有两块压电晶片，一块用于发射超声波，另一块用于接收超声波，中间夹有隔声层。双晶片探头中压电晶片略为倾斜，它们的声束轴线相交于 F 点，若此处有缺陷，缺陷回波最高。根据入射角不同，分为双晶纵波探头（$\alpha_L < \alpha_{\mathrm{I}}$）和双晶横波探头（$\alpha_L = \alpha_{\mathrm{I}} \sim \alpha_{\mathrm{II}}$），分别用于纵波检测和横波检测。

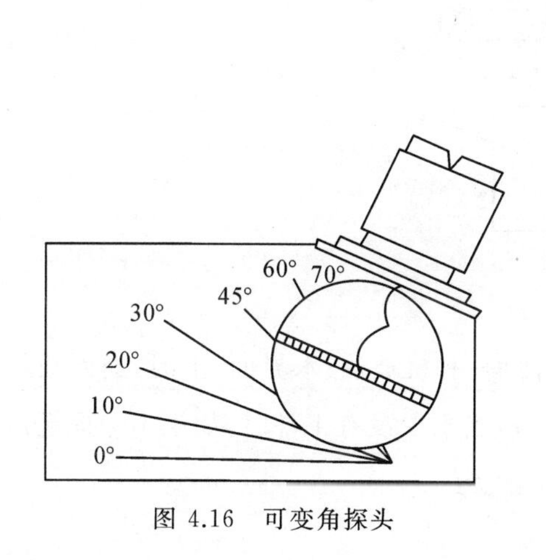

图 4.16　可变角探头

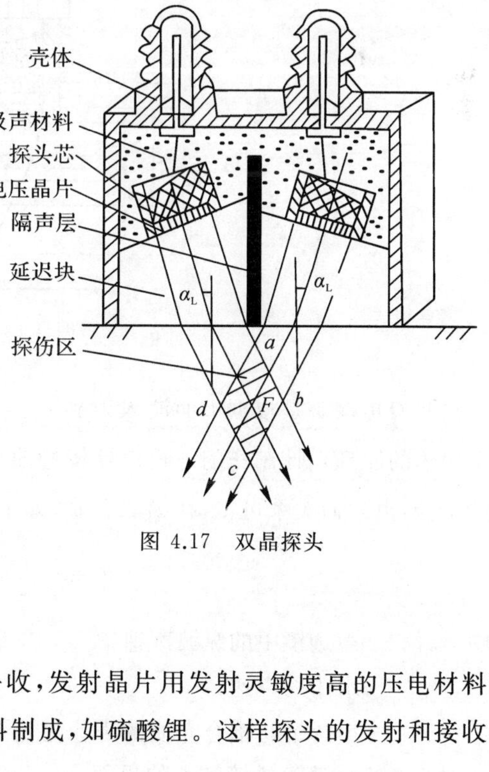

图 4.17　双晶探头

双晶探头具有以下优点：

（1）灵敏度高。双晶探头的两块晶片，一发一收，发射晶片用发射灵敏度高的压电材料制成，如 PZT；接收晶片用接收灵敏度高的压电材料制成，如硫酸锂。这样探头的发射和接收灵敏度都高，这是单晶探头无法比拟的。

(2)杂波少,盲区小。双晶探头的发射与接收分开,消除了发射压电晶片与延迟块之间的反射杂波。同时由于始脉冲未进入放大器,克服了阻塞现象,使盲区减小,为检测近表面缺陷提供了有利条件。

(3)工件中近场区长度小。双晶探头采用了延迟块,缩短了工件中的近场区长度,这对检测是有利的。

(4)检测范围可调。双晶探头检测时,位于菱形 *abcd* 内的缺陷灵敏度较高。而菱形 *abcd* 是可调的,可以通过改变入射角 α_L 来调整。α_L 增大,菱形 *abcd* 向表面移动,在水平方向变扁。α_L 减小,菱形 *abcd* 向内部移动,在垂直方向变扁。

双晶探头主要用于检测近表面缺陷和已知缺陷的定点测量。

双晶探头上常标有工作频率、晶片尺寸和声束汇聚区的范围。

4. 聚焦探头

聚焦探头可将超声波聚焦成线或点,在焦线或焦点处声能集中,可提高检测灵敏度和分辨力。

现在以水浸聚焦探头为例说明聚焦探头的结构原理,如图 4.18 所示,它由直探头和声透镜组成,声透镜一般用有机玻璃制成,用来实现声束聚焦。

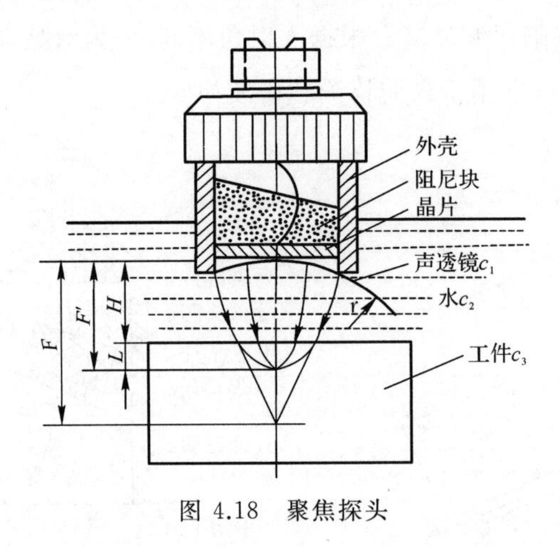

图 4.18 聚焦探头

水浸聚焦探头是根据平面波入射到 $c_1>c_2$ 的凸曲面(有机玻璃/水界面)上时,透射波将产生聚焦的原理设计制作的。设声透镜的曲率半径为 r,当水中没有工件时,如果不考虑超声波的干涉,由几何关系可得,在第二介质,即工件中的焦距为

$$F=\frac{c_1}{c_1-c_2}r=\frac{n}{n-1}r \tag{4.6}$$

式中 c_1——声透镜中的纵波声速;

c_2——水中的声速;

n ——声透镜与耦合介质的声速之比,$n=c_1/c_2$。

对于有机玻璃声透镜和水的界面,$n=2\ 730/1\ 480=1.84$,$F=2.2r$。

当聚焦探头检测水中的工件时，实际焦距 F' 会变小，有

$$F' = F - L\left(\frac{c_3}{c_2} - 1\right) \tag{4.7}$$

式中　L——工件中的焦点至工件表面的距离；

c_2——水中的声速；

c_3——工件中的声速。

此时水层的厚度为

$$H = F - L\frac{c_3}{c_2} \tag{4.8}$$

4.2.5　探头型号

机械行业标准 JB/T 11276—2012《无损检测仪器　超声波探头型号命名方法》中规定了探头的命名方法，具体规则如下。

1. 探头型号的组成

探头型号组成及排列顺序如下：

基本频率 → 晶片材料 → 晶片尺寸 → 探头种类 → 探头特征

基本频率：用阿拉伯数字表示，单位为 MHz。

晶片材料：用化学元素缩写符号表示，其代码见表4.4。

表4.4　晶片材料代号

压电材料	代　号	压电材料	代　号
锆钛酸铅陶瓷	P	碘酸锂单晶	I
钛酸钡陶瓷	B	石英单晶	Q
铌酸锂单晶	L	其他压电材料	N

晶片尺寸：用阿拉伯数字表示，单位为 mm。其中圆形晶片用直径表示，矩形晶片用长×宽表示，分割探头晶片用分割前的尺寸表示。

探头种类：用汉语拼音缩写字母表示，见表4.5。直探头也可不标出。

探头特征：斜探头钢中折射角正切值（K 值）用阿拉伯数字表示。钢中折射角用阿拉伯数字表示，单位为“°”。分割探头钢中声束汇聚区深度用阿拉伯数字表示，单位为 mm。水浸聚焦探头水中焦距用阿拉伯数字表示，单位为 mm。DJ 表示点聚焦，XJ 为线聚焦。

表4.5　探头种类代号

种　类	代　号	种　类	代　号
直探头	Z	水浸探头	SJ
斜探头（用 K 值表示）	K	表面波探头	BM
斜探头（用折射角表示）	X	可变角探头	KB
分割探头	FG		

2. 探头型号标称方式举例

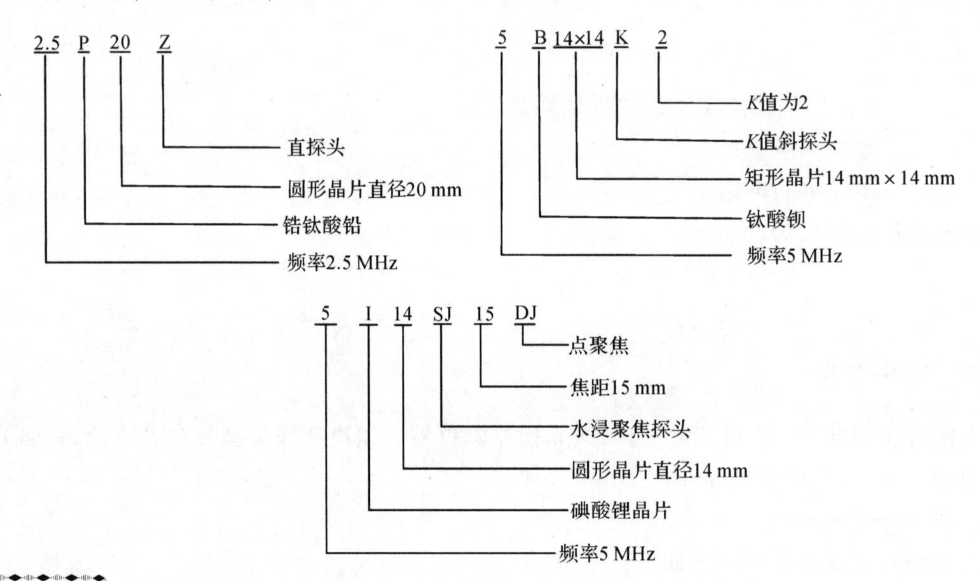

思考题

1.什么是压电效应？发射和接收超声波过程中能量分别是如何转换的？各利用什么效应？

2.什么是压电材料的居里温度？哪些情况下要考虑它的影响？

4.探头保护膜的作用是什么？对保护膜有哪些要求？

5.解释探头 2.5P13×13K1.5 型号中各组成代号的含义。

4.3 试　　块

与一般测量方法一样，为了保证检测结果的准确性、可重复性，必须用一个具有已知固定性能的试样对检测系统进行校准。超声检测中，按一定用途设计制作的具有简单几何形状的人工反射体的试样，统称为试块。试块和检测仪、探头一样，是超声检测中的重要器材。

4.3.1 试块的作用

1. 调整扫描速度

利用试块可以调整仪器示波屏上水平刻度值与实际声程之间的比例关系，即扫描速度，以便对缺陷进行定位。

2. 调整检测灵敏度

检测灵敏度是指在确定的声程范围内发现规定大小缺陷的能力。超声检测灵敏度太高或太低都不好，太高杂波多，判伤困难；太低会引起漏检。因此在超声检测前，常用试块上某一特定的人工反射体来调整检测灵敏度。

3. 测试仪器和探头的性能

超声检测仪和探头的一些重要性能，如垂直线性、水平线性、动态范围、灵敏度余量、分辨力、盲区、斜探头的入射点和 K 值等都是利用试块进行测试的。

4. 评定缺陷的大小

利用试块测定距离-波幅曲线对缺陷定量是目前常用的缺陷定量方法之一。特别是 $3N$ 以内的缺陷，采用试块比较法仍然是最有效的缺陷定量方法。

此外，还可以利用试块来测量材料的声速、衰减特性等。

4.3.2 试块的分类

1. 按试块的来历分类

(1)标准试块。标准试块是由权威机构制定的试块，试块材质、形状、尺寸、表面状态等特性以及制作要求都由专门的标准规定，如国际焊接学会 IIW 试块，我国承压设备无损检测标准试块 CSK－ⅠA 试块等。

(2)对比试块。对比试块是由各部门按某些具体检测对象制定的试块，如 CS 系列试块。

2. 按试块上人工反射体分类

(1)平底孔试块。一般平底孔试块上加工有底面为平面的平底孔，如 CS 系列试块。

(2)横孔试块。横孔试块上加工有与检测面平行的长横孔或短横孔，如焊缝检测中的 CSK－ⅡA(长横孔)试块、CSK－ⅢA(短横孔)试块等。

(3)槽形试块。槽形试块上加工有三角尖槽(V 形槽)或矩形槽，如无缝钢管检测中所用的试块，内外圆表面就加工有三角尖槽或矩形槽。

4.3.3 试块的要求和维护

1. 试块的要求

试块材质应均匀，内部杂质少，无影响使用的缺陷，加工容易，不易变形和锈蚀，具有良好的声学性能。试块的平行度、垂直度、表面粗糙度和尺寸精度都要符合一定的要求。

2. 试块的使用和维护

(1)试块应在适当的位置编号，以防混淆。

(2)试块在使用和搬运过程中应注意保护，防止碰伤或擦伤。

(3)使用试块时应注意清除反射体内的油污和锈蚀，常用沾油细布将锈蚀部位抛光，或用合适的去锈剂处理。平底孔在清洗干燥后用尼龙塞或胶合剂封口。

(4)防止试块锈蚀，使用后停放时间较长时，要涂覆防锈剂。

(5)防止试块变形，如避免火烤，平板试块应尽可能立放，以防止重压。

4.3.4 标准试块

标准试块通常是由权威机构制定的试块，其特性与制作要求有专门的标准规定。它们是具有规定的化学成分、表面粗糙度、热处理及几何形状的材料块，主要用于仪器探头系统性能的校准。

1. IIW 试块

IIW(International Institute of Welding 的缩写)试块是国际焊接学会标准试块。该试块是荷兰代表首先提出来的,故又称为荷兰试块。其形状似船形,也称为船形试块。IIW 试块的材质为 20 号钢,正火处理,晶粒度 7～8 级。其结构尺寸如图 4.19 所示。

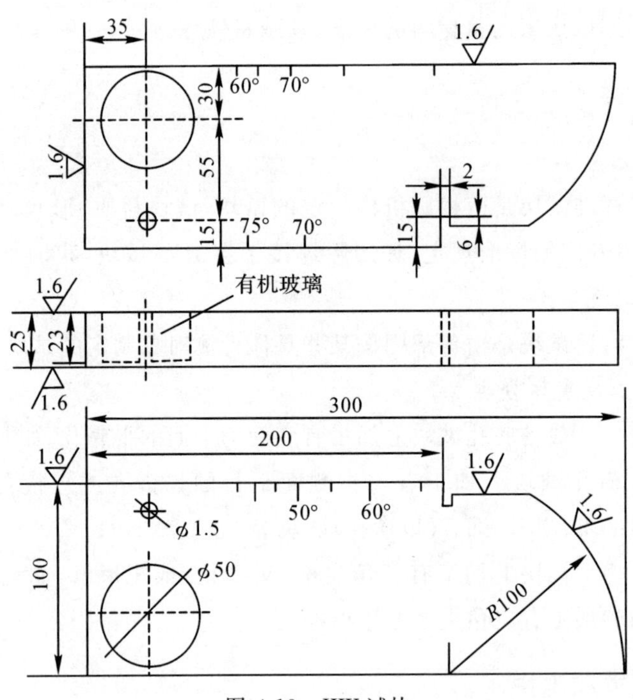

图 4.19 IIW 试块

IIW 试块的主要用途如下:

(1)调整纵波检测范围和扫描速度(时基线比例),利用试块上 25 mm 和 100 mm 底面。

(2)测定仪器的水平线性、垂直线性和动态范围,利用试块上 25 mm 或 100 mm 底面。

(3)测定直探头和仪器的分辨力,利用试块上 85 mm,91 mm 和 100 mm 阶梯面。

(4)测定直探头和仪器组合后的最大穿透能力,利用试块上 ϕ50 mm 有机玻璃块底面的多次反射波。

(5)测定直探头和仪器组合的盲区,利用试块上 ϕ50 mm 有机玻璃圆弧面与侧面间距 5 mm 和10 mm。

(6)测定斜探头的入射点和前沿长度,利用试块的 R100 mm 圆弧面。

(7)测定斜探头的折射角,折射角在 35°～76°范围内用 ϕ50 mm 孔测,折射角在 74°～80°范围内用 ϕ1.5 mm 孔测。

(8)测定斜探头和仪器的灵敏度余量,利用试块上 R100 mm 圆弧面或 ϕ1.5 mm 横孔。

(9)调整横波探头检测范围和扫描速度。

(10)测定斜探头声束偏斜角,利用试块的直角棱边。

2. IIW2 试块

IIW2 试块也是荷兰代表提出来的国际焊接学会标准试块,由于其外形类似牛角,故又称为牛角试块。与 IIW 试块相比,IIW2 试块尺寸较小,形状简单,容易加工,质量轻,便于携带,适用于现场使用,但功能不及 IIW 试块多。其结构尺寸和反射特点如图 4.20 所示。

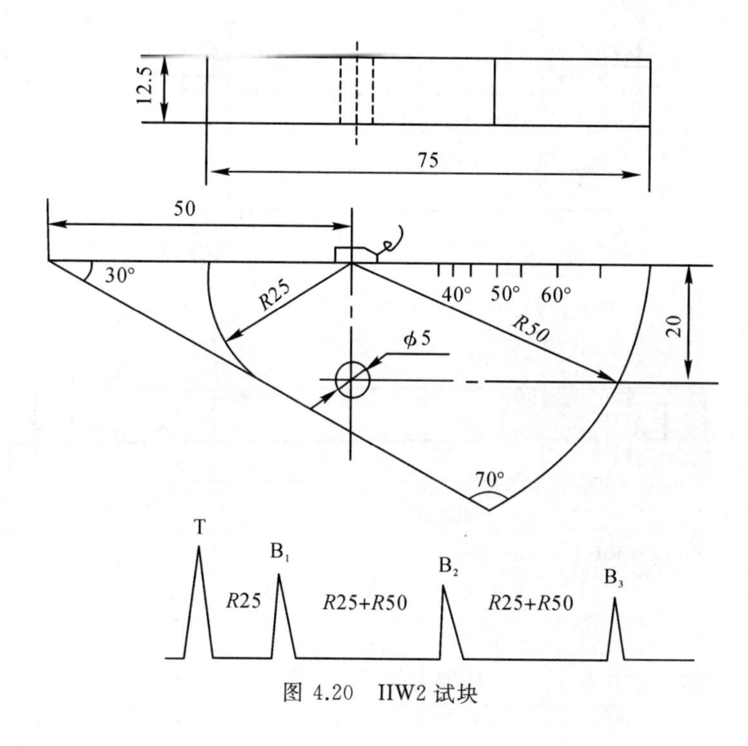

图 4.20　IIW2 试块

当斜探头对准 $R25$ 时,$R25$ 的反射回波一部分被探头接收,一部分反射至 $R50$,然后又反射回探头,但这时不能被接收,因此无回波。当此反射波再次经 $R25$ 反射回到探头时才能被接收,这时显示 B_2,它与 B_1 的间距为 $R25+R50$。以后各次回波间距为 $R25+R50$。

IIW2 试块的主要用途如下:

(1)测定斜探头的入射点,利用试块 $R25$ mm 与 $R50$ mm 圆弧面。

(2)测定斜探头的折射角,利用 $\phi5$ mm 横孔。

(3)测定仪器的水平线性、垂直线性和动态范围,利用试块上 12.5 mm 底面。

(4)调整检测范围和扫描速度(时基线比例),纵波直探头利用 12.5 mm 底面,横波斜探头利用 $R25$ mm 与 $R50$ mm 圆弧面。

3. CSK-ⅠA 试块

NB/T 47013.3—2015 标准中规定的我国承压设备无损检测标准试块是 CSK-ⅠA,其结构和尺寸如图 4.21 所示。

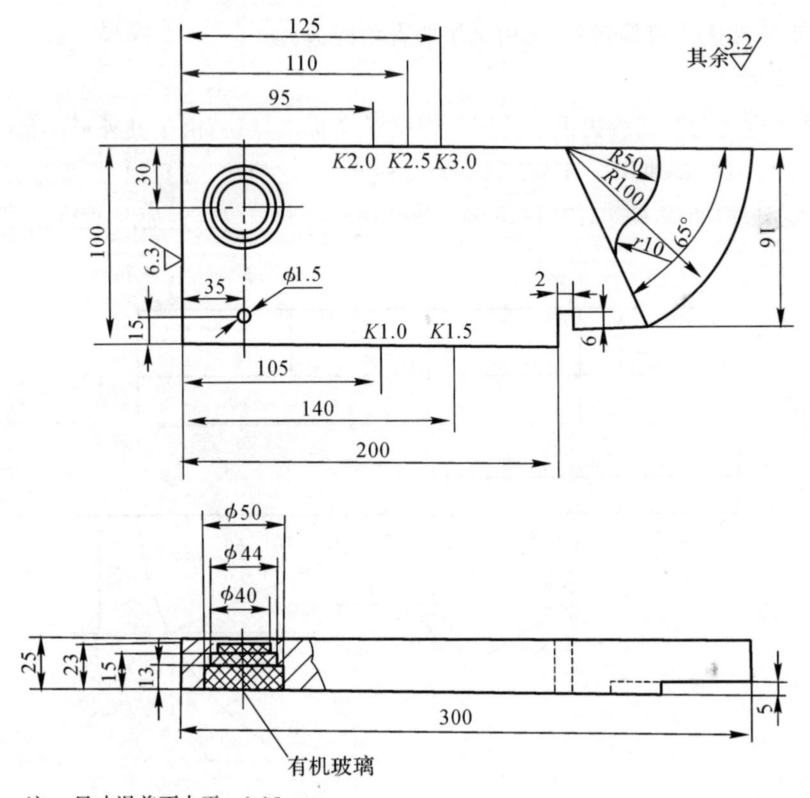

注：尺寸误差不大于±0.05 mm。

图 4.21 CSK－ⅠA 试块

CSK－ⅠA 试块是在 IIW 试块的基础上做了三点改进后得到的，具体改进如下：

(1)将直孔 ϕ50 mm 改为 ϕ50 mm，ϕ44 mm，ϕ40 mm 台阶孔，以便于测定横波斜探头的分辨力。

(2)将 R100 mm 圆弧面改为 R100 mm，R50 mm 阶梯圆弧，以便于调整横波扫描速度和检测范围。

(3)将试块上标定的折射角改为 K($K=\tan\beta_S$)值，可直接测出横波斜探头的 K 值。

4.3.5 对比试块

对比试块是以特定方法检测特定工件时采用的试块，它们含有意义明确的人工反射体，主要用于检测校准以及评定缺陷的当量尺寸。。

对比试块的外形应能代表被检工件的特征，试块厚度应与被检工件的厚度相对应。如果涉及两种或两种以上不同厚度部件焊接接头的检测，对比试块的厚度应由较大厚度来确定。

对比试块应采用与被检材料声学性能相同或相似的材料制成，当采用直探头检测时，不得含有大于或等于 ϕ2 mm 平底孔当量直径的缺陷。

NB/T 47013.3—2015 标准中规定和采用的对比试块主要有板材检测对比试块(详见 6.1.3 节的内容“4. 对比试块”)、锻件检测 CS－2～CS－4 系列对比试块(详见 6.2.3 节的内容“3. 对比试块”)、焊接接头超声检测 CSK－ⅡA，CSK－ⅢA，CSK－ⅣA 对比试块(详见 6.4.3节的内容“7. 试块”)、无缝钢管横波检测对比试块(详见 6.5.3 节的内容“1.接触法检测:(1)对比试块")等。

1. 半圆试块

半圆试块是我国无损检测行业中广为流行的试块,其结构和反射特点如图 4.22 所示。

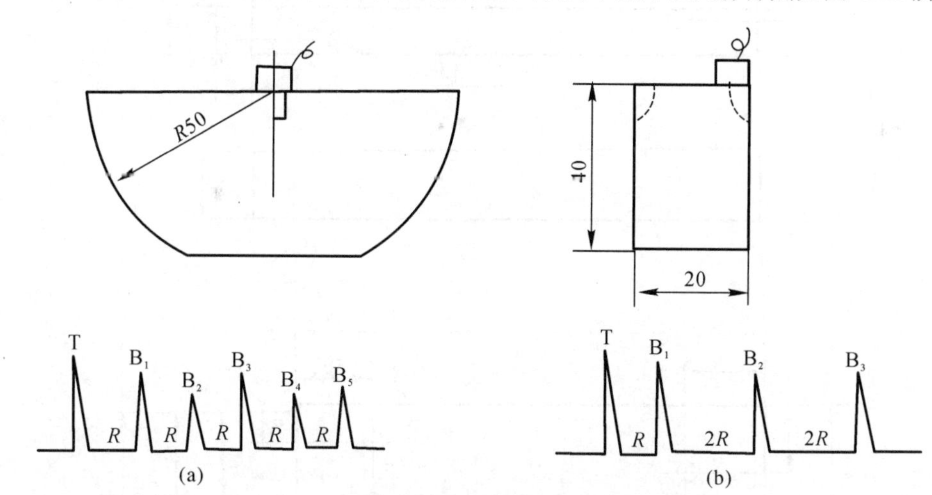

图 4.22　半圆试块

(a)中心切槽波形;(b)中心不切槽波形

有时圆弧部分切去一块是为了安放平稳。半圆试块中心切槽是为了产生多次反射,在示波屏上形成等距离的反射波。由于中心槽未切通,切槽处反射波间距均为 R,而未切槽处反射波间距为 $R,2R,2R,\cdots$,两者相互叠加使示波屏上奇次波高,偶次波低,如图 4.22(a)所示。此外还有中心不切槽的半圆试块,这种试块反射波间距为 $R,2R,2R,\cdots$,波形如图 4.22(b)所示。常用半圆试块的半径为 $R40$ mm 或 $R50$ mm。

半圆试块的主要用途如下:

(1)利用 $R50$ mm 圆弧测定斜探头的入射点。

(2)利用 $R50$ mm 圆弧调整横波扫描速度和检测范围。

(3)利用厚度 20 mm 底面调整纵波扫描速度和检测范围。

(4)利用厚度 20 mm 底面测试检测仪的水平线性、垂直线性和动态范围。

(5)利用 $R50$ mm 圆弧调整检测灵敏度。

半圆试块基本可以替代牛角试块的功能,且加工简便,便于携带,便于采用与被检测件相同的材料制作,可根据被检测工件情况改变圆的半径。

2. RB 试块

RB 试块是 GB/T 11345—1989《钢焊缝手工超声波探伤方法和探伤结果分级》规定的焊缝检测用对比试块,包括 RB-1,RB-2,RB-3 试块。试块的材质与被检测材料的声学性能相同或相近,形状和尺寸分别如图 4.23 所示。RB-1 试块主要用于厚度为 8～25 mm 钢板的焊缝检测,RB-2 试块主要用于厚度为 8～100 mm 钢板的焊缝检测,RB-3 试块主要用于厚度为 8～150 mm 钢板的焊缝检测。

RB 试块在 GB/T 11345 — 2013《焊缝无损检测　超声检测　技术、检测等级和评定》标准的技术 1 中依然适用,主要用于设定斜探头横波检测灵敏度、制作斜探头的距离幅度曲线(DAC)。依据 GB/T 11345 — 2013 标准而设计的 SD 对比试块,其结构参数和形状详见附录。

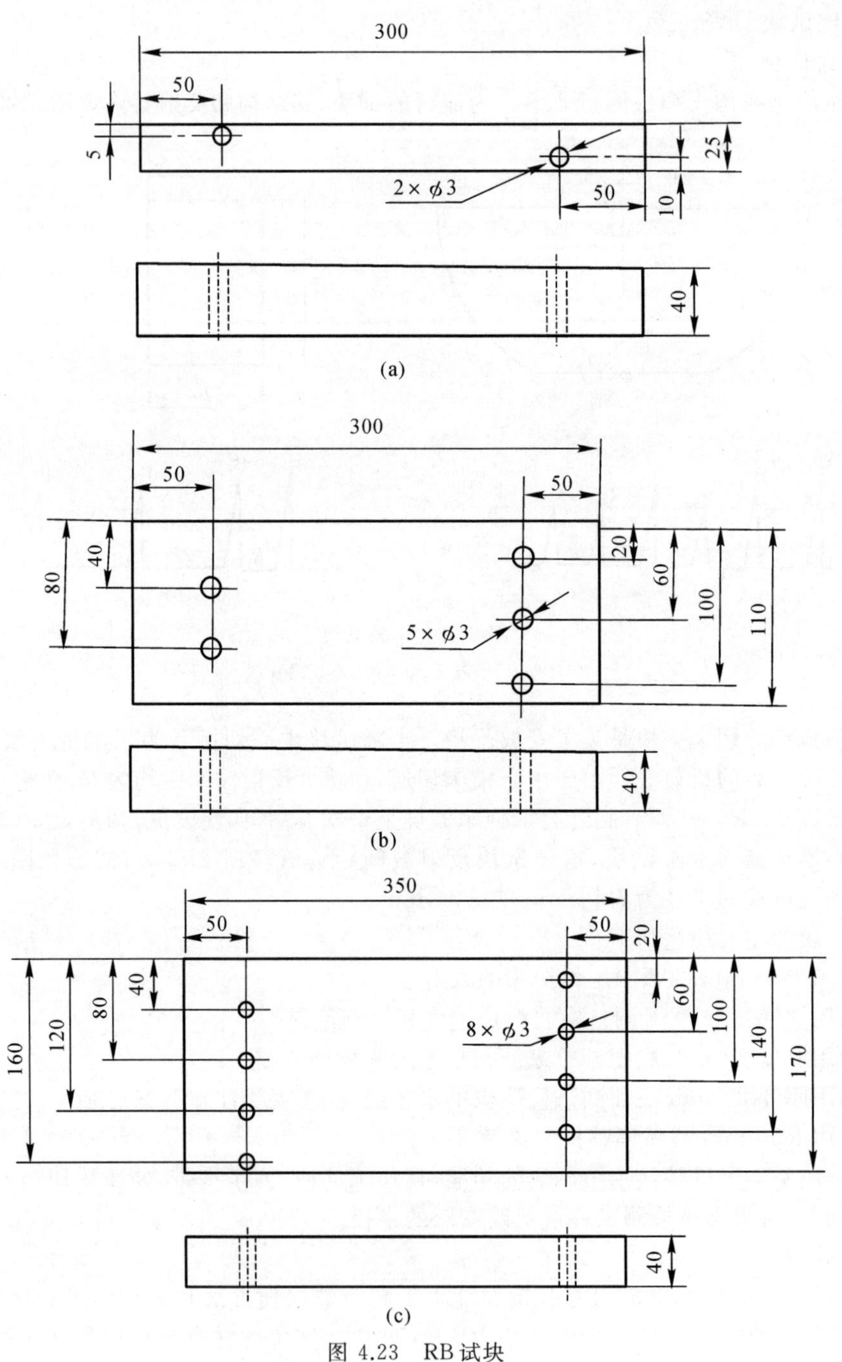

图 4.23 RB 试块

(a)RB－1 试块；(b)RB－2 试块；(c)RB－3 试块

思考题

1.什么是试块？试块的主要作用是什么？

2.绘制 CSK－ⅠA 试块并标注尺寸。CSK－ⅠA 试块在 IIW 试块上做了哪些改进？

3.画图说明斜探头在IIW2试块上反射波的特点。

4.画图说明斜探头分别对准中心不切槽和切槽的半圆试块时反射波的特点，并简要说明其原因。

4.4　仪器和探头的性能及其测试

超声检测系统的性能，包括超声检测仪的性能、探头的性能和仪器与探头组合后的性能。系统性能的好坏，直接影响着检测结果的可靠性和准确性，因此国家颁布了《A型脉冲反射式超声探伤仪通用技术条件》(JB/T 10061—1999)、《超声探伤用探头性能测试方法》(JB/T 10062—1999)和《无损检测 A型脉冲反射式超声检测系统工作性能测试方法》(JB/T 9214—2010)等标准。其中对各项技术性能指标都有明确规定，并且规定了具体的测试方法。

4.4.1　超声检测仪器的主要性能及其测试

超声检测仪器各部分电路的主要性能在NB/T 47013.3—2015《承压设备无损检测　第3部分：超声检测》附录A中有明确规定，见表4.6。

表4.6　超声检测仪的主要性能

项　目	具体性能	项　目	具体性能
脉冲发射部分	脉冲重复频率	接收部分(包括与示波管结合的性能)	垂直线性
	发射脉冲频谱		频率响应
	发射电压		噪声电平
	脉冲上升时间		最大使用灵敏度
	脉冲持续时间		衰减器准确度
数字式超声检测仪器额外的性能	数字采样率和采样位数		垂直偏转极限
	数字采样误差		垂直线性范围
	A型显示的像素数量		动态范围
	数字式超声仪器的响应时间		水平线性
			水平偏转极限
			水平线性范围

(1)脉冲发射部分。这部分的主要性能有脉冲重复频率、发射电压、发射脉冲上升时间、发射脉冲宽度和发射脉冲频谱。在仪器技术指标中，常给出发射电压幅度和脉冲上升时间作为发射部分的性能指标。

发射电压幅度也就是发射脉冲幅度，它的高低主要影响发射的超声波能量。脉冲上升时间与可用的超声波频率有关，上升时间短，频带宽，频率上限也高，可配用的探头频率相应地也高；同时，脉冲上升时间短，脉冲宽度减小，从而可减小盲区，提高分辨力。

(2)接收部分。接收部分的性能主要有垂直线性、频率响应、噪声电平、最大使用灵敏度、衰减器准确度以及与示波管结合的性能，包括垂直偏转极限、线性范围和动态范围。

垂直线性是指输入到超声检测仪接收电路的信号幅度与其在超声检测仪示波屏上所显示

的幅度成正比关系的程度。

频率响应又称接收电路带宽，常用频带的上、下限频率表示。采用宽带探头时，接收电路的频带要包含探头的频带，才能保证波形不失真。

噪声电平是空载时最大灵敏度下的电噪声的幅度。它的大小会限制仪器可用的最大灵敏度。

最大使用灵敏度是指信噪比大于 6 dB 时可检测的最小信号的峰值电压。它表示的是系统接收微弱信号的能力。

衰减器准确度反映衰减器读数的增减与显示的信号幅度变化之间的对应关系。它对仪器灵敏度调整、缺陷当量的评定有重要意义。

垂直偏转极限是指示波管上 Y 偏转最大时对应的刻度值。通常要求大于满刻度值(100％)。

垂直线性范围是指在规定了垂直线性误差值后，垂直线性在误差范围内示波屏上的信号幅度范围。通常用上、下限刻度值(100％)表示。

动态范围是指在增益不变的情况下，超声检测仪可运用的一段信号幅度范围，在此范围内信号不过载或畸变，也不致过小而难以观测。动态范围通常用满足上述条件的最大输入信号与最小输入信号之比的分贝值表示。

(3)时基部分。时基部分的性能包括水平线性以及与示波管结合的性能，包括水平偏转极限和水平线性范围。

水平线性又称时基线性，或者扫描线性。它表示回波在时基轴上的显示值与检测声程之间成正比的程度。水平线性反映着扫描速度的均匀性。

水平偏转极限是指示波管上 X 偏转最大时对应的刻度值。通常要求大于满刻度值。

水平线性范围是指水平线性在规定误差范围内时基线刻度范围。在使用时可根据水平线性范围调整检测仪的时基线，使要测量的信号位于该范围内。

超声检测仪的基本性能主要由制造商在出厂前进行测试，并提供给用户。而使用者更多关心的是与检测直接相关的基本性能，主要包括垂直线性、水平线性、动态范围和衰减器准确度等。

1. 垂直线性

垂直线性用垂直线性误差表示，它的好坏直接影响着缺陷定量的准确性。其测试采用规定的人工反射体产生脉冲回波，用仪器上的衰减器改变示波屏上的回波高度，测得回波高度值与相应衰减量对应的理想波高的最大差值作为垂直线性误差。以直探头和 CSK－ⅠA 试块为例说明垂直线性误差的测试步骤，具体如下：

(1)抑制旋钮至“0”，衰减器保留 30 dB 余量。

(2)直探头置于 CSK－ⅠA 试块上，对准 25 mm 底面，并用压块恒定压力。

(3)调节仪器使试块上某次底波位于示波屏的中间，并达到满幅度 100％，但不饱和，作为“0” dB。

(4)固定增益旋钮和其他旋钮，调节衰减器，每次衰减 2 dB，记下相应的波高 H_i 并填入表 4.7 中，直到底波消失。

(5)计算垂直线性误差：

$$D=(|d_1|+|d_2|)\% \tag{4.9}$$

式中　d_1——实测值与理想值的最大正偏差；

d_2——实测值与理想值的最大负偏差。

(6)JB/T 10061—1999 标准规定仪器的垂直线性误差≤8%，NB/T 47013.3—2015 标准进一步规定仪器的垂直线性误差≤5%。

表 4.7　垂直线性误差测定

衰减量 Δ_i/dB	0	2	4	6	8	10	12	14	16	18	20	22	24
理想波高/(%)	100	79.4	63.1	50.1	39.8	31.6	25.1	19.9	15.8	12.6	10	7.9	6.3
实测波高/(%)													
偏差 d/(%)													

注：理想波高 $\% = 10^{-\frac{\Delta_i}{20}} \times 100\% \left(-\Delta_i = 20\lg \dfrac{H_i}{H_0}\right)$，实测波高 $\% = \dfrac{H_i(\text{衰减 } \Delta \text{ dB 后的波高})}{H_0(\text{衰减 0 dB 时的波高})} \times 100\%$。

2. 水平线性

水平线性用水平线性误差表示，它的好坏直接影响着缺陷的定位精度。其测试可利用任何表面光洁、厚度适当，并具有两个相互平行的大平面的试块，用纵波直探头获得多次反射回波，并将规定次数的两个回波调整到与两端的规定刻度线对齐，之后，观察其他反射回波的位置与水平刻度线相重合的情况。

以直探头和 CSK-ⅠA 试块为例说明水平线性误差的测试步骤，具体如下：

(1)将直探头置于 CSK-ⅠA 试块上，对准 25 mm 厚的大平底面，如图 4.24 所示。

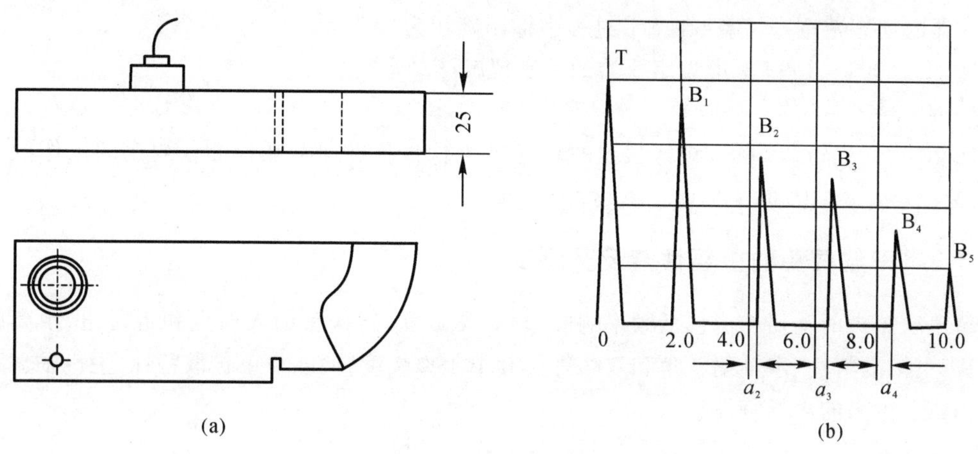

图 4.24　水平线性测试

(a)试块；(b)波形显示

(2)调节深度微调、水平或脉冲移位等旋钮，使示波屏上出现五次底波 B_1～B_5，且使 B_1 对准 2.0，B_5 对准 10.0。

(3)观察和记录 B_2，B_3，B_4 与水平刻度值 4.0，6.0，8.0 的偏差值 a_2，a_3，a_4 并填入表 4.8，取最大偏差值 a_{max}。

(4)计算水平线性误差：

$$\delta = \frac{|a_{max}|}{0.8b} \times 100\% \tag{4.10}$$

式中　a_{max}——a_2,a_3,a_4 的最大值;

　　b——示波屏水平满刻度值。

JB/T 10061—1999 标准规定仪器的水平线性误差≤2%,JB/T 47013.3—2015 标准进一步规定仪器的水平线性误差≤1%。

表 4.8　水平线性误差测定

底波次数	B_1	B_2	B_3	B_4	B_5
水平刻度标定值	2.0	4.0	6.0	8.0	10.0
实际读数	2.0				10.0
偏差	0				0

【例 4.1】 用 CSK-ⅠA 试块测定仪器的水平线性,当 B_1,B_5 前沿分别对准水平刻度 2.0 和 10.0 时,B_2,B_3,B_4 分别对准水平刻度线的 3.98,5.92,7.96,求该仪器的水平线性误差是多少?

解　最大偏差在 B_3 处,$a_{max}=5.92-6.0=-0.08$,水平刻度全长 10.0,则水平线性误差为

$$\delta=|a_{max}|/0.8b\times100\%=|-0.08|/0.8\times10.0\times100\%=1\%$$

3. 动态范围

动态范围是放大器最大不失真输出信号的范围。具体地讲,就是将仪器示波屏上反射体的回波高度从垂直满刻度的 100%降到刚能辨认的最小值时,该调节过程中衰减器的调节量即为仪器的动态范围。注意:在调节过程中抑制旋钮为"0"。

JB/T 10061—1999 标准规定仪器的动态范围≥26 dB。

4. 衰减量

JB/T 10061—1999 标准规定仪器的总衰减量不小于 60 dB,在检测仪规定的工作频率范围内,衰减器每 12 dB 的工作误差不超出±1 dB。

4.4.2　超声波探头的主要性能及其测试

超声波探头的主要性能包括频率响应、相对灵敏度、斜探头的入射点和折射角、距离幅度特性、声束扩散特性、声轴偏斜角和双峰等。其中距离幅度特性、声束扩散特性、主声轴偏移和双峰均属于探头的声场特性。

1. 频率响应

频率响应是在规定的反射体上测得的探头脉冲回波频率特征。在用频谱分析测试频率特性时,所得频谱如图 2.21 所示。从图中可得到探头的峰值频率、频带宽度和中心频率等特征参数。

2. 相对灵敏度

相对灵敏度是以脉冲回波方式,在规定的介质、声程和反射体条件下,衡量探头电声能转换效率的一种度量。具体表达方式在不同标准中有不同的规定。GB/T 18694—2002《无损检测　超声检验　探头及其声场的表征》中将灵敏度定义为探头输出的回波电压信号峰-峰值与施加在探头上的激励电压峰-峰值之比。JB/T 10062—1999《超声探伤用探头性能测试方法》中将灵敏度定义为探头在规定的反射体上的回波幅度与石英片固定试块回波之比。

3．斜探头入射点和前沿长度

斜探头的入射点是指其主声束轴线与检测面的交点。入射点至探头前沿的距离称为探头前沿长度。入射点和前沿长度的测定结果直接影响着缺陷的定位精度及斜探头折射角和 K 值的测定结果。

斜探头的入射点和前沿长度可在IIW试块或CSK－ⅠA上测定。测试方法如下：

将斜探头置于CSK－ⅠA试块上如图4.25所示的 A 位置，当 $R100$ mm圆弧面的反射回波达到最高时，斜楔底面与 $R100$ mm圆弧中心的重合点就是该探头的入射点。量出探头前沿至试块圆弧边缘的距离 M(mm)，则该探头的前沿长度为

$$l_0 = 100 - M \tag{4.11}$$

注意：试块上 R 应大于钢中近场区长度。因为近场区内声轴线上的声压不一定最高，测量误差大。

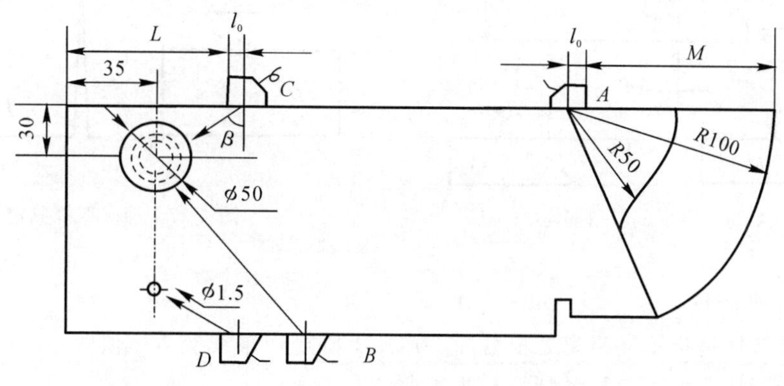

图4.25　入射点与 K 值的测定

4．斜探头折射角 β_S 和 K 值

斜探头的 K 值是指被测工件中横波折射角的正切值，$K=\tan\beta_S$。利用IIW试块或CSK－ⅠA上的 $\phi 50$ mm和 $\phi 1.5$ mm横孔来测定。具体测定方法如下：

如图4.25所示，探头置于 B 位置时，可测定 β_S 为 $35°\sim60°(K=0.7\sim1.73)$；探头置于 C 位置时，可测定 β_S 为 $60°\sim75°(K=1.73\sim3.73)$；探头置于 D 位置时，可测定 β_S 为 $75°\sim80°$ $(K=3.73\sim5.67)$。

现在以 C 位置为例说明 K 值的测定方法。探头对准试块上的 $\phi 50$ mm横孔，找到最高回波，并测出探头前沿至试块端面的距离 L，则

$$K = \tan\beta_S = \frac{L + l_0 - 35}{30} \tag{4.12}$$

值得注意的是，探头 K 值或折射角 β_S 的测定也应在近场区外进行。

5．距离幅度特性

距离幅度特性是探头声轴线上规定反射体回波声压随距离变化的关系曲线。接触法纵波直探头距离幅度特性可采用一套含有不同深度的平底孔试块测定，测量每个深度的平底孔的回波幅度并绘制成距离-波幅曲线。横波距离-波幅曲线可采用不同深度的横孔进行测量。

6. 主声轴偏移和双峰

探头声束轴线与其几何轴线偏离的程度称为主声轴的偏移,用声轴偏斜角 θ 来表示。双峰是指声束轴线沿横向移动时,同一反射体产生两个波峰的现象。

直探头和斜探头都可能存在主声束偏移和双峰。下面以斜探头为例进行说明。

如图 4.26 所示,探头对准试块棱边,移动并转动探头,找到棱边最高回波,这时探头侧面平行线与棱边法线的夹角 θ 就是主声束偏移。当 $K>1$ 时,用一次波测定;当 $K\leqslant 1$ 时,用二次波测定。

探头双峰常用横孔试块来测定,如图 4.27(a)所示。探头对准横孔并前后移动,当示波屏上出现如图 4.27(b)所示的双峰时,说明探头具有双峰现象。

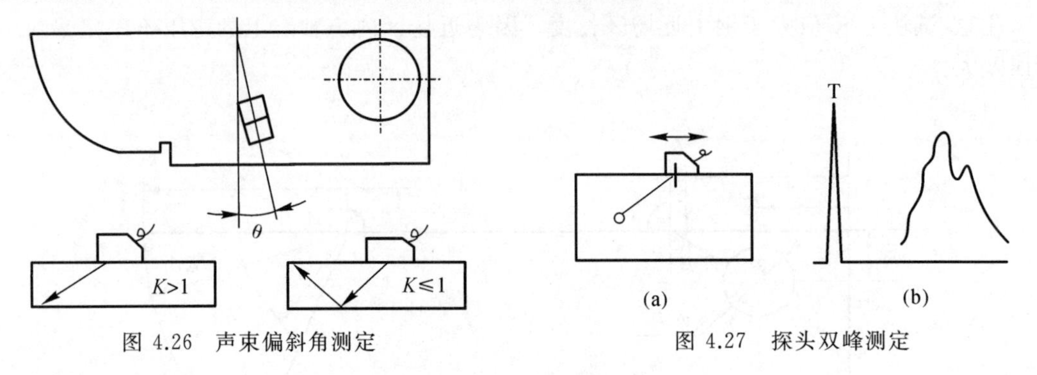

图 4.26　声束偏斜角测定

图 4.27　探头双峰测定

7. 声束扩散特性

声束扩散特性是指不同距离处横截面上声压下降至声轴线上声压值的一半(−6 dB)时的声束宽度。不同探头的声束扩散特性与半扩散角有关。

(1)直探头。先标出探头参考方向,在探头圆周标记 $+x$,$-x$,$+y$,$-y$,将探头对准试块上声程约为 $2N$ 的横通孔,如图 4.28(a)所示,找到最高回波。沿 x 方向平移探头,测出横孔回波最高点下降 6 dB 时探头移动的距离 W_{-x},W_{+x},如图 4.28(b)所示。用同样的方法测出 y 方向探头移动的距离 W_{-y},W_{+y}。

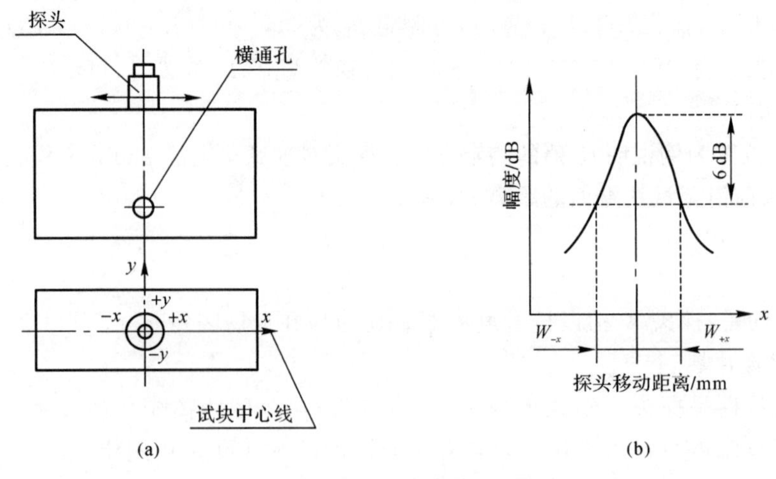

图 4.28　直探头声束特性测定

(2)斜探头。斜探头声束扩散特性在不同方向是不同的,这里仅介绍斜探头前后检查时声束扩散的情况。先将斜探头放在 40 mm 厚的试块上,如图 4.29 所示,移动探头找到 ϕ4 mm 竖通孔最高反射回波,并在试块上标记探头中心 O 点,然后使探头在 O 点前后移动,找到使 ϕ4 mm 通孔回波下降 6 dB 时探头移动的距离 W_{-y},W_{+y}。

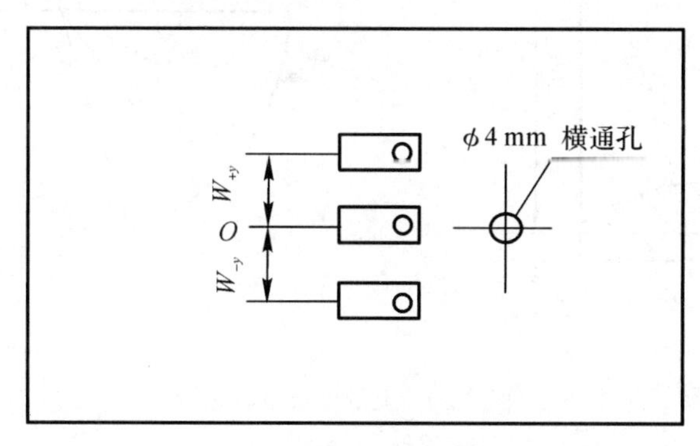

图 4.29　斜探头声束特性测定

4.4.3　超声检测仪和探头的组合性能及其测试

超声检测仪和探头的组合性能包括灵敏度(或灵敏度余量)、分辨力、信噪比和频率等。

1. 灵敏度

灵敏度是指检测系统在确定的声程范围内发现规定大小缺陷的能力。发现的缺陷越小,灵敏度就越高。仪器与探头的灵敏度常用灵敏度余量来衡量。灵敏度余量是指仪器最大输出(增益、发射强度最大,衰减和抑制为 0)时,使规定反射体回波达到基准波高所需衰减的衰减总量。灵敏度余量大,说明超声检测仪与探头的灵敏度高。灵敏度余量与超声检测仪和探头的组合性能有关,因此又叫仪器与探头的组合灵敏度。

仪器与直探头组合灵敏度余量测试方法如下:

(1)仪器增益旋钮至最大,抑制旋钮至“0”,发射强度旋钮至“强”,连接探头,并使探头悬空,调节衰减器使电噪声电平≤10%,记下此时的衰减器读数 N_1(dB)。

(2)将探头对准图 4.30(a)所示的 200 mm 声程处的 ϕ2 mm 平底孔。调衰减器使 ϕ2 mm平底孔回波高度为 50%,记下此时的衰减器读数 N_2(dB)。则仪器与直探头的灵敏度余量为

$$N = N_2 - N_1(\text{dB}) \tag{4.13}$$

NB/T 47013.3—2015 标准规定仪器-直探头组合灵敏度余量≥32%。

仪器与斜探头组合灵敏度余量测试方法如下:

(1)仪器增益旋钮至最大,抑制旋钮至“0”,发射强度旋钮至“强”,连接探头,并使探头悬空,调节衰减器使电噪声电平≤10%,记下此时的衰减器读数 N_1 dB。

(2)将斜探头置于 CSK-ⅠA 试块上,如图 4.30(b)所示 ,记下使 R100 mm 圆弧面的第一次反射波高达 50%时的衰减量 N_2 dB。则仪器与斜探头的灵敏度余量为

$$N = N_2 - N_1(\text{dB})$$

NB/T 47013.3—2015 标准规定仪器-斜探头组合灵敏度余量≥42%。

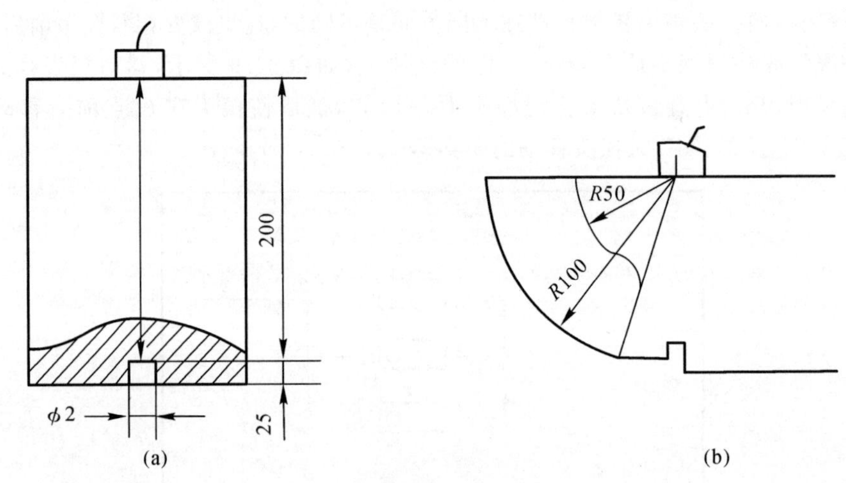

图 4.30　灵敏度余量测定

(a)直探头;(b)斜探头

2. 分辨力

超声检测系统的分辨力是指能够对一定大小的两个相邻反射体提供可分离指示的两者的最小距离,即系统能够区分两个相邻而不连续的缺陷的能力。有近场分辨力、远场分辨力、纵向分辨力和横向分辨力之分,一般指远场纵向分辨力。频带越宽,发射脉冲越窄,可能达到的分辨力越好。

(1)直探头远场分辨力。直探头和仪器的分辨力可利用 IIW 试块或 CSK-ⅠA 上 85 mm,91 mm 和 100 mm 三个阶梯面测定。具体测定方法如下:

抑制旋钮至"0",探头置于图 4.31 所示的位置Ⅲ处,左右移动探头,使示波屏上出现 85,91 和 100 三个反射回波 A,B,C,则分辨力为

$$X = 20\lg \frac{a}{b}\ (\mathrm{dB}) \tag{4.17}$$

NB/T 47013.3—2015 标准规定直探头远场分辨力≥20 dB。

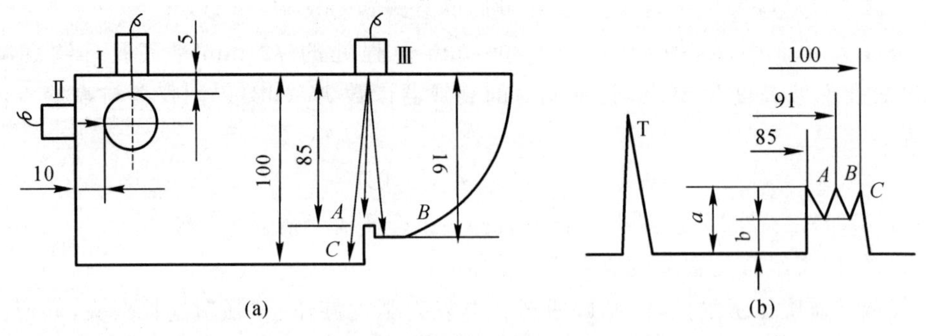

图 4.31　直探头分辨力测试

(a)测试位置;(b)显示波形

(2)斜探头远场分辨力。斜探头和仪器的分辨力可利用 CSK-ⅠA 试块上 ϕ50 mm,ϕ44 mm,ϕ40 mm 三阶梯孔测定。具体测定方法如下:

1)将斜探头置于图 4.32(a)所示的 CSK－ⅠA 试块上,对准 ϕ50 mm,ϕ44 mm,ϕ40 mm 三阶梯孔,使示波屏上出现三个反射波。

2)平移探头并调节仪器,使 ϕ50 mm,ϕ44 mm 回波等高,如图 4.32(b)所示,其波峰为 h_1,波谷为 h_2,则其分辨力为

$$X = 20\lg\frac{h_1}{h_2}\ (\text{dB}) \tag{4.15}$$

实际测试时,用衰减器将 h_1 衰减到 h_2,其衰减量为 ΔN,则分辨力为 $X=\Delta N$ (dB)。NB/T 47013.3—2015 标准规定斜探头远场分辨力≥12 dB。

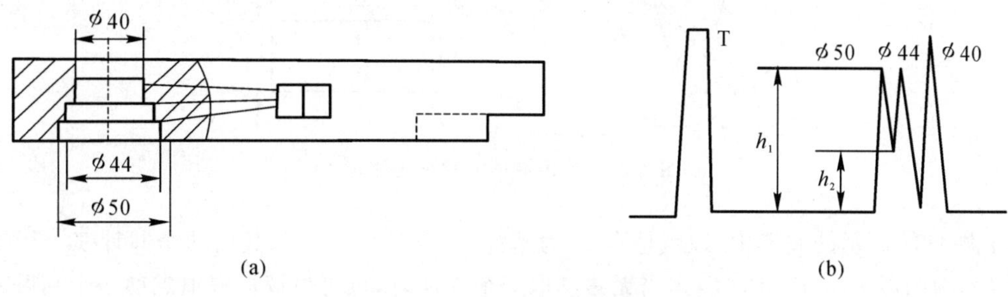

图 4.32　斜探头分辨力测试

(a)测试位置;(b)显示波形

3. 信噪比

信噪比是指示波屏上有用的最小缺陷信号幅度与无用的最大噪声信号幅度之比。由于噪声的存在会掩盖幅度低的缺陷信号,容易引起漏检或误判,严重时甚至无法进行检测。

一般以 200 mm 声程处 ϕ1 mm 平底孔反射回波 $H_{信}$ 与噪声杂波 $H_{噪}$ 之间的分贝差来表示信噪比的大小,即 $\Delta=20\lg(H_{信}/H_{噪})$。

4. 频率

频率是超声检测仪和探头组合后的一个重要参数,探头的标称频率是出厂前探头上标出的频率,该频率是根据驻波共振理论设计的,由 $f_0=\frac{N_t}{t}=\frac{c_L}{2}$计算得到。

仪器和探头的组合频率取决于仪器的发射电路与探头的组合性能,与标称频率之间往往存在一定的差值。为衡量该差值,往往采用回波频率误差表征。回波频率误差是指当仪器与探头组合使用时,经工件底面反射回的超声波的频率与探头标称频率间的误差极限。

回波频率可用一般示波器测试。下面介绍用示波器测试探头回波频率的方法,如图 4.33 所示。

被测探头接检测仪的发射插座,带宽不小于 30 MHz 的示波器接仪器的接收插座,仪器工作方式置于“单”的位置,这时发射插座与接收插座内部连通,即探头兼作发射与接收。如果是组合双晶探头,则仪器工作方式至于“双”的位置,双晶探头的两根线分别接检测仪的发射插座和接收插座。把接收插座与示波器输入端用同轴电缆连接起来,使回波信号进入超声检测仪的同时也进入示波器。再将直探头置于 CSK－ⅠA 试块上对准 25 mm 底面,使第一次底波 B_1 最高。如果是斜探头,可将探头置于 CSK－ⅠA 试块上对准 R100 mm 圆弧面并使其第一次反射波 B_1 最高。然后调节示波器,使示波器示波屏上显示出底波 B_1 的扩展波形,如图 4.34 所示,通过读取多个周期的总时间 T_n(μs)和周期数 n,可以计算出回波频率 f_e,则有

$$f_e=\frac{n}{T_n} \tag{4.16}$$

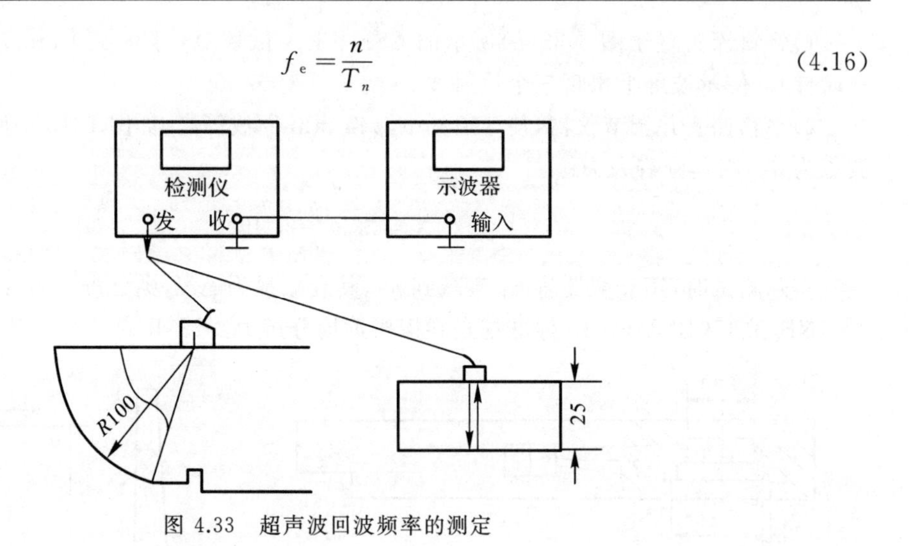

图 4.33　超声波回波频率的测定

在图 4.34 所示的波形中,以峰值点 P 为基准,读取其前一个和其后两个共计三个周期的时间 T_3,则回波频率 $f_e=3/T_3$。当无法读取三个周期时,也可以读取峰值点前一个和后一个共计两个周期的时间 T_2,则 $f_e=2/T_2$。

回波频率的相对误差为

$$\Delta f_e=\frac{f_0-f_e}{f_0}\times 100\% \tag{4.17}$$

式中　f_0——探头的标称频率,MHz。

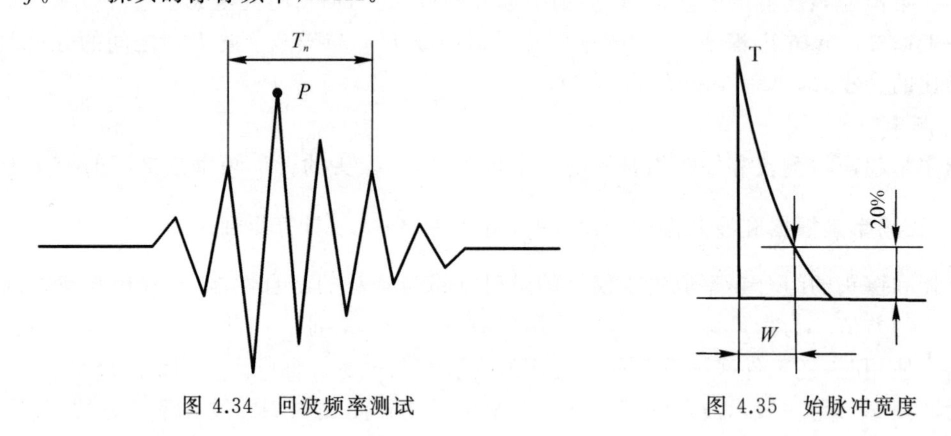

图 4.34　回波频率测试　　　　图 4.35　始脉冲宽度

NB/T 47013.3—2015 标准规定,仪器和斜探头的组合频率与探头标称频率之间的偏差不得大于±10%。

5. 直探头和仪器组合的盲区

盲区是指从检测面到能够发现缺陷的最小距离。它是仪器和探头的组合性能,表征系统的近距离分辨能力。盲区的大小与仪器的阻塞时间和始脉冲宽度有关,随着灵敏度的提高,盲区也随之增大。

盲区可利用 IIW 试块或 CSK－ⅠA 试块上 ϕ50 mm 有机玻璃圆弧面与侧面间距 5 mm 和 10 mm 测定。

(1)始脉冲宽度测定方法:按规定调好灵敏度并调至“0”点,如图 4.35 所示,示波屏上始脉冲达 20%高处时至水平刻度“0”点的距离 W 即为始脉冲宽度。

(2)如图 4.31(a)所示,若直探头置于试块上Ⅰ处时有独立回波,则盲区小于或等于5 mm。若Ⅰ处无回波,而Ⅱ处有独立回波,则盲区在 5~10 mm 之间。若Ⅱ处仍无独立回波,则盲区大于 10 mm。

(3)盲区的测定也可在盲区试块上进行,如图 4.36 所示。在示波屏上能清晰地显示 ϕ1 mm 平底孔独立回波的最小距离即为所测的盲区。

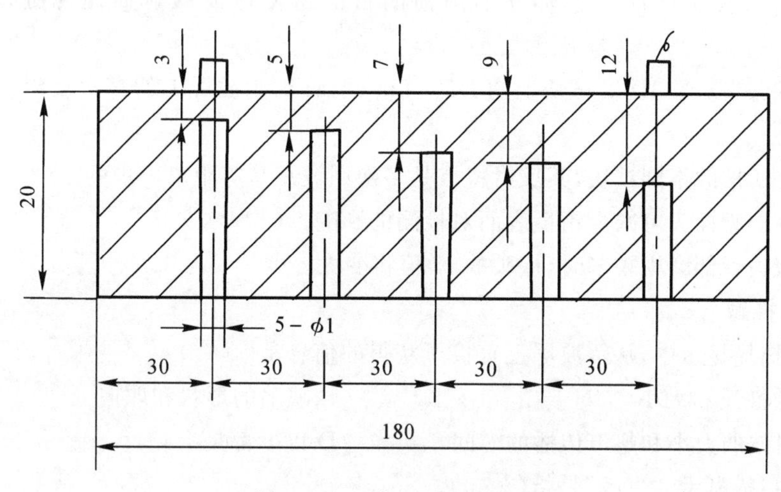

图 4.36　用盲区试块测盲区

NB/T 47013.3—2015 标准规定,在基准灵敏度下,对于标称频率为 5 MHz 的直探头,盲区不大于 10 mm;对于标称频率为 2.5 MHz 的直探头,盲区不大于 15 mm。

思考题

1.超声检测仪的主要性能指标有哪些?

2.超声波探头的主要性能指标有哪些?

3.超声检测系统的主要性能指标有哪些?

4.超声检测系统的分辨力与哪些因素有关?

第 4 章习题

1.是非题(对的在后面括弧中画“√”,错的画“×”)

(1)多通道检测仪是由多个或多对探头同时工作的检测仪。(　　)

(2)超声检测中,发射超声波利用正压电效应,接收超声波利用逆压电效应。(　　)

(3)与锆钛酸铅相比,石英作为压电材料有性能稳定、机电耦合系数高、压电转换能量损失小等优点。(　　)

(4)增益 100 dB 就是信号强度放大 100 倍。(　　)

(5)B 型显示能展现工件内缺陷的埋藏深度。(　　)

(6)C 型显示能展现工件内缺陷的长度和宽度,但不能展现深度。(　　)

(8)检测仪中的发射电路亦称为触发电路。(　　)

(9)检测仪的扫描电路即为控制探头在工件检测面上扫查的电路。(　　)

(10)调节检测仪的“延迟”按钮时,扫描线上回波信号间的距离也将随之改变。(　　)

(11)压电晶片的压电应变常数(d_{33})大,则说明该晶片接收性能好。(　　)

(12)压电晶片的压电电压常数(g_{33})大,则说明该晶片接收性能好。(　　)

(13)斜探头楔块前部和上部开消声槽的目的是使声波反射回晶片处,减少声能损失。(　　)

(14)当斜探头对准 IIW2 试块上的 R50 mm 圆弧时,示波屏上的多次反射回波是等距离的。(　　)

(15)中心切槽的半圆试块,其反射特点是多次回波总是等距离出现的。(　　)

(16)软保护膜探头可减少粗糙表面对检测的影响。(　　)

(17)斜探头后部磨损较多时,探头的 K 值将变大。(　　)

2.单项选择题

(1)A 型扫描显示中,从示波屏上直接可获得的信息是(　　)。

A.缺陷的性质和大小　　B.缺陷的形状和取向

C.缺陷回波的大小和超声传播的时间　　D.以上都是

(2)A 型扫描显示,“盲区”是指(　　)。

A.近场区　　B.声束扩散角以外的区域

C. 始脉冲宽度和仪器阻塞恢复时间　　D.以上都是

(3)脉冲反射式超声检测仪中,产生触发脉冲的电路单元叫作(　　)。

A.发射电路　　B.扫描电路　　C.同步电路　　D.显示电路

(4)发射电路输出的电脉冲,其电压通常可达(　　)。

A.数百伏到上千伏　　B.数十伏　　C.数伏　　D.1 V

(5)探头上标的 2.5 MHz 是指(　　)。

A.重复频率　　B.工作频率　　C.触发脉冲频率　　D.以上都不对

(6)仪器水平线性的好坏直接影响(　　)。

A.缺陷性质判断　　B.缺陷大小判断

C.缺陷的定位精度　　D.以上都对

(7)仪器的垂直线性好坏会影响(　　)。

A.缺陷的定量精度　　B.AVG 曲线面板的使用

C.缺陷的定位　　D.以上都对

(8)表示检测仪与探头组合性能的指标有(　　)。

A.水平线性、垂直线性、衰减器精度

B.灵敏度余量、盲区、远场分辨力

C.动态范围、频带宽度、探测深度

D.垂直极限、水平极限、重复频率

(9)使仪器得到满幅显示时 Y 轴偏转板工作电压为 80 V,现晶片接收到的缺陷信号电压为 40 mV,若要使此缺陷以 50%垂直幅度显示,仪器放大器应有(　　)的增益量。

A.74 dB　　B.66 dB　　C.60 dB　　D.80 dB

(10)调节仪器面板上的"抑制"旋钮会影响探检测的(　　)。

A.垂直线性　　B.动态范围　　C.灵敏度　　D.以上全部对

(11)用 IIW2 调整时间轴,当探头对准 R50 mm 圆弧面时,示波屏的回波位置(按声程 1∶1 调整扫描速度)应在(　　)。

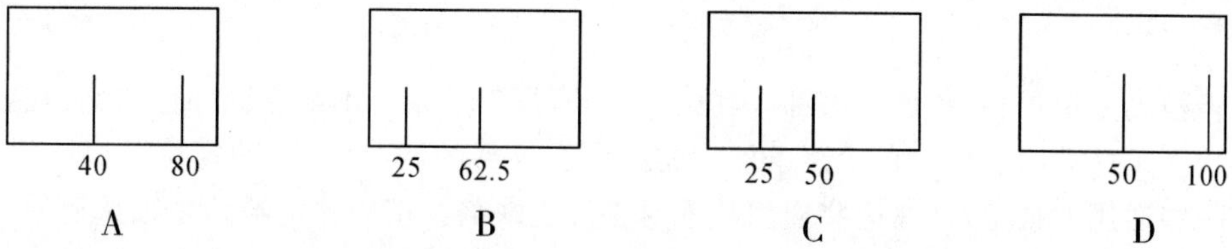

40　80

A

25　62.5

B

25　50

C

50　100

D

(12)能使 $K2$ 斜探头得到图示深度 1∶1调整波形的钢半圆试块的半径 R 为(　　)。

A.50 mm　　B.60 mm　　C.67 mm　　D.40 mm

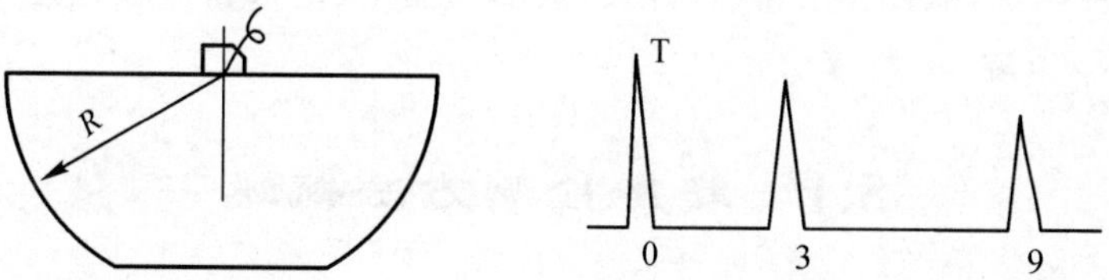

R

T

0　3　9

(13)单晶直探头接触法检测中,与检测面很近的缺陷往往不能有效地被检出,这是由于(　　)造成的。

A.近场干扰　　B.材质衰减　　C.盲区　　D.折射

(14)测得某探头和仪器的始脉冲宽 $T=2\ \mu s$,工件中的声速 $c_L=5\ 900$ m/s,则此探头和仪器的盲区至少为(　　)。

A.11.8 mm　　B.5.9 mm　　C.23.6 mm　　D.2.95 mm

(15)某探头晶片中的波速为 $c_L=5\ 900$ m/s,晶片厚度 $t=0.59$ mm,该探头的标称频率为(　　)。

A.0.5 MHz　　B.1 MHz　　C.5 MHz　　D.10 MHz

第 5 章　超声检测工艺方法

超声检测方法很多，各种方法都有其独特之处，操作要领也不尽相同。但它们检测的基本原理和检测条件大同小异。在检测条件，耦合补偿，仪器的调节，缺陷的定位、定量、定性等方面都有一些通用的技术，掌握这些通用技术对于发现缺陷并正确评定缺陷是很重要的。

本章主要介绍常用超声检测方法的基本原理，并以常用的脉冲反射法超声检测为例，介绍超声检测通用技术的工艺方法，其检测工艺流程：检测面的准备，仪器、探头、试块的选择，仪器调节与检测灵敏度确定，耦合补偿，扫查方式，缺陷的测定、记录和等级评定，仪器和探头系统复核等。

5.1　超声检测方法概述

超声检测分类方法通常有以下几种。

5.1.1　按检测原理分类

按检测原理不同，超声检测方法可分为脉冲反射法、穿透法、共振法和衍射时差法等，其中衍射时差法详见第 7.1 节。

1. 脉冲反射法

超声波探头发射脉冲波到被检测工件内，根据工件内部缺陷或底面反射波的情况来判断工件中缺陷的方法，称为脉冲反射法。脉冲反射法是超声检测方法中应用最广泛的一种方法，目前把这种原理已外推到医学诊断中，无论是 A 型超声诊断仪还是 B 型超声诊断仪都采用超声脉冲反射法原理。

脉冲反射法包括缺陷回波法、底波高度法和多次底波法。

(1)缺陷回波法。根据超声检测仪示波屏上缺陷的反射回波来判断缺陷有关信息的方法，称为缺陷回波法。该方法根据回波传播的时间对缺陷进行定位，根据回波幅度对缺陷进行定量，是脉冲反射法的基本方法。

当工件完好时，超声波直接到达底面，在检测仪示波屏上只有始脉冲 T 和底面反射回波 B 两个信号，如图 5.1(a)所示。若被检工件中存在缺陷，则在仪器示波屏上底波 B 的前面相应声程位置处会出现一缺陷反射回波 F，如图 5.1(b)所示。

(2)底波高度法。当工件的材质均匀、厚度一致时，底面回波高度应是基本不变的。如果工件内存在缺陷，底面回波高度会下降，甚至消失。这种根据底面回波的高度变化来判断工件中缺陷情况的检测方法，称为底波高度法。该方法适合检测垂直于表面的裂纹缺陷，如图

5.2 所示,底面波高度从 B 下降至 B′,由于工件内部的缺陷垂直于工件表面,因缺陷反射面积小,示波屏上并没有缺陷波显示。

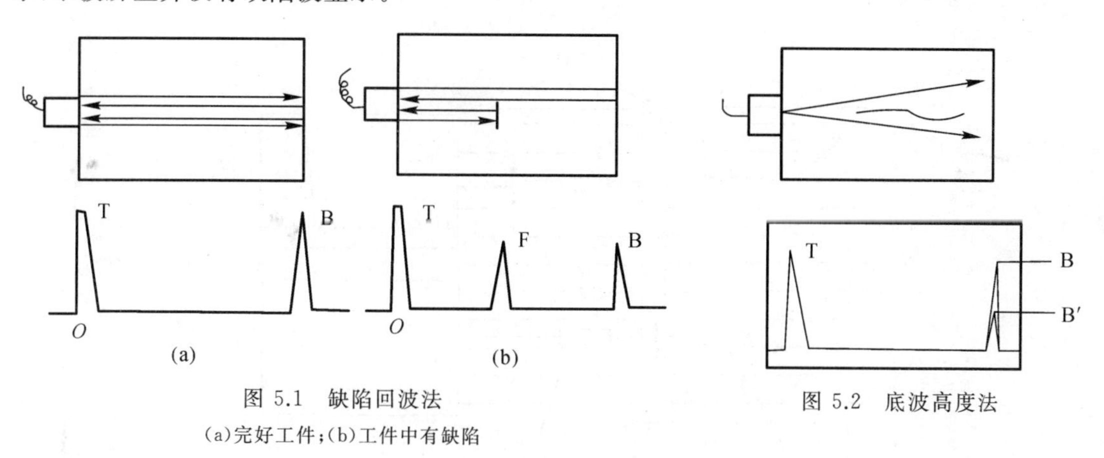

图 5.1 缺陷回波法

(a)完好工件;(b)工件中有缺陷

图 5.2 底波高度法

(3)多次底波法。当超声波的能量较大而工件厚度较小时,超声波可在工件的检测面与底面之间往复传播多次,在仪器示波屏上出现多次底波 B_1,B_2,B_3,…如果工件中存在缺陷,则由于缺陷的反射以及散射而增加了声能的损耗,底面回波次数减少,同时也打乱了各次底面回波高度依次有规律的降低。如图 5.3 所示,这种根据多次底面回波的变化情况来判断工件中有无缺陷的方法,称为多次底波法。多次底波法主要用于薄板的检测,检测灵敏度低于缺陷回波法。

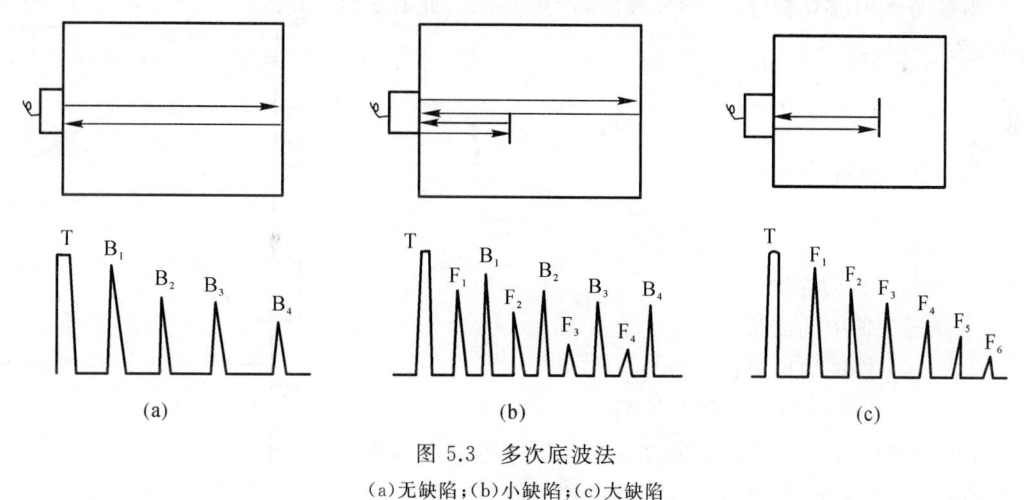

图 5.3 多次底波法

(a)无缺陷;(b)小缺陷;(c)大缺陷

2. 穿透法

穿透法是根据超声波穿透工件之后的能量变化来检测工件中有无缺陷的一种方法。采用两个探头,一个用于发射超声波,一个用于接收超声波,分别放置在工件相对的两个端面进行检测,如图 5.4 所示。

当工件内无缺陷时,接收能量大,检测仪示波屏显示的接收波幅度高,如图 5.4(a)所示;当工件内存在缺陷时,接收波幅度降低;如果有很大的缺陷将声波全部阻挡,示波屏上接收波消失,如图 5.4(b)所示。

穿透法检测灵敏度低，不能检测小缺陷，也不能对缺陷定位，但适合检测超声衰减大的材料，同时也避免了盲区。

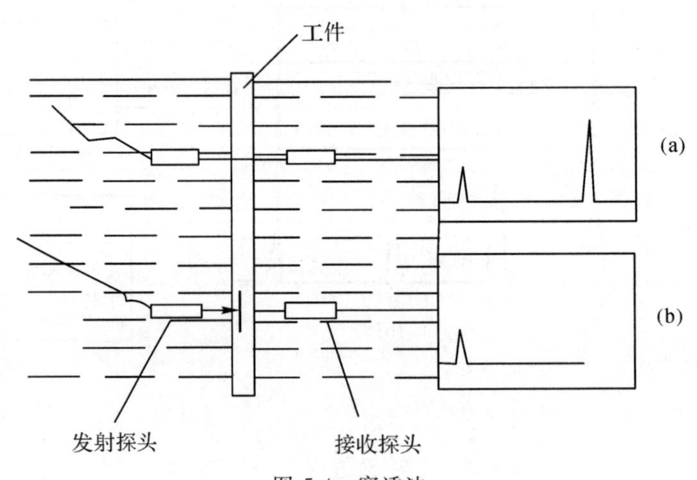

图 5.4 穿透法
(a)无缺陷时的波形；(b)有缺陷时的波形

3. 共振法

如图 5.5 所示，设超声波(连续波)垂直入射到平板工件底面并全反射。根据共振理论，当工件厚度为半波长的整数倍时，反射波与入射波互相叠加，形成驻波，产生共振。此时工件的厚度为

$$d=n\frac{\lambda}{2}=n\frac{c}{2f_n} \tag{5.1}$$

由式(5.1)可得共振频率为

$$f_n=n\frac{c}{2d} \tag{5.2}$$

式中 d——工件的厚度；

λ——工件中的波长；

c——工件中的声速；

f_n——工件中第 n 次谐振频率。

当 $n=1$ 时，$f_1=c/(2d)$，即为工件共振时的基频。若测得相邻两个共振频率 f_n 和 f_{n-1}，则可得到工件的厚度为

$$d=\frac{c}{2(f_n-f_{n-1})} \tag{5.3}$$

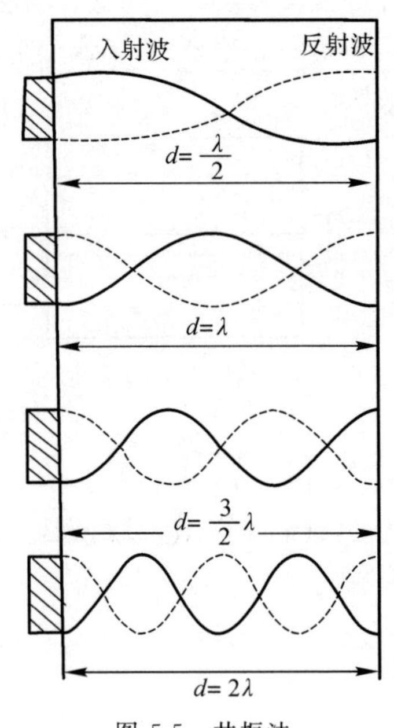

图 5.5 共振法

当工件中存在缺陷或壁厚发生变化时，原来为半波长整数倍的厚度关系就不成立了，共振频率将发生变化。共振法常用于工件测厚。

图 5.6 所示为共振式测厚仪的调节原理图，测厚时，调节调谐电容 C，改变振荡频率。由频率振荡器输出的交变电信号加到超声波探头上，产生超声波在工件中传播。当超声波在工件中产生共振时，探头负载阻抗减小，通过电流表 A 的电流达极值，这时的频率为共振频率。

再次调节电容 C，改变频率，测出相邻的另一共振频率，利用式(5.3)求出工件厚度。

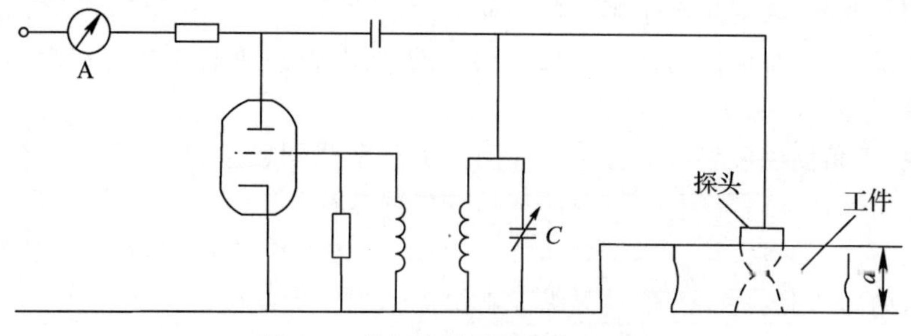

图 5.6　共振式测厚仪调节原理图

5.1.2　按波型分类

根据检测采用的波型，超声检测方法可分为纵波法、横波法、表面波法和板波法等。

1. 纵波法

使用纵波进行检测的方法，称为纵波法。在同一介质中，纵波速度大于其他波型的速度，穿透能力强，对晶界反射或散射的敏感性不高，因此可检测的厚度是所有波型中最大的，而且可用于粗晶材料的检测。

根据纵波传播方向与工件表面的夹角关系，可分为纵波直探头法和纵波斜探头法。

(1)纵波直探头法。超声波垂直入射至工件检测面，以不变的波型和方向透入工件，称为纵波直探头法，又称垂直入射法，如图 5.7 所示。

垂直入射法又可分为单晶直探头脉冲反射法(见图 5.7(a))、穿透法(见图 5.7(b))和双晶直探头脉冲反射法(见图 5.7(c))，实际检测中，常用的是单、双晶直探头脉冲反射法。对于单晶直探头，由于声场远场区接近于球面波，可用当量法对缺陷进行评定。同时由于盲区和分辨力的限制，只能发现工件内部离检测面一定距离以外的缺陷。双晶直探头利用两个晶片一发一收，很大程度上克服了单晶直探头盲区的影响，因此适用于检测近表面缺陷和薄壁工件。

纵波直探头法常用于检测锻件、铸件、板材及其他轧制件，对于与检测面平行的缺陷检出效果最佳。

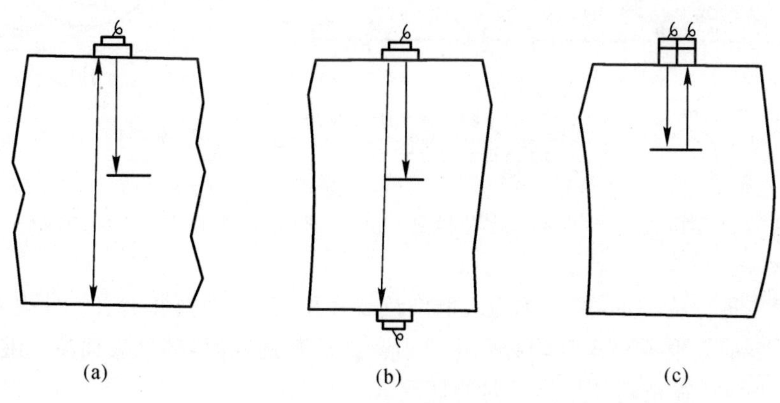

图 5.7　纵波直探头法

(a)单晶直探头反射法；(b)单晶直探头穿透法；(c)双晶直探头反射法

(2)纵波斜探头法。将纵波倾斜入射至工件检测面,利用折射纵波进行检测的方法,称为纵波斜探头法。此时,入射角小于第一临界角 α_{I} ($\alpha_L < \alpha_{\mathrm{I}}$),工件中既有纵波也有横波,由于纵波传播速度快,几乎是横波的两倍,因此可利用纵波来识别缺陷并进行定量,但注意不要与横波信号混淆。

一般来说,小角度纵波斜探头常用来检测探头移动范围较小、检测范围较深的一些部件,如从螺栓端部检测螺栓,多层包扎设备的环焊缝检测等。

对于粗晶材料,如奥氏体不锈钢焊接接头的检测,也常采用纵波斜探头法检测。在衍射时差法检测技术中,使用的探头一般也是纵波斜探头。

2. 横波法

将纵波通过楔块、水等介质倾斜入射至工件检测面,利用波型转换得到横波进行检测的方法,称为横波法。由于入射横波声束与检测面成一定角度,所以又称斜射法。

斜射声束的产生通常有两种方式。一种是接触法时采用斜探头,由晶片发出的纵波通过一定倾角的斜楔到达接触面,在界面处发生波型转换,在工件中产生折射后的斜射横波声束,如图 5.8(a)所示。另一种是利用水浸直探头,在水中通过调节偏心距(见 6.5.3 节的内容"2. 水浸法检测")来改变声束入射到检测面的入射角,从而在工件中产生所需波型和角度的折射波,如图 5.8(b)所示。此时纵波入射角位于第一临界角和第二临界角之间,即 $\alpha_L = \alpha_{\mathrm{I}} \sim \alpha_{\mathrm{II}}$,工件中只有纯的横波。在检测中,如果声波在前进中没有遇到缺陷,声波不会返回,A 扫描显示除始脉冲 T 以外无其他回波。如果声波在前进中遇到缺陷时,在相应缺陷的声程位置处出现反射回波。

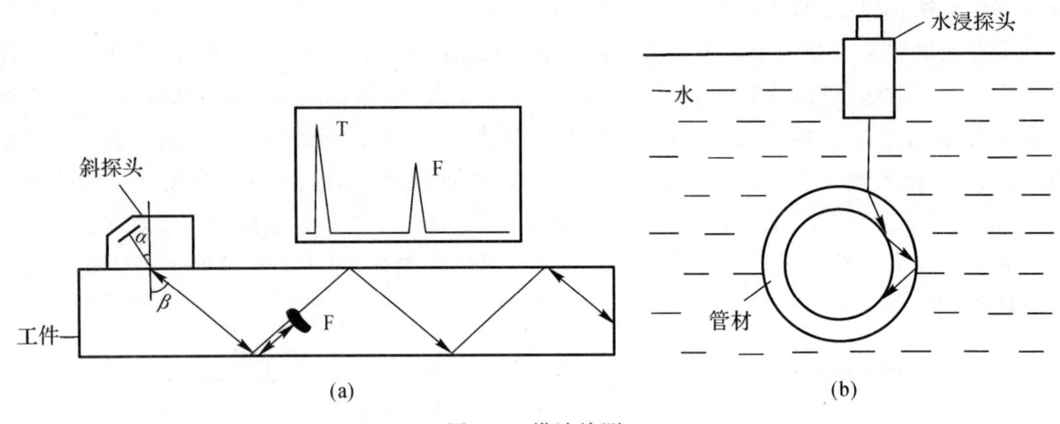

图 5.8 横波检测

(a)横波接触法检测;(b)横波水浸法检测

横波主要用于焊接接头和管材的检测,是目前特种设备行业中应用最多的一种方法。

3. 表面波法

使用表面波进行检测的方法,称为表面波法。在检测中,表面波沿着工件表面传播的过程中,遇到裂纹、表面划痕或棱角等均会发生反射。在反射的同时,部分表面波仍继续向前传播。图 5.9 所示为表面波在棱角处发生反射的情况。

表面波的波长比横波的波长更短,在工件中传播时能量衰减更为严重,因此,表面波法主要用于表面光滑的工件表面或近表面缺陷的检测。

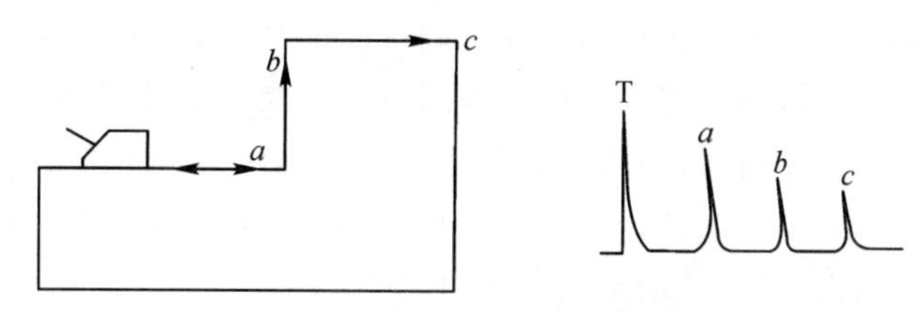

图 5.9　表面波在棱角处的反射

4. 板波法

使用板波进行检测的方法，称为板波法。板波法主要适用于薄板、薄壁管等工件的检测。板波充满整个工件，能够发现其内部和表面的缺陷。当工件中有缺陷时，在缺陷处产生反射，示波屏上出现缺陷波 F；当板波遇到端面时，也会产生端面反射波 B，如图 5.10 所示。

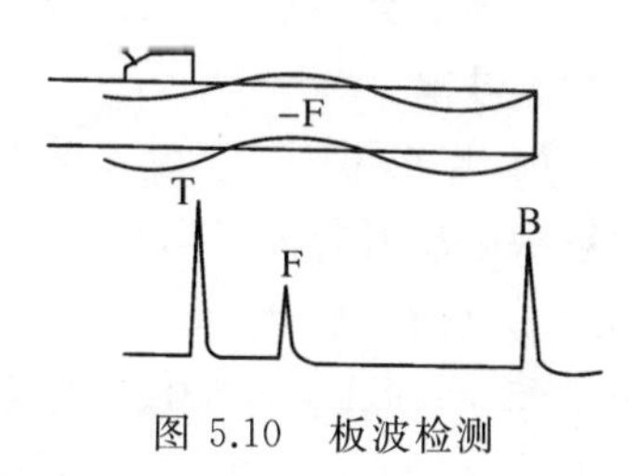

图 5.10　板波检测

5.1.3　按探头数目分类

1. 单探头法

使用一个探头兼作发射和接收超声波的检测方法，称为单探头法。单探头法操作方便，能检出大多数缺陷，是目前应用最普遍的一种方法。

单探头法适合检测体积型缺陷或与波束轴线垂直的面积型缺陷。当缺陷与波束轴线倾斜时，则根据倾斜角度的大小，探头能够接收到缺陷的部分反射回波，或者因缺陷反射波束被全部反射到探头之外的其他方向而无法被检出。

2. 双探头法

使用两个探头（一个发射，一个接收）进行检测的方法称为双探头法。它主要用于单探头法难以检出的缺陷检测。

检测中两个探头的排列方式有并列式、交叉式、V 形串列式、K 形串列式和串列式等，如图 5.11 所示。

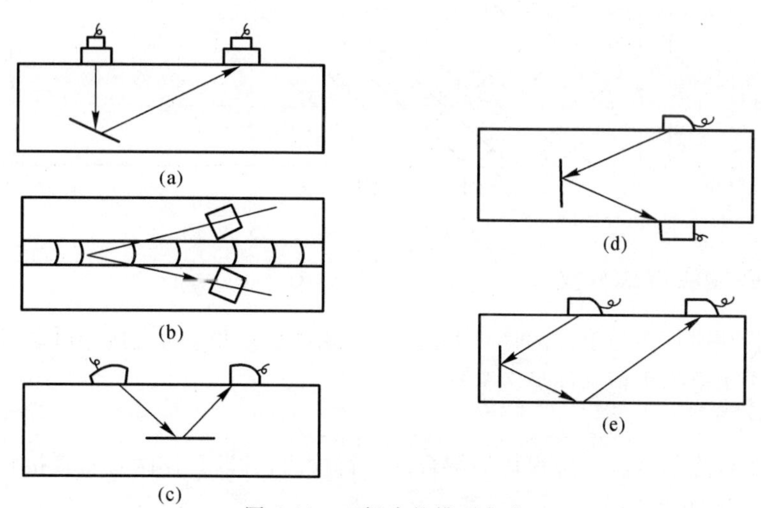

图 5.11　双探头的排列方式

(a)并列式；(b)交叉式；(c)V 形串列式；(d)K 形串列式；(e)串列式

(1)并列式。两个探头并列置于检测面并作同步同向移动,或一个探头固定,另一个探头移动,以便发现与检测面倾斜的缺陷。据此原理制成的双晶探头就是将两个并列的探头组合在一起,具有较高的分辨力和信噪比,适用于薄工件、近表面缺陷的检测。

(2)交叉式。两个探头轴线交叉,交叉点即为要检测的部位。此方法可用来发现与检测面垂直的片状缺陷,在焊缝检测中,常用来发现横向缺陷。

(3)V形串列式。两个探头相对放置在同一检测面上,一个探头发射的超声波被缺陷反射后入射到另一个探头,声束路径形成一个"V"字形。此方法主要用来发现与检测面平行的面积型缺陷。

(4)K形串列式。两个探头同向分别放置在置于工件的上、下表面,一个探头发射的超声波被缺陷反射后入射到另一个探头,声束路径形成一个"K"字形。此方法主要用来发现与检测面垂直的面积型缺陷。

(5)串列式。两个探头同向一前一后置于同一检测面上,一个探头发射的超声波被缺陷和工件底面反射后入射到另一个探头。此方法主要用来发现与检测面垂直的面积型缺陷,如厚焊缝的中间未焊透、窄间隙焊缝的坡口未熔合等。

串列式的特点是,不论缺陷是处在焊缝的上部、中部还是根部,其缺陷声程始终相等,从而缺陷信号在示波屏上的水平位置固定不变;上、下表面存在盲区;两个探头在一个表面上沿相反的方向移动,用手工操作较困难,需要设计专用的扫查装置。

3. 多探头法

使用两个以上的探头组合在一起进行检测的方法,称为多探头法。多探头法通常与多通道检测仪和自动化装置配合,以提高检测速度和灵敏度,同时可以发现各种取向的缺陷,如图5.12所示。

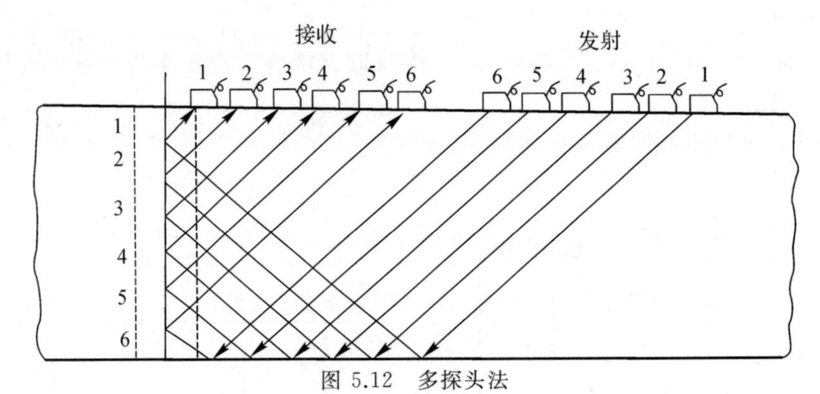

图 5.12 多探头法

5.1.4 按探头接触方式分类

根据超声检测时探头与工件的接触方式,超声检测方法可分为直接接触法、液浸法和电磁超声检测。其中电磁超声检测详见7.3节。

1. 直接接触法

在探头与工件之间涂有一层很薄的耦合剂进行检测,可以看作两者直接接触,这种方法称为直接接触法,简称接触法。

直接接触法操作简单,容易掌握,检测灵敏度较高,是实际检测中应用最多的一种方法。

但是，由于探头直接在工件表面移动，要求检测面比较平整光滑。

2. *液浸法*

将探头和工件浸于液体中以液体作耦合剂进行检测的方法，称为液浸法。耦合剂可以是水，也可以是油。当以水作耦合剂时，称为水浸法。

以水浸法检测为例，如图 5.13 所示，检测仪示波屏上除了出现始波 T、工件底波 B 和工件中的缺陷波 F 以外，还会在缺陷波 F 前出现水和工件交界面的界面波 S。

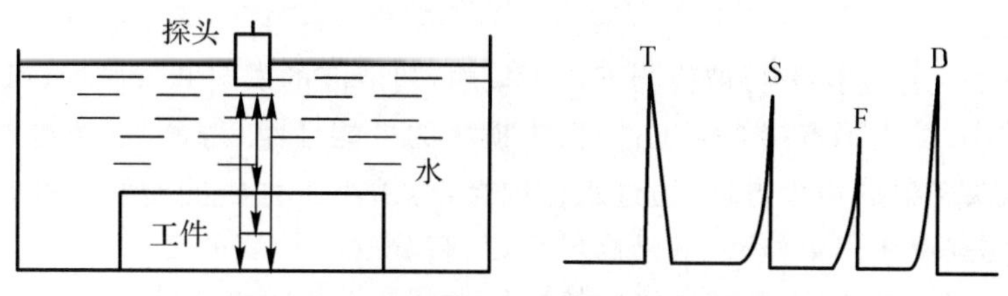

图 5.13　液浸法检测示意图及波形显示

液浸法检测时探头不直接与工件接触，因而此方法适用于检测表面粗糙的工件，探头也不易损坏，耦合稳定，检测结果重复性好，便于实现自动化检测。

液浸法按检测方式不同，又分为全浸没式和局部浸没式。

(1)全浸没式。被检测工件全部浸没于液体中进行检测的方法，称为全浸没式，适用于体积不大、形状简单的工件检测，如图 5.14(a)所示。

(2)局部浸没式。被检测工件的一部分浸没在水中，或者探头与工件之间保持一定的液层而进行检测的方法，称为局部浸没式，适用于大体积工件的检测。局部浸没法又分为喷液式、通水式和满溢式。

1)喷液式。超声波通过以一定的压力喷射至检测表面的水柱耦合而进入被检工件进行检测的方法，称为喷液式，如图 5.14(b)所示。

2)通水式。通水式液罩有专用的进水口和出水口，使液罩内保持一定容量的液体，这种方法称为通水式，如图 5.14(c)所示。

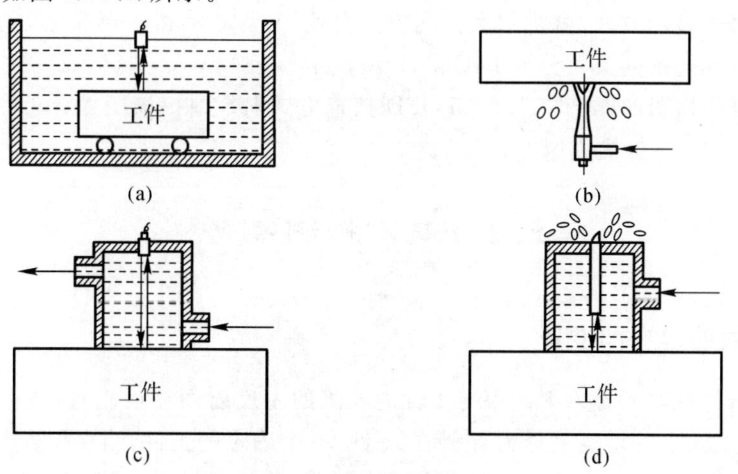

图 5.14　液浸法

(a)全浸没式；(b)喷液式；(c)通水式；(d)满溢式

3)满溢式。满溢式液罩结构与通水式相似,但只有进水口,多余液体从液罩的上部溢出,这种方法称为满溢式,如图5.14(d)所示。

3. 直接接触法和水浸法检测比较

直接接触法检测的优点是多用于手工检测,操作方便;设备简单,适用于现场检测,且成本较低;直接耦合,入射声能损失小,可以提供较大的穿透能力;在相同检测条件下,可比液浸法提供更高的检测灵敏度。其缺点是手工操作受人为因素影响较大,耦合不稳定;对被检工件检测表面要求较高。

水浸法检测的优点是探头与被检测工件不接触,超声波的发射和接收均较稳定;工件表面粗糙度的影响较小;探头不直接接触工件,探头损坏的可能性小、寿命长;通过调节探头角度,可方便地改变探头发射的声束方向;通过水作耦合,可缩小工件中的检测盲区,从而可检测较薄的工件;便于实现聚焦声束检测,满足高灵敏度、高分辨力检测的要求;耦合稳定,检测结果重复性好,便于实现自动化检测,减少影响检测可靠性的人为因素。其缺点是超声波在液体和金属表面反射,损失了大量声能,需采用较高的增益;当检测高衰减材料或大厚度材料时,可能没有足够的能量;在较高增益下,还可能出现噪声干扰。

5.1.5 手工检测和自动检测

手工检测一般指由操作人员手持探头进行的A型脉冲反射式超声检测。手工检测方便,易操作,但检测结果受操作者的人为因素影响较大。

自动检测是指使用自动化超声检测设备,在最少的人工干预下进行并完成检测的全部过程。一般指采用自动扫查装置,或在检测过程中可自动记录声束位置信息、自动采集和记录数据的检测方式。在自动检测中,检测结果受人为因素影响较小。

超声成像技术涉及二维或三维成像,成像算法中需要超声信号以及相对应的位置信息,都属于自动超声检测。

5.1.6 A型显示和超声成像

按超声信号的显示方式,可将超声检测方法分为A型显示和超声成像方法,其中超声成像显示按成像方式的不同又可分为B,C,D,S型显示等。A,B,C型显示详见“4.1.1　超声检测仪的分类”,D扫描图像详见“7.1.4　TOFD扫查方式”,S型扫描图像详见“7.2.2　超声相控阵基本原理”中的“5.扫描成像方式”。

5.2 超声检测准备

5.2.1 检测面的选择和准备

检测面的选择原则是让入射声束与工件内缺陷的主反射面接近垂直,这样可以保证最大的声能反射,这对缺陷的检测是最为有利的。针对一个确定的工件,当存在多个可能的声入射面时,检测面的选择应首先考虑缺陷的最大可能取向,缺陷的最大可能取向应根据材料、坡口形式、焊接工艺等综合分析。例如,对于锻件中冶金缺陷的检测,由于缺陷大多平行于锻造表面,通常采用纵波直入射检测,检测面可选择与锻件流线相平行的表面。对于棒材检测,可能的入射面只有圆周面，采用纵波可以检测位于棒材中心区的、延伸方向与棒材轴向平行的缺陷。若要检测位于棒材表面附近垂直于表面的裂纹，或沿圆周延伸的缺陷，由于检测面仍是圆周面，所以需采用斜射声束沿周向或轴向入射。

为了保证检测面能提供良好的声耦合，进行超声检测前应目视被检测工件表面，去除松动的氧化皮、毛刺、油污、切削或磨削颗粒等。如果个别部位不能清除，应做出标记并留下记录，供质量评定时参考。

5.2.2　超声检测设备的选择

超声检测设备主要是超声检测仪和探头，正确选择超声检测设备对于有效地发现缺陷，并确定缺陷的位置、大小和性质至关重要。在检测时，应根据被检测工件的材质、形状、加工工艺和技术要求等合理地进行选择。

1. 超声检测仪的选择

目前国内外所用的超声检测仪可分为模拟式、数字式和成像式超声检测仪三大类。检测仪器种类繁多，性能各异，应根据检测要求和条件进行选择。一般应考虑以下因素：

(1)对于室外现场检测，应选择质量轻、荧光亮度好、抗干扰能力强的便携式仪器；

(2)对于近表面缺陷的检测，应选择盲区小、分辨力好的仪器；

(3)对于大型零件的检测，应选择功率大、灵敏度余量高、信噪比高的仪器；

(4)如果对缺陷定位要求高，应选择水平线性误差小的仪器；

(5)如果对缺陷定量要求高，应选择垂直线性好、衰减器精度高的仪器。

此外，要选择性能稳定、重复性和可靠性好的仪器。

2. 探头的选择

超声检测中，超声波的发射和接收都是通过探头来实现的，其性能直接影响超声检测的灵敏度。探头的选择就是要确定探头的类型、频率、晶片尺寸、斜探头 K 值等参数。

(1)探头类型的选择。常用的探头类型有纵波直探头、横波斜探头、表面波探头、双晶探头、聚焦探头等。一般应根据工件被检部位超声波的可达性、超声波的衰减性以及工件中可能出现的缺陷部位、取向等条件来选择探头，尽量使声束轴线与缺陷垂直。

纵波直探头只能发射和接收纵波，波束轴线垂直于检测面，主要用于检测与检测面平行或接近平行的缺陷，如锻件、钢板中的夹层、折叠等。

横波斜探头是通过波型转换来实现横波检测的，检测灵敏度高，主要用于检测与检测面成一定角度的缺陷，如焊缝中的夹渣、未熔合、未焊透等。

表面波探头和双晶探头用于检测工件表面或近表面缺陷，如疲劳裂纹等。

聚焦探头发射的超声波具有灵敏度高、声束窄、横向分辨力高、定位精度高等特点，常用于水浸法检测管材或板材等。

(2)探头频率的选择。工业超声检测应用的频率范围一般在 0.5～10 MHz 之间，目前商品化探头的标称频率见表 5.1。

表 5.1　商品化探头标称频率和尺寸列表

频率/MHz	0.5,1,1.25,2,2.5,4,5,6,10,15,25
尺寸/mm	$\phi5,\phi6,\phi8,\phi10,\phi12,\phi14,\phi20,\phi25,\phi30$

探头频率选择范围大，在选择时应明确以下几点：

1)缺陷检出能力的要求。在脉冲反射法检测中，对超声波能产生有效反射的缺陷必须满足两个条件：①在垂直于声束方向的缺陷尺寸 d 应不小于工件中波长的 1/2，即$d \geqslant \lambda/2$(检测灵敏度)，此时声波的衍射弱，反射强，衍射对反射的干扰尚不致产生明显影响；②根据多层介质透声规律，沿声束方向的缺陷厚度 t 应不小于缺陷中波长的 1/4，即$t \geqslant \lambda/4$。频率高时检测灵敏度高，容易检测较小的缺陷。

2)频率越高，脉冲宽度越小，分辨力也就越高，有利于区分相邻缺陷且缺陷定位精度高。

3)由 $\theta_0 = \arcsin(1.22\lambda/D)$可知，频率高，波长短，半扩散角小，声束指向性好，能量集中，发现小缺陷的能力强，有利于对缺陷定位。但相对的检测区域也就小了，仅能发现声束轴线附近的缺陷。

4)由 $N = D^2/(4\lambda)$可知，频率高，近场区长度大，对检测不利。

5)由 $a_s = c_2 F d^3 f^4 (d < \lambda)$可知，频率越高，介质中声波散射越厉害，声波能量衰减越大。

对于晶粒较细的锻件、轧制件和焊接件等，一般选用较高的频率，常用 2.5～5 MHz；对于晶粒较粗大的铸件、奥氏体钢等，则宜选用较低的频率，常用 0.5～2.5 MHz。

【例 5.1】 某钢制工件中的纵波声速为 5 900 m/s，采用纵波直入射法检测，要求检测出直径为 ϕ2 mm 平底孔当量大小的缺陷(不考虑缺陷厚度)，应选择多大的工作频率？

解 根据已知条件，为使 $d \geqslant \lambda/2$，可求得 $f \geqslant c/(2d) = 1.475$ MHz，这是满足检测要求的最低频率，考虑到衰减等因素，可选择 2 MHz 或 2.5 MHz。

【例 5.2】 铝合金锻件中有一种常见的缺陷是氧化膜(Al_2O_3)夹杂，其特点是面积较大而厚度很薄。现要求发现厚度在 0.2 mm 左右的氧化膜夹杂，此时应选择多大的工作频率？已知 Al_2O_3 中的纵波声速约为 10 000 m/s。

解 根据已知条件，为使 $t \geqslant \lambda/4$，可求得 $f \geqslant c/(4t) = 12.5$ MHz，这是满足检测要求的最低频率，考虑到衰减等因素，可选择 15 MHz。

(3)探头尺寸的选择。目前我国国产商品化探头常见的晶片直径见表 5.1。晶片大小对声束指向性、近场区长度、扫查范围和检出能力等都有影响。

1)晶片尺寸大，探头的辐射功率大，声束一次覆盖面积大，适合检测大尺寸工件，可以获得较高的检测效率。

2)晶片尺寸大，探头的指向性好，能量集中，发现小缺陷的能力强，有利于对缺陷定位。但相对地检测区域也就小了，仅能发现声束轴线附近的缺陷。

3)晶片尺寸大，探头的近场区长度大，对近表面缺陷检测不利。

实际检测中，检测面积较大的工件时，为了提高检测效率宜选用大晶片探头；检测厚度较大的工件时，为了有效地发现远距离的缺陷宜选用大晶片探头；检测小型工件时，为了提高缺陷定位、定量精度宜选用小晶片探头；检测表面不太平整或曲率较大的工件时，为了减小耦合损失宜选用小晶片探头。

【例 5.3】 对钢制工件进行超声纵波垂直入射法检测，已知钢中纵波声速为 5 900 m/s，工件厚度为 40 mm。由于没有适当的对比试块，先要利用声压反射规律评估缺陷的大小，并要求能够发现直径为 2 mm 平底孔当量大小的缺陷，应如何选择探头的频率和晶片尺寸？

解 根据已知条件，为使 $d \geqslant \lambda/2$，可求得 $f \geqslant c/(2d) = 1.475$ MHz，这是满足检测要求的最低频率，考虑到衰减等因素，可选择 2 MHz 或 2.5 MHz。

题目要求利用声压反射规律评估缺陷大小，因此缺陷应在大于 3 倍近场区的远场区范围，即 40 mm>3N，由此得 N<13.3 mm。

由 $N=D^2/(4\lambda)=D^2f/(4c)<13.3$ mm，代入 $f=2.5$ MHz 时，可求得晶片直径 $D<11.2$ mm，此时选用 ϕ10 mm；若 $f=2$ MHz，可得 $D<12.5$ mm，此时选用 ϕ12 mm 为宜。

综上，可选用 2.0P12Z 或 2.5P10Z 的探头。

(4)探头 K 值的选择。在横波检测中，探头的 K 值对缺陷检出率、检测灵敏度、声束轴线的方向和一次波的声程（入射点至底面反射点的距离）等都有较大的影响。由 $K=\tan\beta_S$ 可知，K 值越大，β_S 也就越大，一次波的声程也就越大。因此在实际检测中，当工件厚度较小时，应选用较大的 K 值探头，以使增加一次波的声程，避免近场区检测；当工件厚度较大时，应选用较小的 K 值探头，以减少声程过大引起的衰减，便于发现深度较大处的缺陷。

在焊缝检测中，K 值的选择既要考虑可能产生的缺陷与检测面形成的角度，还要保证主声束扫查到整个焊缝截面。为了检测单面焊根部未焊透或根部裂纹时，还应考虑端角反射问题，要使 $K=0.7\sim1.43$，因为 $K<0.7$ 或 $K>1.5$ 时，端角反射率很低，容易引起漏检（参阅“2.7.4　端角反射”）。

5.2.3　耦合剂的选用

1. 耦合剂

超声检测时，为了增强超声波的透声能力，在探头与工件表面之间施加一层液体透声介质，称为耦合剂。耦合剂的作用是排除探头与工件之间的空气，使超声波能更好地传入工件中，以增大声能的透过率，达到检测的目的。此外耦合剂还有润滑作用，可以减小探头和工件之间的摩擦，防止工件表面磨损探头，并使探头便于移动。

从声传递的角度考虑，要求耦合剂应具备如下性能：

(1)声阻抗高，透声性能好；

(2)浸润性好，流动性、黏度和附着力适当，易于清洗；

(3)性能稳定，不易变质；

(4)对工件无腐蚀，对人体无害，不污染环境；

(5)来源方便、价格低廉。

常用耦合剂有机油、变压器油、甘油、水、水玻璃和化学糨糊等，其性能和特点见表 5.2。

表 5.2　常用耦合剂的性能特点

耦合剂	声阻抗 Z / 10^6 kg·m^{-2}·s^{-1}	特　点
甘油（丙三醇，$C_3H_5(OH)_3$）	2.43	声阻抗大，耦合效果好；但吸水性强，对工件有腐蚀性；价格昂贵。常用于一些重要工件检测
水玻璃（硅酸钠，Na_2SiO_3）	2.17	透声性能较好，价格较便宜；对工作人员有害，对工件有腐蚀性。常用于表面粗糙的工件
水（20℃）	1.5	来源方便，价格低；但易流失，易使工件生锈。常用于水浸法（可加入润湿剂和防锈剂等）或野外操作
机油、变压器油	1.28	来源方便，价格较便宜；附着力和黏度适当；润湿性和流动性较好；无腐蚀性，对人无害，是最常用的耦合剂
化学糨糊（羟甲基纤维素，又称强力 CMC）		耦合效果较好，成本较低；无腐蚀性，对人无害；固态供货，需用水稀释后使用，也是一种常用的耦合剂

2. 影响声耦合的主要因素

(1)耦合层的厚度。如图 5.15 所示,耦合层厚度对耦合效果有较大的影响。当耦合层的厚度为 $\lambda/4$ 的奇数倍时,透声效果差,反射回波低;当耦合层的厚度为 $\lambda/2$ 的整数倍或很薄时,透声效果好,反射回波高。

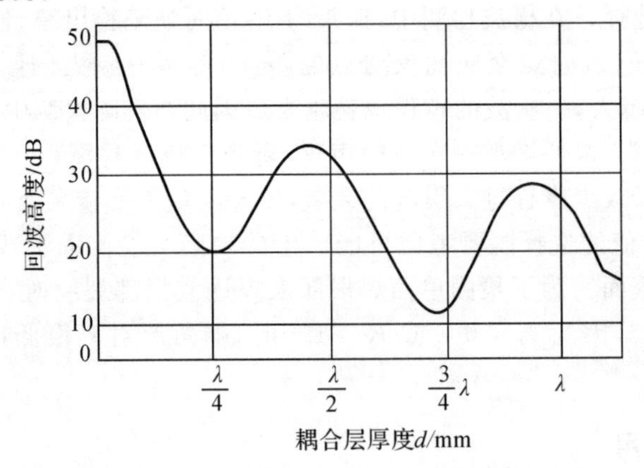

图 5.15 耦合层厚度对耦合的影响

(2)工件表面粗糙度。工件表面粗糙度对声耦合效果有明显的影响。如图 5.16 所示,对于同一耦合剂,工件表面粗糙度越大,耦合效果越差,反射回波越低。声阻抗低的耦合剂,随着粗糙度的增大,耦合效果降低的更快。但粗糙度也不能太小,工件表面很光滑时,探头与工件之间因吸附力过大而移动困难。一般要求工件检测面的表面粗糙度 R_a 不高于 6.3 μm。

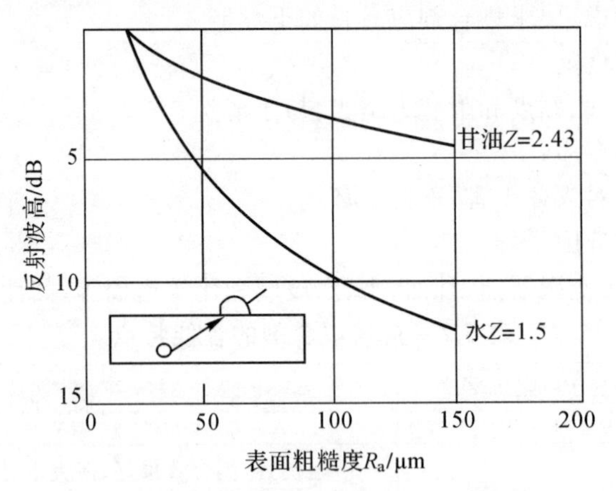

图 5.16 表面粗糙度对耦合的影响

(3)耦合剂声阻抗。由图 5.16 可以看出,耦合剂的声阻抗对耦合效果有较大的影响。对于同一检测面,耦合剂的声阻抗越大,耦合效果越好,反射回波也越高。

(4)工件表面形状。常用探头为平面,如果工件表面形状不同时,耦合效果也不一样。耦合效果平面最好,凸曲面次之,凹曲面最差。曲率半径越小,耦合效果越差。

思考题

1.试分析超声波频率对检测的影响。

2.试说明选择超声波探头晶片尺寸的主要原则。

3.什么是耦合剂？耦合剂的作用是什么？影响声耦合的主要因素有哪些？

4.对耦合剂的性能有什么要求？常用的耦合剂有哪几种？各有什么优、缺点？

5.3 纵波直探头检测工艺

5.3.1 检测设备的调整

调整检测设备主要是对仪器进行扫描速度调整和检测灵敏度调整，以保证在确定的检测范围内发现规定尺寸的缺陷，并确定缺陷的位置和大小。

1. 扫描速度的调整

调整的目的：①使时基线显示的范围足以包含需检测的深度范围；②使时基线刻度与超声波在材料中传播的距离成一定比例，以便准确测定缺陷的深度位置。

调整的内容：①时基比例调整，即调整检测仪示波屏上时基线的水平刻度值 τ 与实际声程 x(单程)的比例关系，即 $\tau:x=1:n$，称为时基线比例，也称为扫描速度。它类似于地图比例尺，如扫描速度 1∶2代表示波屏上水平刻度的 1 mm 代表实际声程的 2 mm。通常扫描速度的调整根据所需扫描的声程范围来确定。②零位调节，即扫描速度确定后，还需采用延迟旋钮，将声程零位设置在所选定的水平刻线上，称为零位调节。通常接触法检测中，声程零位放在时基线的零点，时基线的读数直接对应反射回波的深度。

调整扫描速度的一般方法是根据检测范围，利用已知尺寸的试块或工件上的两次不同反射波，通过调节仪器上的扫描范围和延迟旋钮，使两个信号的前沿分别位于相应的水平刻度值处。

调整扫描速度需要注意以下几点：

(1)时基线显示的范围足以包含需要检测的深度范围；

(2)不能利用始波和一次底波来调节，因为始波与反射波之间的时间包括超声波通过保护膜、耦合剂的时间，始波起点不等于工件中的距离零点，这样扫描速度误差大；

(3)调整扫描速度用的试块应与被检工件具有相同的声速，否则调好的比例与实际不符，将不能对缺陷准确定位。

【例 5.4】 检测厚度为 400 mm 的锻件，应如何调整扫描速度？

调整方法：检测仪器示波屏上水平满刻度为 100 格，采用 CSK－ⅠA 试块的 100 mm 底面来调，扫描速度可调整为 1∶4。

如图 5.17 所示，将探头对准试块上厚度为 100 mm 的底面，重复调节仪器的深度微调旋钮和延迟旋钮，使底波 B_2 和 B_4 分别对准水平刻度 50 和 100，这时扫描线水平刻度值与实际声程的比例正好为 1∶4，同时实现了声程零位和时基线零位的重合。

2. 检测灵敏度的调整

检测灵敏度是指在确定的声程范围内发现规定大小缺陷的能力。调整检测灵敏度的目的是发现工件中确定声程范围内规定大小的缺陷，并对缺陷进行定量。灵敏度太高或太低都对检测不利。灵敏度太高，示波屏上杂波多，缺陷判断困难；灵敏度太低，容易发生漏检。

调整检测灵敏度常用的方法有工件底波调整法和试块调整法两种。

(1)工件底波调整法。对于具有平行底面或圆柱曲底面、底面光洁干净，且厚度 $x\geqslant 3N$

的工件，可以利用工件底波法调整检测灵敏度，如锻件检测。当底面粗糙或有水、油等时，将使底面反射率降低，底波下降，这样调整的检测灵敏度将会偏高。

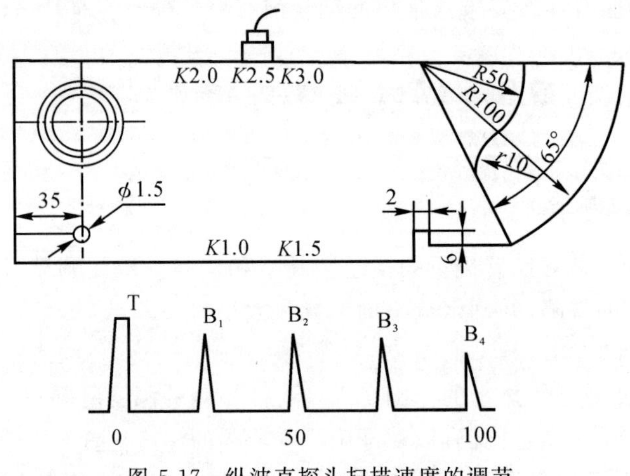

图 5.17　纵波直探头扫描速度的调节

原理：根据工件底面回波与同声程的人工反射体（如平底孔）回波反射体分贝差为定值。

计算：对于大平底或实心圆柱曲底面，同距离处底波与平底孔回波的分贝差为

$$\Delta = 20\lg\frac{P_B}{P_f} = 20\lg\frac{2\lambda x}{\pi D_f^2} \quad (x \geqslant 3N) \tag{5.1}$$

式中　x——工件厚度或实心圆柱体直径，mm；

D_f——要求检出的最小平底孔当量尺寸，mm。

对于空心圆柱体，同距离处圆柱曲底波与平底孔回波的分贝差为

$$\Delta = 20\lg\frac{P_B}{P_f} = 20\lg\frac{2\lambda x}{\pi D_f^2} \pm 10\lg\frac{d}{D} \tag{5.2}$$

式中　d——空心圆柱体的内径，mm；

D——空心圆柱体的外经，mm；

“+”——外圆径向检测，内孔凸柱面反射，反射波发散；

“−”——内孔径向检测，外圆凹柱面反射，反射波聚焦。

调整：利用底波调整检测灵敏度时，将探头对准工件完好区的底面，调节仪器衰减器使底波 B_1 达基准高度（如满刻度的 80%），然后用衰减器增益 Δ (dB)，这时检测灵敏度就调好了。为了便于发现缺陷可再增益 6～10 dB 作为扫查灵敏度。

【例 5.5】 用 2.5P20Z 探头检测厚度为 400 mm 的饼形钢制工件，钢中 $c_L = 5\ 900$ m/s，不考虑介质衰减，利用底波调整 $\phi 2$ mm 平底孔检测灵敏度。

解　$\lambda = \dfrac{c}{f} = \dfrac{5.9}{2.5}\text{mm} = 2.36\ \text{mm}$，$N = \dfrac{D^2}{4\lambda} = \dfrac{20^2 \times 2.5}{4 \times 5.9}\text{mm} = 42.3\ \text{mm}$

400 mm＞3N，所以可以利用计算法。

400 mm 处大平底与 $\phi 2$ mm 平底孔回波分贝差为

$$\Delta = 20\lg\frac{P_B}{P_f} = 20\lg\frac{2\lambda x}{\pi D_f^2} = 20\lg\frac{2 \times 2.36 \times 400}{3.14 \times 2^2}\text{dB} = 43.5\ \text{dB} \approx 44\ \text{dB}$$

调整：将探头对准 400 mm 大平底，调节仪器衰减器使第一次底波 B_1 达基准波高（如满刻

度的 80%);然后调节衰减器使幅度提高 44 dB。至此 $\phi 2$ mm 检测灵敏度调好,此时 400 mm 处 $\phi 2$ mm 平底孔回波正好达基准高度。

【例 5.6】 用 2.5P14Z 探头检测表面粗糙、检测厚度为 400 mm 的锻件,如何利用 100 mm/$\phi 4$ mm 平底孔调整 400 mm/$\phi 2$ mm 检测灵敏度?试块与工锻件表面耦合差 6 dB。

解　100 mm/$\phi 4$ mm 与 400 mm/$\phi 2$ mm 平底孔回波分贝差为

$$\Delta = 20\lg \frac{P_{f1}}{P_{f2}} = 40\lg \frac{\phi_1 x_2}{\phi_2 x_1} = 40\lg \frac{4 \times 400}{2 \times 100}\ \text{dB} = 36\ \text{dB}$$

调整:将探头对准 100 mm/$\phi 4$ mm 平底孔,调衰减器使 $\phi 4$ mm/$\phi 2$ mm 平底孔回波达基准高(如满刻度的 80%),然后用衰减器增益(36+6) dB=42 dB,这时 400 mm/$\phi 2$ mm 检测灵敏度就调好了,工件上 400 mm/$\phi 2$ mm 平底孔回波正好达基准高。

【例 5.7】 用 2.5P20Z 探头径向检测外径为 1 000 mm、内径为 100 mm 的空心圆柱体锻件,c_L=5 900 m/s,如何利用底波调整 450 mm/$\phi 2$ mm 检测灵敏度?

解

$$\lambda = \frac{c}{f} = \frac{5.9}{2.5}\text{mm} = 2.36\ \text{mm}, D = 1\ 000\ \text{mm}, d = 100\ \text{mm}$$

$$x = \frac{D-d}{2} = \frac{1\ 000-100}{2}\ \text{mm} = 450\ \text{mm}$$

450 mm 处内孔凸柱面反射回波与 $\phi 2$ mm 平底孔回波分贝差为

$$\Delta = 20\lg \frac{2\lambda x}{\pi D_f^2} + 10\lg \frac{d}{D} = \left(20\lg \frac{2 \times 2.36 \times 450}{3.14 \times 2^2} + 10\lg \frac{100}{1\ 000}\right)\ \text{dB} = 34.5\ \text{dB}$$

调节:将探头对准完好区圆柱底面,调衰减器使底波 B_1 达 80%基准高,然后用衰减器增益35 dB,这时 $\phi 2$ mm 检测灵敏度就调好了。必要时再增益 6 dB 作为扫查灵敏度。

(2)试块调整法。对于工件厚度 $x<3N$ 或不能获得底波时,采用试块法调整检测灵敏度较为适宜,因为 $x<3N$ 时不符合计算法的适用条件,而且回波幅度随距离的增加不是单调变化的,如部分钢板检测、锻件检测等。

调整方法:根据工件的厚度和对检测灵敏度的要求选择相应的试块,将探头对准试块上的人工反射体,调节仪器上的衰减器,使示波屏上人工反射体的最高反射回波达到基准高度。

利用试块调整检测灵敏度,操作简单方便,但需要加工不同声程、不同当量尺寸的试块,成本高,携带不便。同时要考虑工件与试块因耦合和衰减不同进行补偿。

【例 5.8】 超声检测厚度为 100 mm 的锻件,检测灵敏度要求是,不允许存在 $\phi 2$ mm 平底孔当量大小的缺陷,传输修正值为 3 dB。

调整:选用 CS-2 对比试块中的10# 试块,该试块中有一位于 100 mm 深度的 $\phi 2$ mm 平底孔。将探头对准 $\phi 2$ mm 平底孔,仪器保留一定的衰减余量,将抑制旋钮调节至"0",调衰减器使 $\phi 2$ mm 平底孔的最高反射波达基准高度 80%。然后再调衰减器将反射波幅度提高 3 dB 以进行传输修正。

【例 5.9】 用 2.5P20Z 探头检测厚度为 50 mm 的小锻件,采用试块调整 50 mm/$\phi 2$ mm 检测灵敏度,试块与锻件表面耦合差 3 dB。

调整:选用 CS-2 对比试块中的 4# 试块,该试块中有一位于 50 mm 深度的 $\phi 2$ mm 平底孔。将探头对准 $\phi 2$ mm 平底孔,调衰减器使 $\phi 2$ mm 平底孔最高反射波达基准高度 80%,然后再用衰减器将反射波幅度提高 3 dB 进行表面耦合差补偿,这时 50 mm/$\phi 2$ mm 检测灵敏度就调好了。

3. 传输修正值的测定与补偿

利用试块调整检测灵敏度时，当工件与对比试块的表面状态和材质衰减存在一定的差异时，需要采取一定的补偿措施。测定两者差异的分贝数，即为传输修正值，在调整灵敏度时利用衰减器旋钮进行补偿。

对于纵波直入射法检测，传输修正测定的方法是通过试块的底波与工件底波进行比较，因此要求试块和工件均有与检测面具有相互平行的大平底。

(1)试块厚度与工件厚度相同。测定步骤如下：

1)给试块均匀地涂上耦合剂，并将探头放置在试块上，调节仪器的时基线和衰减器，使一次底波 B_1 达到基准高度(如满刻度的 80%)，并记录此时衰减器的读数 N_1。

2)把探头移到工件上，调节衰减器，使工件的一次底波 B_2 达到基准高度并记录此时衰减器的读数 N_2。

3)传输修正值为

$$\Delta\ (\mathrm{dB})=N_2-N_1\quad \text{(增益型)}$$

当 B_2 高于 B_1 时，则 $N_2<N_1$，此时 Δ (dB)为负值，表示工件的表面声能损失和材质衰减小于试块的；反之，Δ (dB)为正值，表示工件的表面声能损失和材质衰减大于试块的表面声能损失和材质衰减。

(2)试块厚度与工件厚度不同。采用试块计算法时要求试块材质衰减与工件相同，此时认为试块与工件仅存在表面状态的差异，可考虑通过计算法去除声程不同引起的底波高度分贝差 N_3。测定步骤如下：

1)按同厚度试块测定步骤，测得 Δ_1(dB)的值；

2)试块与工件因厚度不同而引起的底波高度的分贝差为

$$N_3=20\lg\frac{x}{x_j}\ (\mathrm{dB})$$

式中 x——工件的厚度，mm；

x_j——试块的厚度，mm。

试块厚度大于工件厚度时，N_3 为负值；试块厚度小于工件厚度时，N_3 为正值。

3)传输修正值为

$$\Delta(\mathrm{dB})=\Delta_1(\mathrm{dB})+N_3$$

在测出工件与试块的表面传输修正值 Δ (dB)后，将探头置于试块上调好检测灵敏度，然后用衰减器增益相应的 Δ (dB)即可。

4. 工件材质衰减系数的测定

当锻件尺寸较大时，材质的衰减对缺陷定量有一定的影响。因此，在锻件检测中有时需要测定材质的衰减系数。

测定方法：利用工件两个相互平行底面的反射波，测得工件上完好区域的衰减系数，取三处衰减系数的平均值作为该工件的衰减系数。

(1)如图 5.18 所示，当工件厚度 $x<3N$ 时，调节仪器使第 m 次底波 B_m 为满刻度的 50%，记录此时衰减器的读数 N_m。再调节衰减器，使第 n 次底波 B_n 为满刻度的 50%，记录此衰减器的读数 N_n。此时衰减系数为

$$\alpha=\frac{(N_n-N_m)-20\lg\frac{n}{m}-(n-m)\delta}{2(n-m)x}\quad(x<3N)\tag{5.3}$$

式中 α——衰减系数，表示超声波在工件中每传播1 mm的厚度时所衰减的dB值；

m,n——底波反射次数，$n>m$，$n>3N/x$；

(N_n-N_m)——第m,n次底波达基准高度50%时相差的dB值；

$20\lg\frac{n}{m}$——第m,n次底波由于声束扩散所引起的扩散损失修正值，dB；

δ——反射损失，每次反射损失为0.5～1 dB；

$2(n-m)x$——第m,n次底面回波的声程差；

x——工件厚度，mm。

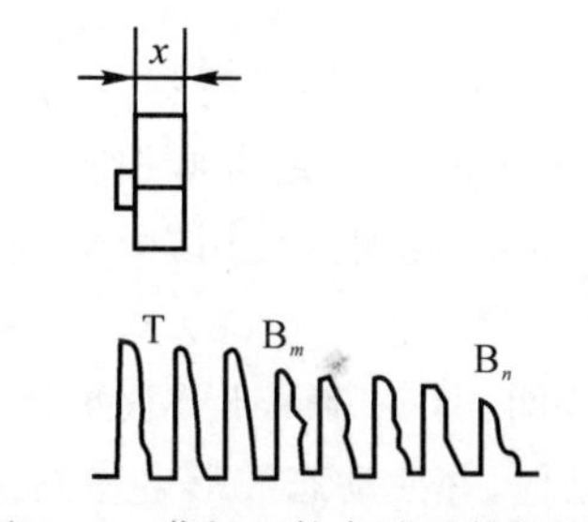

图5.18 薄板工件衰减系数的测定

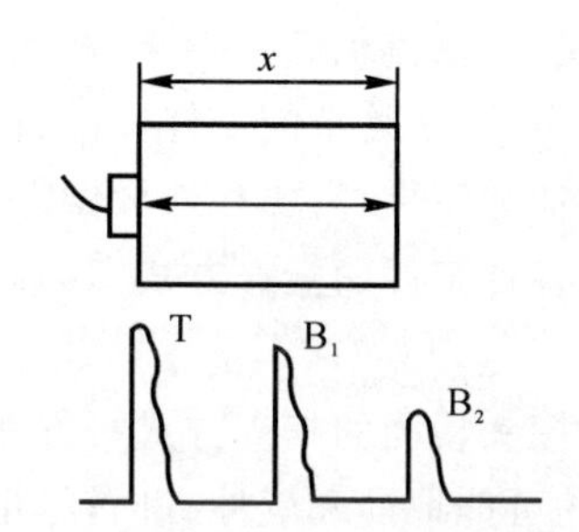

图5.19 厚板工件衰减系数的测定

(2)如图5.19所示，当工件厚度$x\geqslant 3N$时，可根据第一、第二次底波B_1，B_2高度来测定衰减系数，此时式(5.3)中的m和n的取值分别为1和2，则衰减系数为

$$\alpha=\frac{(N_1-N_2)-6-\delta}{2x}\quad(x\geqslant 3N)\tag{5.4}$$

【例5.10】 用2P14Z直探头测定厚度为15 mm的钢板的材质衰减系数。完好区域第一次底波B_1为满刻度的50%，调节衰减器使第四次底波B_4达满刻度的50%，衰减器读数变化了18 dB。每次反射损失为0.5 dB，求此钢板的材质衰减系数是多少？

解 $\lambda=\frac{c}{f}=\frac{5.9}{2}\approx 3\text{mm}$，$N=\frac{D_S^2}{4\lambda}=\frac{14^2}{4\times 3}\approx 16.3\text{mm}$，$3N/x=3.26$，$n=4>(3N/x)$

根据公式(5.3)可得

$$\alpha=\frac{(N_n-N_m)-20\lg\frac{n}{m}-(n-m)\delta}{2(n-m)x}=\frac{18-20\lg\frac{4}{1}-3\times 0.5}{2(4-1)\times 15}\text{dB/mm}=0.05\text{ dB/mm}$$

答：此钢板的材质衰减系数为0.05 dB/mm。

【例5.11】 用2.5P20Z直探头测定厚度为500 mm的钢锻件的材质衰减系数。锻件完好区域第一次底波B_1为满刻度的50%，调节衰减器使第二次底波B_2达满刻度的50%，衰减器读数变化了12 dB。反射损失为1 dB，求该锻件的材质衰减系数是多少？

解 $\lambda=\frac{c}{f}=\frac{5.9}{2.5}\approx 2.36\text{ mm}$，$N=\frac{D_S^2}{4\lambda}=\frac{20^2}{4\times 2.36}\approx 42.4\text{ mm}$，$3N=127\text{ mm}<500\text{ mm}$

根据公式(5.4)可得

$$\alpha=\frac{N_1-N_2-6-1}{2x}=\frac{12-6-1}{2\times500}\text{dB/mm}=0.005\ \text{dB/mm}$$

答:该工件的材质衰减系数为 0.005 dB/mm。

5.3.2 扫查

将探头置于工件上,移动探头使声束覆盖到工件上需要检测的体积范围的过程称为扫查。为保证扫查完整和检出缺陷,对扫查方式(包括探头移动方式)、扫查速度、扫查间距等都有相应的规定。

1. *扫查方式*

扫查方式按探头移动方向和扫查轨迹的不同来区分和描述,可分为全面扫查、局部扫查、分区扫查、螺旋线扫查和锯齿形扫查等。

要求对工件全体积进行扫查,称为全面扫查。要求只扫查工件的某些部位,称为局部扫查。对体积大、形状复杂的工件,可以将工件分成几个部分或区域分别进行扫查,称为分区扫查。对大型轴类工件,需要在外缘做螺旋线扫查。焊缝检测中需要用锯齿形扫查的方式进行初步扫查。各种工件的扫查方式,其具体要求在“第 6 章　超声检测的应用”中会进行相应的描述。

纵波直探头检测的扫查方式一方面要考虑声束覆盖范围,另一方面还要根据被检工件的形状、缺陷的可能取向和延伸方向,尽量使缺陷能够重复显现,并使动态波形容易判别。

2. *扫查速度*

探头在检测面上移动的相对速度称为扫查速度。扫查速度大小要适当,应能保证在目视观察时能清楚地看到缺陷回波,在自动记录时记录装置能有明确的记录。为防止漏检,手工检测时扫查速度一般不应超过 150 mm/s。

当采用自动报警装置扫查时,扫查速度应通过对比试验进行确定,它的上限与探头的有效声束宽度和仪器的重复频率有关,可表示为

$$v\leqslant\frac{Df}{n}\tag{5.5}$$

式中　D——探头的有效声束宽度,mm;

f——检测仪的重复频率,MHz;

n——扫描重复次数,n 一般取 3 次以上。

所谓探头有效声束宽度,是指声束边缘的声压相对于声束轴线上的声压降低 6 dB 时的声束截面宽度。声程不同的地方,探头有效声束宽度是不同的。

3. *扫查间距*

探头相邻扫查线之间的距离称为扫查间距,锯齿形扫查为齿距,螺旋线扫查为螺距。为确保检测时超声声束能扫查到工件的整个被检区域,探头两次扫查之间要有一定比例的覆盖。实际检测中要求探头每次扫查覆盖率应大于探头晶片直径或宽度的 15%。

5.3.3 缺陷的评定

超声检测扫查过程中发现缺陷后,要对缺陷进行评定。缺陷评定的内容主要是缺陷位置的评定、缺陷尺寸的评定以及缺陷性质的分析,这里暂不考虑分析缺陷的性质。

1. 缺陷定位

缺陷定位包括确定缺陷的平面位置和埋藏深度。

(1)缺陷平面位置。纵波直探头检测时，发现缺陷后，首先找到缺陷回波为最大时的位置，则缺陷通常位于探头的正下方。

(2)缺陷埋藏深度。缺陷埋藏深度的确定方法有时基比例法和图像比较法。

1)时基比例法。设仪器按 1∶n 调整扫描速度，在检测中若发现缺陷，在示波屏上缺陷回波的水平刻度为 τ_f，则缺陷至探头的距离为 $x_f=n\tau_f$。

【例 5.12】 用纵波直探头检测，时基线比例为 1∶4，在水平刻度 50 处有一缺陷回波，求此缺陷的位置。

解 缺陷至探头的距离为 $x_f=n\tau_f=4\times50=200$ (mm)。

2)图像比较法。如图 5.20 所示，若工件的长为 L，缺陷回波和底波分别为 x_f 和 x_B，则缺陷埋深为

$$h=(x_f/x_B)L$$

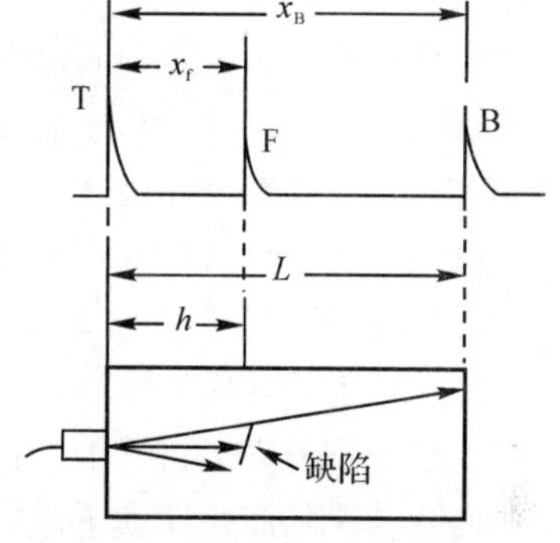

图 5.20 图像比较定位法

2. 缺陷定量

缺陷定量就是测定单个缺陷的回波幅度、当量大小、延伸长度(或面积)，或测定密集缺陷区域的大小。目前，在工业超声波检测中，对缺陷定量方法主要有回波高度法、当量法和测长法三种。回波高度法和当量法适用于缺陷尺寸小于声束截面的情况，测长法适用于缺陷尺寸大于声束截面的情况。

(1)回波高度法。根据回波高度评定缺陷大小的方法称为回波高度法。回波高度法有缺陷回波高度法和底面回波高度法两种。

1)缺陷回波高度法。在确定的检测条件下，缺陷的尺寸越大，反射声压越大，缺陷回波也越高。因此，缺陷的大小可以用缺陷回波高度来表示，称为缺陷回波高度法。具体评定方法：调节衰减器，用缺陷回波峰值下降或上升至基准波高度时衰减器变化的分贝数来表示缺陷回波高度。在调定的灵敏度下，回波高于基准高度计为正分贝，回波低于基准高度记为负分贝。

缺陷回波高度法在自动化或半自动检测时十分方便。在实际检测时，用规则反射体调好检测灵敏度后，以缺陷回波是否高于基准波高作为判定工件是否合格的依据，通过闸门高度的设定，可以进行自动报警。

2)底面回波高度法。当工件中有缺陷时，由于缺陷的反射，工件底波高度会下降。缺陷越大，缺陷波越高，底波就越低，缺陷波高与底波高之比也越大。因此，利用缺陷波和底波的相对高度可以间接衡量缺陷的相对大小，称为底面回波高度法，简称底波高度法。常用的底波高度法有以下三种表示方法。

①B_G/B_F 法：用无缺陷处工件底波高 B_G 与缺陷处工件底波高 B_F 之比来衡量缺陷相对大小的方法。无缺陷时，B_G/B_F 等于 1，有缺陷时，B_G/B_F 大于 1，B_G/B_F 越大，缺陷就越大。

②F/B_F 法：在一定检测灵敏度下，用缺陷波高 F 与缺陷处工件底波高 B_F 之比来衡量缺陷相对大小的方法。缺陷越大，F 越高，B_F 越低，F/B_F 越大。

与 B_G/B_F 相比，F/B_F 不仅与缺陷波高和缺陷面积有关，还和缺陷的反射情况有关。

③F/B_G 法：在一定检测灵敏度下，用缺陷波高 F 与无缺陷处工件底波高 B_G 之比来衡量缺陷相对大小的方法。这种方法底波高度 B_G 是一个不变的量，同样的工件，F/B_G 值仅与缺

陷波高有关。

底面回波高度法不需要对比试块和复杂的计算，可利用工件底波调节灵敏度和比较缺陷大小，操作简单。但是它不能明确给出缺陷的当量大小，而且未考虑缺陷深度、声束有效宽度等对检测结果的影响，缺陷波高与底波高之比会受到距离的影响，当缺陷距离较小时，F/B_F较大，对于较小的缺陷底波往往饱和，密集缺陷往往缺陷波不明显。因此，底面回波高度法常用于对缺陷定量要求不严格的工件或粗略估计工件质量情况，适用于同样条件下的缺陷比较或是测定缺陷的密集程度、材质晶粒度等场合，不适用于对形状复杂而无底面回波的工件。

(2)当量法。将缺陷的回波幅度与规则人工反射体的回波幅度进行比较的方法称为当量法。如果两者的埋深相同，反射波高相等，则称该人工反射体的尺寸为缺陷的当量尺寸，典型表述为：缺陷当量平底孔尺寸为 $\phi 2$ mm，或缺陷尺寸为 $\phi 2$ mm 平底孔当量。

当量法有试块比较法、当量计算法和 AVG 曲线法三种。

1)试块比较法。试块比较法是将缺陷波幅度直接与对比试块中同声程的人工反射体回波幅度相比较，当两者回波等高时，该人工反射体的尺寸就代表缺陷的当量尺寸。如人工反射体为 $\phi 2$ mm 平底孔时，称缺陷尺寸为 $\phi 2$ mm 平底孔当量。若缺陷波与人工反射体的反射波不等高时，则以缺陷波幅度高于或低于人工反射体回波幅度的分贝数表示，如 $\phi 2$ mm+3 dB 平底孔当量，表示缺陷波比 $\phi 2$ mm 平底孔反射波高 3 dB。

试块比较法的优点是操作简单，显示直观，结果可靠，又不受近场区的限制。因此，对于要求给缺陷回波幅度准确定量的重要工件或要在 $x<3N$ 情况下给缺陷定量时常采用试块比较法。但其缺点是要制作一系列含不同声程、不同尺寸的人工反射体的试块，现场检测时携带很不方便。

2)当量计算法。当量计算法是根据超声检测中测得的缺陷波高与基准波高(或底波高)的分贝差值，利用各种人工反射体及大平底面的理论回波声压公式进行计算，求出缺陷当量尺寸的定量方法。计算法应用的前提是缺陷位于 3 倍近场区以外。

大平底和平底孔的回波声压分别为

$$P_B=\frac{P_0F_S}{2\lambda x_B}\quad (x\geqslant 3N),\quad P_f=\frac{P_0F_SF_f}{\lambda^2x_f^2}\quad (x\geqslant 3N)$$

不同直径与距离处的平底孔，其回波声压的分贝差根据下式计算：

$$\Delta_{12}=20\lg\frac{P_1}{P_2}=40\lg\frac{D_1}{D_2}\frac{x_2}{x_1}\quad (x\geqslant 3N)$$

若考虑材质衰减引起的声压随距离的变化，则不同直径与距离处平底孔回波声压的分贝差根据下式计算：

$$\Delta_{12}=20\lg\frac{P_1}{P_2}=40\lg\frac{D_1}{D_2}\frac{x_2}{x_1}+2\alpha(x_2-x_1)$$

不同距离的平底孔与大平底回波声压的分贝差值为

$$\Delta_{Bf}=20\lg\frac{P_B}{P_f}=20\lg\frac{2\lambda x_f^2}{\pi D_f^2x_B}\tag{5.6}$$

若考虑材质衰减引起的声压随距离的变化，则不同距离处大平底与平底孔回波声压的分贝差值根据下式计算：

$$\Delta_{Bf}=20\lg\frac{P_B}{P_f}=20\lg\frac{2\lambda x_f^2}{\pi D_f^2x_B}+2\alpha(x_f-x_B)$$

【例 5.13】 用4P14Z直探头检测厚度为400 mm的钢制工件，钢中 $c_L=5\ 900$ m/s，材料衰减系数 $\alpha=0.01$ dB/mm。发现距离检测面250 mm处有一缺陷，此缺陷回波比工件完好区底面回波低16 dB，求此缺陷的当量平底孔尺寸。

解　$\lambda=\dfrac{c_L}{f}=\dfrac{5.9\times10^6}{4\times10^6}\text{mm}=1.48\text{ mm},\ N=\dfrac{D^2}{4\lambda}=\dfrac{14^2}{4\times1.48}\text{mm}=33\text{ mm}$

250 mm＞3N，所以可以利用当量计算法。

根据公式 $\Delta=20\lg\dfrac{P_f}{P_B}=20\lg\dfrac{\pi D_f^2 x_B}{2\lambda x_f^2}+2\alpha(x_B-x_f)=-16$ dB 可得

$$D_f=\left[\frac{2\lambda x_f^2}{\pi x_B}\times10^{\frac{-16-2\alpha(x_B-x_f)}{20}}\right]^{\frac{1}{2}}\text{mm}=\left[\frac{2\times1.48\times250^2}{3.14\times400}\times10^{\frac{-16-2\times0.01\times(400-250)}{20}}\right]^{\frac{1}{2}}\text{mm}=4\text{ mm}$$

即此缺陷的当量平底孔尺寸为4 mm。

【例 5.14】 用2P14Z直探头检测厚度为350 mm的钢制工件，钢中 $c_L=5\ 900$ m/s，发现距离检测面200 mm处有一缺陷，此缺陷回波高比平底孔试块150 mm/ϕ2 mm回波高11 dB，求此缺陷的当量平底孔尺寸。

解　$\lambda=\dfrac{c_L}{f}=\dfrac{5.9\times10^6}{2\times10^6}\text{mm}=2.95\text{ mm},\ N=\dfrac{D^2}{4\lambda}=\dfrac{14^2}{4\times2.95}\text{mm}\approx17\text{ mm}$

200 mm＞3N，所以可以利用当量计算法。

已知：$x_1=200$ mm；$x_2=150$ mm，$D_2=2$ mm。

由公式 $\Delta=20\lg\dfrac{P_1}{P_2}=40\lg\dfrac{D_1}{D_2}\dfrac{x_2}{x_1}=11$ dB 得

$$D_1=\frac{D_2x_1}{x_2}\times10^{\frac{11}{40}}=\frac{2\times200}{150}\times10^{\frac{11}{40}}\text{mm}=5\text{ mm}$$

即此缺陷的当量平底孔尺寸为5 mm。

3)AVG曲线法。AVG曲线是描述规则反射体的距离-回波高度-当量尺寸之间关系的曲线。A，V，G是德文Abstand，Verstarnung，Grobe的字头缩写。英文中的缩写为DGS(Distance - Gain - Size)。AVG曲线可用于调整检测灵敏度和缺陷定量。

①通用AVG曲线。纵波直探头检测时可用平底孔AVG曲线确定缺陷当量。现以平底孔为例来说明纵波平底孔AVG曲线的绘制原理及使用方法。当 $x\geqslant3N$、不考虑介质衰减时，大平底与平底孔回波声压分别为

大平底：$P_B=\dfrac{P_0F_S}{2\lambda x}$　　　　平底孔：$P_f=P_0\dfrac{F_SF_f}{\lambda^2x^2}$

当仪器的垂直线性良好时，示波屏上波高与声压成正比。

大平底：
$$\frac{H_B}{H_0}=\frac{P_B}{P_0}=\frac{F_S}{2\lambda x}\tag{5.7}$$

平底孔：
$$\frac{H_f}{H_0}=\frac{P_f}{P_0}=\frac{F_SF_f}{\lambda^2x^2}\tag{5.8}$$

为了简化计算，同时消除声程、晶片尺寸和共振频率等因素对缺陷定量的影响，使AVG曲线具有通用性，对缺陷的距离和大小进行归一化处理。

归一化距离：缺陷声程 x 与探头近场区长度 N 之比，用 A 表示，则 $A=\dfrac{x}{N}=\dfrac{\pi\lambda x}{F_S}$。

归一化缺陷当量大小：缺陷的当量尺寸 D_f 与探头晶片直径 D_S 之比，用 G 表示，则 $G=\dfrac{D_f}{D_S}$ 。

将 A 和 G 代入式(5.7)和式(5.8)，得

大平底：$\dfrac{H_B}{H_0}=\dfrac{P_B}{P_0}=\dfrac{\pi}{2A}$　　平底孔：$\dfrac{H_f}{H_0}=\dfrac{P_f}{P_0}=\dfrac{\pi^2G^2}{A^2}$

若用 dB 表示相对波高，则大平底回波与始波高度的分贝差 V_1 以及平底孔回波与始波高度的分贝差 V_2 分别为

$$V_1=[B]-[T]=20\lg\frac{H_B}{H_0}=20\lg\frac{\pi}{2A} \tag{5.9}$$

$$V_2=[F]-[T]=20\lg\frac{H_F}{H_0}=40\lg\frac{\pi G}{A} \tag{5.10}$$

以归一化距离 A 为横坐标，相对波高 V 为纵坐标，由式(5.9)可绘制出大平底的回波高度与距离之间的关系曲线，如图 5.21 中曲线 B。由式(5.10)可绘制一簇不同 G 值的平底孔的回波高度与距离之间的关系曲线，如图 5. 21 中其他曲线。

图中 V 均为负的 dB 值，说明各底波与平底孔回波均比始波低，需要增益相应的 dB 值，才能达到与始波等高。

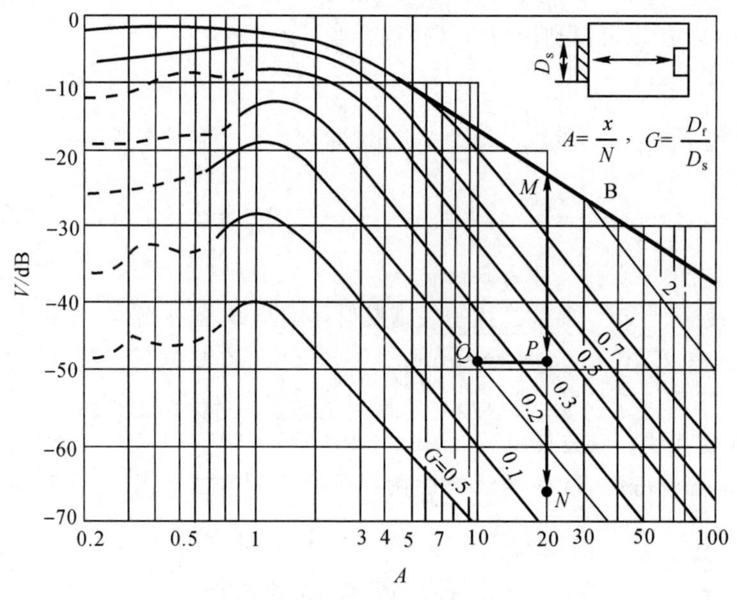

图 5.21　平底孔通用 AVG 曲线

通用 AVG 曲线只适用于 $x\geqslant 3N$ 的远场情况。在 $A<3$ 的区域内，由于理论公式不适用，因此该区域的曲线一般不绘出或由实测得到。

【例 5.15】 用 2.5P14Z 探头检测厚度为 420 mm 饼形钢制工件，钢中 $c_L=5\ 900$ m/s，不考虑材质衰减，利用底波调整 $\phi 2$ mm 平底孔检测灵敏度。检测中在 210 mm 处发现一缺陷，其回波比工件底波低 26 dB，求此处缺陷的当量大小。

解　$\lambda=\dfrac{c_L}{f}=\dfrac{5.9}{2.5}\text{mm}=2.36\text{ mm}$，$N=\dfrac{D^2}{4\lambda}=\dfrac{14^2}{4\times 2.36}\text{mm}\approx 21\text{ mm}$

$3N=3\times 21\text{ mm}=63\text{ mm}<210\text{ mm}$，所以可以利用 AVG 曲线法。

(a)调整灵敏度：归一化距离 $A=\frac{x}{N}=\frac{420}{21}=20$，归一化当量大小 $G=\frac{D_f}{D_S}=\frac{2}{14}=0.14$。

查 AVG 曲线，如图 5.21 所示，过横坐标 $A=20$ 处作垂线交 $G=0.14$ 曲线于 N 点，交 B 线于 M 点，则 MN 之间的分贝差值就表示 420 mm 处的大平底与 $\phi 2$ mm 平底孔的回波分贝差，即

$$\Delta=V_B-V_{\phi 2}=(-22)-(-66)\text{dB}=44\text{ dB}$$

将探头对准 420 mm 大平底，调节仪器使第一次底波 B_1 达基准高度(如满刻度的 80%)。在此基础上，用衰减器增益 44 dB，至此 $\phi 2$ mm 灵敏度调好，这时 420 mm 处 $\phi 2$ mm 平底孔回波正好达基准高度。

(b)缺陷定量：缺陷归一化距离为

$$A_f=\frac{x_f}{N}=\frac{210}{21}=10$$

求归一化当量大小 G_f：由题意可知，$A_f=10$ 处的缺陷回波比 $A_B=20$ 处的回波低 26 dB。在图 5.21 所示的 AVG 曲线中，从 M 点向下数 26 dB 至 P 点，通过 P 点作水平线与 $A_f=10$ 处的垂线相交于 Q 点，Q 点对应的 G 值即为所求的归一化当量大小，即 $G=0.2$。

由 $G=D_f/D_S$，得

$$D_f=D_S G=14\times 0.2\text{ mm}=2.8\text{ mm}$$

故此缺陷的当量尺寸为 2.8 mm 平底孔直径。

②实用 AVG 曲线。通用 AVG 曲线的优点在于它采用了归一化的距离和归一化的缺陷大小，其通用性好，可以用于不同规格的探头。但在使用时要反复进行归一化的距离与声程、归一化的缺陷大小与当量大小之间的换算，很不方便。为此引入了适用于特定探头的专用 AVG 曲线，称为实用 AVG 曲线。

实用 AVG 曲线以实际声程(mm)为横坐标、相对波高(dB)为纵坐标，以平底孔直径(mm)标注各当量曲线。

以 2.5P20Z 的纵波直探头为例，介绍钢中($c_L=5\ 900$ m/s)的平底孔的实用 AVG 曲线的制作方法，如图 5.22 所示。

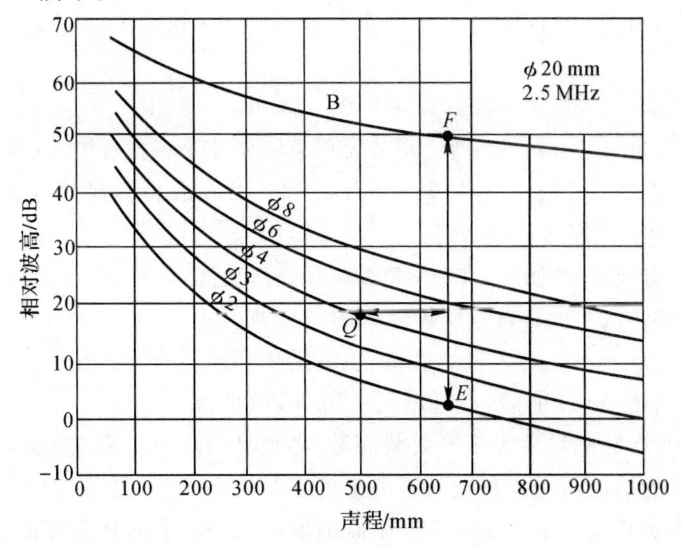

图 5.22　平底孔实用 AVG 曲线

(a)确定灵敏度基准。图 5.22 所示的实用 AVG 曲线中，灵敏度基准确定为：距离 $x_2=750$ mm 时，$\phi 2$ mm 平底孔回波高度为 0 dB。

(b)计算不同距离处 $\phi 2$ mm 平底孔的回波分贝差，有

$$\Delta_{12}=20\lg\frac{P_1}{P_2}=40\lg\frac{x_2}{x_1}$$

代入距离 $x_2=750$ mm，分别计算 $x_1=100$ mm，200 mm，…时的 Δ 值，以相对波高的分贝数为纵坐标、x_1 为横坐标画曲线，即得图 5.22 中 $\phi 2$ mm 平底孔的距离-波幅曲线。

(c)计算同距离处不同大小平底孔的回波分贝差，有

$$\Delta_{21}=20\lg\frac{P_2}{P_1}=40\lg\frac{D_2}{D_1}$$

将 $D_1=2$ mm 代入，分别计算 $D_2=3$ mm，4 mm，…时的 Δ 值，即可得出 $\phi 2$ mm 与不同直径平底孔所对应的分贝差值。将 $\phi 2$ mm 平底孔曲线分别向上平移相应的 ΔdB 值，就得到 $\phi 3$ mm，$\phi 4$ mm，…，$\phi 8$ mm 的距离-波幅曲线。

(d)计算 $\phi 2$ mm 平底孔回波与同距离处大平底回波的分贝差，有

$$\Delta_{\mathrm{Bf}}=20\lg\frac{P_{\mathrm{B}}}{P_{\mathrm{f}}}=20\lg\frac{2\lambda x}{\pi D_{\mathrm{f}}^2}=20\lg\frac{2\times 2.36}{3.14\times 2^2}+20\lg x=-8.5+20\lg x$$

计算出不同 x 值对应的分贝差值，将 $\phi 2$ mm 平底孔曲线上各 x 值对应的点分别向上平移相应的 dB 值，即得到大平底的距离-波幅曲线 B。

由于实用 AVG 曲线是由特定的探头实测和计算得到的，它只适用于特定探头，在实用 AVG 曲线中要注明探头的尺寸和频率。

实用 AVG 曲线同样可以用于调整检测灵敏度和缺陷定量，而且比通用 AVG 曲线方便。

【例 5.16】 用 2.5P20Z 直探头检测饼形钢锻件($c_{\mathrm{L}}=5\ 900$ m/s)，锻件厚度为 650 mm，检在 500 mm 处发现一缺陷，缺陷回波比大平底回波低 31 dB。利用底波调整 $\phi 2$ mm 检测灵敏度，求缺陷的当量大小。

解 (a)调整检测灵敏度：如图 5.22 所示，在 $x=650$ mm 处作垂线交 $\phi 2$ mm 曲线于 E 点、交 B 线于 F 点，则 EF 之间的分贝差值就表示 650 mm 处大平底与 $\phi 2$ mm 平底孔的回波分贝差，即

$$\Delta=\mathrm{B}-\phi 2=(50-2)\ \mathrm{dB}=48\ \mathrm{dB}$$

调整：将探头对准 650 mm 大平底，调节仪器衰减器使第一次底波 B_1 达基准高度(如满刻度的 80%)。在此基础上，用衰减器增益 48 dB，至此 $\phi 2$ mm 检测灵敏度调好，这时 650 mm 处 $\phi 2$ mm 平底孔回波正好达基准高度。

(b)缺陷定量：如图 5.22 所示，在 $x=500$ mm 处作垂线，与比 F 点低 31 dB 的水平线交于 Q 点，则 Q 点所对应的 $\phi 4$ mm 就是所求缺陷的当量大小。

AVG 曲线的优点是不需要大量的试块，也不需要烦琐的计算。用 AVG 曲线法评定缺陷当量时，既可以用通用 AVG 曲线，也可以用实用 AVG 曲线。

(3)测长法。对于缺陷尺寸大于声束截面时，必须采用测长法测定缺陷的长度。测长法是根据缺陷波高降低的情况与探头移动的距离来确定缺陷的尺寸，按规定的方法测定的缺陷的长度称为缺陷的指示长度。由于实际工件中缺陷取向、性质、表面状态等都会影响到缺陷的回波高度，因此缺陷的指示长度总是小于或等于缺陷的实际长度。

根据测定缺陷长度时的灵敏度基准不同，将测长法分为相对灵敏度法、绝对灵敏度法和端点峰值法。

1)相对灵敏度测长法。以缺陷最高回波为相对基准，沿缺陷的长度方向移动探头，当缺陷波降低一定 dB 值时，根据探头移动的距离来确定缺陷长度的方法，称为相对灵敏度测长法。常用的是－6 dB 法和端点－6 dB 法。

①－6 dB 法：－6 dB 法只适用于移动探头过程中缺陷波高只有一个高点的情况。由于波高降低 6 dB 后正好为原来的一半，即 $20\lg\frac{H}{H_0}=20\lg\frac{1}{2}=-6$ dB，故又称为半波高度法。

－6 dB 法的具体操作方法如图 5.23(a)所示，移动探头找到缺陷的最高回波并调至基准高度(如满刻度的 80%)，然后沿缺陷方向左右移动探头，当缺陷波高降低一半时，探头中心线之间距离就是缺陷的指示长度。

②端点－6 dB 法：当探头扫查过程中缺陷反射波有多个高点时，采用端点－6 dB 测长法测定缺陷的指示长度。

端点－6 dB 法的具体操作方法如图 5.23(b)所示，移动探头，当发现缺陷时，探头沿着缺陷方向左右移动，找到缺陷两端的最大反射波，分别以这两端的最大反射波高为基准，继续向左、向右移动探头，当缺陷两端反射波高降低为各自的一半时，探头中心线之间的距离即为缺陷的指示长度。

2)绝对灵敏度测长法。绝对灵敏度测长法是在仪器灵敏度一定的条件下，探头沿缺陷长度方向移动，当缺陷波高降到规定位置时，将此时探头移动的距离作为缺陷的指示长度，如图 5.23(c)所示。

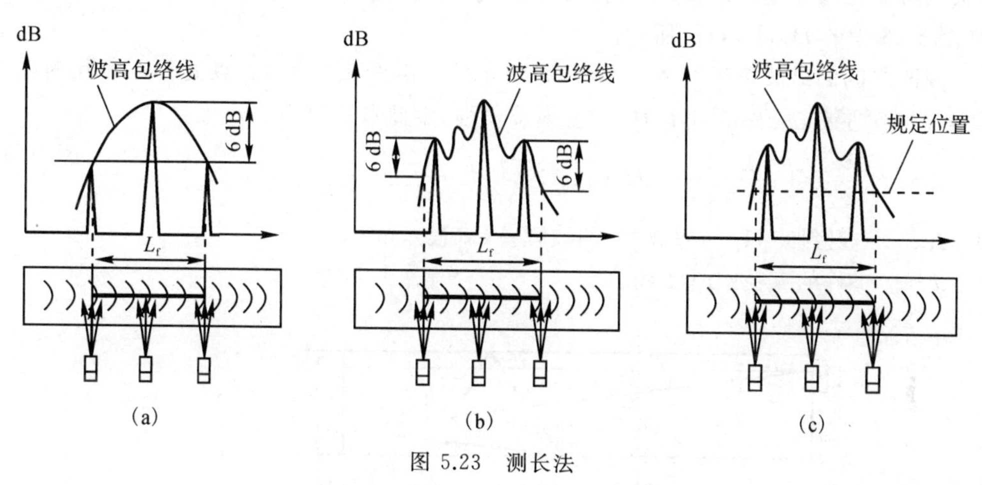

图 5.23 测长法

(a)－6 dB 法；(b)端点－6 dB 法；(c)绝对灵敏度法

绝对灵敏度测长法测得的缺陷的指示长度与测长灵敏度有关。测长灵敏度高，缺陷的指示长度大。在自动检测中常用绝对灵敏度测长法。

3)端点峰值法。如图 5.24 所示，探头在测长扫查过程中，如发现缺陷反射波峰起伏变化，有多个高点时，则直接以缺陷两端反射波极大值之间探头的距离作为缺陷的指示长度，这种方法称为端点峰值法。

端点峰值法测得的缺陷的指示长度比端点－6 dB 法测得的缺陷的指示长度要小一些。

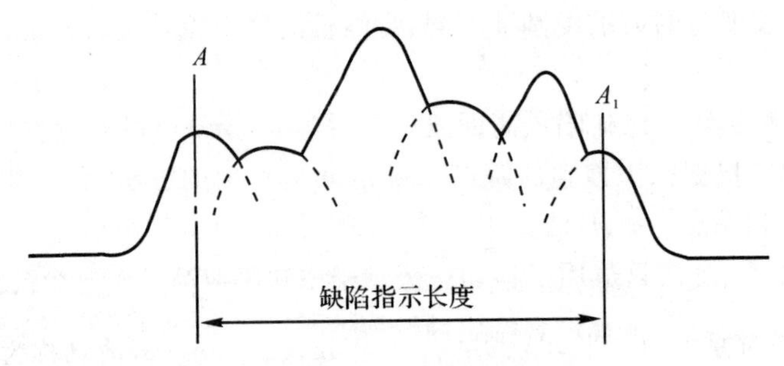

图 5.24　端点峰值法测长

5.3.4　非缺陷回波的判别

纵波直探头法超声检测中，除了始波 T、底波 B 和缺陷波 F 外，常常还会出现诸如迟到波、三角反射波、61°反射波以及其他原因引起的非缺陷回波等，这些波会影响对缺陷波的正确判别。因此，分析和了解常见非缺陷回波产生的原因和特点是十分必要的。

1. 迟到波

如图 5.25 所示，当纵波直探头置于细长(或扁平)工件或试块上时，扩散纵波波束在侧壁产生波型转换，转换为横波，此横波在另一侧面又转换为纵波，最后经底面反射回到探头，被探头接收，从而在示波屏上出现一个回波。由于转换的横波声程长，波速小，传播时间较直接从底面反射的纵波长，因此，转换后的波总是出现在第一次底波 B_1 之后，故称为迟到波。又由于变型横波可能在两侧壁产生多次反射，每反射一次就会出现一个迟到波，因此迟到波往往有多个，如图 5.25 中的 H_1，H_2，H_3 所示。

迟到波之间的纵波声程差 Δx(单程)是特定的。由图 2.36 可知，纵波斜入射到钢/空气界面，当 $\alpha_L=70°$左右，$\alpha_S=33°$左右时，变型横波很强，由此可以算出 Δx，有

$$\Delta x=\frac{\Delta w}{2}=\left(\frac{d}{\cos\alpha_S}\frac{c_L}{c_S}-d\tan\alpha_S\right)\div 2=\left(\frac{d}{\cos 33°}\frac{5\ 900}{3\ 230}-d\tan 33°\right)\div 2=0.76d \quad (5.11)$$

式中　Δw——迟到波 H_1 与底波 B_1 的波程差(双程)，mm；

d——工件的直径或厚度，mm。

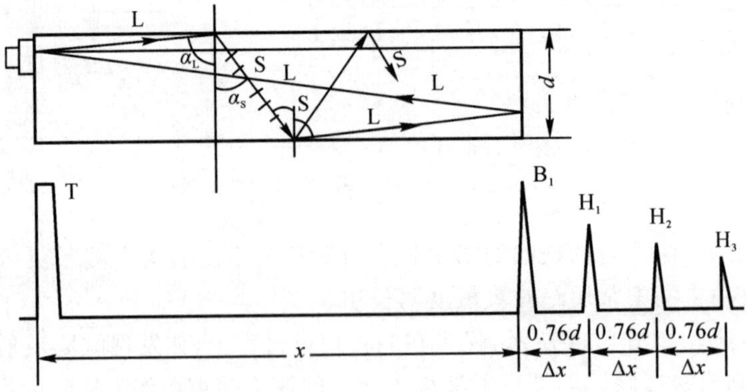

图 5.25　迟到波

可见迟到波总是位于 B_1 之后，并且位置特定，这一点可作为迟到波的判别依据。它不会影响缺陷的判别。

实际检测中，当直探头置于 IIW 试块或 CSK－ⅠA 试块上并对准 100 mm 厚的底面时，在各次底波之间出现一系列的波就是这种迟到波。

2. 61°反射波

当探头置于如图 5.26 所示的直角三角形工件上面，若纵波入射角 α 与横波反射角 γ 满足 $\alpha+\gamma=90°$ 时，则在示波屏上出现位置特定的反射波。

此时 $\gamma=90°-\alpha$，$\sin\gamma=\cos\alpha$。根据反射定律得

$$\frac{\sin\alpha}{\sin\gamma}=\frac{\sin\alpha}{\cos\alpha}=\tan\alpha=\frac{c_L}{c_S}$$

对于钢：$\tan\alpha=\frac{c_L}{c_S}=\frac{5\ 900}{3\ 230}=1.82$，即 $\alpha=61°$，所以这种反射波称为 61°反射波。

61°反射波的声程为

$$x_{61}=a+b\frac{c_L}{c_S}=a+b\tan\alpha=BE+EC=BC$$

当探头在 AB 边上移动时，反射波的位置不变，其声程等于直角三角形 61°角所对的直角边 BC。

实际检测中，当探头置于如图 5.27 所示的 IIW 试块上 A 处或类似结构的工件上时，同样会产生 61°反射波。这时，61°反射波的声程为

$$x_A=d_1-R\cos61°+\frac{c_L}{c_S}(d_2-R\sin61°)=d_1+1.82d_2-2R \tag{5.12}$$

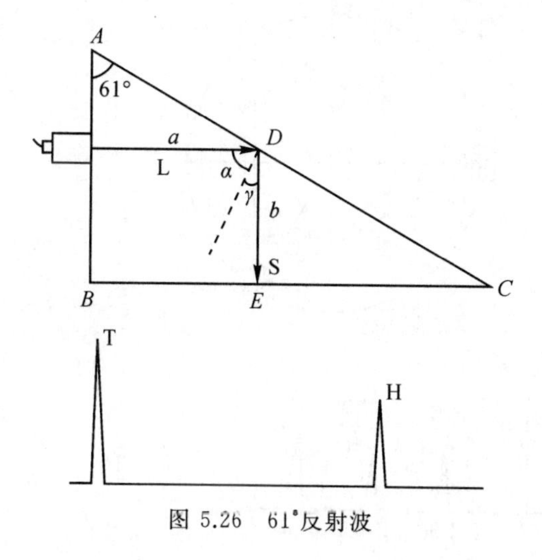

图 5.26　61°反射波

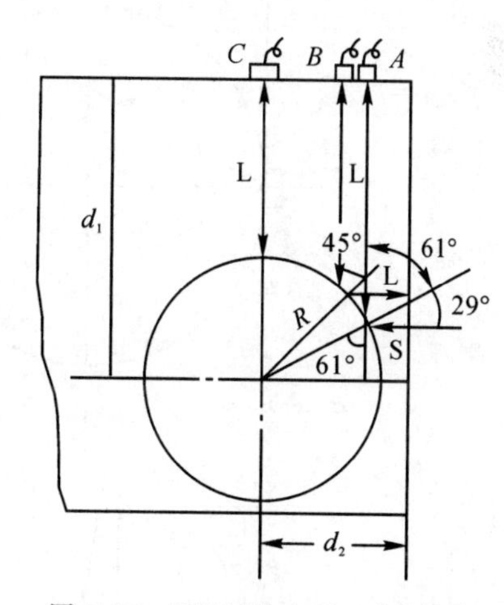

图 5.27　IIW 试块上的 61°反射波

当探头向左平行移动到 B，C 处时，还会出现两处反射回波。

B 处是纵波反射角与入射角均等于 45°，其反射波声程为

$$x_B=d_1-R\cos45°+d_2-R\sin45°=d_1+d_2-1.414R \tag{5.13}$$

C 处是纵波垂直入射并反射，其反射波声程为

$$x_C=d_1-R \tag{5.14}$$

对于 IIW 试块，$d_1=70$ mm，$d_2=35$ mm，$R=25$ mm，探头位于 A，B，C 处的反射波声程分别为

$$x_A=70+1.82\times 35-2\times 25\ (\text{mm})=83.7\ \text{mm}$$

$$x_B=70+35-1.414\times 25\ (\text{mm})=69.6\ \text{mm}$$

$$x_C=70-25\ (\text{mm})=45\ \text{mm}$$

对于结构比较复杂的工件，如焊接的汽轮机大轴，为了有效地检测焊缝根部缺陷，特加工 61°的斜面，利用 61°反射波来检测，从而获得较高的检测灵敏度，如图 5.28 所示。

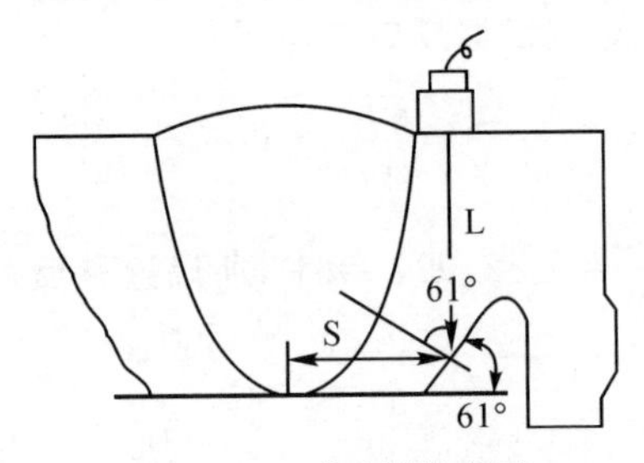

图 5.28　61°反射的应用

3. 三角反射波

如图 5.29 所示，纵波直探头径向检测实心圆柱时，探头平面与柱面接触面积小，使波束扩散角增加，这样扩散波束就会在圆柱面上形成三角反射路径，从而在示波屏上出现多个反射回波，把这种反射波称为三角反射波。

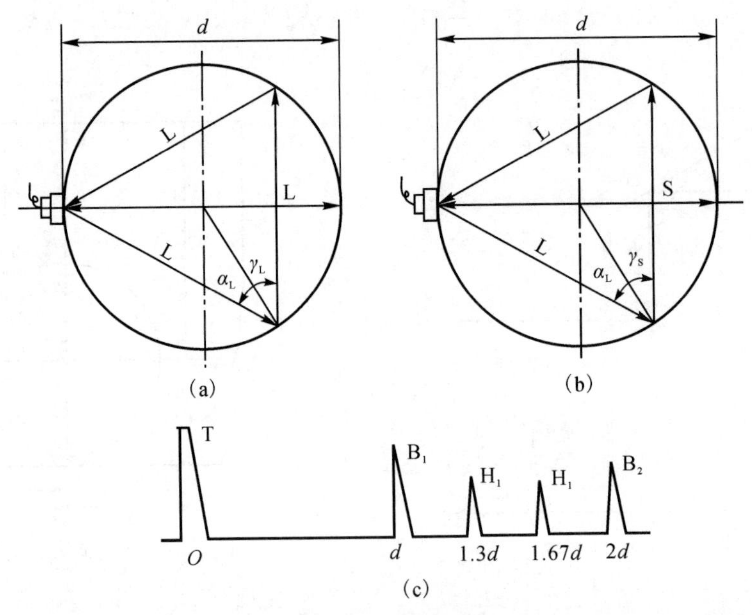

图 5.29　三角反射波

如图 5.29(a)所示，纵波扩散波束在柱面上不发生波型转换，形成等边三角形反射，其回波声程为

$$x_1=\frac{3}{2}d\cos 30^\circ \approx 1.3d \tag{5.15}$$

式中　d——圆柱直径,mm。

如图5.29(b)所示,纵波扩散波束在柱面上发生波型转换,即L→S→L,形成等腰三角形反射,其回波声程为

$$x_2=d\cos\alpha_L+\frac{1}{2}\frac{c_L}{c_S}d\cos\gamma_S$$

由于$\gamma_S=90^\circ-2\alpha_L$,根据反射定律得

$$\frac{\sin\alpha_L}{\sin\gamma_S}=\frac{\sin\alpha_L}{\cos 2\alpha_L}=\frac{c_L}{c_S}$$

对于钢,可求得$\alpha_L=35.6^\circ$,$\gamma_S=18.8^\circ$,故得

$$x_2=d\cos 35.6^\circ+\frac{1}{2}\times\frac{5\ 900}{3\ 230}\times d\cos 18.8^\circ=1.67d \tag{5.16}$$

由以上计算可知,两次三角反射波总是位于第一次底波B_1之后,而且位置特定,分别为$1.3d$和$1.67d$,如图5.29(c)所示。

4. 仪器杂波

仪器杂波是在不接探头的情况下,由于仪器性能不良,检测灵敏度调整过高时,示波屏上出现单峰或多峰的波形。一般仪器杂波以单峰多见,接上探头检测时,此波在示波屏上的位置固定不变。通过降低检测灵敏度,可以减弱仪器杂波的出现。

5. 探头杂波

探头杂波是仪器接上探头后,在示波屏上始波后面会出现一些脉冲幅度较高、较宽的杂波。无论探头是否工作,探头杂波都存在,且位置不随探头移动而变化。产生探头杂波的原因主要是探头内吸收块吸收不良、斜探头的斜楔设计不合理等。

6. 耦合剂反射波

用表面波进行探伤时,工件表面耦合剂堆积、油滴或水滴等都会引起回波,影响对缺陷的识别。耦合剂反射回波很不稳定,用手敲击探头前面的工件表面时,此回波信号大幅降低,直到消失。

7. 幻象波

超声检测中,在重复频率过高时,第一个同步脉冲回波尚未消失,第二个同步脉冲又重复扫描。这时在示波屏上便会产生幻象波,影响缺陷的判别。降低重复频率,幻象波消失。目前生产的新型超声检测仪,“重复频率”与“深度范围”被设计成同步调节,一般不会产生幻象波。

8. 草状回波

超声检测晶粒粗大的工件时,若检测频率过高,声波将在粗大晶粒之间的界面产生散乱反射,在示波屏上就会出现如图2.47所示的草状回波。

9. 轮廓回波

超声波在工件的台阶、螺纹等轮廓上产生一些变型回波,在示波屏上将出现一些轮廓回波,如图5.30所示。

10. 侧壁干涉波

如图5.31所示,纵波直探头检测时,探头若靠近侧壁,则经侧壁反射的纵波或横波与直接

传播的纵波相遇并发生干涉，对检测带来的不利影响。图中曲线表示探头至缺陷侧壁三种不同距离时缺陷回波高度与至侧壁距离的关系。从图中可以看出，对于靠近侧壁的缺陷，探头靠近侧壁正对缺陷检测时缺陷回波低，探头远离侧壁检测时缺陷回波高。当缺陷的位置给定时，存在一个最佳的探头位置，使缺陷回波最高，但这个最佳探头位置总是偏离缺陷。这说明由于侧壁干涉的影响，探头的指向性改变了，缺陷最高回波不在探头轴线上，这样不仅会影响缺陷定位，而且会影响缺陷定量。

在脉冲反射法检测中，一般脉冲持续时间所对应的声程不大于 4λ。因此，只要侧壁反射波束与直接传播的波束声程差大于 4λ 就可以避免侧壁干涉。

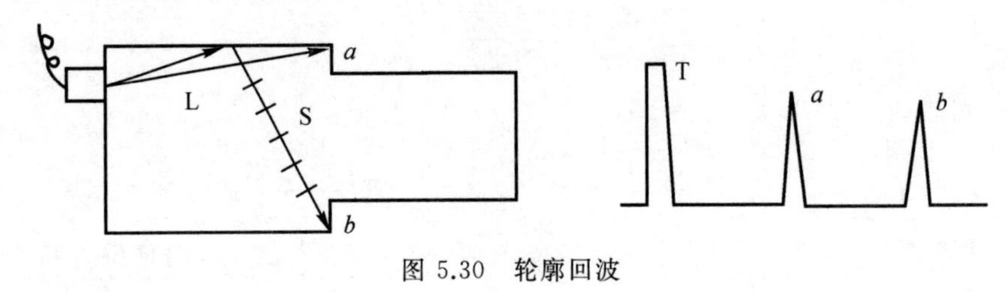

图 5.30　轮廓回波

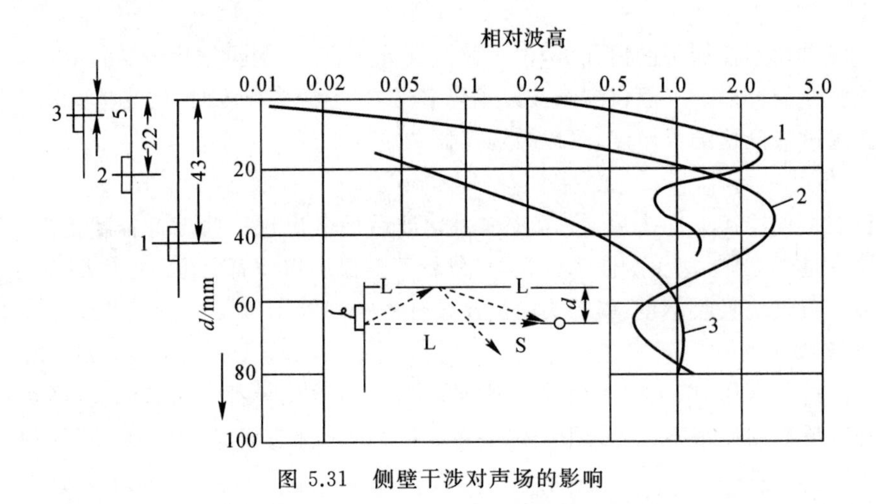

图 5.31　侧壁干涉对声场的影响

(1)探头轴线上缺陷反射。如图 5.32(a)所示，对于侧壁附近探头轴线上的小缺陷，避免侧壁干射的条件为

$$2W - a > 4\lambda$$

式中　W ——入射点至侧壁反射点的距离，mm；

a——缺陷至检测面的距离，mm；

λ——超声波的波长，mm。

由图 5.32(a)和牛顿二项式得

$$W = \sqrt{\frac{a^2}{4} + d^2} \approx \frac{a}{2} + \frac{d^2}{a} \qquad \left(\frac{d}{a} \ll 1\right)$$

$$2W - a \approx \frac{2d^2}{a} > 4\lambda$$

因此，避免侧壁干涉的最小距离 $d_{\min}$ 为

$$d_{\min} > \sqrt{2a\lambda}$$

对于钢：
$$d_{\min} > \sqrt{2a\lambda} \approx 3.5\sqrt{\frac{a}{f}} \tag{5.17}$$

式中　f——超声波频率，MHz。

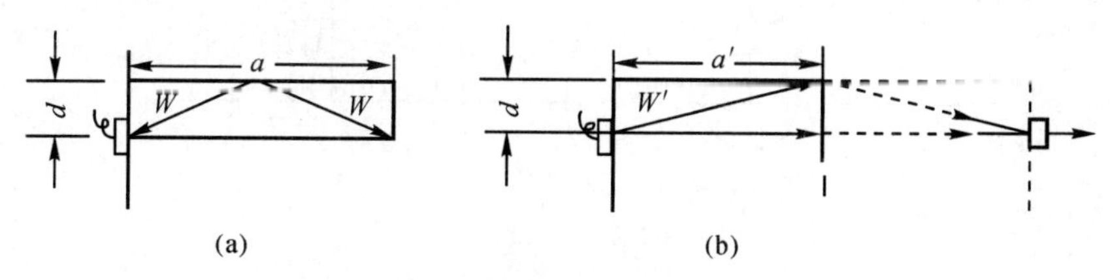

图 5.32　避免侧壁干涉的条件

(a)缺陷；(b)底波

(2)底面反射。如图 5.32(b)所示，对于侧壁附近的底面反射，避免侧壁干涉的条件为

$$2W' - a' > 4\lambda$$

由于
$$W' = \sqrt{a'^2 + d^2} \approx a' + \frac{d^2}{2a'} \qquad \left(\frac{d}{a'} \ll 1\right)$$

$$2W' - 2a' = \frac{d^2}{a'} > 4\lambda$$

所以
$$d_{\min} > 2\sqrt{a'\lambda}$$

对于钢：
$$d_{\min} > 2\sqrt{a'\lambda} \approx 5\sqrt{\frac{a'}{f}} \tag{5.18}$$

式中　a'——工件底面至检测面的距离，mm。

由式(5.17)和式(5.18)可知，避免侧壁干涉的最小距离 $d_{\min}$ 与波长 λ 及距离 a，a' 有关，λ，a，a' 增加，$d_{\min}$ 随之增加。

CS-1，CS-2 试块外径就是根据上述公式设计出来的。

【例 5.17】　用 2.5P20Z 直探头检测厚度为 500 mm 的圆柱体，圆柱体中纵波声速 c_L = 5 900 m/s。试分别计算底面反射和轴线上缺陷反射时避免侧壁干涉射的最小直径各为多少？

解　由已知得　　　　f = 2.5 MHz，　$a' = a$ = 500 mm

底面反射时，根据公式(5.18)可得

$$D_{\min} = 2d_{\min} = 10\sqrt{\frac{a'}{f}} = 10\sqrt{\frac{500}{2.5}}\ \text{mm} \approx 141\ \text{mm}$$

轴线上缺陷反射时，根据公式(5.17)可得

$$D_{\min} = 2d_{\min} = 7\sqrt{\frac{a}{f}} = 7\sqrt{\frac{500}{2.5}}\ \text{mm} \approx 99\ \text{mm}$$

11. *游动回波*

在圆柱形轴类锻件检测过程中，当探头沿着外圆移动时，示波屏上缺陷波的位置和高度随着缺陷声程的变化而游动，这种游动的波形称为游动回波。

游动回波是由于不同波束至缺陷产生反射引起的。轴线上的波束射至缺陷时，缺陷声程

小，回波高。左右移动探头，扩散波束射至缺陷时，缺陷声程大，回波低。因此同一缺陷回波的位置和高度随探头移动发生游动，如图 5.33 所示。

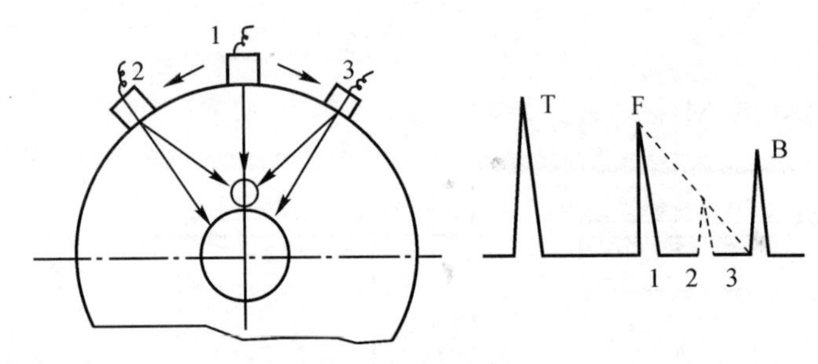

图 5.33 游动回波

不同检测灵敏度条件下同一缺陷回波的游动情况不同。一般可根据检测灵敏度和回波游动距离来判别游动回波。一般规定游动范围达 25 mm 时即可算为游动回波。根据缺陷游动回波包络线的形状，可粗略地判断缺陷的形状。

思考题

1.什么是扫描速度？检测前为什么要调整仪器的扫描速度？调节扫描速度时，为什么要用两次不同的反射波，而不用始波和一次反射波？

2.什么是检测灵敏度？检测前为什么要调整检测灵敏度？

3.调整检测灵敏度常用的方法有哪些？各适用于什么情况？

4.在什么情况下可利用当量法对缺陷进行定量？具体有几种当量定量方法？各种方法的适用条件是什么？

5.什么是缺陷的指示长度？测定缺陷的指示长度有哪些方法？

6.超声波检测中常见的非缺陷回波有哪几种？各有什么特点？

5.4 横波斜探头检测工艺

5.4.1 检测设备的调整

1. 探头入射点和折射角的测定

由于有机玻璃楔块容易磨损，在每次检测前应进行入射点和折射角的测定。探头入射点和折射角的测定在第 4 章已经介绍过，详见第 4.4.2 节内容。

2. 扫描速度的调整

如图 5.34 所示，横波检测时，缺陷位置可由折射角 β 和声程 x 来确定，也可由缺陷的水平距离 l 和深度 d 来确定。

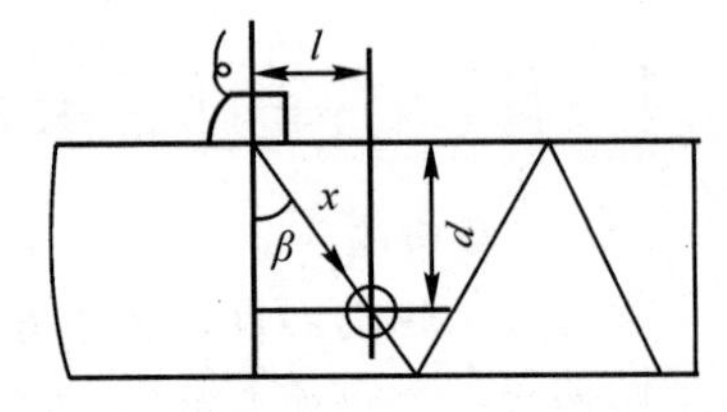

图 5.34 横波检测缺陷位置的确定

调整斜探头横波检测扫描速度时，与直探头纵波检测一样，也必须选择两个不同声程的回波，通过调节深度旋钮和脉冲移位旋钮，使它们的刻度各自满足距离和扫描比例的要求。

横波扫描速度调整方法有三种：声程调整法、深度调整法和水平调整法。下面以 CSK－ⅠA 试块为例，介绍斜探头横波扫描速度(1∶1)的调节方法，如图 5.35 所示。

(1)声程调整法。声程调整法是使示波屏上的水平刻度值 τ 与横波声程 x 成比例，即 $\tau : x = 1 : n$。这时仪器示波屏的水平刻度直接显示横波声程。

调整时，将斜探头放置于 CSK－ⅠA 试块上，找到 $R50$，$R100$ 的最大回波，调整深度旋钮和脉冲移位旋钮，分别将 $R50$ 和 $R100$ 的最大回波调至示波屏水平刻度 50 和 100 处。此时水平扫描线的比例为声程 1∶1。

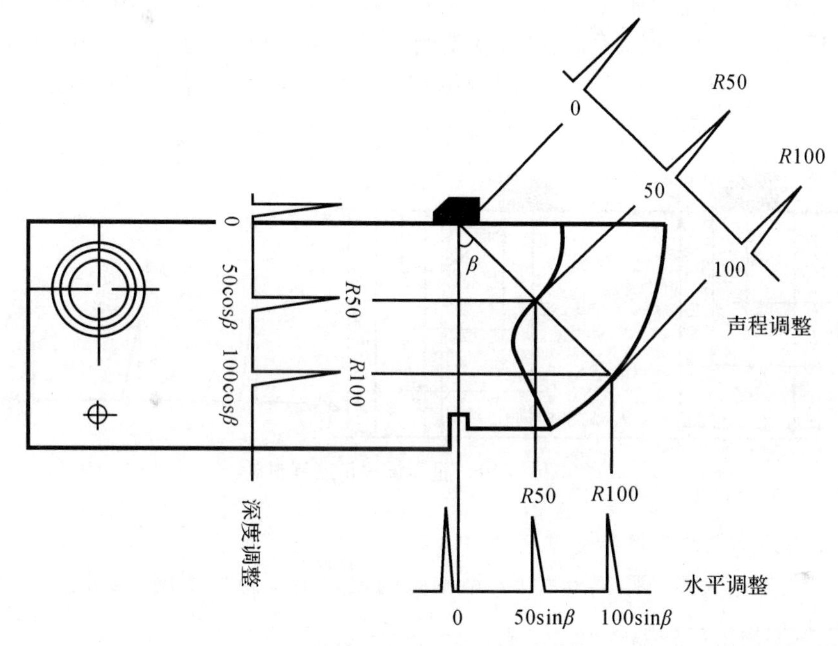

图 5.35　在 CSK－ⅠA 试块上斜探头不同扫描速度调整方法波形与刻度的对应关系

(2)深度调整法。深度调整法是使示波屏上的水平刻度值 τ 与反射体的深度 d 成比例，即 $\tau : d = 1 : n$。这时仪器示波屏的水平刻度值直接显示深度距离。深度调整法常用于较厚工件(板厚大于20 mm)焊缝的横波检测，以便较快地判断缺陷在焊缝中的埋藏深度 d 和水平位置 $l(l=Kd)$。

调节时，将斜探头放置于 CSK－ⅠA 试块上，找到 $R50$，$R100$ 的最大回波，调节深度旋钮和脉冲移位旋钮，分别将 $R50$ 和 $R100$ 的最大回波调至示波屏水平刻度 d_1 和 d_2 处，即

$$\left.\begin{aligned} d_1 &= 50\cos\beta = 50/\sqrt{1+K^2} \\ d_2 &= 100\cos\beta = 100/\sqrt{1+K^2} = 2d_1 \end{aligned}\right\} \tag{5.19}$$

此时水平扫描线的比例为深度 1∶1。

(3)水平调整法。水平调整法是使示波屏上的水平刻度值 τ 与反射体的水平距离 l 成比例，即 $\tau : l = 1 : n$。这时仪器示波屏的水平刻度值直接显示反射体的水平投影距离(简称水平距离)。水平调整法多用于薄板(板厚小于 20 mm)工件焊缝的横波检测，以便较快地判断缺陷是否在焊缝中。

调整时，将斜探头放置于 CSK－ⅠA 试块上，找到 $R50$，$R100$ 的最大回波，调节深度旋钮和脉冲移位旋钮，分别将 $R50$ 和 $R100$ 的最大回波调至示波屏水平刻度 l_1 和 l_2 处。

$$\left.\begin{aligned} l_1 &= 50\sin\beta = 50K/\sqrt{1+K^2} \\ l_2 &= 100\sin\beta = 100K/\sqrt{1+K^2} = 2l_1 \end{aligned}\right\} \tag{5.20}$$

此时水平扫描线的比例为水平 1∶1。

调整横波扫描速度也可以在 IIW2、半圆试块、CSK－ⅡA 和 CSK－ⅢA 等横孔试块及其他试块或工件上进行。下面以 CSK－ⅢA 试块为例说明横孔试块按深度 1∶1调整扫描速度的方法。如图 5.36 所示，斜探头分别对准两个不同深度的 ϕ1 mm×6 mm 横孔，比如选择 $d_1=$ 20 mm 和 $d_2=$40 mm 深的横孔，调节仪器使 d_1 和 d_2 对应的最高回波 H_1 和 H_2 分别对准水平刻度的 20 和 40，这时深度 1∶1扫描速度就调好了。需要指出，这里 H_1，H_2 不是同时出现的，当 H_1 对准 20 时，H_2 不一定正好对准 40，因此需要反复调试，直至 H_1 对准 20 时，H_2 正好对准 40。

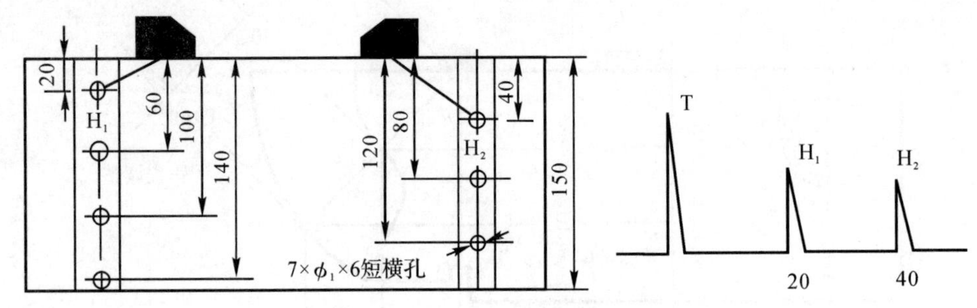

图 5.36　CSK－ⅢA 试块深度调整法

3. 距离-波幅曲线的制作和灵敏度调整

缺陷波高与缺陷大小及距离有关，大小相同的缺陷由于距离不同，回波高度也不同。距离-波幅曲线是描述某一规则反射体回波高度随距离变化的关系曲线。它是 AVG 曲线的特例，主要用于横波斜探头检测时灵敏度的调整和缺陷的评定，尤其在焊缝检测中使用极为广泛，并形成了一定的通用做法。

(1)距离-波幅曲线。距离-波幅曲线是按所用探头和仪器在试块上实测的数据绘制而成的，该曲线族由评定线、定量线和判废线组成。评定线与定量线之间(包括评定线)为Ⅰ区，定量线与判废线之间(包括定量线)为Ⅱ区，判废线及其以上区域为Ⅲ区，如图 5.37 所示。

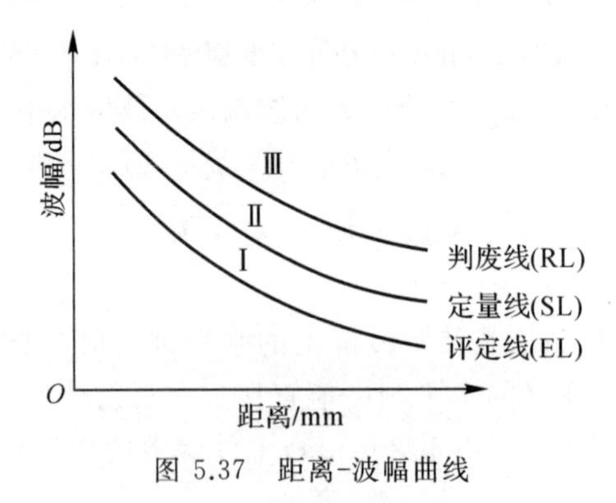

图 5.37　距离-波幅曲线

(2)距离-波幅曲线的灵敏度选择。灵敏度选择和壁厚有关。NB/T 47013.3—2015 标准规定，工件厚度为 6～200 mm 的焊接接头，斜探头或直探头检测时，可用 CSK－ⅡA 试块制作距离-波幅曲线；工件厚度为 8～120 mm的焊接接头，斜探头检测时，可用 CSK－ⅢA 试块制作距离-波幅曲线；工件厚度为 200～500 mm 的焊接接头，斜探头或直探头检测时，用 CSK－ⅣA 试块制作距离-波幅曲线。

根据板厚和制作距离-波幅曲线的试块，灵敏度按表 5.3 的规定选择。

表 5.3 距离-波幅曲线的灵敏度

试块型号	工件厚度 t/mm	评定线	定量线	判废线
CSK－ⅡA	6～40	ϕ2×40－18 dB	ϕ2×40－12 dB	ϕ2×40－4 dB
	40～100	ϕ2×60－14 dB	ϕ2×60－8 dB	ϕ2×60＋2 dB
	100～200	ϕ2×60－10 dB	ϕ2×60－4 dB	ϕ2×60＋6 dB
CSK－ⅢA	8～15	ϕ1×6－12 dB	ϕ1×6－6 dB	ϕ1×6＋2 dB
	15～40	ϕ1×6－9 dB	ϕ1×6－3 dB	ϕ1×6＋5 dB
	40～120	ϕ1×6－6 dB	ϕ1×6	ϕ1×6＋10 dB
CSK－ⅣA	200～300	ϕ6－13 dB	ϕ6－7 dB	ϕ6＋3 dB
	300～500	ϕ6－11 dB	ϕ6－5 dB	ϕ6＋5 dB

说明：1)工件的表面耦合损失和材质衰减应与试块相同，否则应进行补偿修正，补偿量应计入距离-波幅曲线。比如对接焊缝超声检测时，要求计入表面补偿 4 dB，则应将三条线同时下移 4 dB 即可。

2)扫查灵敏度不应低于评定线灵敏度，此时在检测范围内最大声程处的评定线高度不应低于示波屏满刻度的 20％。

3)检测和评定横向缺陷时，应将各线灵敏度均提高 6 dB。

4)距离-波幅曲线制作应至少选择 5 个点，深度范围要超过两倍板厚，即二次波检测深度。

5)距离-波幅曲线制作过程中，探头声束中心应对准规则反射体横孔的中心，如规则反射体横孔中有油等液体，应预先清除。

(3)距离-波幅曲线的绘制方法及其应用。实用中，距离-波幅曲线有两种形式。一种是用 dB 值表示的波幅作为纵坐标，距离为横坐标，称为距离- dB 曲线；另一种是以 mm(或％)表示的波幅作为纵坐标，距离为横坐标，实际检测中将其绘在示波屏面板上，称为面板曲线。

现在以板厚 $t=20$ mm 和 CSK－ⅡA－1 试块为例说明距离- dB 曲线的绘制方法及其应用。

1)距离- dB 曲线的绘制。

① 测定斜探头的入射点和 K 值，并根据板厚按深度 1∶1调整扫描速度。

② 将斜探头对准 CSK－ⅡA－1 试块上深度为 10 mm 的 $\phi 2\times40$ 横孔，调节仪器使其最高回波达基准高度(如满刻度的 80％)，记下此时衰减器的 dB 值 Δ_1 和孔深 h_1，并填入表 5.4 中。重复步骤②，分别检测其他不同深度的 $\phi 2\times40$ 横孔，增益旋钮不动，用衰减器将各孔的最高回波调至 80％高，记下衰减器相应的 dB 值 Δ_2，Δ_3，…和孔深 h_2，h_3，…，并填入表 5.4 中。

表 5.4 数据列表

孔深/mm	10	20	30	40	50	60
ϕ2×40 dB	64	62	60	58	56	54
ϕ2×40－4 dB(判废线)	60	58	56	54	52	50
ϕ2×40－12 dB(定量线)	52	50	48	46	44	42
ϕ2×40－18 dB(评定线)	46	44	42	40	38	36

③ 利用表 5.4 中所列数据，以孔深为横坐标，以 dB 值为纵坐标，在坐标纸上描点(Δ_1，h_1)，(Δ_2，h_2)，(Δ_3，h_3)，…并将其连成光滑曲线，绘出 ϕ2×40 横孔的距离-波幅曲线。

④ 按照 NB/T 47013.3—2015 标准规定(见表 5.3)，根据检测板厚(t＝20 mm)，将 ϕ2×40 横孔的距离-波幅曲线向下平移相应的 dB 值，绘出评定线、定量线和判废线，标出Ⅰ区、Ⅱ区和Ⅲ区，并注明所用探头的频率、晶片尺寸和 K 值，如图 5.38 所示。

⑤ 用深度不同的两孔校验距离-波幅曲线，若不相符，应重测。

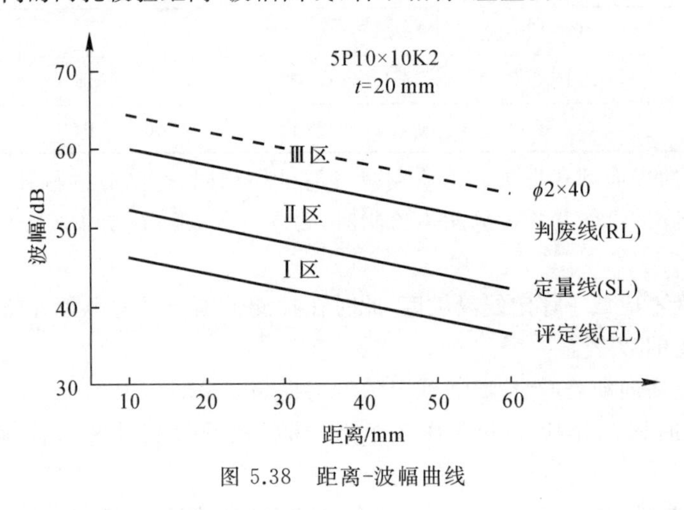

图 5.38 距离-波幅曲线

2)距离- dB 曲线的应用。

① 了解反射体波高与距离之间的对应关系。

② 调整检测灵敏度。NB/T 47013.3—2015 标准规定焊接检测扫查灵敏度不低于评定线灵敏度。

这里 t＝20 mm，评定线为 ϕ2×40－18 dB，二次波检测最大深度为 40 mm。由距离-波幅曲线可知扫查灵敏度为 40 dB，因此将衰减器调到 40 dB 时灵敏度就调好了。若考虑耦合补偿 4 dB，那么评定线、定量线和判废线均下降 4 dB，此时扫查灵敏度为 36 dB。

实际检测过程中还应定期利用某一深度的孔来校验检测灵敏度。例如 d＝30 mm 的 ϕ2×40横孔的回波是否为 60 dB。

③ 比较缺陷大小。例如，在一板厚为 4 mm 的焊缝中发现两缺陷，缺陷 1：d_{f1}＝20 mm，波高为 65 dB；缺陷2：d_{f2}＝30 mm，波高为 62 dB，试比较二者的大小。

缺陷 1 的当量大小为 ϕ2×40＋(65－62)dB＝ϕ2×40＋3 dB，缺陷 2 的当量大小为 ϕ2×40＋(62－60)dB＝ϕ2×40＋2 dB，由此可以判断缺陷 1 大于缺陷 2。

④ 确定缺陷所处的区域。例如，检测中发现一缺陷 $d_{f1}=20$ mm，波高为 55 dB；另一缺陷 $d_{f2}=30$ mm，波高为 43 dB。

由距离-波幅曲线可知，缺陷 1 的波高为 55 dB，定量线为 50 dB，判废线为 58 dB，50 dB<55 dB<58 dB，缺陷在定量线以上、判废线以下，即在Ⅱ区。缺陷 2 的波高为 43 dB，评定线为 42 dB，定量线为 48 dB，42 dB<43 dB<48 dB，缺陷在评定线以上、定量线以下，即在Ⅰ区。

(4)面板曲线。实际检测中，使用距离-dB 曲线比较麻烦，而面板曲线使用较为方便，可根据缺陷波高直接确定缺陷当量和所在区域，目前国内外应用很广。

1)面板曲线的绘制。

① 测定斜探头的入射点和 K 值，根据板厚按深度 1∶1调节扫描速度。

② 斜探头对准 CSK-ⅡA-1 试块上深为 10 mm 的 $\phi2\times40$ 横孔找到其最高回波，调至满幅的 100%(但不饱和)，在面板上标记波峰对应的点①，并记下此时的 dB 值 N(假定 $N=64$ dB)。

③ 固定增益旋钮和衰减器，分别检测深度为 20 mm，30 mm，40 mm，50 mm，60 mm 的 $\phi2\times40$ 横孔，找到最高回波，并在面板上标记相应的波峰对应的点②③④⑤⑥，然后连点①②③④⑤⑥成线，得到一条 $\phi2\times40$ 横孔的参考曲线，即为面板曲线，如图 5.39 所示。

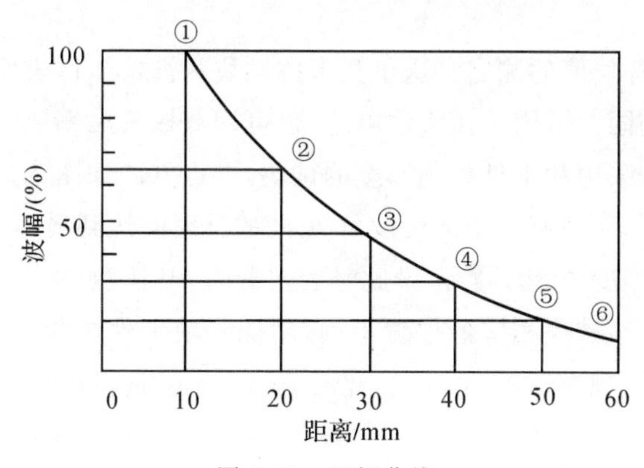

图 5.39　面板曲线

2)面板曲线的应用。

① 调整灵敏度：若工件厚度在 6～40 mm 范围，评定线为 $\phi2\times40-18$ dB，只要在 N(如 64 dB)的基础上提高 18 dB，即衰减器读数调为 46 dB，此时灵敏度调好。

如果考虑补偿，应再将评定线、定量线和判废线均提高相应的 dB 数。假如要补偿 4 dB，则此时的灵敏度调节为 42 dB 即可。

面板曲线的灵敏度要求随衰减器读数而变化，见表 5.5。

表 5.5　面板曲线的灵敏度要求与衰减器读数的关系

灵敏度要求	衰减器读数/dB	
	未补偿	补偿 4 dB
面板参考线 $\phi2\times40$ dB	64	60
$\phi2\times40-4$ dB(判废线)	60	56
$\phi2\times40-12$ dB(定量线)	52	48
$\phi2\times40-18$ dB(评定线)	46	42

② 确定缺陷所处区域:检测时若缺陷回波高度低于参考线,则说明缺陷波低于评定线,可以不予考虑。若缺陷波高于评定线,则用衰减器将缺陷波调至参考线,根据衰减器变化的 dB 值 Δ 求出缺陷的当量大小和所在区域。

例如:Δ=+5 dB,则缺陷当量为 ϕ2×40−18 dB+5 dB=ϕ2×40−13 dB,在Ⅰ区。

Δ=+10 dB,则缺陷当量为 ϕ2×40−18 dB+10 dB=ϕ2×40−8 dB,在Ⅱ区。

Δ=+15 dB,则缺陷当量为 ϕ2×40−18 dB+15 dB=ϕ2×40−3 dB,在Ⅲ区。

模拟机的面板曲线是固定的,通常只作一条,如 ϕ2×40 面板参考线。对于目前广泛使用的数字式超声检测仪,只需测出不同距离处的 ϕ2×40 横孔的最高回波,输入评定线、定量线和判废线与 ϕ2×40 波幅的 dB 差值,仪器即可同时将各线显示于示波屏上,使用起来更加方便。

4. 传输修正的测定与补偿

传输修正又称为声能传输损耗补偿。横波斜探头检测灵敏度的调整采用试块法,传输修正值包括两部分:材料的材质衰减和由工件表面粗糙度不同及曲面耦合状况而引起的表面声能损失。

(1)表面声能损失补偿值的测定。这里只考虑试块和被检工件表面声能损失的差异,要求试块与工件材质衰减相同。可用单探头法测定,也可用双探头法测定。

1)单探头法测定。采用和工件相同厚度的试块,测定方法如图 5.40 所示。

将探头放在试块上,移动探头使试块棱角 A 处的反射波达到最高,并调节衰减器旋钮,使其达到基准高度(如满刻度的 80%),记录此时衰减器的 dB 读数 N_1。

将探头放在工件上与试块相应的位置上,移动探头使工件棱角 A 处的反射波达到最高,调节衰减器旋钮,使其达到基准高度,记录此时衰减器的 dB 读数 N_2,则表面声能损失补偿值为

$$\Delta(\text{dB})=N_2-N_1\ (\text{增益型})$$

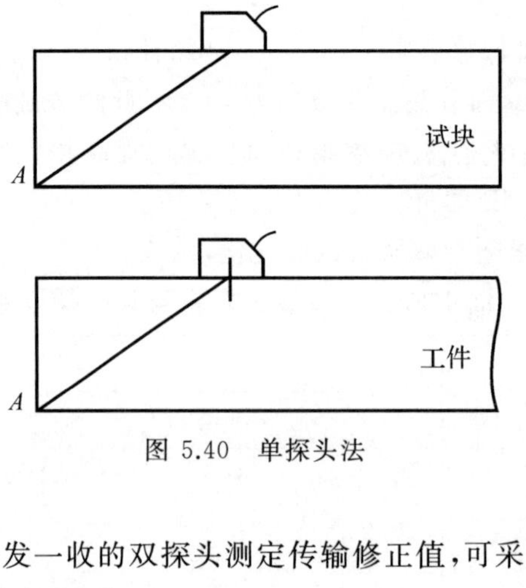

图 5.40 单探头法

2)双探头法测定。用一发一收的双探头测定传输修正值,可采用与工件厚度相同的试块,也可以采用与工件厚度不相同的试块。

① 工件与试块厚度相同。如图 5.41 所示,将探头相对放置,当发射探头发出的超声波经

底面一次反射后被接收探头接收到的信号幅度最大时，两探头间距恰好为声波经一次底波反射后到达表面的点与发射探头入射点之间的水平距离，这一距离称为一个跨距，用 P 表示，$P=2Kt$，其中 K 为斜探头的 K 值，$K=\tan\beta$，t 为工件厚度。

依次测出在试块和工件上底面回波达到基准高度时衰减器的 dB 读数 N_1 和 N_2，则此时的表面声能损失补偿值为

$$\Delta(\text{dB})=N_2-N_1\ (\text{增益型})$$

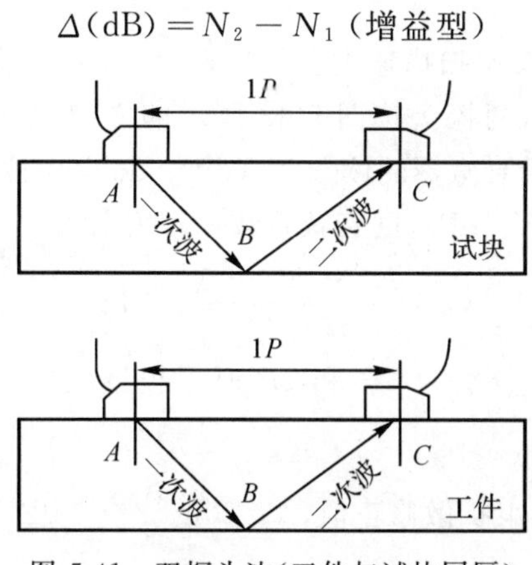

图 5.41　双探头法(工件与试块同厚)

② 工件厚度小于试块厚度。如图 5.42(a)所示，将接收探头置于工件上距离发射探头 1P 处，记下反射波 R_1 的波高和位置 1S；将接收探头置于工件上距离发射探头 2P 处，记下反射波 R_2 的波高和位置 2S。将接收探头置于试块上 1P 处，找到最高反射波 R，将 R 调到 R_1 和 R_2 的连线上，此时衰减器变化的 dB 值 Δ 即为二者的表面声能损失补偿值。

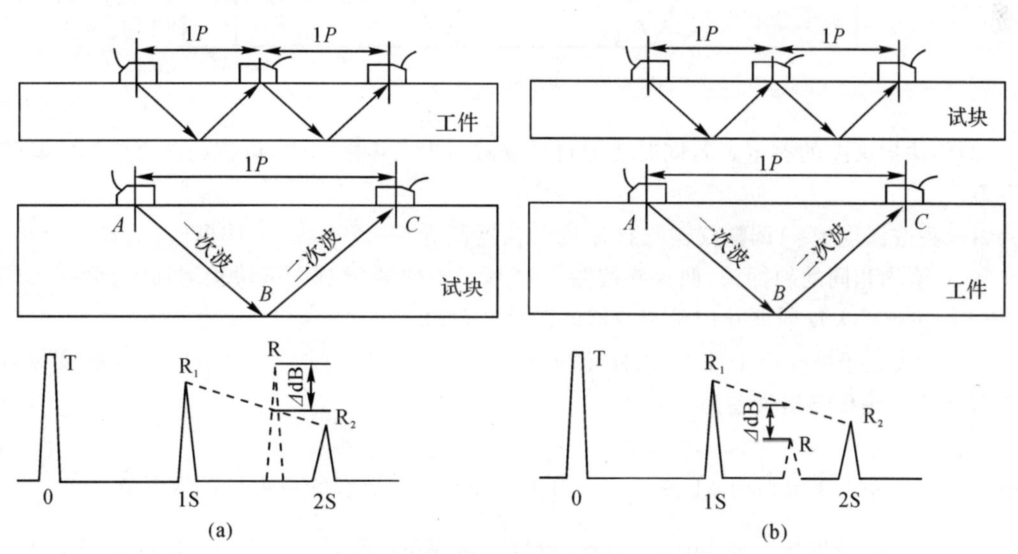

图 5.42　双探头法

(a)工件厚度小于试块厚度；(b)工件厚度大于试块厚度

③ 工件厚度大于试块厚度。如图 5.42(b)所示，将接收探头置于试块上距离发射探头 1P 处，记下反射波 R_1 的波高和位置 1S；将接收探头置于试块上距离发射探头 2P 处，记下反射

波 R_2 的波高和位置 2S。将接收探头置于工件上距离发射探头 1P 处找到最高反射波 R，将 R 调到 R_1 和 R_2 的连线上，此时衰减器变化的 dB 值 Δ 即为二者的表面声能损失补偿值。

当测出工件与试块的表面声能损失补偿值 ΔdB 后，将探头置于试块上调好灵敏度，然后用衰减器增益相应的 ΔdB 即可。

(2)材质衰减的测定。制作与被检工件材质相近或相同、厚度为 t、表面粗糙度与工件相同的平板试块。

斜探头按深度 1∶1调整仪器扫描速度。仪器调为“一发一收”工作模式，选择两个尺寸、频率和 K 值均相同的斜探头，两探头按图 5.43 所示的方向置于平板试块上，两探头间距为 1P 时，找到最大反射波并记录衰减器的读数 N_1(dB)。将探头拉开到间距为 2P 时，找到最大反射波并记录衰减器的读数 N_2(dB)，则衰减系数 α 可表示为

$$\alpha = \frac{N_1 - N_2 - \Delta}{S_2 - S_1} \quad \text{(dB)} \tag{5.21}$$

式中 S_1，S_2——两探头间距分别为 1P 和 2P 时平板试块中的双声程，$S_1 = 2t/\cos\beta$，$S_2 = 4t/\cos\beta$；

Δ——不考虑衰减时声束扩散修正值，$\Delta = 20\lg\frac{S_2}{S_1} = 6$ dB。

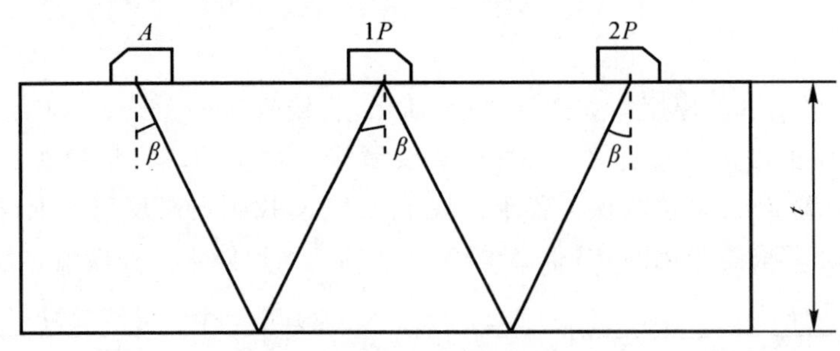

图 5.43　超声材质衰减的测定

(3)传输损失差的测定。若同时考虑材质衰减与表面声能损失，可按如下方法测定其传输损失差。

斜探头按深度 1∶1调整仪器扫描速度。仪器调为“一发一收”工作模式，选择两个尺寸、频率和 K 值均相同的斜探头，两探头按图 5.44 所示方向置于对比试块检测面上，两探头间距为 1P 时，找到最大反射波并记录衰减器的读数 N_1(dB)。

再将探头置于被检测工件上，同样记录两探头间距为 1P 时最大反射波对应的衰减器的读数 N_2(dB)，则传输损失差为

$$\Delta N = N_1 - N_2 - \Delta_1 - \Delta_2 \quad \text{(dB)} \tag{5.22}$$

式中 Δ_1——不考虑衰减时，工件与试块由于声程不同而引起的声束扩散修正值，$\Delta_1 = 20\lg\frac{S_2}{S_1}$，其中 S_1 和 S_2 分别为两探头间距均为 1P 时对比试块和工件中的双声程，$S_1 = 2T/\cos\beta$，$S_2 = 2t/\cos\beta$；

Δ_2——工件与试块因衰减系数和声程不同而引起的材质衰减的 dB 差，$\Delta_2 = \alpha_2 S_2 - \alpha_1 S_1$。

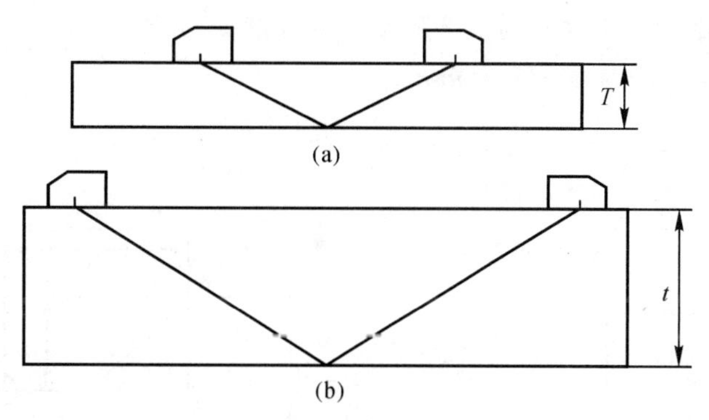

图 5.44　传输损失差的测定

(a)对比试块;(b)工件

5.4.2　扫查

锯齿形扫查是手工超声横波检测中最常用的扫查方式,探头沿锯齿形路线进行扫查的目的是为了寻找和发现缺陷。在焊缝检测中,往往作为检测纵向缺陷的初始扫查方式,速度快,易于发现缺陷。锯齿形扫查发现缺陷后,为了观察缺陷动态波形和区分缺陷信号或伪缺陷信号,确定缺陷的位置、方向和形状,可以采用前后、左右、转角、环绕等 4 种基本扫查方式。

斜探头横波检测扫查方式详见“6.4.5　扫查方式”。

5.4.3　缺陷的评定

斜探头横波检测中缺陷的评定包括缺陷的定位和定量。缺陷定位是确定缺陷的水平位置和深度,当缺陷反射波最高时,在经校准的示波屏时基线上缺陷回波的前沿处读出声程或水平、垂直距离。缺陷的定量是确定缺陷的波幅及测定其延伸长度。

1. 平面工件的缺陷定位

(1)按声程调整扫描速度。仪器按声程 1∶n 调整扫描速度,缺陷波水平刻度为 τ_f。一次波检测时,如图 5.45(a)所示,缺陷至入射点的声程为 $x=n\tau_f$,如果忽略缺陷的大小,则缺陷在工件中的水平距离 l_f 和深度 d_f 分别为

$$\left.\begin{aligned} l_f &= x_f\sin\beta = n\tau_f\sin\beta \\ d_f &= x_f\cos\beta = n\tau_f\cos\beta \end{aligned}\right\} \tag{5.23}$$

二次波检测时,如图 5.45(b)所示,缺陷在工件中的水平距离 l_f 和深度 d_f 分别为

$$\left.\begin{aligned} l_f &= x_f\sin\beta = n\tau_f\sin\beta \\ d_f &= 2t - x_f\cos\beta = 2t - n\tau_f\cos\beta \end{aligned}\right\} \tag{5.24}$$

式中　t——工件厚度,mm;

β——探头横波折射角。

(2)按水平调整扫描速度。仪器按水平 1∶n 调整扫描速度,缺陷波水平刻度为 τ_f,采用 K 值斜探头检测。一次波检测时,缺陷在工件中的水平距离 l_f 和深度 d_f 分别为

$$\left.\begin{aligned} l_f &= n\tau_f \\ d_f &= \frac{l_f}{K} = \frac{n\tau_f}{K} \end{aligned}\right\} \tag{5.25}$$

二次波检测时，缺陷在工件中的水平距离 l_{f} 和深度 d_{f} 分别为

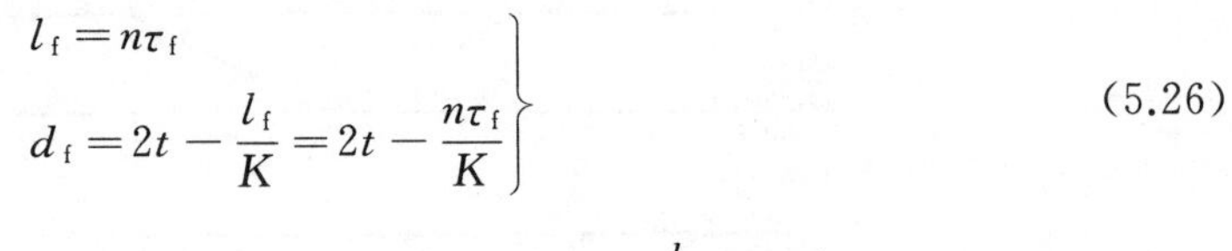

$$\left.\begin{aligned} l_{\mathrm{f}} &= n\tau_{\mathrm{f}} \\ d_{\mathrm{f}} &= 2t - \frac{l_{\mathrm{f}}}{K} = 2t - \frac{n\tau_{\mathrm{f}}}{K} \end{aligned}\right\} \tag{5.26}$$

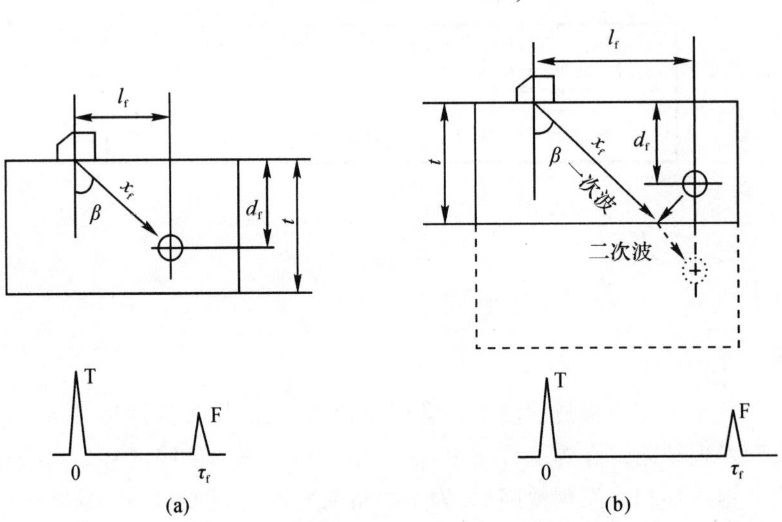

图 5.45 横波检测平面工件缺陷定位

(a)一次波；(b)二次波

【例 5.18】 用 K2 横波斜探头检测厚度 $t=15$ mm 的钢板对接焊缝，仪器按水平 1∶1调整扫描速度，检测中在水平刻度 $\tau_{\mathrm{f}}=45$ 处出现一缺陷波，求此缺陷的位置。

解 由于 $l_{\mathrm{f}}=n\tau_{\mathrm{f}}=1\times45=45$ mm，$t<\dfrac{l_{\mathrm{f}}}{K}=\dfrac{45}{2}=22.5$ mm$<2t$，因此可以判定此缺陷是二次波发现的。缺陷在工件中的水平距离 l_{f} 和深度 d_{f} 分别为

$$l_{\mathrm{f}}=n\tau_{\mathrm{f}}=1\times45\ \mathrm{mm}=45\ \mathrm{mm}$$

$$d_{\mathrm{f}}=2t-\frac{l_{\mathrm{f}}}{K}=\left(2\times15-\frac{45}{2}\right)\mathrm{mm}=7.5\ \mathrm{mm}$$

(3)按深度调整扫描速度。仪器按深度 1∶n 调整扫描速度，缺陷波水平刻度为 τ_{f}，采用 K 值斜探头检测。一次波检测时，缺陷在工件中的水平距离 l_{f} 和深度 d_{f} 分别为

$$\left.\begin{aligned} l_{\mathrm{f}} &= Kn\tau_{\mathrm{f}} \\ d_{\mathrm{f}} &= n\tau_{\mathrm{f}} \end{aligned}\right\} \tag{5.27}$$

二次波检测时，缺陷在工件中的水平距离 l_{f} 和深度 d_{f} 分别为

$$\left.\begin{aligned} l_{\mathrm{f}} &= Kn\tau_{\mathrm{f}} \\ d_{\mathrm{f}} &= 2t - n\tau_{\mathrm{f}} \end{aligned}\right\} \tag{5.28}$$

【例 5.19】 用 K1.5 横波斜探头检测厚度 $t=40$ mm 的钢板对接焊缝，仪器按深度 1∶1调整扫描速度，检测中在水平刻度 $\tau_{\mathrm{f}}=30$ 和 60 处各出现一个缺陷波，求这两个缺陷的位置。

解 由题意可知，$n\tau_{\mathrm{f}}=30$ mm$<t$，说明此缺陷是一次波发现的，缺陷在工件中的水平距离 l_{f} 和深度 d_{f} 分别为

$$l_f = Kn\tau_f = 1.5 \times 1 \times 30\ \text{mm} = 45\ \text{mm}$$

$$d_f = n\tau_f = 1 \times 30\ \text{mm} = 30\ \text{mm}$$

$t < n\tau_f = 60\ \text{mm} < 2t$，说明此缺陷是二次波发现的，缺陷在工件中的水平距离 l_f 和深度 d_f 为

$$l_f = Kn\tau_f = 1.5 \times 60\ \text{mm} = 90\ \text{mm}$$

$$d_f = 2t - n\tau_f = (2 \times 40 - 1 \times 60)\text{mm} = 20\ \text{mm}$$

2. 圆柱曲面工件的缺陷定位

采用横波斜探头检测圆柱曲面时，若沿轴向检测，缺陷定位与平面相同；若沿周向检测，缺陷定位与平面不同。

(1)外圆周向检测。如图 5.46 所示，外圆周向检测圆柱曲面时，缺陷的位置由深度 H 和弧长 $\widehat{L}$ 来确定。根据图 5.46 可得

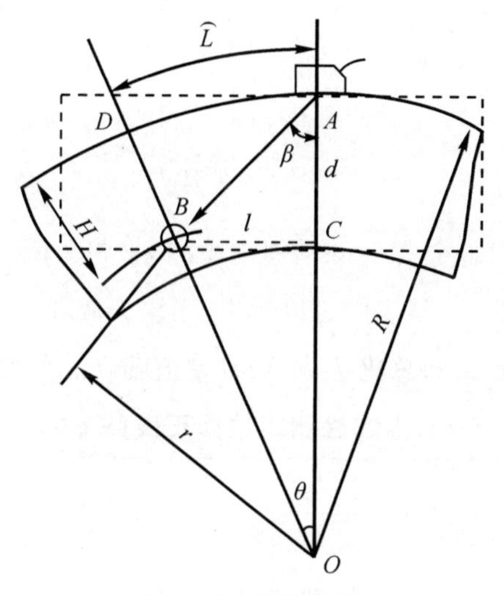

图 5.46　外圆检测

$$\left.\begin{aligned} H &= OD - OB = R - \sqrt{(Kd)^2 + (R-d)^2} \\ \widehat{L} &= \frac{R\pi\theta}{180} = \frac{R\pi}{180}\arctan\frac{Kd}{R-d} \end{aligned}\right\} \tag{5.29}$$

由式(5.29)可算出用 K1.0 探头外圆周向检测 $\phi 2\ 388\ \text{mm} \times 148\ \text{mm}$(外径×壁厚)的圆柱曲面时不同 d 值对应的 H 和 $\widehat{L}$，见表 5.6。从表中可以看出，当探头从圆柱面外壁作周向检测时，弧长 $\widehat{L}$ 总是比水平距离 l 大，但深度 H 却总比 d 小，而且差值随 d 值增加而增大。

表 5.6　外圆检测定位修正表(K1.0)　　(单位：mm)

$d(l)$	10	20	30	40	50	60	70	80	90	100	110	120	130	140	150
$\widehat{L}$	10	20	31	41	52	63	74	85	97	109	120	132	145	157	170
H	10	20	30	39	49	58	68	77	86	95	104	113	122	131	139

(2)内圆周向检测。如图 5.47 所示，内圆周向检测圆柱曲面时，缺陷的位置由深度 h 和弧长 $\widehat{l}$ 来确定。根据图 5.47 可得

$$\left.\begin{aligned} h &= OB - OD = \sqrt{(Kd)^2 + (r+d)^2} - r \\ \widehat{l} &= \frac{r\pi\theta}{180} = \frac{r\pi}{180}\arctan\frac{Kd}{r+d} \end{aligned}\right\} \tag{5.30}$$

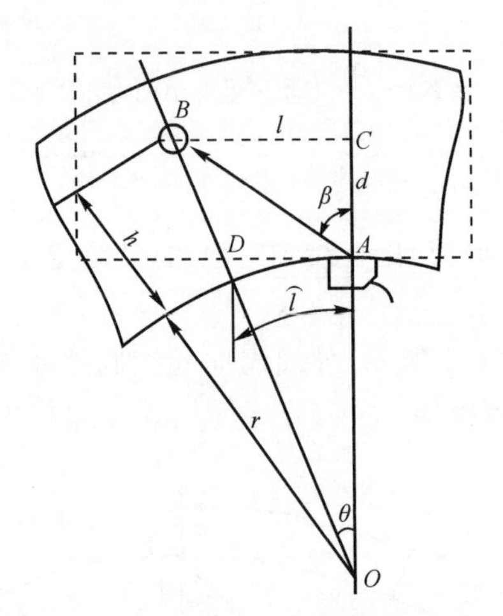

图 5.47　内圆检测

由式(5.30)可算出用 K1.0 斜探头外圆周向检测 ϕ2 388 mm×148 mm 的圆柱曲面时不同 d 值对应的 h 和 $\widehat{l}$，见表 5.7。从表中可以看出，当探头从圆柱面内壁作周向检测时，弧长 $\widehat{l}$ 总是比水平距离 l 小，但深度 h 却总比 d 大，而且差值随 d 值增加而增大。

表 5.7　内圆检测定位修正表(K1.0)　　(单位：mm)

$d(l)$	10	20	30	40	50	60	70	80	90	100	110	120	130	140
$\widehat{l}$	10	20	29	38	48	57	65	74	82	91	99	107	115	123
h	10	20	30	41	51	62	72	83	94	104	115	126	137	148

(3)最大检测壁厚。如图 5.48 所示，当采用横波斜探头从外圆周向检测筒体工件且波束轴线与筒体内壁相切时，对应的壁厚为最大检测壁厚 t_m，工件壁厚超过该厚度值时，超声波束轴线将扫查不到内壁。对应于每一个确定的 K 值时，都有一个对应的最大检测厚度。不同 K 值探头最大检测壁厚 t_m 与工件外径 D 之比 t_m/D 可由下述方法导出：

$$\left.\begin{aligned} \sin\beta &= \frac{r}{R} = \frac{R-t_m}{R} = 1 - \frac{2t_m}{D} \\ \frac{t_m}{D} &\leqslant \frac{1}{2}(1-\sin\beta) = \frac{1}{2}\left(1 - \frac{K}{\sqrt{1-K^2}}\right) \end{aligned}\right\} \tag{5.31}$$

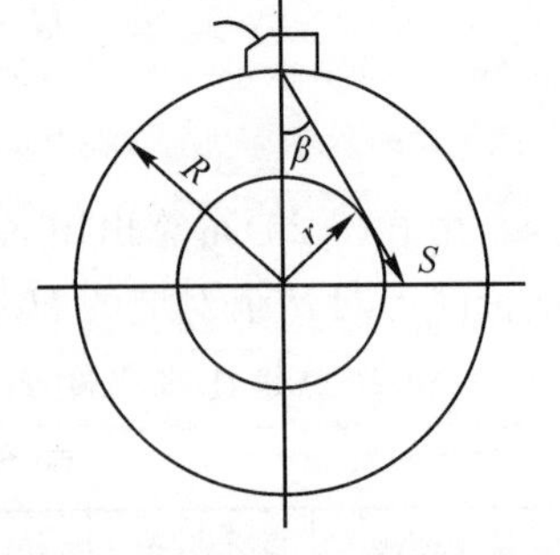

图 5.48　斜探头 K 值范围确定

式中　t_m——可检测的最大壁厚，mm；

D——工件外径，mm；

K——探头的 K 值，$K=\tan\beta$。

由式(5.31)可计算出不同 K 值探头对应的 t_m/D，见表 5.8。

表5.8　不同 $K(\beta)$ 值对应的 t_m/D

K	0.65	0.7	0.8	1.0	1.5	2.0	2.5	3.0	3.5
β	33.2°	35°	38.7°	45°	56.3°	63.4°	68.2°	71.5°	74°
r/R	0.547 6	0.572 6	0.625 2	0.707 1	0.832 0	0.894 2	0.928 5	0.948 7	0.961 3
t_m/D	0.226 2	0.212 3	0.187 4	0.146 5	0.084 0	0.052 9	0.035 8	0.026 5	0.019 4

由表5.8可知，探头 K 值越小，可检测的最大壁厚越大；K 值越大，可检测的最大壁厚越小。当 K 值取最小值时，对应的可检测壁厚最大，从理论上讲，$\beta=33.2°$，$K=0.65$ 时，可检测的壁厚最大为 $t_m/D=0.226\,2$，$r/R=0.547\,6$。但由于这时的横波声压往复透射率低，容易漏检，因此，实际检测中 K 值应选得大一些。例如我国一般的焊缝超声波检测标准规定 K 值最小值为1.0，当 $K=1.0$ 时，可检测的最大壁厚与外径之比 $t_m/D=0.146\,5$，内外径之比 $r/R=0.707\,1$。但由于随着 r/R 接近临界值，将会产生表面波，使声程偏差急剧增大。考虑到缺陷定位、定量的准确性，故一般把筒体可检测的内外半径范围定为 $r/R>0.8$。

横波周向检测筒体工件时缺陷定位计算将在第6章的焊缝检测、锻件检测和管材检测中得到应用。

3. 缺陷的定量

横波斜探头检测时缺陷的定量包括确定缺陷回波幅度和缺陷的指示长度两个参数。

回波幅度依据规则反射体的回波幅度与缺陷尺寸的关系，常利用实测距离-波幅曲线进行评定。

缺陷指示长度的确定方法同纵波检测一样，其测长方法有相对灵敏度法、绝对灵敏度法和端点峰值法，具体参阅5.3.3节的内容“2. 缺陷定量　(3)测长法”和6.4.6节的内容“2.缺陷指示长度的测定”。

思考题

1.横波检测时调整扫描速度有哪三种方法？各适用于什么情况？

2.什么是距离-波幅曲线？距离-波幅曲线有什么用途？

3.用 $K2$ 斜探头在CSK-ⅠA试块上利用 $R50$ mm，$R100$ mm圆弧反射面按水平1∶1调整时基线，两反射波应调在第几格？

4.用 $K2$ 斜探头在CSK-ⅠA试块上利用 $R50$ mm，$R100$ mm圆弧反射面以按深度1∶1调整时基线，两反射波应调在第几格？

第5章习题

1.是非题(对的在后面括弧中画“√”，错的画“×”)

(1)曲面工件检测时，检测面曲率半径越大，耦合效果越好。(　　)

(2)实际检测中，为提高扫描速度减少的干扰，应将检测灵敏度适当降低。(　　)

(3)采用当量法确定的缺陷尺寸一般小于缺陷的实际尺寸。(　　)

(4)只有当工件中缺陷在各个方向的尺寸均大于声束截面时，才能采用测长法评定缺陷长度。(　　)

(5)绝对灵敏度法测量缺陷指示长度时,测长灵敏度高,测得的缺陷长度大。(　　)

(6)当工件内存在较大的内应力时,将使超声波的传播速度及方向发生变化。(　　)

(7)超声波倾斜入射至缺陷表面时,缺陷反射波高随入射角的增大而增高。(　　)

(8)灵敏度是指发现小缺陷的能力,因此超声波检测灵敏度越高越好。(　　)

(9)所谓"幻象波",是由于检测频率过高或材料晶粒粗大引起的。(　　)

(10)当量法用来测量大于声束截面的缺陷的尺寸。(　　)

2.单项选择题

(1)超声容易检测到的缺陷尺寸一般不小于(　　)。

A.$\lambda/4$　　B.$\lambda/2$　　C.λ　　D.3λ

(2)在厚焊缝斜探头检测时,一般宜使用(　　)标定仪器时基线。

A.水平定位法　　B.深度定位法　　C.声程定位法　　D.一次波法

(3)考虑灵敏度补偿的理由是(　　)。

A.被检工件厚度太大　　B.工件底面与探测面不平行

C.耦合剂有较大声能损耗　　D.工件与试块材质,表面光洁度有差异

(4)检测粗糙表面的工件时,为提高声能传递,应选用(　　)。

A.声阻抗小且黏度大的耦合剂　　B.声阻抗小且黏度小的耦合剂

C.声阻抗大且黏度大的耦合剂　　D.以上都不是

(5)用 4 MHz 在钢质保护膜直探头经甘油耦合后,对钢工件进行检测,若要能得到最佳透声效果,其耦合层厚度为(甘油 c_L=1 920 m/s)(　　)。

A.1.45 mm　　B.0.20 mm　　C.0.737 5 mm　　D.0.24 mm

(6)检测距离均为 100 mm 的底面,用同样规格直探头以相同灵敏度检测时,(　　)底面回波最高。

A.与检测面平行的大平底面　　B.R200 的凹圆柱底面

C.R200 的凹球底面　　D.R200 的凸圆柱底面

(7)缺陷反射声压的大小取决于(　　)。

A.缺陷反射面大小　　B.缺陷性质

C.缺陷取向　　D.以上全部

(8)下面有关 61°反射波的说法,(　　)是错误的。

A.产生 61°反射时,纵波入射角与横波反射角之和为 90°

B.产生 61°反射时,纵波入射角为 61°横波反射角为 29°

C.产生 61°反射时,横波入射角为 29°纵波反射角为 61°

D.产生 61°反射时,其声程是恒定的

(9)长轴类锻件从端面作轴向检测时,容易出现的非缺陷回波是(　　)。

A.三角反射波　　B.61°反射波　　C.轮廓回波　　D.迟到波

(10)在筒身外壁作曲面周向检测时,缺陷的实际深度比按平板检测时的读数(　　)。

A.大　　B.小　　C.相同　　D.以上都可以

(11)在筒身内壁作曲面周向检测时,缺陷的实际深度比按平板检测时的读数(　　)。

A.大　　B.小　　C.相同　　D.以上都可以

(12)当声束指向不与平面缺陷垂直时，在一定范围内，缺陷尺寸越大，其反射回波强度越(　　)。

A.大　　B.小　　C.无影响　　D.不一定

(13)直探头检测厚100 mm和400 mm的两个平底面锻件，若后者检测面粗糙，与前者耦合差为5 dB，材质衰减均为0.01 dB/mm(双程)，现将前者底面回波调至满幅(100%)高，则后者的底面回波应是满幅度的(　　)。

A.40%　　B.20%　　C.10%　　D.5%

(14)在脉冲反射法检测中可根据(　　)判断缺陷的存在。

A.缺陷回波　　B.底波或参考回波的减弱或消失

C.接收探头接收到的能量的减弱　　D.A，B都对

(15)在直接接触法直探头检测时，底波消失的原因是(　　)。

A.耦合不良　　B.存在与声束不垂直的平面缺陷

C.存在与始脉冲不能分开的近表面缺陷　　D.以上都是

(16)测定材质衰减时所得结果除材料本身衰减外，还包括(　　)。

A.声束扩散损失　　B.耦合损耗

C.工件几何形状影响　　D.以上都是

(17)下面有关"幻象波"的叙述不正确的是(　　)。

A.幻象波通常在锻件检测中出现　　B.幻象波会在扫描线上连续移动

C.幻象波只可能出现在一次底波前　　D.降低重复频率，可消除幻象波

(18)应用有人工反射体的参考试块主要目的是(　　)。

A.作为检测时的校准基准，并为评价工件中缺陷严重程度提供依据

B.为检测人员提供一种确定缺陷实际尺寸的工具

C.为检出小于某一规定的参考反射体的所有缺陷提供保证

D.提供一个能精确模拟某一临界尺寸自然缺陷的参考反射体

(19)下面(　　)参考反射体与入射声束角度无关。

A.平底孔

B.平行于检测面且垂直于声束的平底槽

C.平行于检测面且垂直于声束的横通孔

D.平行于检测面且垂直于声束的V形缺口

第6章　超声检测的应用

在超声检测的实际应用中，针对不同的工件和缺陷，采用不同的超声检测方法和技术。本章内容涉及的超声检测技术的应用主要指在机械工业领域中的应用，具体有板材检测、锻件检测、铸件检测、焊缝检测、管材检测等。

6.1　板材超声检测

6.1.1　钢板加工及常见缺陷

普通钢板是经过板坯多次轧制(包括冷轧和热轧)而成的，板坯则可用浇铸或由坯料轧制或锻造而成。普通钢板包括碳素钢、低合金钢和奥氏体钢板。钢板中常见缺陷有分层、折叠、白点等，裂纹少见。

分层是板坯中原有冶金缺陷(如缩孔、夹渣等)在轧制过程中被压延形成沿轧制方向延伸并与板面平行的面积型缺陷，如图6.1所示。分层破坏了板材的整体连续性，影响板材承受垂直板面的拉应力作用的强度。钢板在投入使用前，其中分层部分必须切除。

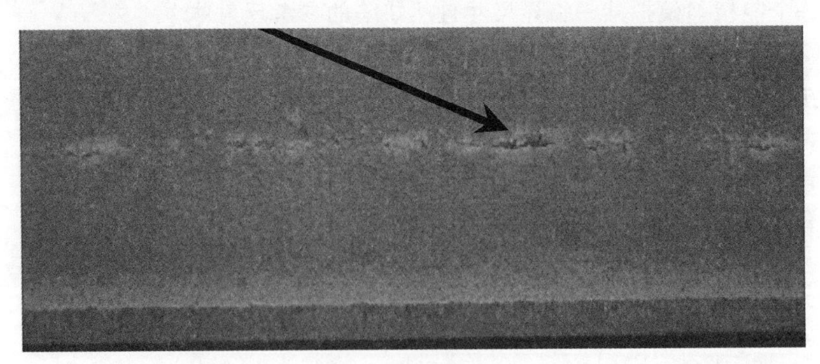

图6.1　钢板中分层

(图片来源：https://wenku.baidu.com/view/a087fc1b59eef8c75fbfb3e9.html)

折叠是板材表面局部形成互相折合的双层金属，如图6.2所示。其外形与裂纹相似，深浅不一，多在钢板的边缘或角部出现。

白点是钢材在轧制后冷却过程中氢原子来不及扩散而形成的。它是一种微细的裂纹，由于在缺陷的断口上呈现银白色的圆形或椭圆形斑点，所以称为白点，如图6.3所示。白点是钢材的宏观缺陷，多出现在厚度大于 40 mm 的钢板中。白点的存在极大地降低了钢材或结构件基体的力学性能，严重破坏钢基体的连续性，使钢材易于脆断，危害性极大，是钢材不允许存在的缺陷。

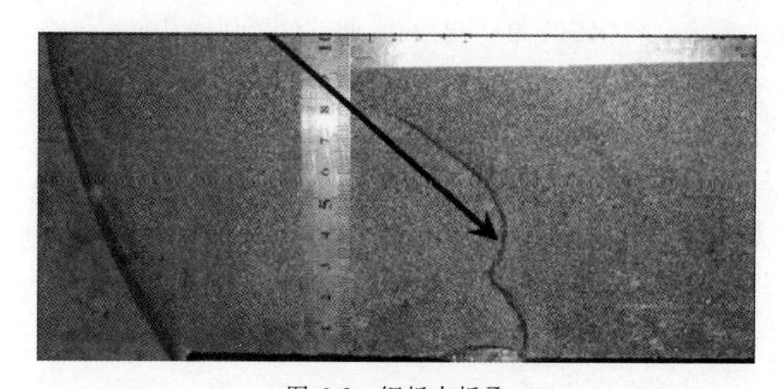

图 6.2　钢板中折叠

（图片来源：https://wenku.baidu.com/view/a087fc1b59eef8c75fbfb3e9.html）

图 6.3　钢材中白点

（图片来源：https://baike.baidu.com/item/%E7%99%BD%E7%82%B9/70034）

由于板材中的分层、折叠等缺陷经过轧制等工序，所以它们大都平行于板面。

6.1.2　板材超声检测方法

从超声检测的角度，根据厚度不同可将板材分为薄板和厚板。在超声波垂直入射检测时，由于仪器盲区的原因而无法对 6 mm 以下的板材在始波和底波之间对缺陷进行分辨，故一般将厚度 $t<6$ mm 的板材称为薄板，将厚度 $t\geqslant 6$ mm 的板材称为中厚板（中板 $t=6\sim 40$ mm，厚板 $t>40$ mm）。薄板常用兰姆波进行检测，中厚板常用脉冲反射式垂直入射法检测。

1. *薄板检测*

兰姆波及其产生机理在 2.5.1 节的内容“4. 兰姆波声速”中已经详细介绍过，这里简单介绍兰姆波检测的基本程序。

（1）确定兰姆波模式。当工作频率和板厚确定时，根据式（2.32）确定薄板中兰姆波的模式。

（2）灵敏度的调整。兰姆波检测常用试块法调整检测灵敏度。采用与薄板相同的材质作对比试块时，可在板上离端面一定距离处加工通孔作为人工反射体，或在薄板端面厚度方向上的某些位置加工切槽。具体孔径及孔深按相应的验收标准规定。

调整灵敏度时,将探头对准人工通孔,使探头前沿与人工通孔的间距等于所确定的扫查行距,擦净探头至通孔之间的耦合剂,调节检测仪器增益,使通孔反射波高达到规定高度。

(3)扫查行距的确定。将探头对准人工通孔,调节仪器使通孔反射波高达到检测灵敏度所要求的高度,然后将探头向通孔移近,当通孔反射波前沿与始波后沿刚好相交时,将探头后沿至通孔的距离作为探头的前沿盲区。

将探头对准人工通孔,移动探头逐渐远离通孔,并随时擦净探头至通孔间的耦合剂,调节检测仪增益,保持通孔反射波高达到规定的高度,并保持通孔反射波与端面反射波位于示波屏上的适当位置。当通孔反射波与板材端面反射波在示波屏上能清晰分辨时,将探头的前沿至通孔的最大距离作为最大扫查行距。用最大扫查行距减去探头前沿盲区作为扫查的有效检测范围。

(4)扫查方式选择。板材检测常采用列线法扫查,即按确定的扫查行距在板上沿轧制方向画线,探头从板边最近的一条线开始,使声传播方向垂直于轧制方向和侧边沿此线移动,扫查完毕后,再沿相邻的一条线继续扫查。全面扫查后,将探头转 180°后再扫查一遍。改变入射角,按照同样的方法,用另一模式对板材进行扫查。

由于板波在整个板厚范围内传播,所以只要模式选择合适,在整个板厚范围内的灵敏度满足要求时,板的检测从一面检测即可,无须正、反面检测。扫查前必须将板的正、反面擦拭干净,在沿下一条线扫查时也要注意前一条扫查线上的残留耦合剂是否擦拭干净,否则将影响波的正常传播。油滴、污物均可产生反射信号而造成误判。

(5)缺陷评定。由于兰姆波充满整个薄板的厚度范围,可以发现其内部和表面的缺陷。在试块、波型、探头以及扫描速度都选好并调整好的前提下,在扫查中发现始波与板端面回波之间出现稳定的回波信号,在排除了探头的固定干扰信号、污物及耦合剂等引起的假信号后,可以认定是缺陷的信号,如图 5.10 所示。

在认定存在缺陷回波信号后,可采用手指按压的方法判断缺陷的位置。用沾油(耦合剂)的手指沿声路方向由远及近地按压板面,直到缺陷波幅度明显下降甚至消失,此处即为缺陷所在位置。也可以采用油滴阻尼法,即沿声路方向由远及近地向洁净的板面上滴落油滴(耦合剂),直至油滴回波与缺陷回波重合,此时的油滴位置就是缺陷位置。

薄板兰姆波检测时,不能根据反射波高度确定缺陷的大小,一般不需要具体确定缺陷的当量大小,而仅需要确定缺陷的位置和面积。

2. 中厚板检测

中厚板一般采用脉冲反射式垂直入射法检测,耦合方式有直接接触法和水浸法。

(1)直接接触法检测。纵波直探头接触法是探头通过薄层耦合剂与板材直接接触进行检测,是板材检测最常用的一种方法。在实际检测中反射波形有 4 种基本情况。当探头位于完好区时,示波屏上只有始波和多次等距离的底波,如图 6.4(a)所示。当板中缺陷较小时,示波屏上除了始波和底波外,还有缺陷波存在,底波有所下降,如图 6.4(b)所示。当板中缺陷较大时,示波屏上出现缺陷的多次反射波,底波明显下降或消失,如图 6.4(c)所示。当板中存在倾斜于声束且大于声束直径的缺陷时，声波将被反射到其他方向而不能被探头接收到，示波屏上只有始波，如图 6.4(d)所示。

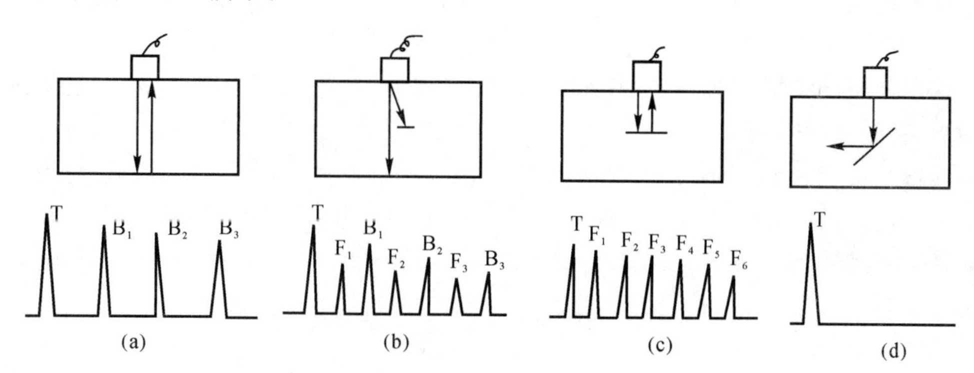

图 6.4 纵波直探头接触法检测

(a)无缺陷；(b)小缺陷；(c)大缺陷；(d)倾斜缺陷

值得注意的是，在板材检测过程中，当板厚较薄且板中缺陷较小时，多次缺陷反射波呈现先逐渐升高然后再逐渐降低的现象，如图 6.5 所示。这种现象是由于钢板底波多次反射形成不同反射路径声波互相叠加而造成的，因此称为叠加效应。但当路径进一步增加时，声衰减也迅速增加，这时衰减的影响超过了波的叠加效果，因此缺陷波升高到一定程度后又逐渐降低。

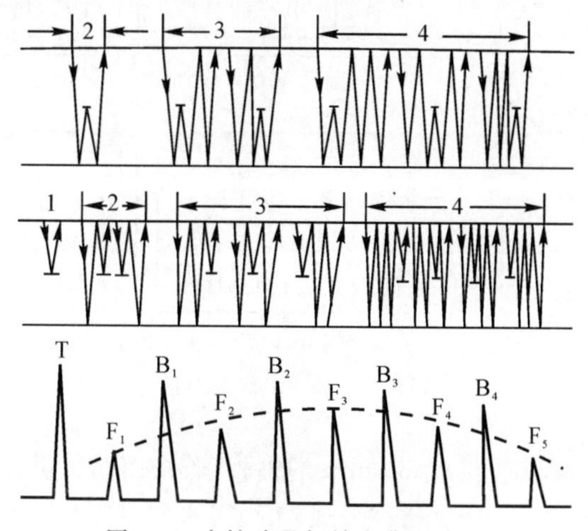

图 6.5 小缺陷叠加效应典型波形

在板材检测中，若出现叠加效应，一般应根据 F_1 来评价缺陷。只有当板厚 $t<20$ mm 时，为了减小近场区的影响，才以 F_2 来评价缺陷，或者采取水浸法检测。

(2)水浸法检测。将探头和工件浸没于液体中以液体作为耦合剂进行检测的方法，称为液浸法。耦合剂可以是水，也可以是油。当以水为耦合剂时，称为水浸法。

水浸法检测钢板时，水/钢界面(板材上表面)多次回波与板材底面多次回波互相干扰，不利于检测。但是通过调整水层厚度可使水/钢界面回波分别与板材多次底波重合，这时示波屏上的波形就会变得清晰，利于检测，这种方法称为多次重合法，如图 6.6 所示。

一次重合法：第二次界面波 S_2 与板材第一次底波 B_1 重合，第三次界面波 S_3 与板材第二

次底波 B_2 重合，以下类推。

二次重合法：第二次界面波 S_2 与板材第二次底波 B_2 重合，第三次界面波 S_3 与板材第四次底波 B_4 重合，以下类推。

三次重合法：第二次界面波 S_2 与板材第三次底波 B_3 重合，第三次界面波 S_3 与板材第六次底波 B_6 重合，以下类推。

四次重合法：第二次界面波 S_2 与板材第四次底波 B_4 重合，第三次界面波 S_3 与板材第八次底波 B_8 重合，以下类推。

依此类推，还有五次重合法、六次重合法……

根据钢和水中的声速，可得各次重合法水层厚度 H 与板厚 t 的关系为

$$H = n\frac{c_{水}}{c_{钢}}t = n\frac{1\,480}{5\,900}t \approx n\frac{t}{4} \tag{6.1}$$

式中　n——重合波次数。

采用水浸多次重合法检测不仅可以减小近场区的影响，而且可以根据多次底波衰减情况来判断缺陷严重程度，一般常采用四次重合法。

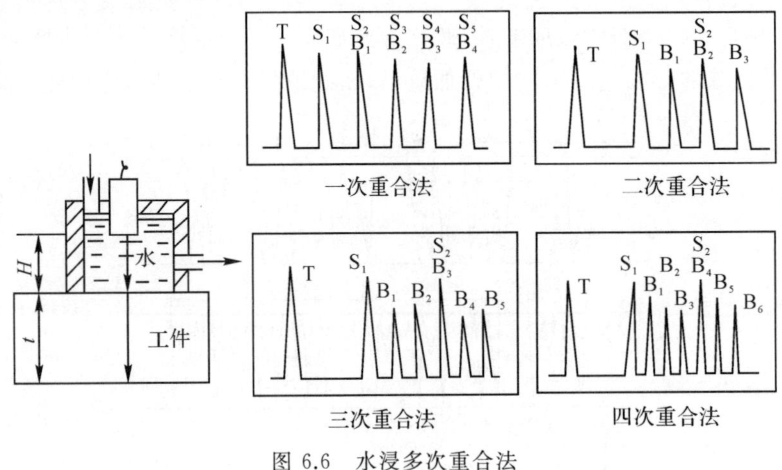

图 6.6　水浸多次重合法

【例 6.1】　用水浸法检测厚度 t=30 mm 的钢板，若采用四次重合法检测，求水层厚度 H。

解　用四次重合法检测，n=4。根据公式(6.1)得水层厚度为

$$H = n\frac{t}{4} = 4 \times \frac{30}{4}\text{mm} = 30\ \text{mm}$$

【例 6.2】　用水浸二次波重合法检测厚度 t=40 mm 的钢板，仪器在钢试块上按 1∶2调整扫描速度，并校正"0"点。求：

(1)水层厚度 H。

(2)钢板中距离上表面 12 mm 处的缺陷回波的水平刻度值 τ_f 为多少？

(3)示波屏上 τ_f=50 处缺陷在钢板的位置 d_f 是多少？

解　(1)用水浸二次波重合法检测，即 n=2。根据公式(6.1)得水层厚度

$$H = n\frac{t}{4} = 2 \times \frac{40}{4}\text{mm} = 20\ \text{mm}$$

(2)声波在水中传播 20 mm 所用的时间等于在钢中传播 x_0 所用的时间,则

$$\frac{x_0}{20}=\frac{c_{L2}}{c_{L1}}\Rightarrow x_0=20\times\frac{5\ 900}{1\ 480}\text{mm}=80\ \text{mm}$$

由于扫描速度为 1∶2,所以 x_0 对应示波屏的水平刻度 τ_0 为

$\dfrac{\tau_0}{x_0}=\dfrac{1}{2}\Rightarrow\tau_0=80\times\dfrac{1}{2}=40$,即第一次界面波 S_1 到示波屏“0”点的距离为 40。

因此缺陷 F_1 的水平刻度为

$$\tau_f=\frac{d_f}{2}+40=\frac{1}{2}\times12+40=46$$

(3)同理可得,该缺陷在钢板中的位置为

$$\frac{\tau}{d_f}=\frac{1}{2}\Rightarrow d_f=2\tau=2(\tau_f-\tau_0)=2\times(50-40)\text{mm}=20\ \text{mm}$$

6.1.3 检测条件的选择

1. 耦合剂的选择

板材检测多采用机油、水或糨糊等作为耦合剂。糨糊主要用于工件表面粗糙的场合,以便耦合稳定。水多用于液浸法检测,为了防止工件生锈,可在水中加入防锈剂。在必要场合也用油浸法检测,多用于普通接触法超声检测。

2. 探头的选择

板材检测采用的探头有聚焦或非聚焦的单晶直探头、双晶直探头。由于板材晶粒比较细,为了获得较高的分辨力,宜选用较高的频率,根据板厚和材质,一般选 2～5 MHz。板材面积大,为了提高检测效率,宜选用较大直径的探头。但对于厚度较小的板材,探头直径不宜过大,大探头近场区长度大,对检测不利。板厚较大时,常选用单晶直探头,板厚较薄时可选用双晶直探头。探头数量根据需求来确定,在板材生产厂一般选择多探头多通道检测,以提高检测效率。

根据 NB/T 47013.3—2015 标准,承压设备用板材超声检测直探头的选用可按表 6.1 的规定进行。

表 6.1 承压设备用板材超声检测直探头选用

板厚 t/mm	采用探头	标称频率/MHz	探头晶片尺寸(推荐)/mm
6～20	双晶直探头	4～5	圆形晶片直径 $\phi10\sim\phi30$ 方形晶片边长 10～30
20～60	双晶直探头或单晶直探头	2～5	
＞60	单晶直探头	2～5	

3. 扫查方式

根据板材的用途和使用要求不同,可选择不同的扫查方式,一般分为全面扫查、列线扫查、边缘扫查和格子扫查。

全面扫查:对板材作 100%扫查,每相邻两次扫查线之间应至少有 15%有效声束覆盖,探头移动方向垂直于板材压延方向。该方法多用于要求较高的板材检测。

边缘扫查:如图 6.7(a)所示,在板材边缘或剖口预定线两侧一定范围内作 100%扫查,扫查区域宽度根据板厚而不同,具体见表 6.2。

列线扫查:如图 6.7(b)所示,在板材中部区域,探头沿垂直于板材压延方向,间距不大于 50 mm 的平行线进行扫查。

格子扫查:如图 6.7(c)所示,探头沿垂直和平行板材压延方向且间距不大于 100 mm 格子线进行扫查。

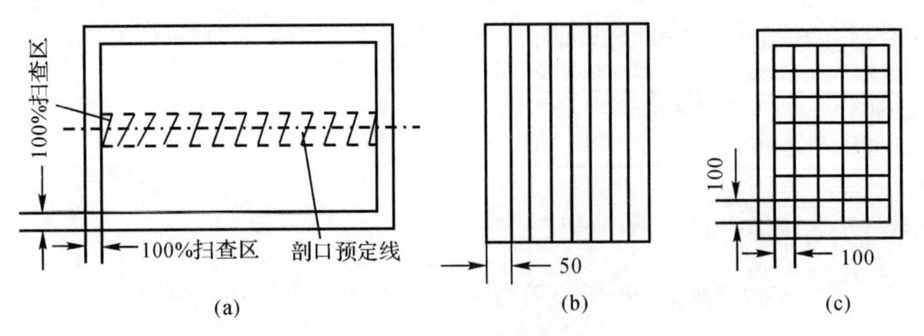

图 6.7 板材检测扫查方式

(a)边缘扫查;(b)列线扫查;(c)格子扫查

表 6.2 板材边缘或剖口预定线两侧区域宽度 (单位:mm)

板厚 t	区域宽度
<60	50
60～100	75
≥100	100

4. 对比试块

用双晶直探头检测厚度不大于 20 mm 的板材时,可以采用如图 6.8 所示的阶梯平底试块。检测厚度大于 20 mm 的板材时,对比试块人工反射体为 ϕ5 mm 平底孔,反射体个数至少为 3 个。对比试块形状和尺寸应符合表 6.3 和图 6.9 的规定。

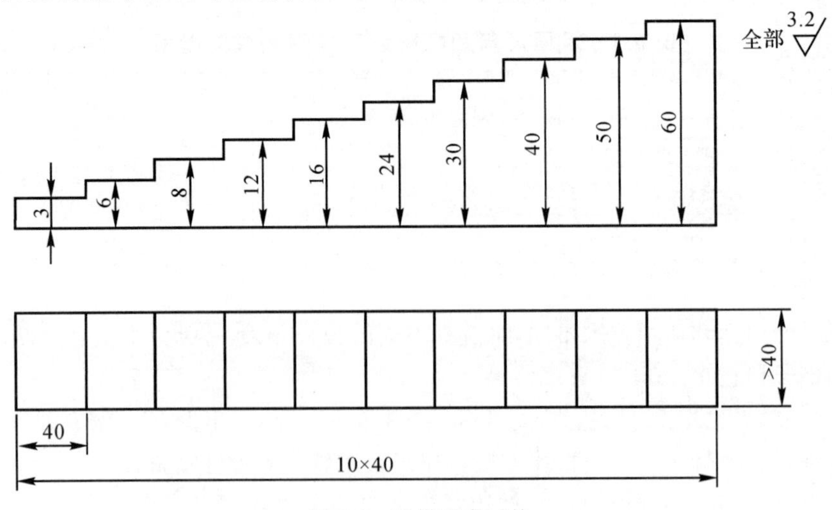

图 6.8 阶梯平底试块

表 6.3　承压设备用板材超声检测用对比试块　　(单位:mm)

试块编号	板材厚度 t	检测面到平底孔的距离 S	试块厚度 T	试块宽度 b
1	20～40	10,20,30	40	30
2	40～60	15,30,45	60	40
3	60～100	15,30,45,60,80	100	40
4	100～150	15,30,45,60,80,110,140	150	60
5	150～200	15,30,45,60,80,110,140,180	200	60
6	200～250	15,30,45,60,80,110,140,180,230	250	60

注 1:板材厚度大于 40 mm 时,试块也可用厚代薄。

注 2:为减轻单个试块尺寸和质量,声学性能相同或相似的试块上的平底孔可加工在不同厚度试块上。

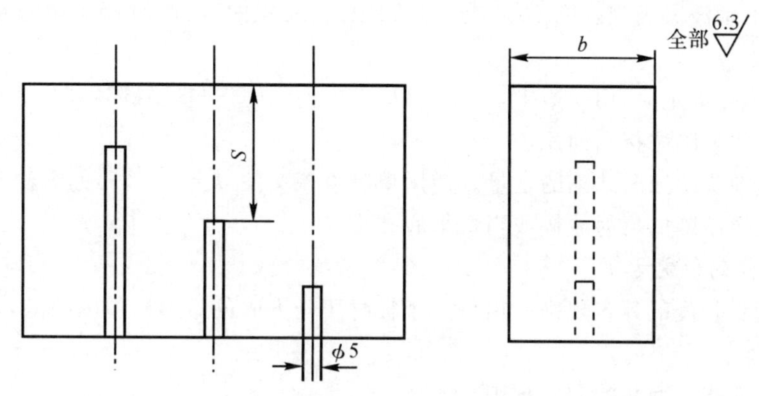

图 6.9　板材超声检测对比试块

6.1.4　检测灵敏度的调整

根据 NB/T 47013.3—2015 标准,板材检测灵敏度按以下规定确定:

(1)板厚小于等于 20 mm 时,用图 6.8 所示阶梯平底试块调节,也可用被检测板材无缺陷完好部位调整,此时用与工件等厚部位试块或被检板材的第一次底波调整到满刻度的 50%,再提高 10 dB 作为基准灵敏度。

(2)板厚大于 20 mm 时,按所用探头和仪器在 ϕ5 mm 平底孔试块上绘制距离-波幅曲线,并以此曲线作为基准灵敏度。

(3)如能确定板材底波与不同深度 ϕ5 mm 平底孔反射波幅度之间的关系,则可采用板材无缺陷完好部位第一次底波来调整基准灵敏度。

(4)扫查灵敏度一般比基准灵敏度高 6 dB。

6.1.5　缺陷的判定和定量

根据 NB/T 47013.3—2015 标准,板材缺陷按以下规定判定并定量。

1. 缺陷的判定

在检测基准灵敏度条件下,发现下列两种情况之一即作为缺陷。

(1)缺陷第一次反射波(F_1)波幅高于距离-波幅曲线;或用双晶探头检测板厚小于20 mm板材时,缺陷第一次反射波(F_1)波幅大于或等于示波屏满刻度的50%。

(2)第一次底波(B_1)波幅低于示波屏满刻度的50%。

2. 缺陷的定量

(1)双晶直探头检测时缺陷的定量。

1)使用双晶直探头对缺陷进行定量时,探头的移动方向应与探头的隔声层相垂直;

2)板材厚度小于等于20 mm时,移动探头使缺陷波波幅下降到基准灵敏度条件下示波屏满刻度的50%,探头中心点即为缺陷的边界点;

3)板材厚度大于20~60 mm时,移动探头使缺陷波波幅下降到距离-波幅曲线,探头中心点即为缺陷的边界点;

4)当第一次底波(B_1)波幅低于示波屏满刻度的50%时,移动探头使第一次底波上升到基准灵敏度条件下示波屏满刻度的50%或上升到距离-波幅曲线,此时探头中心点即为缺陷的边界点;

5)缺陷边界点确定后,用一边平行于板材压延方向的矩形包围缺陷,其长边作为缺陷的长度,矩形面积则为缺陷的指示面积。

(2)单晶直探头检测时缺陷的定量。使用单晶直探头按以上3)4)5)的方法对缺陷进行定量外,还应该记录缺陷的反射波幅或当量平底孔直径。

3. 缺陷尺寸的评定方法

(1)缺陷指示长度的评定规则。用平行于板材压延方向的矩形框包围缺陷,其长边作为该缺陷的指示长度。

(2)单个缺陷指示面积的评定规则。

1)一个缺陷按其指示的矩形面积作为该单个的缺陷指示面积;

2)多个缺陷其相邻间距小于相邻较小缺陷的指示长度时,按单个缺陷处理,缺陷指示面积为各缺陷面积之和。

6.1.6 板材质量分级

NB/T 47013.3—2015标准规定,根据缺陷指示长度与缺陷指示面积不同将板材质量分为Ⅰ,Ⅱ,Ⅲ,Ⅳ,Ⅴ五级,Ⅰ级最高,Ⅴ级最低,见表6.4和表6.5。在检测过程中,检测人员如确认板材中有白点、裂纹等危害性缺陷时,应直接评为Ⅴ级。在具体进行质量分级时,表6.4和表6.5应独立使用。

表6.4 承压设备用板材中部检测区域质量分级 (单位:mm)

等级	最大允许单个缺陷指示面积S或当量平底孔直径D	在任一1 m×1 m检测面积内最大允许缺陷个数	
		单个缺陷指示面积或当量平底孔直径评定范围	最大允许个数
Ⅰ	双晶直探头检测时:$S \leqslant 50$	双晶直探头检测时:$20 < S \leqslant 50$	10
	单晶直探头检测时:$D \leqslant \phi 5+8$ dB	单晶直探头检测时:$\phi 5 < D \leqslant \phi 5+8$ dB	

续 表

等级	最大允许单个缺陷指示面积 S 或当量平底孔直径 D	在任一 1 m×1 m 检测面积内最大允许缺陷个数	
		单个缺陷指示面积或当量平底孔直径评定范围	最大允许个数
Ⅱ	双晶直探头检测时：$S\leqslant100$	双晶直探头检测时：$50<S\leqslant100$	10
	单晶直探头检测时：$D\leqslant\phi5+14$ dB	单晶直探头检测时：$\phi5+8$ dB$<D\leqslant\phi5+14$ dB	
Ⅲ	$S\leqslant1\ 000$	$100<S\leqslant1\ 000$	15
Ⅳ	$S\leqslant5\ 000$	$1\ 000<S\leqslant5\ 000$	20
Ⅴ	超过Ⅳ级者		

注：当第一次底波 $B_1<50\%$ 时，使用单晶直探头检测并确定缺陷的质量分级（Ⅰ级和Ⅱ级）时，与双晶直探头要求一样。

表 6.5 承压设备用板材边缘或剖口预定线两侧检测区域质量分级 （单位：mm）

等级	最大允许单个缺陷指示长度 L_{max}	最大允许单个缺陷指示面积 S 或当量平底孔直径 D	在任一 1 m 检测长度内最大允许缺陷个数	
			单个缺陷指示长度 L 或当量平底孔直径评定范围	最大允许个数
Ⅰ	$\leqslant20$	双晶直探头检测时：$S\leqslant50$	双晶直探头检测时：$10<L\leqslant20$	2
		单晶直探头检测时：$D\leqslant\phi5+8$ dB	单晶直探头检测时：$\phi5<D\leqslant\phi5+8$ dB	
Ⅱ	$\leqslant30$	双晶直探头检测时：$S\leqslant100$	双晶直探头检测时：$15<L\leqslant30$	3
		单晶直探头检测时：$D\leqslant\phi5+14$ dB	单晶直探头检测时：$\phi5+8$ dB$<D\leqslant\phi5+14$ dB	
Ⅲ	$\leqslant50$	$S\leqslant1\ 000$	$25<L\leqslant50$	5
Ⅳ	$\leqslant100$	$S\leqslant2\ 000$	$50<L\leqslant100$	6
Ⅴ	超过Ⅳ级者			

注：当第一次底波 $B_1<50\%$ 时，使用单晶直探头检测并确定缺陷的质量分级（Ⅰ级和Ⅱ级）时，与双晶直探头要求一样。

6.1.7 复合板超声检测

1. 复合板

复合板是指通过某种特定方法将两种不同类型的材料复合在一起组成新的板材，以获得某种特殊的表面性能，如在碳钢或低合金钢基材上复合不锈钢、钛、铜合金或铝合金等，以提高材料的耐腐蚀性；在轴承表面复合巴氏合金以增强其抗磨性等。复合层与母材间的结合常用轧制法、爆炸法、焊接法等，如图 6.10 所示。爆炸法是以化学反应热为能源的固相焊接方法，利用炸药爆炸时产生的巨大压力来实现金属，特别是异种金属的连接，主要用于层状复合板或复合钢板的粘结等。

显然，复合板的强度主要由母材保证，复合层提供所需的特殊性能。

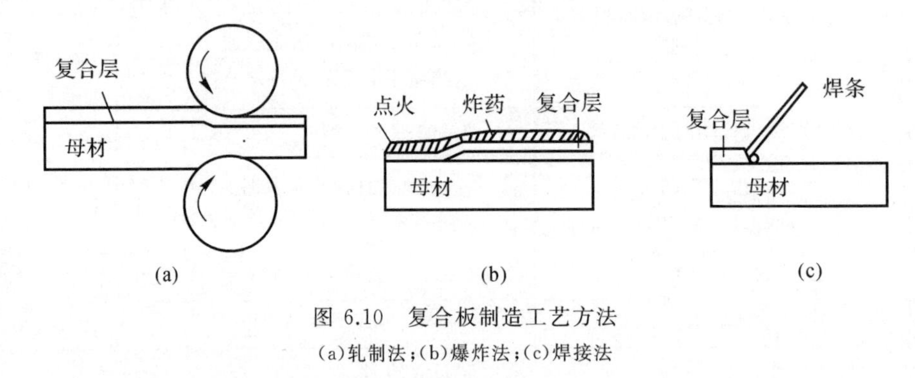

图 6.10　复合板制造工艺方法

(a)轧制法；(b)爆炸法；(c)焊接法

2. 复合板的检测方法

复合板中常见的缺陷是未结合(脱粘)，即复合层与母材在界面处复合不良，这种缺陷类似于板材中的分层缺陷，因此采用单晶直探头或双晶直探头进行纵波检测，检测频率一般为 2～5 MHz，探头晶片有效直径应为 ϕ10 mm～ϕ25 mm 范围内。

检测过程中将探头置于复合板完全结合部位，调节仪器使第一次底波高度为示波屏满刻度的 80%，以此作为基准灵敏度。需要时可提高 6 dB 作为扫查灵敏度。检测时可以从母材检测，也可以选择从复合层检测。耦合方式可以采用直接接触法或液浸法。

复合钢板检测扫查方法同钢板检测。

3. 缺陷的判别

(1)复合层与母材声阻抗相近时。当复合层与母材的声阻抗相近或相差较小时，复合良好区超声波几乎全透射，基本上无界面反射回波，如不锈钢/碳钢复合板。若结合不良，则在示波屏上出现界面反射回波，同时底波下降。图 6.11 所示为从母材一侧检测的典型波形图，图6.12所示为从复合层一侧检测的典型波形图。

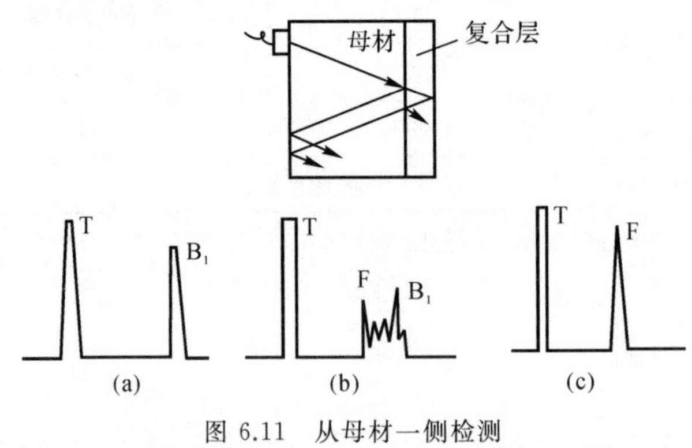

图 6.11　从母材一侧检测

(a)完好区；(b)不完全脱粘区；(c)完全脱粘区

(2)复合层与母材声阻抗相差较大时。当复合层与母材的声阻抗相差较大时，即使复合良好也会出现较强的界面反射回波，如钛/碳钢复合板。这时缺陷波判别困难，为此常利用如图 6.13 所示的对比试块来比较。比较方法如图 6.14 和图 6.15 所示。

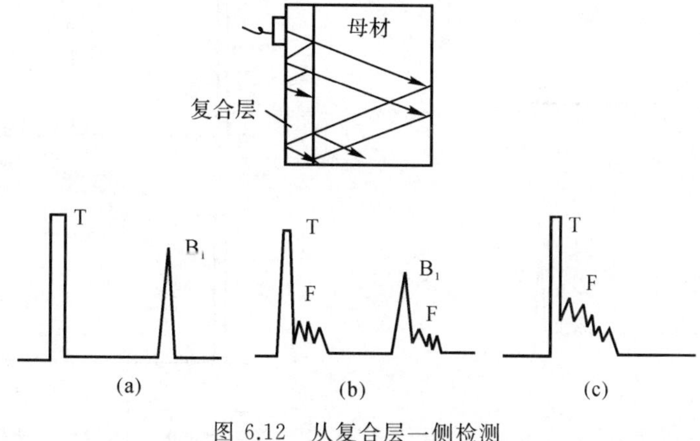

图 6.12　从复合层一侧检测

(a)完好区；(b)不完全脱粘区；(c)完全脱粘区

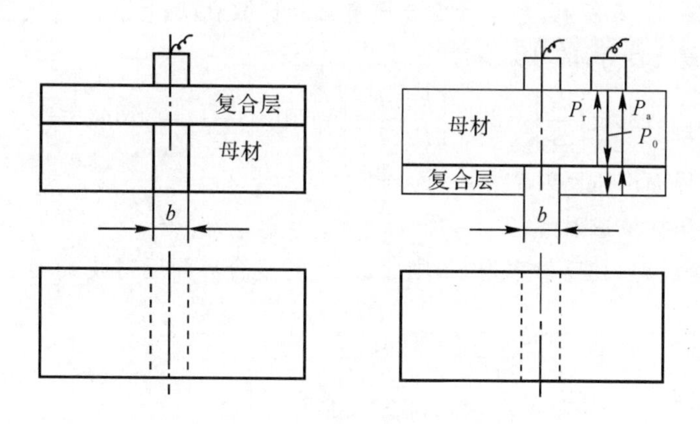

图 6.13　复合材料检测用对比试块

图 6.14 所示为从复合层一侧检测的典型波形图，要根据复合界面反射波宽度 L 和底波高度 B_1 来判别复合是否良好。若工件复合界面反射波的宽度 $L_{工}$ 小于试块上的反射波的宽度 $L_{试}$，且工件底波高于试块底波，则复合良好。

图 6.15 所示为从母材一侧检测的典型波形图，需要根据复合界面反射波 S 和底波高度 B_1 来判别复合是否良好。若工件中 S 波低于试块中的 S 波，工件中的底波 B_1 高于试块中的底波 B_1，则复合良好，反之复合不好。

4. 未结合区缺陷的测定

NB/T 47013.3—2015 标准规定，第一次底面回波高度低于满刻度的 5%，且明显有未结合缺陷回波存在时(回波高度≥5%)，该部位则为未结合缺陷区。移动探头，使第一次底面回波升高到显示屏满刻度的 40%，此时探头中心点即作为缺陷边界点。

对于重要的复合材料，还可以根据底波与复合界面反射波高度的 dB 差来判别其复合情况，底波与复合界面反射波(复合良好)的 dB 差可以由理论计算得到。

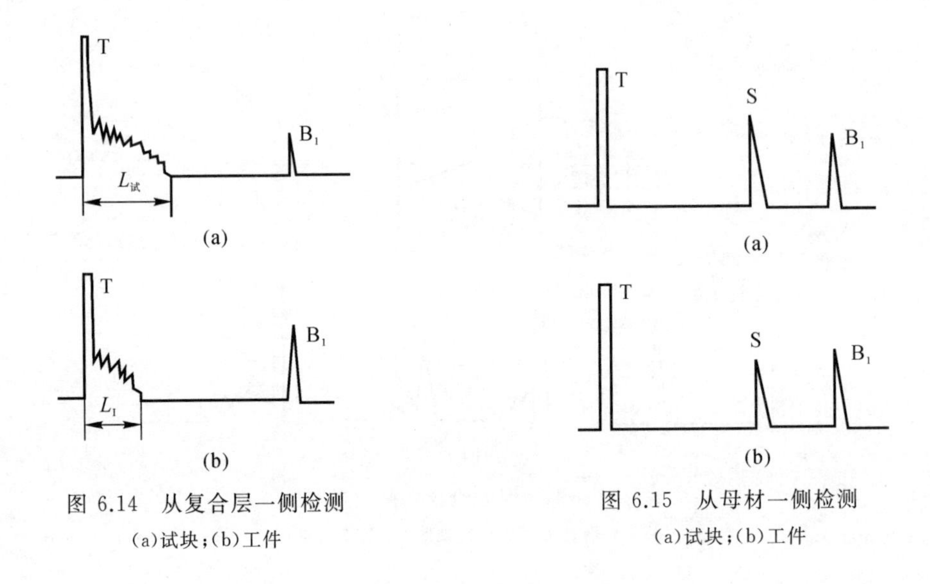

图 6.14 从复合层一侧检测

(a)试块;(b)工件

图 6.15 从母材一侧检测

(a)试块;(b)工件

如图 6.13 和图 6.15 所示,当不考虑介质衰减和扩散衰减,且底面全反射时,底波 B_1 与复合界面反射波 S(复合良好)的 dB 差为

$$\Delta_{BS}=20\lg\left|\frac{B_1}{S}\right|=20\lg\left|\frac{P_a/P_0}{P_r/P_0}\right|=20\lg\left|\frac{T_{往}}{r}\right|=20\ \lg\left|\frac{1-r^2}{r}\right| \tag{6.2}$$

式中 r——复合界面声压反射率,$r=(Z_2-Z_1)/(Z_2+Z_1)$;

$T_{往}$——声压往复透射率,$T_{往}=1-r^2$。

若底面不是全反射,其反射率为 r',则底波 B_1 与复合界面反射波 S(复合良好)的 dB 差为

$$\Delta_{BS}=20\lg\left|\frac{B_1}{S}\right|=20\lg\left|\frac{T_{往}\,r'}{r}\right| \tag{6.3}$$

式中 r'——底面声压反射率,$r'=(Z_3-Z_2)/(Z_3+Z_2)$。

【例 6.3】 超声检测钢/铝复合材料,钢中 $Z_1=4.53\times10^6$ g/(cm^2·s),铝中 $Z_2=1.69\times10^6$ g/(cm^2·s),不计材质衰减和扩散衰减,且底面反射。其底波 B_1 与复合界面反射波 S(复合良好)的 dB 差是多少?

解 复合界面的声压反射率为

$$r=\frac{Z_2-Z_1}{Z_2+Z_1}=\frac{1.69-4.53}{1.69+4.53}=-0.456$$

根据公式(6.2)得底波 B_1 与复合界面反射波 S(复合良好)的 dB 差为

$$\Delta_{BS}=20\lg\left|\frac{B_1}{S}\right|=20\lg\left|\frac{1-r^2}{r}\right|=20\lg\left|\frac{1-0.456^2}{-0.456}\right|\text{dB}=4.8\ \text{dB}$$

5. 缺陷评定和质量评级

NB/T 47013.3—2015 标准规定复合板材未结合缺陷评定和质量分级的方法如下:

(1)未结合缺陷指示长度的评定。未结合边界范围确定后,用一边平行于板材压延方向矩形框包围该未结合,长边作为其指示长度。若单个未结合的指示长度小于 25 mm 时,可不做记录。

(2)单个未结合缺陷面积的评定。单个未结合按其指示的矩形面积作为其缺陷面积;多个

未结合其相邻间距小于20 mm时，按单个未结合处理，其面积为各个未结合面积之和。

(3)未结合率的评定。任一1 m×1 m检测面积内，按未结合区面积所占百分比来确定。

(4)质量分级。复合板质量分为Ⅰ，Ⅱ，Ⅲ，Ⅳ四级，Ⅰ级最高，Ⅳ级最低，分级按表6.6的规定。

表6.6　复合板超声检测质量分级

等级	单个未结合指示长度/mm	单个未结合面积/mm^2	未结合率/(%)
Ⅰ	0	0	0
Ⅱ	≤50	≤20	≤2
Ⅲ	≤75	≤45	≤5
Ⅳ	大于Ⅲ级者		

在复合板边缘或剖口预定线两侧作100%扫查的区域内，未结合的指示长度大于或等于25 mm时，定级为Ⅳ级。

课后习题

1.判断题(对的在后面括弧中画“√”，错的画“×”)

(1)钢板检测时，通常只根据缺陷波情况判定缺陷。(　　)

(2)当钢板中缺陷大于声束截面时，由于缺陷多次反射波互相干涉容易出现“叠加效应”。(　　)

(3)厚钢板检测中，若出现缺陷的多次反射波，说明缺陷的尺寸一定较大。(　　)

(4)较薄钢板采用底波多次法检测时，如出现“叠加效应”，说明钢板中缺陷尺寸一定很大。(　　)

(5)复合钢板检测时，可以从母材一侧检测，也可从复合材料一侧检测。(　　)

(6)用板波法检测厚度小于5 mm的薄钢板时，不仅能检出内部缺陷，同时能检出表面缺陷。(　　)

2.单项选择题

(1)钢板缺陷的主要分布方向是(　　)。

A.平行于或基本平行于钢板表面　　B.垂直于钢板表面

C.分布方向无倾向性　　D.以上都可能

(2)钢板超声波检测主要应采用(　　)。

A.纵波直探头　　B.表面波探头　　C.横波直探头　　D.聚焦探头

(3)下面关于钢板检测的叙述，正确的是(　　)。

A.若出现缺陷波的多次反射，缺陷尺寸一定很大

B.无底波时，说明钢板无缺陷

C.钢板检测应尽量采用低频率

D.钢板中不允许存在的缺陷尺寸应采用当量法测定

(4)钢板厚为30 mm，用水浸法检测，当水层厚度为15 mm时，则第三次底面回波显示于(　　)。

A.二次界面回波之前　　B.二次界面回波之后　　C.一次界面回波之前　　D.不一定

(5)复合材料检测,由于两介质声阻抗不同,在界面处有回波出现,为了检查复合层结合质量,下面叙述正确的是(　　)。

A.两介质声阻抗接近,界面回波小,不易检查

B.两介质声阻抗接近,界面回波大,容易检查

C.两介质声阻抗差别大,界面回波大,不易检查

D.两介质声阻抗差别大,界面回波小,容易检查

(6)检测厚度为 18 mm 的钢板,在检测波形上出现了“叠加效应”,下面说法正确的是(　　)。

A.同大于 20 mm 的厚钢板一样,按 F_1 评价缺陷

B.因为板厚小于 20 mm,按 F_2 评价缺陷

C.按最大缺陷回波评价缺陷

D.必须降低灵敏度重新检测

(7)检测厚度为 28 mm 的钢板,荧光屏上出现“叠加效应”的波形,下面评定缺陷的方法正确的是(　　)。

A.按缺陷第一次回波(F_1)评定缺陷　　B.按缺陷第二次回波(F_2)评定缺陷

C.按缺陷多次回波中最大值评定缺陷　　D.以上都可以

(8)下面有关“叠加效应”的叙述中,正确的是(　　)。

A.叠加效应是波型转换时产生的现象

B.叠加效应是幻象波的一种

C.叠加效应是钢板底波多次反射时可看到的现象

D.叠加效应是检测频率过高而引起的

3.简答题

(1)钢板中常见的缺陷有哪几种?各是怎么形成的?钢板检测为什么采用直探头?

(2)钢板分为哪几类?各采用什么方法检测?

(3)简述钢板检测中“叠加效应”形成的原因及回波特点。

(4)钢板超声检测中常采用什么方法来调整检测灵敏度?

(5)钢板检测中如何测定缺陷的位置和大小?

(6)采用双晶直探头检测厚度为 40 mm 的钢板。已知有机玻璃延迟块厚度为 75 mm,把钢板底面二次波调到示波屏第 10 格,则界面波和一次底波分别在示波屏的第几格?

(7)什么是复合板?复合板中常见的缺陷是什么?一般采用什么方法检测?如何调整检测灵敏度?

6.2　锻件超声检测

6.2.1　锻件加工及常见缺陷

1. 锻件加工工艺

锻件是使金属坯料在锻锤或模具的压力作用下发生局部或全部的塑性形变,以获得具有

一定机械性能、一定形状和尺寸的金属零部件。

锻件可以分为自由锻件和模锻件。自由锻是利用冲击力或压力使金属在上下两个砥铁间产生变形，从而获得所需形状及尺寸的锻件的一种加工方法。自由锻都采取热锻方式，其基本工序包括镦粗、拔长、冲孔、切割、弯曲、扭转、错移及锻接等，最常用的工序有镦粗、拔长和冲孔。图6.16所示为几种常用的锻造方法示意图。

使坯料高度减小、横截面积增大的成型工序叫镦粗，其锻压力施加于坯料的两端，形变发生在横截面上。

使坯料横截面积减小而长度增加的成型工序叫拔长，其锻压力施加于坯料的外圆，形变发生在长度方向。

在坯料上锻制出透孔或不透孔的工序叫冲孔。常用的冲孔方法有实心冲子冲孔、空心冲子冲孔和垫环上冲孔等。

通过轧辊碾压金属来改变其形状的工艺方法叫轧制，分热轧和冷轧。热轧是将金属加热后的轧制，冷轧是在常温下，利用金属可塑性变形的特性进行的轧制。

利用模具使坯料变形而获得锻件的工艺方法叫模锻，可分为锤上模锻、胎模锻和压力机上模锻等。

用冲头或凸模对放置在凹模中的坯料加压使之变形，从而获得对应于模具的型孔或凹凸模型形状的制件的工艺方法叫挤压，可分为正挤压和反挤压。

镦粗主要用于饼类锻件，拔长主要用于轴类锻件，而筒形锻件一般先镦粗，后冲孔，再镦粗。拔长、冲孔、模锻、挤压以及轧制等工序，都有镦粗的作用在内。模锻主要用于形状较为复杂的小型锻件的批量生产。

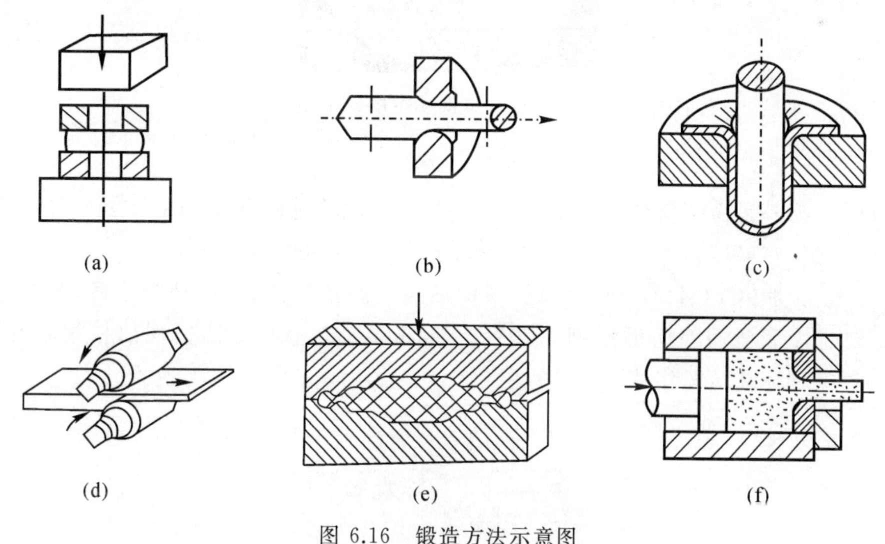

图6.16　锻造方法示意图

(a)镦粗；(b)拔长；(c)冲孔；(d)轧制；(e)模锻；(f)挤压

为了改善锻件的组织性能，锻后还要进行正火、退火或调质等热处理，因此锻件的晶粒一般都很细，具有良好的透声性。

锻造过程也是一种热处理的过程，通过锻造能消除金属在冶炼过程中产生的铸态疏松等缺陷，优化微观组织结构(材料中的晶粒变得更细)，提高锻件的力学性能。同时由于保存了完整的金属流线，锻件的机械性能一般优于同样材料的铸件。机械加工不容易制成的形状可以锻制而成，因此许多需要长期承受较高交变载荷，承受复杂应力和高应力，以及需要在高温、高压等苛刻条件下工作的重要承力部件，大多采用锻件来制造。

2. 锻件中常见的缺陷

锻件中存在的缺陷按其形成工艺过程可分为两类：一类是冶炼和铸造过程形成的缺陷，另一类是在锻造和热处理过程中形成的缺陷。

冶炼和铸造过程形成的缺陷主要有以下几种。

(1)缩孔和缩管。缩孔和缩管都是在浇铸钢锭的过程中形成的。在液体金属浇入钢锭定型后，其凝固顺序是从四周向中心，由底部向上逐渐进行的，同时发生体积收缩。如果在凝固过程中不能随时补充金属，将会在最后凝固的钢锭上面冒口部位形成空洞，即缩孔。缩孔一般呈喇叭状。当缩孔比较严重，具有较大的长度时，又称为缩管。

锻件中的缩孔已不是它的原始形态，而是在锻造后未完全切除的残余缩孔。因此它们的位置都处于冒口端的锻件中心部位，从一端向锻件内部延伸。在锻造时随金属的延伸而被拉长。图 6.17 所示为 ϕ70 mm 钛合金锻棒中的残余缩孔的横向低倍照片。

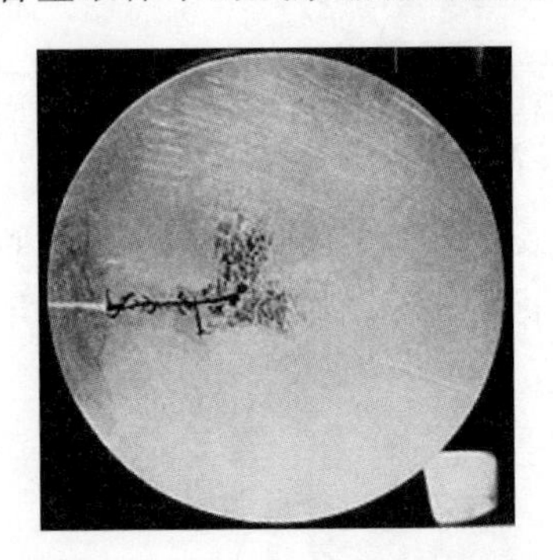

图 6.17　钛合金锻棒中的残余缩孔

(来源：http://www.18show.cn/share_news/410434.html)

(2)疏松。疏松是由于液体金属冷凝速度过快、金属不能产生集中的体积收缩而形成的弥散分布的小空洞，它可以看作集中于某一区域的、分散细小的缩孔。

图 6.18 所示为 9Cr2Mo 钢制冷轧辊，因钢锭浇注温度偏低，冒口补缩不良，缩孔深入到锭身区，锻造时未能完全切除而形成缩孔残余。横向试片上中心部位呈现出枝杈状孔洞特征。进一步解剖，末端存在疏松组织。

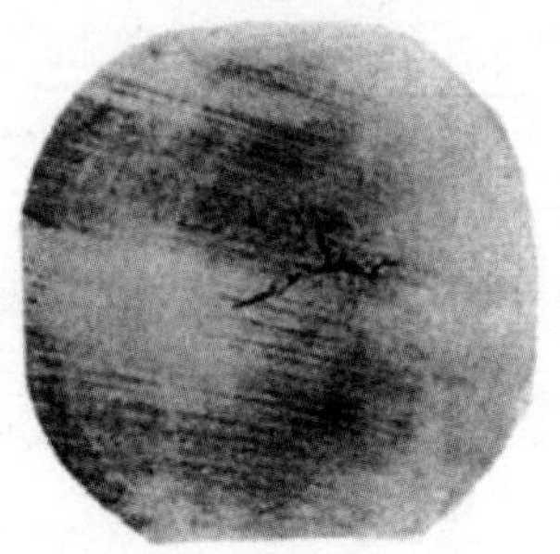

图 6.18　9Cr2Mo 钢制冷轧辊中的缩孔残余

(来源：http://www.c-cnc.com/news/news.asp? id=30578)

(3)夹杂。根据夹杂物的性质,可以分为金属夹杂和非金属夹杂。金属夹杂是金属冶炼过程中加入较多较大尺寸的合金,或者浇注时飞溅小粒或异种金属落入后未被熔化而形成的缺陷。非金属夹杂又分为内在非金属夹杂和外来非金属夹杂。内在非金属夹杂是铸钉中包含的脱氧剂、合金元素等与气体的反应产物,这种夹杂物体积细小,常被溶液漂浮呈弥散分布,一般超声波较难发现。但在浇注时由于这类夹杂物与金属的熔点不同,在冷凝过程中将集中于钢锭中心或钢锭的某些区域内。外来非金属夹杂是冶炼、浇注过程中混入的耐火材料或杂质,这类夹杂物体积较大,常混杂于铸钉的底部。

锻造和热处理过程中形成的缺陷主要有以下几种。

(1)裂纹。锻件裂纹形成原因主要有:一是冶金缺陷在锻造时扩大形成的裂纹。如锻造过程中的温度过高、加热速度过快、变形不均匀、变形量过大、冷却速度过快而形成的裂纹。二是由于热处理过程中形成的裂纹,如淬火温度过高、冷却不当、回火不及时或不当而引起的裂纹。图 6.19 所示为 2Cr13 主轴锻件中心裂纹,是因为钢锭凝固时结晶温度范围窄,线收缩系数大,冷凝补缩不足,内外温差大,轴心拉应力大,沿枝晶开裂,形成钢锭轴心晶间裂纹,该裂纹在锻造时进一步扩展而形成主轴锻件中心裂纹。

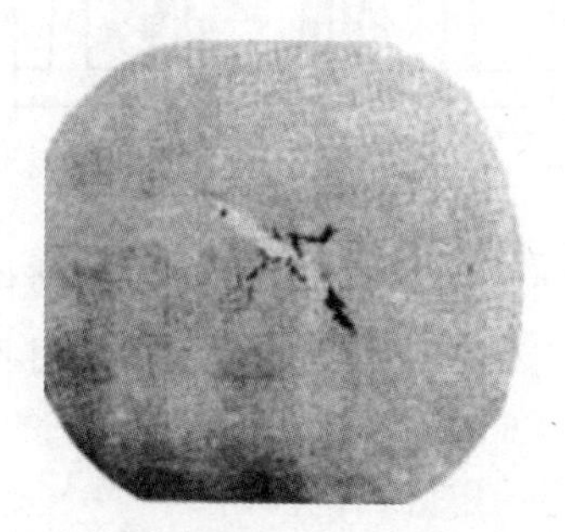

图 6.19　轴心晶间裂纹引起的锻造开裂

(图片来源:http://www.c-cnc.com/news/news.asp? id=30578)

(2)折叠。折叠是因为热金属的凸出部位被压折并压入锻件表面而形成的缺陷,多见于锻件的内圆角和尖角处。图 6.20 所示为 45# 钢三通接头模锻件圆柱面上的折叠。这种折叠因为经过模压,其缝隙紧密,锻后经正火处理,再经喷砂清理表面,难以用肉眼观察出来,而在后续机械加工时才能暴露,造成锻件报废。为此考虑采用磁粉检测手段在模锻件毛坯上进行检查,一旦发现则可及时采取局部打磨方法消除(深度超过加工余量的则报废)。

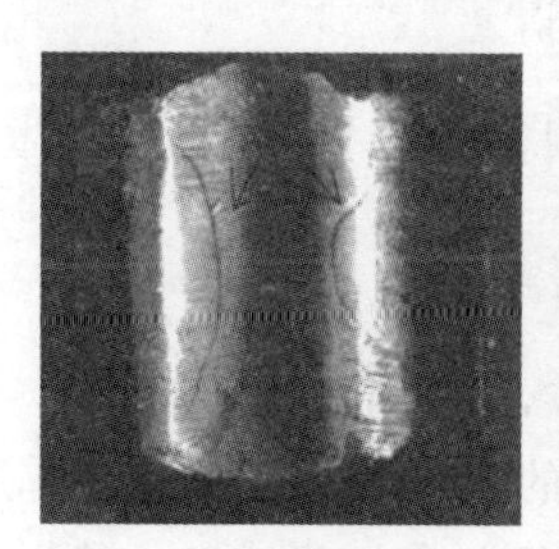

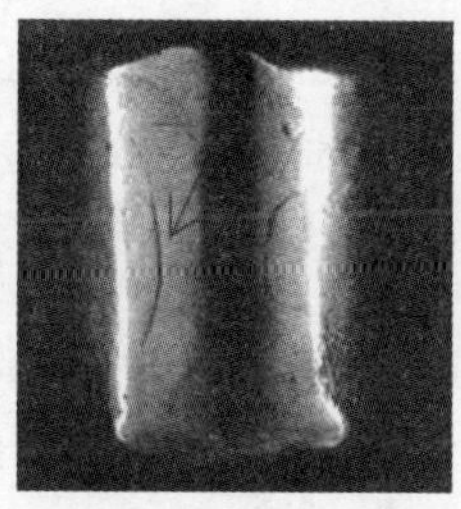

图 6.20　45# 钢锻件圆柱面上的折叠(磁痕显示照片)

(图片来源:http://www.w-testing.com/wenzhang/102118579.html)

(3)白点。钢锻件中由于氢的存在所产生的小裂纹称为白点。白点的形态特征是表面光滑洁净，在锻件的纵向断口上呈现为片状的银白色圆形或椭圆形斑点，其直径大小可从 1 mm 至十几毫米。断口处的白点可采用金相或渗透等方法进行检测，工件中的白点可采用超声波进行。图 6.21 所示为锻件中白点缺陷示意图及波形，它的回波清晰、尖锐，成群的白点有时会使底波下降或消失。这些特点是判断白点缺陷的主要依据。

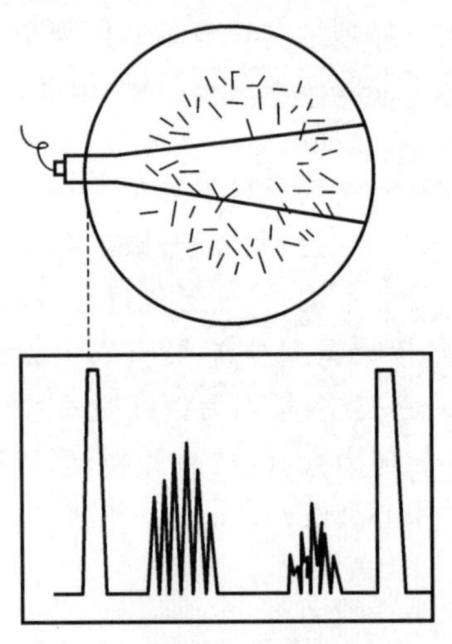

图 6.21　锻件中白点缺陷及其波形

白点对钢材的力学性能影响很大，当白点出现在与钢锻件所受应力作用方向垂直的平面上时，会导致钢锻件突然断裂，危害性极大。因此，一般钢材不允许出现白点。白点多见于马氏体钢、贝氏体钢和高碳钢中。图 6.22 所示为锻轧钢棒中的白点，白点在钢棒横截面上呈现为辐射状短裂纹，多集中于在中心一定区域范围内。

(a)　　　　(b)

图 6.22　德国 WNr2713 钢轧棒(ϕ230 mm)中的白点

(图片来源：http://www.ndtinfo.net/hichina1/wenxian/xjz—wenku/duanmogang.htm)

(a)横向低倍照片；(b)端面断裂处外观照片

(4)偏析。合金中各组成元素(化学成分与杂质)在结晶时分布不均匀的现象称为偏析。金属材料内部的偏析有成分偏析和组织偏析。成分偏析的形成与冶炼有关(成分分布不均匀)，组织偏析则主要是后续由于锻造加工过程中显微组织不均匀而形成的。偏析造成金属材料的组织不均匀，会影响金属材料的局部力学性能，但并非全部都能被超声检测发现。图 6.23 所示为成分偏析，是钛合金 ϕ65 mm 锻棒中的纯钛偏析照片。图 6.24 所示为钛合金盘形模锻件中辐板与轮毂过渡处的 β 组织偏析，又称为 β 斑。

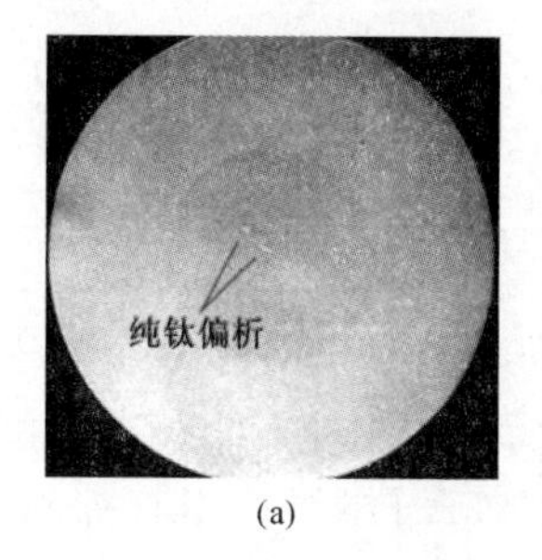

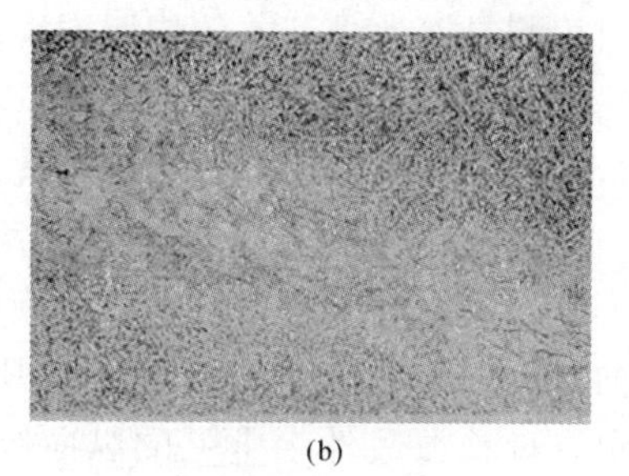

(a)　　　　(b)

图 6.23　钛合金 ϕ65 mm 锻棒中的纯钛偏析

（图片来源：http://www.w-testing.com/wenzhang/153311680.html）

(a)横向低倍照片；(b)横向高倍照片(100×)

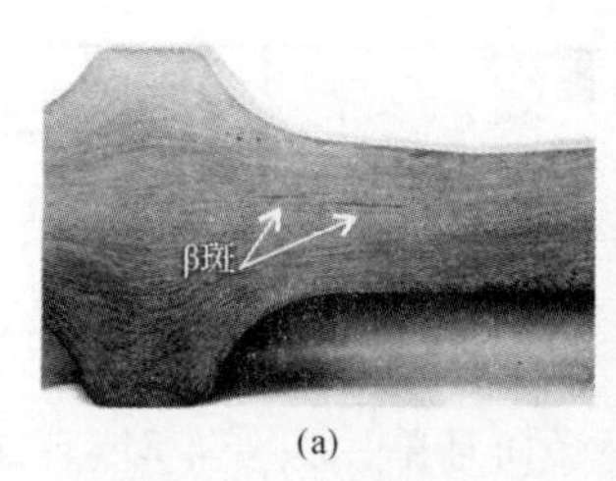

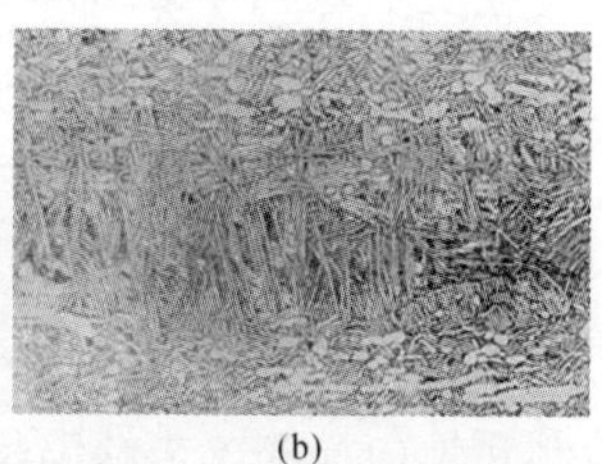

(a)　　　　(b)

图 6.24　钛合金盘形模锻件辐板与轮毂过渡处的β偏析

（图片来源：http://www.w-testing.com/wenzhang/153311680.html）

(a)纵向低倍照片；(b)β斑的高倍照片(×250)

图 6.25 所示为 45# 钢锻件横向低倍试片上的点状偏析(1∶1盐酸水溶液热蚀)，这里点状偏析分布于整个试片的横截面上。在锻件横向低倍试片上，呈现与锭型轮廓相对应的框形特征，亦称框形偏析。图 6.26 所示为 30CrMnSiNiA 钢制模锻件低倍试片上显示的锭型偏析(1∶1盐酸水溶液热蚀)，因锭中偏析带在变形时沿分模面扩展而呈现为框形。

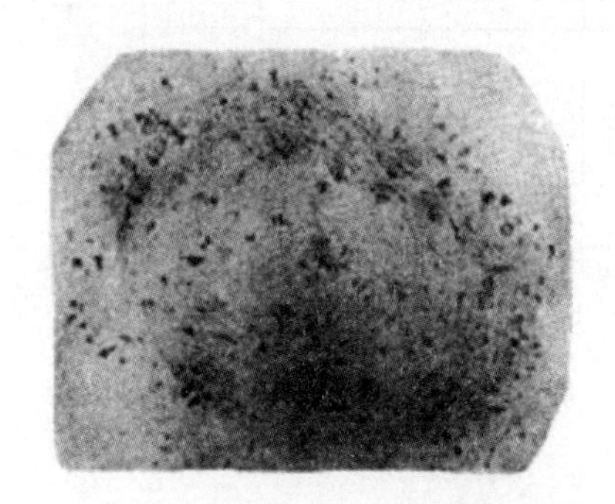

图 6.25　钢锻件试片上的点状偏析

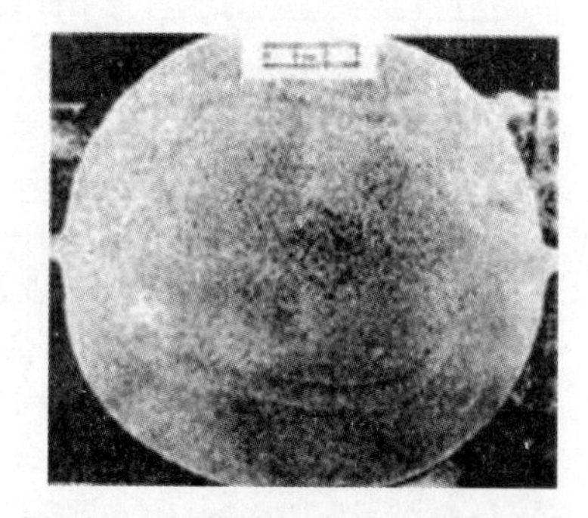

图 6.26　钢模锻件试片上的区域偏析

（图 6.25 和图 6.26 来源：http://www.c-cnc.com/news/news.asp? id=30578）

6.2.2　锻件超声检测方法

不同形状、不同质量要求的锻件其锻造工艺不同，产生的缺陷类型、取向也不相同。可选择纵波直入射检测、纵波斜入射检测、横波检测等，具体可采用直接接触法或水浸法。由于锻件外形可能很复杂，有时为了发现不同取向的缺陷，在同一个锻件上需同时采用纵波和横波检测，其中纵波直入射检测是锻件最基本的检测方法。

1. 轴类锻件

轴类锻件的锻造工艺主要以拔长为主，因而大部分缺陷的取向与轴线平行，此类缺陷的检测以纵波直探头从径向检测效果最佳。考虑到缺陷会有其他的分布及取向，还应辅助以直探头在端面的轴向检测，必要时还应附以斜探头的径向检测及轴向检测。

(1)直探头径向检测和轴向检测。如图 6.27 所示，用直探头作径向检测时要将探头置于外圆作全面扫查，以发现轴类锻件中常见的纵向缺陷(A 位置)。用直探头作轴向检测时，将探头置于轴的端面，并在端面作全面扫查，以检测与轴线相垂直的横向缺陷(B 位置)。

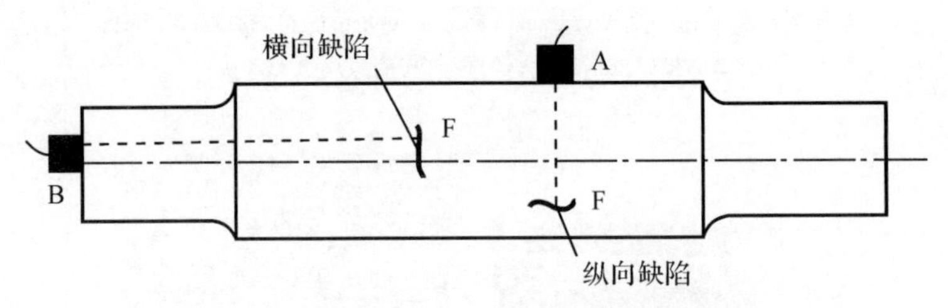

图 6.27　轴类锻件直探头径向、轴向检测

(2)斜探头周向检测和轴向检测。当缺陷呈径向且单片状分布时，直探头径向或轴向检测方式很难发现，此时需要使用适当折射角的斜探头作周向和轴向检测，探头应作正、反两个方向的全面扫查。斜探头周向检测时，探头需要打磨成与检测面曲率相同或相近的弧面，以增加接触面，改善声耦合条件，如图 6.28 所示。

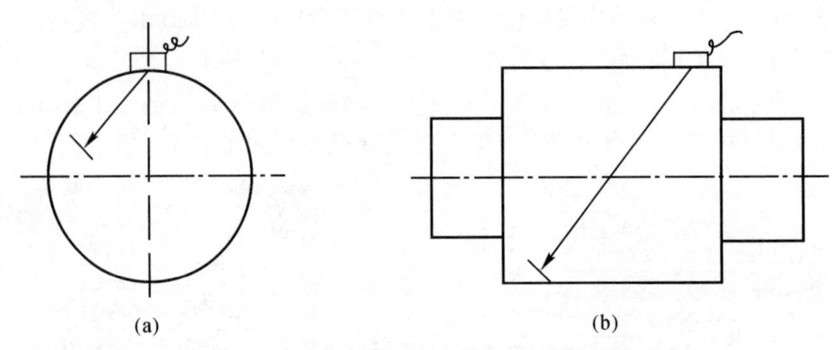

图 6.28　轴类锻件斜探头周向、轴向检测

(a)周向检测；(b)轴向检测

2. 饼盘类锻件

饼盘类锻件的锻坯多以镦粗为主，缺陷以平行于端面为主，所以用纵波直探头在端面检测是检出缺陷的最佳方法。对于某些重要的饼盘类锻件或厚度大的锻件，应从两个端面进行检测，此外有时还需从外圆面进行径向检测。从端面检测时，探头置于锻件端面进行全面扫查，以检出与端面平行的缺陷。从锻件侧面进行径向检测时，探头在锻件侧面扫查，以发现某些方向的轴向缺陷。

3. 筒形、环形锻件

筒形、环形锻件的锻造工艺一般是先镦粗，后冲孔、扩孔、拔长、滚压等，其内部缺陷比轴类锻件和饼盘类锻件中的缺陷取向复杂，检测此类锻件一般采用纵波直探头检测和横波斜探头检测。由于铸锭中质量最差的中心部位已经被冲孔去除，因而筒形、环形锻件的质量一般较好。

图 6.29 所示为用直探头从筒体外圆面或端面进行检测。外圆检测的目的是发现与轴线平行的周向缺陷（A 位置），如分层；端面检测的目的是发现与轴线垂直的横向缺陷（B 位置）。如筒壁较薄或需要检测近表面时，可采用双晶直探头从外圆面或端面检测（C 位置）。

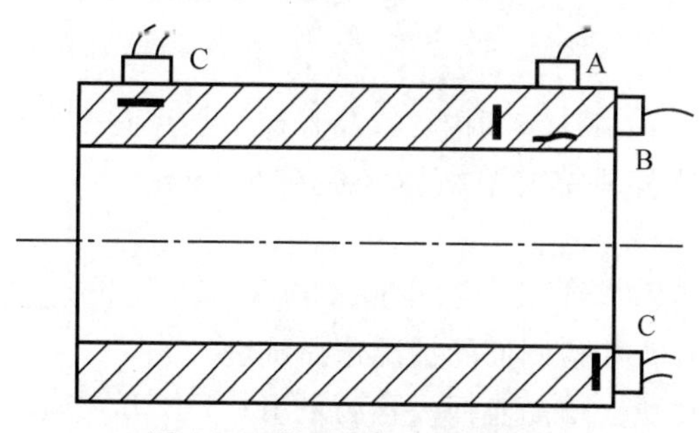

图 6.29　筒形锻件直探头检测

图 6.30 所示为用斜探头从筒体外圆面作轴向和周向检测。轴向检测可以发现内壁和外壁的横向缺陷（主要是横向裂纹），周向检测主要用于发现内壁和外壁的径向缺陷。径向缺陷多为裂纹，其危害性很大，因此斜探头周向检测是筒形锻件检测的主要方式之一。周向检测时，缺陷定位应考虑修正。

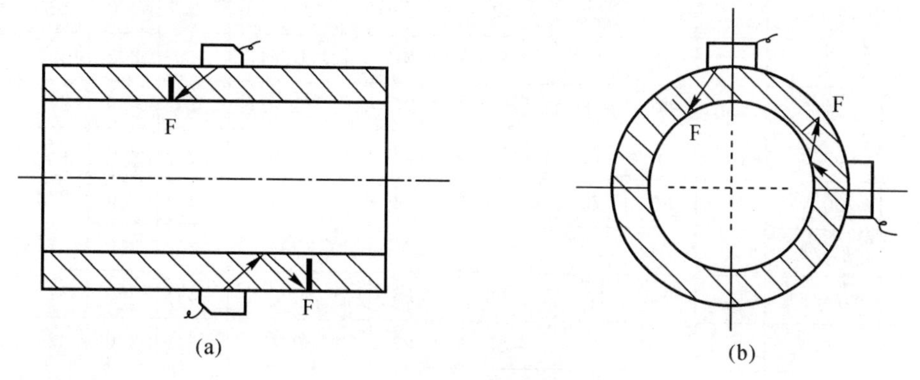

图 6.30　筒形锻件斜探头检测

(a)轴向检测；(b)周向检测

6.2.3　直探头锻件检测

1. 检测原则

锻件检测一般应安排在热处理后，孔、槽、台等结构机加工前。因为孔、槽、台阶等复杂形状会形成超声声束无法到达的区域，增加检测盲区，同时可能产生因形状引起的非缺陷干扰波，影响缺陷的检测和判断。而热处理后进行检测，有利于发现热处理过程中产生的缺陷，如热处理裂纹等。

锻件检测面的粗糙度 $R_a \leqslant 6.3\ \mu m$。

锻件一般应使用直探头进行检测，对筒形和环形锻件还应增加斜探头检测。

锻件检测可选用单晶探头和双晶直探头。检测厚度小于等于 45 mm 时，应采用双晶直探头进行。检测厚度大于 45 mm时，一般采用单晶直探头进行。

锻件检测方向厚度超过 400 mm 时，应从相对两端面进行检测。

2. 探头的选择

探头标称频率应在 1～5 MHz 范围内。双晶直探头晶片面积不小于 150 mm^2；单晶直探头晶片有效直径应在ϕ10 mm～ϕ40 mm 范围内。

3. 对比试块

锻件检测中，要根据探头和检测面的情况选择试块。

(1)单晶直探头对比试块。单晶直探头检测采用 CS－2 试块调节基准灵敏度，其形状和尺寸见图 6.31 和表 6.7。如确有需要，也可采用其他对比试块。

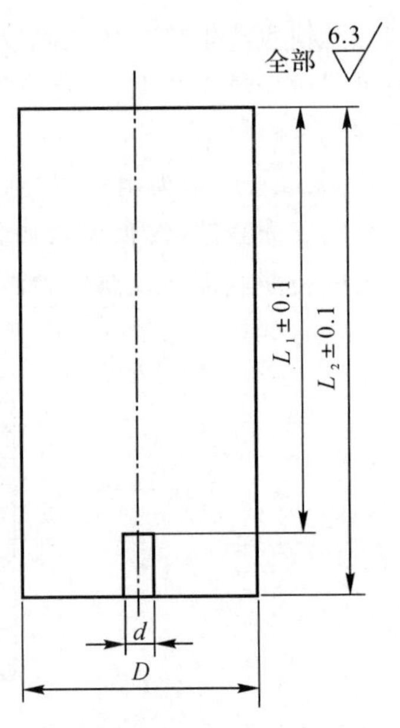

图 6.31　CS－2 对比试块

表 6.7　CS－2 对比试块尺寸（单位：mm）

试块编号	试块规格	d	L_1	L_2	D	试块编号	试块规格	d	L_1	L_2	D
1	25/2	2	25	50	≥35	19	200/2	2	200	225	≥100
2	25/3	3	25	50	≥35	20	200/3	3	200	225	≥100
3	25/4	4	25	50	≥35	21	200/4	4	200	225	≥100
4	50/2	2	50	75	≥50	22	250/2	2	250	275	≥110
5	50/3	3	50	75	≥50	23	250/3	3	250	275	≥110
6	50/4	4	50	75	≥50	24	250/4	4	250	275	≥110
7	75/2	2	75	100	≥60	25	300/2	2	300	325	≥120
8	75/3	3	75	100	≥60	26	300/3	3	300	325	≥120
9	75/4	4	75	100	≥60	27	300/4	4	300	325	≥120
10	100/2	2	100	125	≥70	28	400/2	2	400	425	≥140
11	100/3	3	100	125	≥70	29	400/3	3	400	425	≥140
12	100/4	4	100	125	≥70	30	400/4	4	400	425	≥140
13	125/2	2	125	150	≥80	31	500/2	2	500	525	≥155
14	125/3	3	125	150	≥80	32	500/3	3	500	525	≥155
15	125/4	4	125	150	≥80	33	500/4	4	500	525	≥155
16	150/2	2	150	175	≥85						
17	150/3	3	150	175	≥85						
18	150/4	4	150	175	≥85						

(2)双晶直探头对比试块。工件检测厚度小于 45 mm 时,应采用双晶直探头检测,采用 CS－3 对比试块来调节检测灵敏度,其形状和尺寸见图 6.32 和表 6.8。

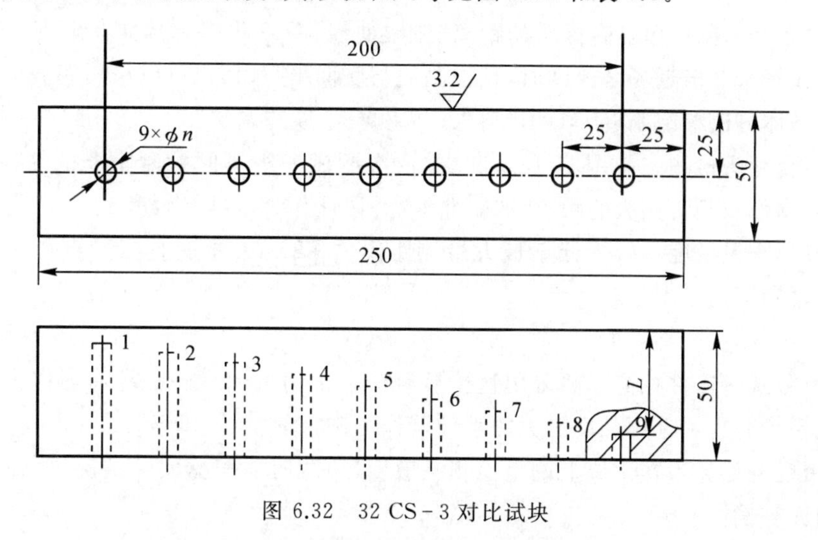

图 6.32　32 CS－3 对比试块

表 6.8　CS－3 对比试块尺寸　(单位:mm)

试块序号	孔径	检测距离 L								
		1	2	3	4	5	6	7	8	9
1	φ2									
2	φ3	5	10	15	20	25	30	35	40	45
3	φ4									

(3)曲面对比试块。当工件检测面为曲面且其曲率半径小于等于 250 mm 时,应采用曲面对比试块(试块曲率半径在工件曲率半径的 0.7～1.1 倍范围内)调节基准灵敏度,或采用 CS－4对比试块来测定由于曲率不同引起的声能损失,其形状和尺寸如图 6.33 所示。

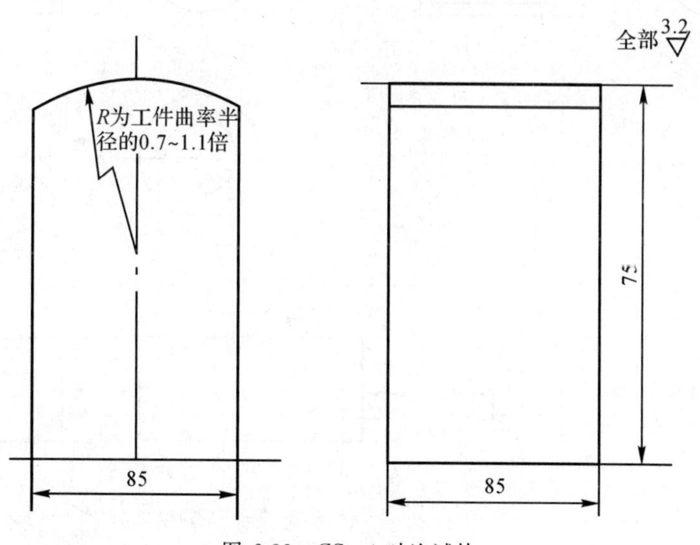

图 6.33　CS－4 对比试块

4．灵敏度的确定

(1)单晶直探头检测。使用CS－2或CS－4试块，依次测试一组不同检测距离的ϕ2 mm平底孔(至少3个)，制作单晶直探头的距离-波幅曲线，并以此作为基准灵敏度。当被检部位的厚度大于或等于3倍近场区长度时，且检测面与底面平行时，也可以采用底波计算法确定基准灵敏度。具体方法参阅5.3.1节的内容“2．检测灵敏度的调整”。

(2)双晶直探头检测。使用CS－3试块，依次测试一组不同检测距离的ϕ2 mm平底孔(至少3个)，制作双晶直探头的距离-波幅曲线，并以此作为基准灵敏度。

(3)锻件扫查灵敏度一般不低于最大检测距离的ϕ2 mm平底孔当量直径。扫查灵敏度一般比基准灵敏度高6 dB。

5．检测

(1)耦合方式。锻件检测一般采用直接接触法。常用机油、糨糊、甘油等作为耦合剂。当锻件表面较粗糙时也可选用黏度更大的水玻璃作为耦合剂。

(2)灵敏度补偿。当在试块上调整检测灵敏度，检测时应根据实际情况进行耦合补偿、衰减补偿和曲面补偿。

(3)工件材质衰减系数的测定。当锻件尺寸较大时，材质的衰减对缺陷定量有一定的影响。特别是材质衰减严重时，影响更加明显。因此在锻件检测中有时要测定工材质衰减系数，其测定方法参阅5.3.1节的内容“4．工件材质衰减系数的测定”。

(4)扫查方式。对于直探头检测，移动探头从两个相互垂直的方向作100％扫查，主要检测方向如图6.34所示。

双晶直探头扫查时，探头的移动方向应与探头的隔声层相垂直。根据实际需要和要求，也可以采用一定间隔的平行线或格子扫查等扫查方式。

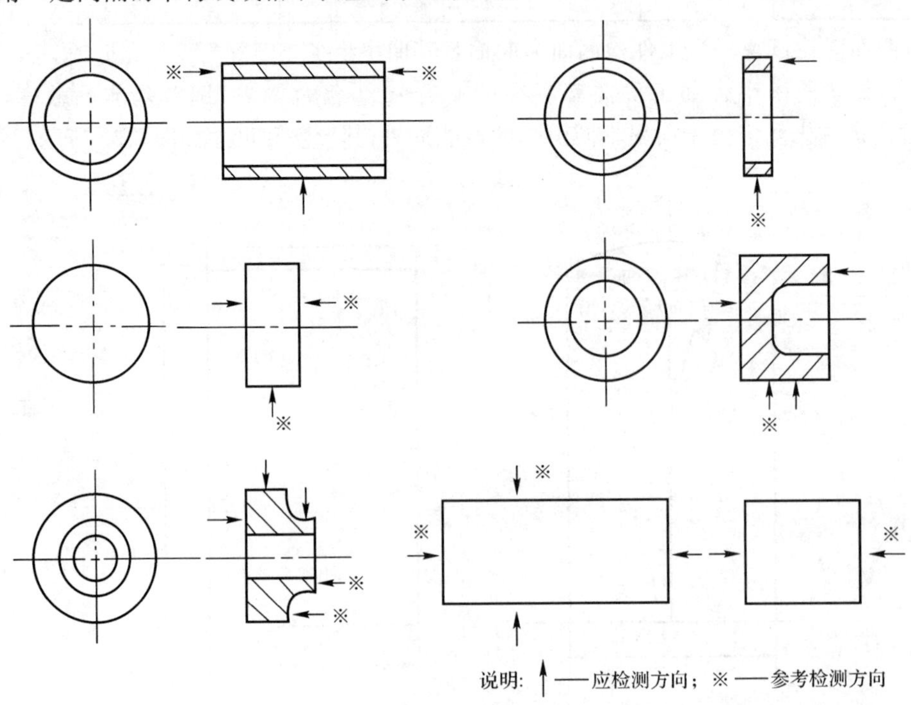

图6.34　检测方向(垂直检测法)

6. 缺陷定量

锻件检测中,对于尺寸小于声束截面积的缺陷一般用当量法定量。当被检缺陷的深度大于或等于3倍近场区长度时,可采用AVG曲线或计算法确定缺陷的当量大小,具体确定方法参见5.3.3节的内容“2. 缺陷定量 (2)当量法”。对于位于3倍近场区以内的缺陷,可采用距离-波幅缺陷来确定缺陷的当量,也可采用其他等效的方法来确定。

当采用计算法确定缺陷的当量时,若材质衰减系数超过4 dB/m时,应进行修正。

当采用距离-波幅曲线来确定缺陷的当量时,若对比试块与工件材质衰减系数差超过4 dB/m时,应进行修正。

对于尺寸大于声束截面的缺陷一般采用测长法测定缺陷的指示长度,常用的测长法有−6 dB法和端点−6 dB法,具体测量方法参阅5.3.3节的内容“2. 缺陷定量 (3)测长法”。

在平面工件检测中,用−6 dB法测定缺陷的指示长度时,探头的移动距离就是缺陷的指示长度L_f,如图5.23(a)所示。然而在对圆柱形锻件进行轴向检测时,探头的移动距离不再是缺陷的指示长度了,如图6.35所示。

外圆周向测长时,缺陷指示长度为

$$\widehat{L}_f=\frac{\widehat{L}}{R}(R-x_{f1}) \tag{6.4}$$

式中 $\widehat{L}$——探头移动的外圆弧长,mm;

R——圆柱体外半径,mm;

x_{f1}——缺陷的声程,mm。

内孔周向测长时,缺陷指示长度为

$$\widehat{L}_f=\frac{\widehat{L}'}{r}(r+x_{f2}) \tag{6.5}$$

式中 $\widehat{L}'$——探头移动的内圆弧长,mm;

r——圆柱体内半径,mm;

x_{f2}——缺陷的声程,mm。

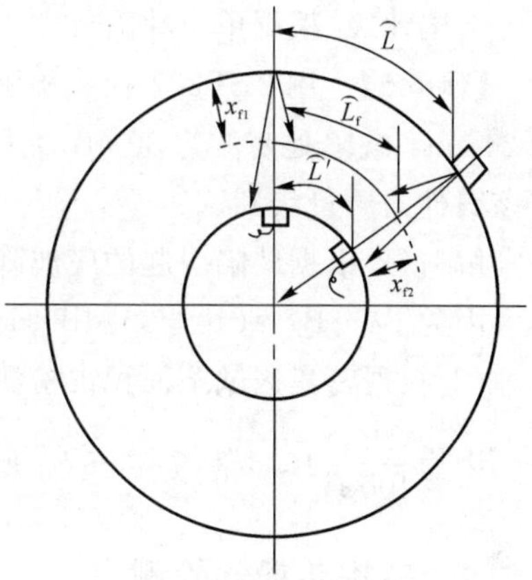

图6.35 圆弧面检测−6 dB测长法

7. 锻件质量分级

根据NB/T 47013.3—2015标准,将锻件缺陷质量分为Ⅰ,Ⅱ,Ⅲ,Ⅳ,Ⅴ五级,Ⅰ级最高,Ⅴ级最低。当被检测人员判定为白点、裂纹等危害性缺陷时,锻件的质量等级为Ⅴ级。缺陷的质量分级见表6.9。

表6.9 锻件超声检测缺陷质量分级 (单位:mm)

质量等级	Ⅰ	Ⅱ	Ⅲ	Ⅳ	Ⅴ
由缺陷引起的底波降低量BG/BF	≤6 dB	≤12 dB	≤18 dB	≤24 dB	>24 dB
单个缺陷当量平底孔直径	≤ϕ4	≤ϕ4+6 dB	≤ϕ4+12 dB	≤ϕ4+18 dB	>ϕ4+18 dB
密集区缺陷当量直径	≤ϕ2	≤ϕ3	≤ϕ4	≤ϕ4+4 dB	>ϕ4+4 dB
密集区缺陷面积占检测总面积的百分比/(%)	0	≤5	≤10	≤20	>20

注1:由缺陷引起的底波降低量仅适用于声程大于近场区长度的缺陷。

注2:表中不同种类的缺陷分级应独立使用。

注3:密集区缺陷面积指反射波幅大于等于ϕ2 mm当量平底孔直径的密集区缺陷。

【例 6.4】 用 2.5P20Z 探头检测 400 mm 厚的锻件，钢中声速 $c_L=5\ 900$ m/s，衰减系数 $\alpha=0.005$ dB/mm，检测灵敏度为 400 mm/ϕ4 mm 平底孔。检测中在 250 mm 处发现一处缺陷，其波幅比基准波高 20 dB，试根据 NB/T 47013.3—2015 标准评定该锻件的质量级别。

解 (1) $\lambda=\dfrac{c_L}{f}=\dfrac{5.9}{2.5}\text{mm}=2.36\ \text{mm}$，$N=\dfrac{D^2}{4\lambda}=\dfrac{20^2}{4\times2.36}\text{mm}=42.4\ \text{mm}$

$3N=3\times42.4\ \text{mm}=127.2\ \text{mm}<250\ \text{mm}$，所以符合当量计算的条件。

(2) $x_1=250$ mm 和 $x_2=400$ mm 处 ϕ4 mm 平底孔当量的 dB 差值为

$$\Delta_{12}=20\lg\frac{P_1}{P_2}=40\lg\frac{x_2}{x_1}+2\alpha(x_2-x_1)=$$

$$40\lg\frac{400}{250}\text{dB}+2\times0.005\times(400-250)\text{dB}=9.6\ \text{dB}$$

(3) 该缺陷的当量为　　$\phi4+(20-9.6)\text{dB}=\phi4+10.4\ \text{dB}$。

缺陷评级：根据单个缺陷尺寸质量分级标准，该锻件评为Ⅲ级。

【例 6.5】 用 2.5P20Z 探头检测面积为 400 cm^2 的锻件，检测中发现一密集缺陷，其面积为 24 cm^2，缺陷处底波为 30 dB，无缺陷处底波为 40 dB。试根据 NB/T 47013.3—2015 标准评定该锻件的质量级别。

解 (1) 根据缺陷引起的底波降低量评级：

因为 $B_G-B_F=(40-30)\text{dB}=10\ \text{dB}$，所以评为Ⅱ级。

(2) 根据密集区缺陷面积占检测总面积的百分比评级：

因为 $\dfrac{24}{400}\times100\%=6\%>5\%$，所以评为Ⅲ级。

6.2.4 斜探头锻件检测

本节内容主要适用于承压设备用环形和筒形锻件的超声斜探头轴向检测以及内外径之比大于或等于 65% 环形和筒形锻件的超声斜探头周向检测。

1. 探头的选择

探头标称频率主要为 2～5 MHz，探头晶片面积为 80～625 mm^2。原则上应采用折射角为 45°(K1) 的探头，但根据工件几何形状和内外径比例的不同，也可采用其他的折射角(K 值)探头。

探头与被检工件应保持良好的接触，遇到以下情况时，应采用曲面试块调节范围和基准灵敏度：

1) 在凸表面纵向(轴向)扫查时，探头楔块宽度大于检测面曲率半径的 1/5；

2) 在凸表面横向(周向)扫查时，探头楔块长度大于检测面曲率半径的 1/5。

2. 对比试块

为了调整灵敏度，可利用被检工件壁厚或长度的加工余量部分制作对比试块。在锻件的内外圆表面分别沿轴向和周向加工平行的 V 形槽作为标准沟槽，如图 6.36 所示。V 形槽长度为 25 mm，深度为锻件壁厚的 1%，角度为 60°。也可采用其他等效的反射体，如边角反射等。

3. 扫查方式

对于斜探头检测，为尽可能发现各个方向的缺陷，斜探头周向扫查和轴向扫查都应作两个方向的扫查，如图 6.36 所示。

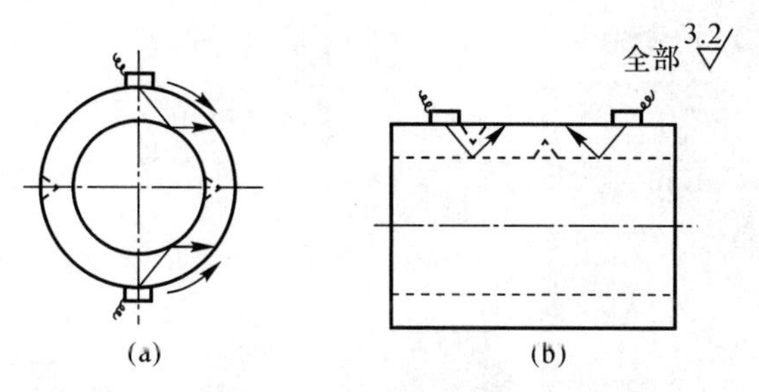

图 6.36 锻件斜探头检测对比试块及扫查方式

(a)周向扫查；(b)轴向扫查

4. 距离-波幅曲线

斜探头检测时，从锻件外圆面将探头对准内圆面的标准沟槽，调整仪器，使内槽最大反射波高度为满刻度的 80%，将该值标定在仪器面板上，以此作为扫查灵敏度。不改变仪器状态，再移动探头测定外圆面的标准沟槽，并将其最大的反射波高度也标在面板上。将上述两点用直线连接并延长，绘出距离-波幅曲线，并使之包括全部检测范围。内圆面检测时扫查灵敏度也按上述方法确定，但探头斜楔应与内圆曲率一致。

5. 记录

缺陷在仪器示波屏显示的有效区域为连接距离-波幅曲线两点间的区域。记录波幅在距离-波幅曲线高度 50% 以上的缺陷反射波和缺陷位置。缺陷指示长度按－6 dB 法测定。当相邻两个缺陷间距小于或等于 25 mm 时，按单个缺陷处理。

6. 质量分级

根据 NB/T 47013.3—2015 标准，斜探头检测时锻件缺陷质量分为Ⅰ，Ⅱ，Ⅲ三级，Ⅰ级最高，Ⅲ级最低。波幅高于距离-波幅曲线的缺陷质量等级定为Ⅲ级。波幅在距离-波幅曲线的 50%～100%的缺陷按表 6.10 分级。

表 6.10 斜探头检测时锻件缺陷质量分级

质量等级	单个缺陷指示长度
Ⅰ	≤1/3 壁厚，且≤100 mm
Ⅱ	≤2/3 壁厚，且≤150 mm
Ⅲ	大于Ⅱ级者

6.2.5 缺陷记录

如图 6.37 所示，以圆饼形锻件超声检测为例说明缺陷记录情况，所需记录的数据见表 6.11。

对于单个点状缺陷，找到缺陷最高波并调至示波屏满刻度的 80%，用闸门套住，记录缺陷深度 H、缺陷引起的底波降低量 B_G/B_F、高于定量线 dB 值 A_{max} 等，测量出探头中心与锻件基准边线距离 X 和 Y。对于面积型缺陷或密集缺陷，还需用－6 dB 法测其边界尺寸，算出缺陷的长度 L 和宽度 B 以及其面积与锻件面积之比 S_F/S。

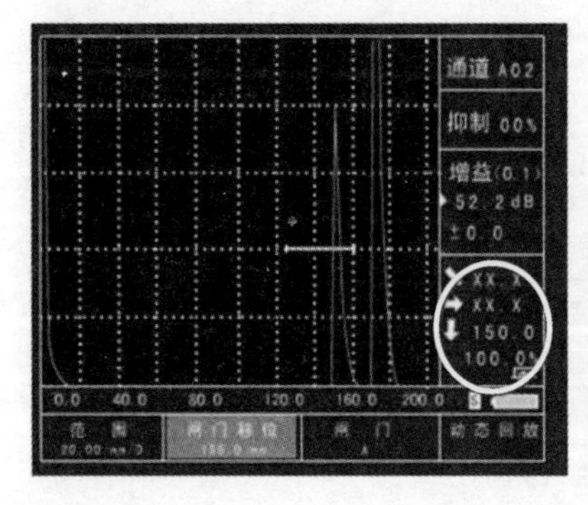

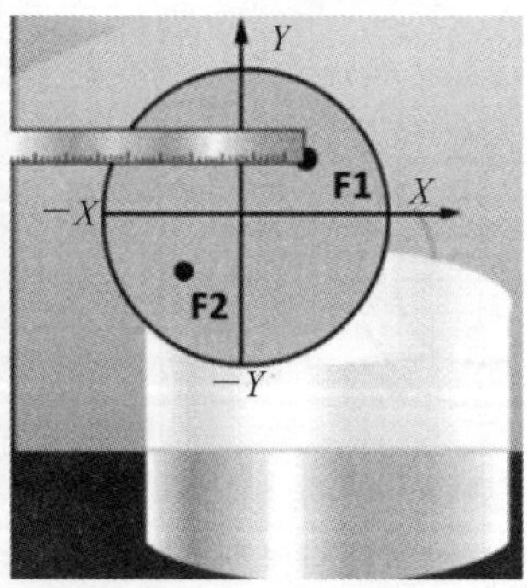

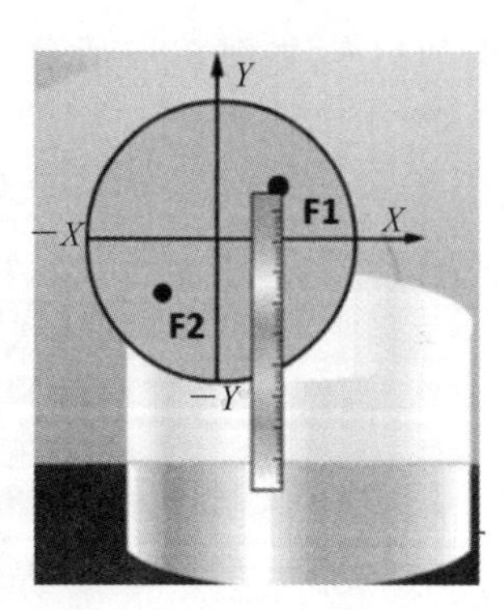

图 6.37　缺陷定位定量

表 6.11　锻件检测数据记录表

缺陷序号	缺陷横坐标 X/mm	缺陷纵坐标 Y/mm	缺陷深度 H/mm	缺陷尺寸		缺陷面积与锻件面积之比 S_F/S/(%)	缺陷引起的底波降低量 B_G/B_F/dB	高于定量线 dB 值 A_{max} ($\phi4\pm\Delta$)	评定级别
				长 L/mm	宽 B/mm				
F1							—	—	
						—		—	
						—	—		
F2							—	—	
						—		—	
						—	—		

课后习题

1.判断题(对的在后面括弧中画"√",错的画"×")

(1)对轴类锻件,一般以纵波直探头从径向检测效果最佳。(　　)

(2)使用斜探头对轴类锻件作圆柱面轴向检测时,探头应用正反两个方向扫查。(　　)

(3)对饼形锻件,采用直探头作径向检测是最佳的检测方法。(　　)

(4)调整锻件检测灵敏度的底波法,其含义是锻件扫描过程中依据底波变化情况评定锻件质量等级。(　　)

(5)锻件检测中,如果缺陷引起底波明显下降或消失,则说明锻件中存在较严重的缺陷。(　　)

(6)锻件检测时,如果缺陷被检测人员判定为白点,则应按密集缺陷评定锻件的等级。(　　)

(7)直探头在圆柱形轴类锻件外圆检测时发现的游动回波都是裂纹回波。(　　)

(8)用锻件大平底调整灵敏度时,如底面有污物将会使底波下降,这样调整的灵敏度将偏低,缺陷定量将会偏小。(　　)

2.单项选择题

(1)锻件的锻造过程包括(　　)。

A.加热、形变、成型和冷却　　B.加热、形变
C.形变、成型　　D.以上都不全面

(2)锻件缺陷包括(　　)。
A.原材料缺陷　　B.锻造缺陷　　C.热处理缺陷　　D.以上都有

(3)锻件中的粗大晶粒可能引起(　　)。
A.底波降低或消失　　B.噪声或杂波增大
C.超声严重衰减　　D.以上都有

(4)锻件中的白点在锻造过程中(　　)阶段形成。
A.加热　　B.形变　　C.成型　　D.冷却

(5)轴类锻件最主要的检测方向是(　　)。
A.轴向直探头检测　　B.径向直探头检测
C.斜探头外圆面轴向检测　　D.斜探头外圆面周向检测

(6)饼类锻件最主要检测方向是(　　)。
A.直探头端面检测　　B.直探头侧面检测
C.斜探头端面检测　　D.斜探头侧面检测

(7)筒形锻件最主要的检测方向是(　　)。
A.直探头端面和外圆面检测　　B.直探头外圆面轴向检测
C.斜探头外圆面轴向检测　　D.以上都是

(8)锻件中非金属夹杂物的取向最可能的是(　　)。
A.与主轴线平行　　B.与锻造方向一致
C.与锻件金属流线一致　　D.与锻件金属流线垂直

(9)超声波经液体进入具有弯曲表面工件时,声束在工件内将会产生(　　)。
A.与液体中相同的声束传播　　B.不受零件几何形状的影响
C.凹圆弧面声波将收敛,凸圆弧面声波将发散　　D.与 C 的情况相反

(10)锻钢件检测灵敏度的校正方式是(　　)。
A.没有特定的方式　　B.采用底波方式
C.采用试块方式　　D.采用底波方式和试块方式

(11)以工件底面作为灵敏度校正基准,可以(　　)。
A.不考虑检测面的耦合差补偿　　B.不考虑材质衰减差补偿
C.不必使用校正试块　　D.以上都是

(12)在使用 2.5P14Z 直探头做锻件检测时,如用 400 mm 处底波调整 ϕ3 mm 平底孔灵敏度,底波调整后应提高(　　)检测。
A.36.5 dB　　B.43.5 dB　　C.50 dB　　D.28.5 dB

(13)用 2.5 MHz 直探头检测锻件,调节 200 mm 底波于示波屏水平基线满量程刻度 10。如果改用 5 MHz 直探头,仪器所有旋钮保持不变,则 200 mm 底波(　　)。
A.在刻度 5 处　　B.越出示波屏外
C.仍在刻度 10 处　　D.须视具体情况而定

(14)下列哪种方法可增大超声波在粗晶材料中的穿透能力?(　　)。
A.用直径较大的探头进行检测　　B.在细化晶粒的热处理后检测
C.将接触法检测改为液浸法检测　　D.将纵波检测改为横波检测

(15)以下有关锻件白点缺陷的叙述,错误的是(　　)。

A.白点是一种非金属夹杂物

B.白点通常发生在锻件中心部位

C.白点的回波清晰、尖锐,往往有多个波峰同时出现

D.一旦判断是白点缺陷,该锻件即为不合格

(16)锻件超声波检测时机应该选择在(　　)。

A.热处理前,孔、槽、台阶加工前　　B.热处理后,孔、槽、台阶加工前

C.热处理前,孔、槽、台阶加工后　　D.热处理后,孔、槽、台阶加工后

(17)锻件检测中,超声波的衰减主要取决于(　　)。

A.材料的表面状态　　B.材料晶粒度的影响

C.材料的几何形状　　D.材料对声波的吸收

(18)下面有关试块法调整锻件检测灵敏度的叙述中,正确的是(　　)。

A.对厚薄锻件都适用　　B.对平面和曲面锻件都适用

C.应作耦合及衰减差补偿　　D.以上全部

(19)用底波法调整锻件检测灵敏度时,下面有关缺陷定量的叙述中错误的是(　　)。

A.可不考虑检测耦合差补偿

B.缺陷定量可采用计算法或 AVG 曲线法

C.可不使用试块

D.缺陷定量可不考虑材质衰减差修正

(20)用直探头检测钢锻件时,引起底波明显降低或消失的因素有(　　)。

A.底面与检测面不平行　　B.工件内部有倾斜的大缺陷

C.工件内部有材质衰减大的部位　　D.以上全部

(21)锻件检测中,如果材料的晶粒粗大,通常会引起(　　)。

A.底波降低或消失　　B.有较高的"噪声"显示

C.使声波穿透力降低　　D.以上全部

(22)锻件大平底面与检测面不平行时,会产生(　　)。

A.无底面回波或底面回波降低　　B.难以发现平行于检测面的缺陷

C.声波穿透能力下降　　D.缺陷回波受底面回波影响

(23)锻件检测时,会在示波屏上产生非缺陷回波的因素有(　　)。

A.边缘效应　　B.工件形状及外形轮廓

C.缺陷形状和取向　　D.以上全部

(24)锻件检测时,如果用试块比较法对缺陷定量,对于表面粗糙的缺陷,缺陷实际尺寸会(　　)。

A.大于当量尺寸　　B.等于当量尺寸

C.小于当量尺寸　　D.以上都可能

3.简答题

(1)锻件中常见的缺陷有哪几种?各是怎么形成的?

(2)锻件一般分为哪几类?各采用什么方法检测?

(3)利用锻件底波调整灵敏度有哪些好处?对锻件有什么要求?

(4)锻件检测中,常用哪几种方法对缺陷定量?各适用于什么情况?

6.3　铸件超声检测

6.3.1　铸件及常见缺陷

1. 铸件

铸件是将金属或合金熔化后直接注入铸模中冷却凝固后形成的零件。铸件具有以下主要特点：

(1)组织不均匀。液态金属注入铸模后，在冷却过程中温度降低不均匀。如图6.38所示，在模壁内表面的液体金属或合金先降温凝固成的晶粒较细，在铸型中心部位的液体金属或合金后凝固成与模壁垂直方向生长的彼此平行的柱状晶粒，内部等轴晶区的晶粒较为粗大。这就造成了铸件的晶粒粗大和组织不均匀。

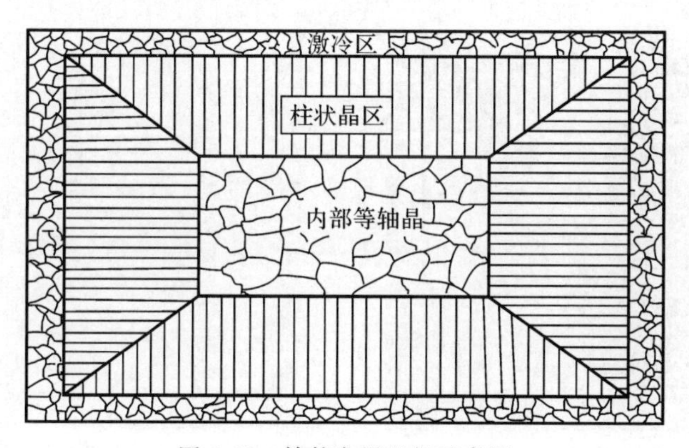

图6.38　铸件宏观组织示意图

(2)组织不致密。液态金属的结晶是以树枝状生长方式进行的，树枝间的液态金属最后凝固，但树枝间很难被金属液体全部填满，这就造成了铸件普遍存在的不致密性。另外，液态金属在冷却凝固过程中体积会产生收缩，如果得不到及时、足够的补充，也可形成疏松或缩孔。

(3)表面粗糙，形状复杂。铸件是一次浇注成型的，形状往往复杂且不规则，表面粗糙。图6.39所示为一些铸件实物照片。

(a)

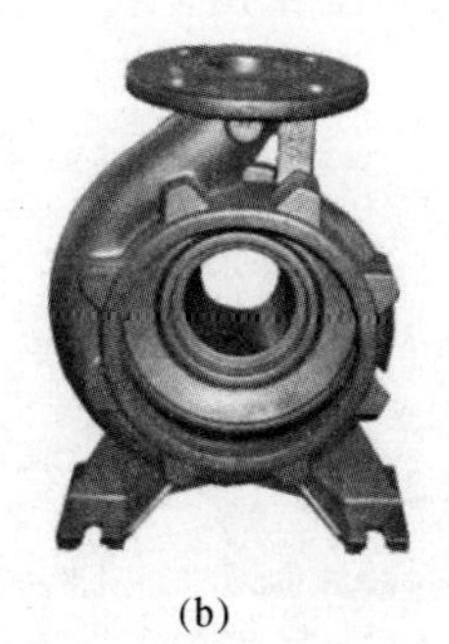

(b)

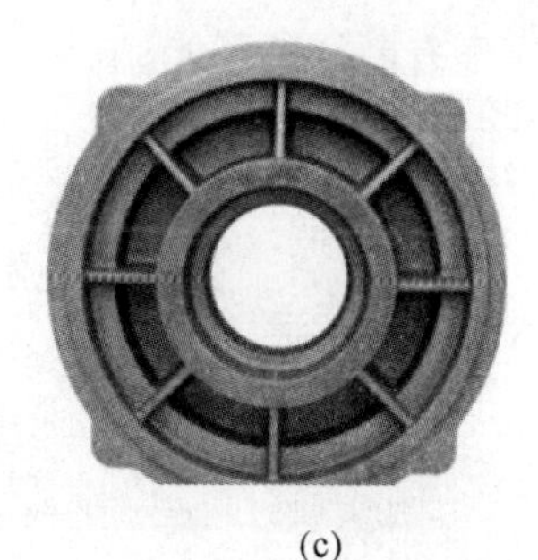

(c)

图6.39　铸件实物图

(a)汽车底盘配件；(b)不锈钢精密铸件；(c)球磨铸件

(4)各向异性。铸件冷却凝固过程中,从表面到中心的冷却速度不同,因而会形成不同的结晶组织,表现出来的力学性能和声学性能均为各向异性。各向异性的存在,对铸件超声检测时缺陷的评定影响很大。

2. 铸件中常见缺陷

铸件中的缺陷主要有空洞类缺陷、裂纹类缺陷、夹杂类缺陷(金属夹杂和非金属夹杂)和成分类缺陷(如偏析),其中夹杂和偏析与锻件中的类似。

(1)空洞类缺陷。液态金属在冷却凝固过程中会产生体积收缩,如果得不到及时、充足的补充,就会形成缩孔、缩松、疏松、气孔等空洞类缺陷。

(2)裂纹类缺陷。裂纹类缺陷有热裂、冷裂、白点、冷隔和热处理裂纹。

由于应力的原因,裂纹多出现于冷却速度快、几何形状复杂、截面尺寸变化大的铸件中,是最有危险性的缺陷。裂纹形状弯曲(穿透或不穿透),热裂开裂处金属表皮氧化,冷裂开裂处未被氧化,如图 6.40 所示。

(a)

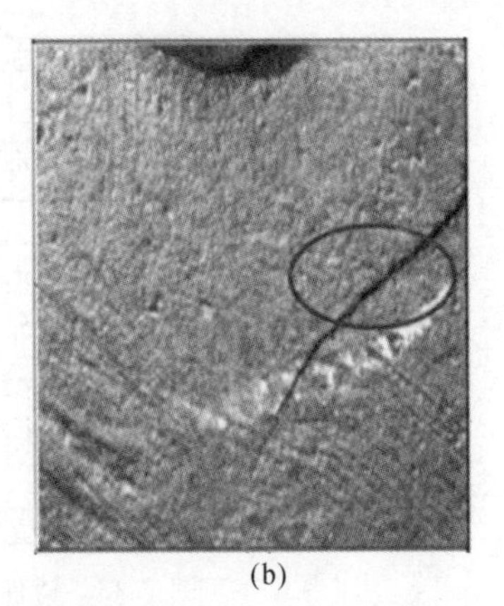

(b)

图 6.40　典型裂纹

(图片来源:https://wenku.baidu.com/view/4781472f6137ee06eef91872.htm)

(a)热裂;(b)冷裂

冷隔是铸件中特有的分层面积型缺陷。如果金属溶液浇注温度偏低、铸型表面或冷铁激冷过度,在铸件表面将产生明显的下陷性纹路(穿透或未穿透),其形状细小、狭长而不规则,交接边缘光滑,如图 6.41 所示。冷隔缺陷主要出现在铸件远离浇口的宽大表面处和薄壁处,在外力作用下有断开的可能。

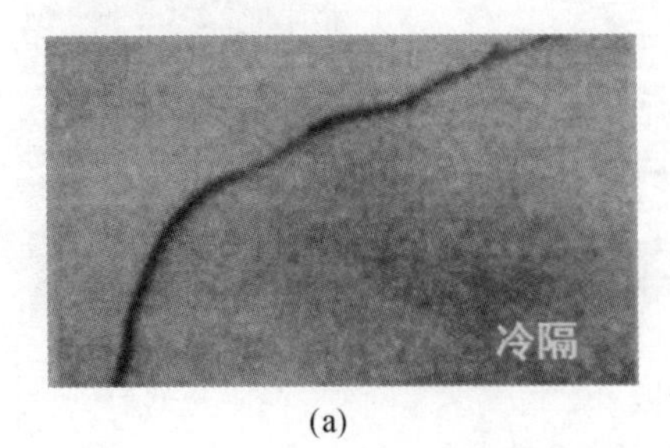

(a)

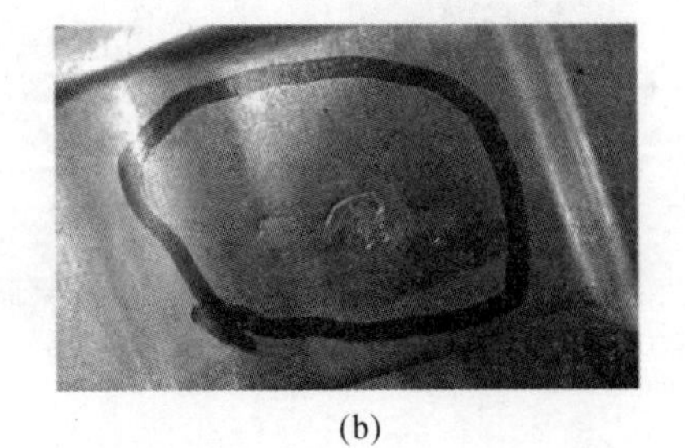

(b)

图 6.41　铸件中的冷隔缺陷

(图片来源:https://news.cnal.com/2016/04－20/1461146104431770.shtml)

6.3.2 铸件超声检测方法

铸件因其表面比较粗糙、晶粒比较粗大、组织不够致密、存在各向异性，在超声检测时往往声耦合较差、声波散射严重、声能衰减较大、穿透力较低、示波屏上杂波干扰较大、信噪比较低，各向异性的存在还会造成声路弯曲而影响缺陷的定位。因此铸件缺陷检测要求较低，铸件中一般允许存在的缺陷尺寸较大，数量可较多，特别是工艺性的检测，有的只要求检出危险性的缺陷，以便修补处理。

1. 检测条件的选择

(1)探头。铸钢检测，一般以纵波直探头检测为主，辅以横波斜探头检测和双晶直探头检测。铸钢件晶粒比较粗大，衰减严重，宜选用较低的频率，一般为0.5～2.5 MHz。

(2)检测面与耦合剂。铸钢件表面粗糙，耦合条件差，检测前要对其表面进行打磨清理，要求粗糙度R_a不大于12.5 μm。检测时要求用黏度较大的耦合剂，如糨糊、甘油、水玻璃等。

(3)透声性测试。铸件晶粒粗大、组织不致密，对声波吸收和散射严重，透射性能差，对检测结果影响较大。一般检测前要测试其透声性，可用纵波直探头测试。将直探头对准工件底面，调节仪器衰减器测出底波B_1与B_2的dB差即可，一般测三点取平均值。测得的dB差越大，说明透声性越差。

2. 铸件分类

(1)铸钢件。铸钢件一般晶粒不算太粗大，对超声波的衰减不太明显，因此可采用与锻件相同的脉冲超声反射法检测和评定其中的缺陷。

(2)奥氏体铸钢件。奥氏体铸钢件的晶粒一般都较大且不均匀，超声检测时声波穿透力低、杂波干扰大、信噪比低，因此超声检测有一定的难度，宜选用较低频率的探头和较大的发射功率。

(3)铸铁件。铸铁件中超声波的穿透性很差，并且检测中容易产生复杂的波形转换，故一般较难进行超声检测。但球墨铸铁、白铸铁因其材质相对比较均匀、晶粒相对较细，其内含的球状石墨减少了各向异性的影响，可以进行超声检测。

课后习题

1.判断题(对的在后面括弧中画"√"，错的画"×")

对铸钢件进行超声检测，一般以纵波直探头检测为主。(　　)

2.单项选择题

(1)化学成分相同，厚度相同，以下工件对超声波衰减最大的是(　　)。

A.钢板　　B.钢管　　C.锻钢件　　D.铸钢件

(2)大型铸件利用超声检测的主要困难是(　　)。

A.组织不均匀　　B.晶粒非常粗　　C.表面非常粗糙　　D.以上都是

(3)铸钢件超声检测频率一般选择(　　)。

A.0.5～2.5 MHz　　B.1～5 MHz　　C.2.5～5 MHz　　D.5～10 MHz

(4)关于铸钢件超声检测条件的叙述，下面正确的是(　　)。

A.检测频率5 MHz　　B.用透声性好、黏度大的耦合剂

C.用晶片尺寸小的探头　　D.以上全部

3.简答题

(1)铸件中常见的缺陷有哪几种?各是怎么形成的?

(2)铸件超声检测的困难是什么?

(3)铸件超声检测中一般选用较低的频率,原因是什么?

6.4 焊缝超声检测

工业实用中,许多金属结构,尤其是锅炉、压力容器、压力管道和各种钢结构等都主要是采用焊接方法制造的。目前,检测焊缝内部质量最常用的方法是射线检测和超声检测。对于焊缝中的裂纹、未焊透等危险性缺陷,超声检测比射线检测方法更容易发现,而且超声检测具有设备简单、检测速度快等特点。为了能够合理地选择检测方法和检测条件,并获得比较正确的检测结果,要求检测人员了解有关的焊接基础知识,如焊接接头形式、焊接坡口形式、焊接方法及工艺、焊缝缺陷等。本部分主要结合 NB /T 47013.3—2015 标准详细介绍承压设备焊接接头超声检测方法和质量分级。

6.4.1 焊接过程及常见缺陷

1. 焊接过程

焊接是通过加热或加压,或两者并用,用或不用填充材料,使工件达到原子结合的一种方法。焊接方法很多,按照焊接过程中金属所处的状态不同,可把焊接分为熔焊、压焊和钎焊三种类型。超声检测的主要对象是熔焊,本节仅介绍熔焊相关知识。

熔焊是采取局部加热的方法,把两块金属待焊接的母材部位加热至熔化状态,从而相互熔合成一个整体,包括焊条电弧焊、气体保护焊、埋弧焊、钨极氩弧焊、气焊、激光焊、电子束焊、等离子弧焊和电阻焊等。

(1)焊条电弧焊:手工操纵焊条进行焊接的电弧焊方法,焊接过程中,电极和母材之间产生电弧,靠电弧的高温熔化焊条和部分母材,从而使母材达到原子结合的焊接方法。如图6.42(a)所示,焊条由焊芯和药皮两部分组成,焊接时焊芯就是传导焊接电流的电极和焊缝的填充材料,药皮在高温下分解产生的中性或还原性气体作为保护层,防止空气中的 O_2,N_2 进入熔融金属。同时药皮对焊缝金属具有脱氧、脱硫、向焊缝渗入合金元素、调节焊缝金属凝固和冷却速度等作用。焊条电弧焊应用广泛,其焊接形成的焊缝是超声检测的重要对象。

焊条电弧焊设备简单,便于操作,适用于室内外各种位置的焊接,可以焊接碳钢、低合金钢、耐热钢、不锈钢等各种材料,在机械设备制造中应用十分广泛。其缺点是生产效率低,劳动强度大,对焊工的技术水平及操作要求较高。

(2)CO_2 气体保护焊:以 CO_2 气体作为保护气体的电弧焊方法,如图 6.42(b)所示,它以焊丝做一个电极,利用连续送进的焊丝与工件之间产生的电弧热熔化焊丝和工件,形成焊接接头,由焊炬喷嘴喷出的 CO_2 气体作为保护气体来保护电弧稳定并防止熔化金属被氧化。CO_2 气体保护焊在设备制造过程中可用于低碳钢、低合金钢结构件的焊接。其优点如下:

1)成本低。CO_2 气体较便宜,焊接中电能消耗少。

2)质量好。电弧和熔池在 CO_2 气体保护下不易受空气侵害。焊接时电弧加热集中,焊接速度快,焊接热影响区小。采用细焊丝、小范围焊接薄壁结构比较适宜。

3)效率高。由于焊丝送进自动化,电流密度大,热量集中,焊接速度快,又不需要清理焊渣等辅助工作,生产效率高。与手工电弧焊相比,其工作效率可提高2～5倍。

4)操作性能好。明弧焊,便于发现和处理问题。具有手工焊的灵活性,适于全位置焊接。

其缺点是,采用较大电流焊接时,飞溅较大,烟雾较多,弧光强,焊缝表面成形不够光滑、美观;控制操作不当时,容易产生气孔;焊接设备比较复杂。

(3)埋弧自动焊:用焊丝作为电极和焊接填充金属,利用液体焊剂作为保护层,电弧在焊剂层下加热并熔化金属,利用电气和机械装置控制送丝和移动电弧的焊接方法,如图6.42(c)所示。具优点如下:

1)效率高。焊接过程采用大的焊接电流,电弧热量集中,熔深大,焊丝可连续送进,与手工焊条电弧焊相比,其生产效率可提高5～10倍。

2)质量好。由于焊剂和熔渣严密包围着焊接区,不易受空气侵害;高效焊接减小了热影响区的尺寸;焊剂和熔渣的覆盖减慢了焊缝的冷却速度,这些都有利于使焊接接头获得良好的组织结构与性能。同时,自动操作使焊接规范,参数稳定,焊缝成分均匀,外形光滑美观。

3)节能。埋弧自动焊热量集中,焊接金属没有飞溅损失,没有废弃的焊条头,工件厚度小时还可以不开坡口,从而可以节省金属材料和电能。

4)劳动条件得到改善。埋弧自动焊施焊过程中看不到弧光,焊接烟雾少,又是机械自动操作,劳动条件得到了很大改善。

其缺点是,设备比较复杂、昂贵;由于电弧看不见,对接头加工与装配要求严格;焊接位置受到一定限制,一般要在平焊位置焊接。

埋弧自动焊常用于焊接长的直线焊缝及大直径圆筒形工件的环焊缝。

(4)钨极氩弧焊:以钨棒作为电极,靠钨极与工件之间的电弧热熔化金属,以氩气作为保护气体保护电弧稳定并防止熔融金属被氧化,如图6.42(d)所示。在焊接过程中,钨极不发生明显的熔化和消耗,只起发射电子引燃电弧及传导电流的作用。

钨极氩弧焊电弧稳定,可使用小电流焊接薄工件,并可单面焊双面成形,可避免根部未焊透等缺陷,提高焊接质量。

(5)气焊:以氧气和乙炔气混合燃烧产生的高温火焰作为热源使金属熔化的焊接方法,如图6.42(e)所示。

(6)激光焊:通过激光技术采用偏光镜反射产生的激光束经聚焦装置产生巨大能量的激光束,激光束焦点靠近工件焊接部位并使之在几毫秒内熔化和蒸发形成熔池,从而实现工件焊接间隙很小的深熔焊,如图6.42(f)所示。

(7)电子束焊:电子枪中的阴极被直接或间接加热而发射电子,电子在高压静电场的加速下再通过电磁场的聚焦而形成能量密度极高的高速电子束轰击工件表面,从而产生比普通电弧更集中、温度更高的热量,使焊接处工件熔化,形成熔池,从而实现对工件的焊接,如图6.42(g)所示。

(8)等离子弧焊:将氩气、氦气或氩氦、氩氢等混合气体通过电弧加热产生离解,在高速通过水冷喷嘴时受到压缩,形成电离程度大、能量密度高的等离子弧,使焊接处工件熔化,形成熔池,从而实现对工件的焊接,如图6.42(h)所示。

(9)电阻焊:利用电流通过焊件及接触处产生的电阻热作为热源使待焊接件局部加热,同时加压进行焊接的方法,如图6.42(i)所示。焊接时,不需要填充金属,焊接效率高变形小,容易实现自动化。

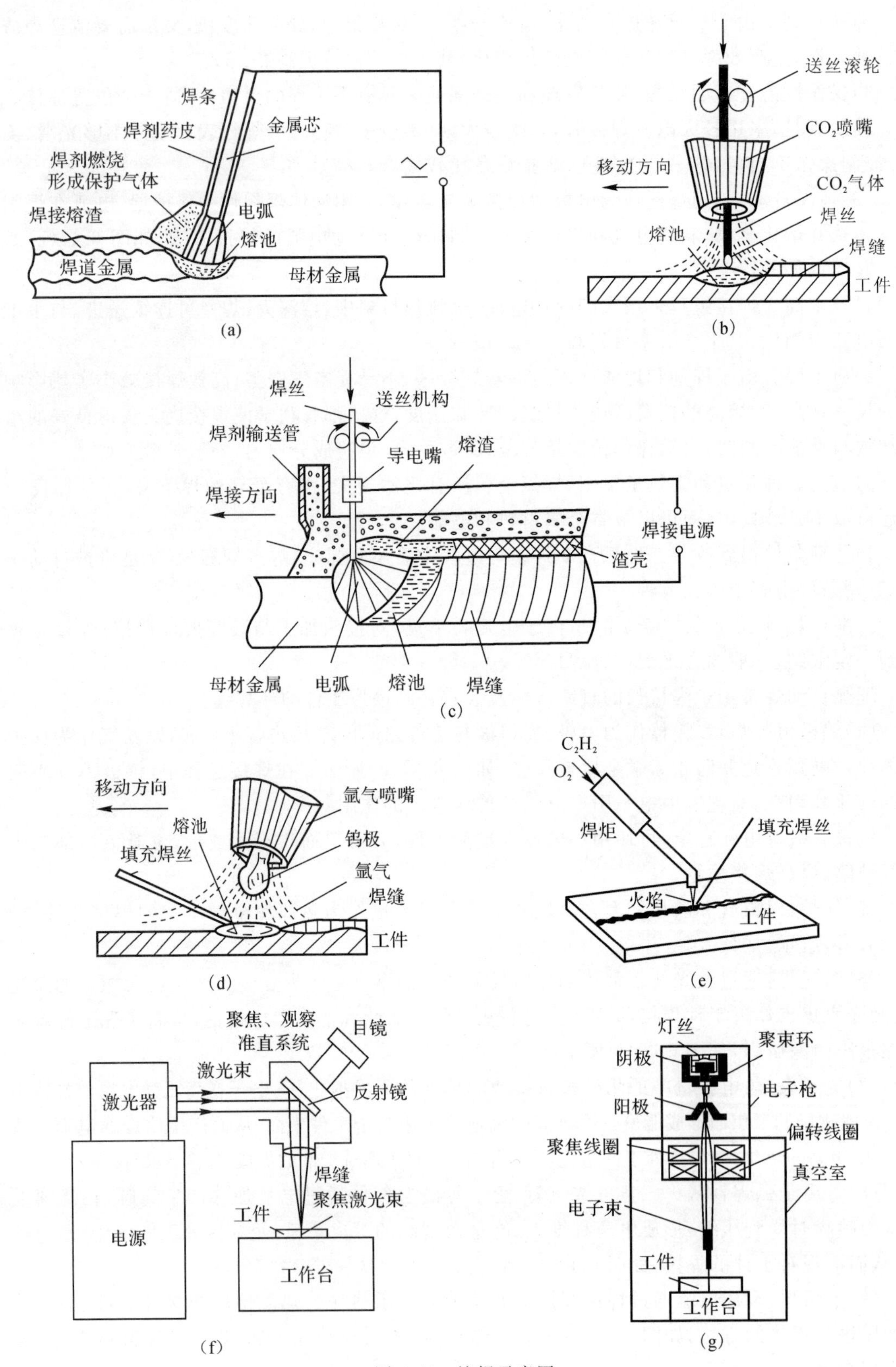
焊条
焊剂药皮
金属芯
焊剂燃烧
形成保护气体
焊接熔渣
电弧
熔池
焊道金属
母材金属
(a)
送丝滚轮
CO_2喷嘴
移动方向
CO_2气体
焊丝
熔池
焊缝
工件
(b)
焊丝
送丝机构
焊剂输送管
导电嘴
熔渣
焊接方向
焊接电源
渣壳
母材金属
电弧
熔池
焊缝
(c)
移动方向
氩气喷嘴
熔池
钨极
填充焊丝
氩气
焊缝
工件
(d)
C_2H_2
O_2
焊炬
填充焊丝
火焰
工件
(e)
聚焦、观察
准直系统
目镜
激光束
激光器
反射镜
焊缝
聚焦激光束
工件
电源
工作台
(f)
灯丝
聚束环
阴极
电子枪
阳极
偏转线圈
聚焦线圈
真空室
电子束
工件
工作台
(g)
图 6.42　熔焊示意图

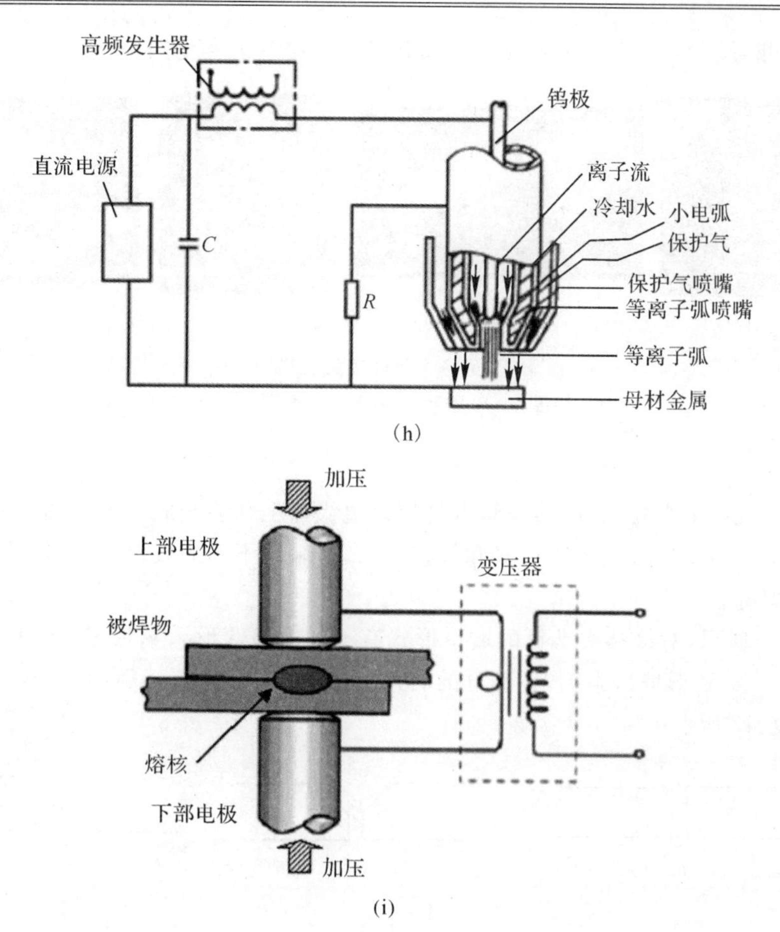

续图 6.42　熔焊示意图

(a)焊条电弧焊；(b)CO_2 气体保护焊；(c)埋弧自动焊；(d)钨极氩弧焊；(e)气焊；(f)激光焊；
(g)电子束焊；(h)等离子弧焊；(i)电阻焊

2. 接头形式

金属熔化焊焊接部位的总称叫焊接接头，简称接头，包括焊缝、热影响区和邻近母材。实际中可以采用不同的接头形式以满足不同工程需要，常用的接头形式主要有对接接头、角接接头、T形接头和搭接接头等，如图 6.43 所示。

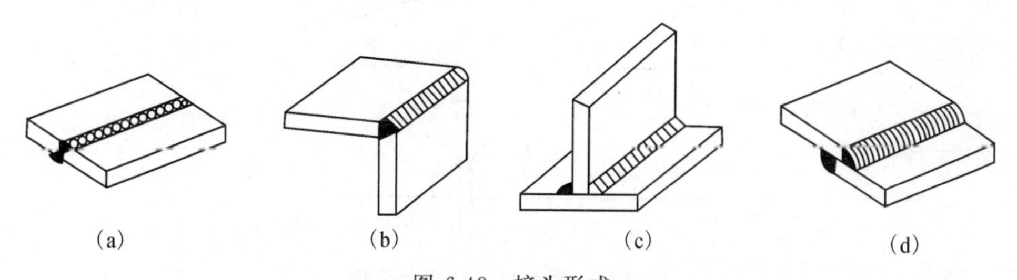

图 6.43　接头形式

(a)对接接头；(b)角接接头；(c)T形接头；(d)搭接接头

各种形式的焊接接头中，最常见的是对接焊接头，常用于板、管的焊接；其次是角接接头和T形接头，角接接头常见于箱形部件的边角焊接，T形接头常见于压力容器内外部辅助结构与壳体的焊接；搭接很少使用。图 6.44 所示为几种焊接接头的实物图。

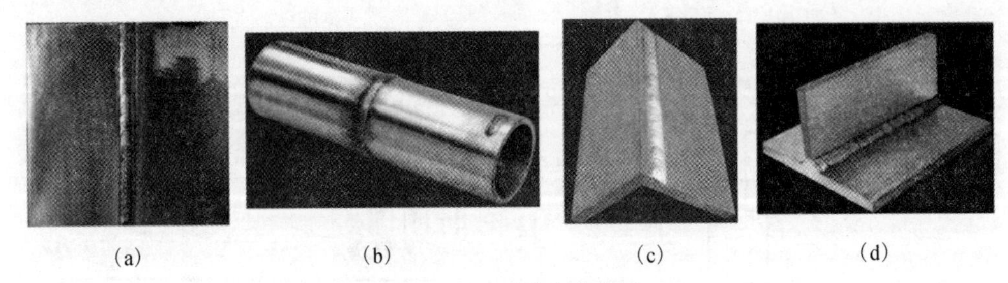

图 6.44　几种接头实物图

(a)板板对接接头；(b)管管对接接头；(c)角接接头；(d)T 形接头

3. 坡口形式

根据设计或工艺需要，焊接前要将母材焊口边缘加工并装配成一定的几何形状，称为坡口形式。根据板厚、焊接方法、接头形式和焊接要求，可采用不同的坡口形式，焊接后也就形成了不同形状的焊缝。

如图 6.45 所示，对接接头常见的坡口形式有不开口形（I 形）、V 形、X 形、U 形、单边 V 形以及 K 形等。以 V 形坡口为例，各部分的名称如图 6.46 所示，焊接后形成的焊接接头各部分的名称如图 6.47 所示。

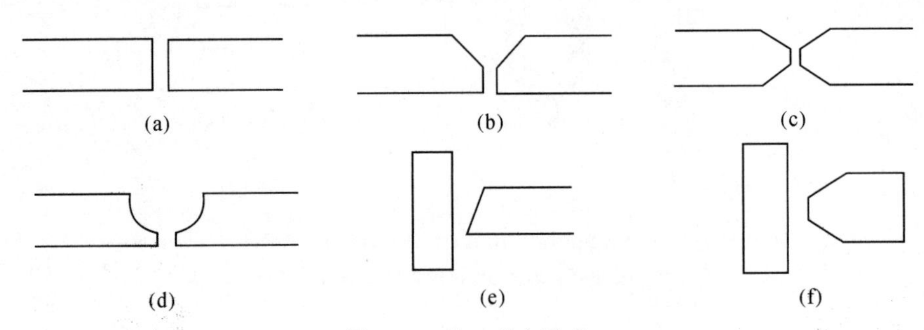

图 6.45　坡口基本形式

(a)I 形；(b)V 形；(c)X 形；(d)U 形；(e)单边 V 形；(f)K 形

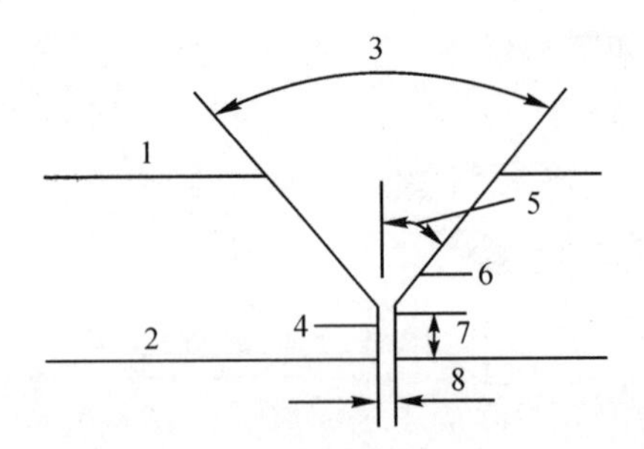

图 6.46　V 形坡口各部分名称

1—表面；2—背面；3—坡口角；4—根部面（钝边）；5—倾斜角；
6—坡口面；7—根部高度；8—根部间隙

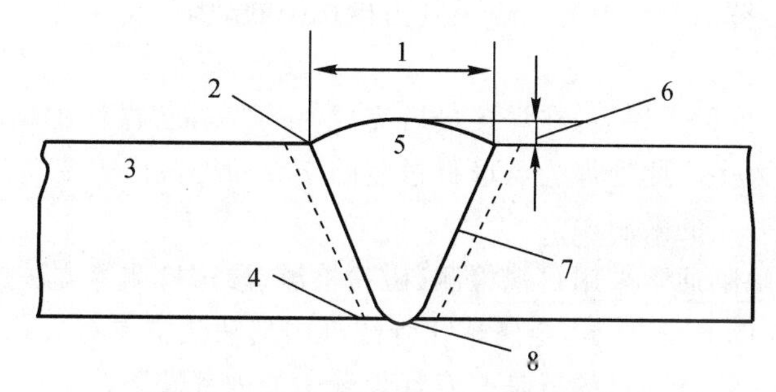

图 6.47　V形坡口焊接接头各部分名称

1—焊缝宽度；2—焊道边缝；3—母材；4—根部；5—焊缝金属；

6—余高；7—热影响区；8—焊趾

4. 常见焊接缺陷

焊接过程中，在焊接接头中产生的金属不连续、不致密或连接不良等现象称为焊接缺陷，可分为外部缺陷和内部缺陷两大类。

(1)外部缺陷。外部缺陷也称为外观缺陷，如图 6.48 所示，主要有咬边、凹陷、焊瘤、焊偏、流溢、加强高度过大、未焊满、烧穿、表面气孔和表面裂纹等。

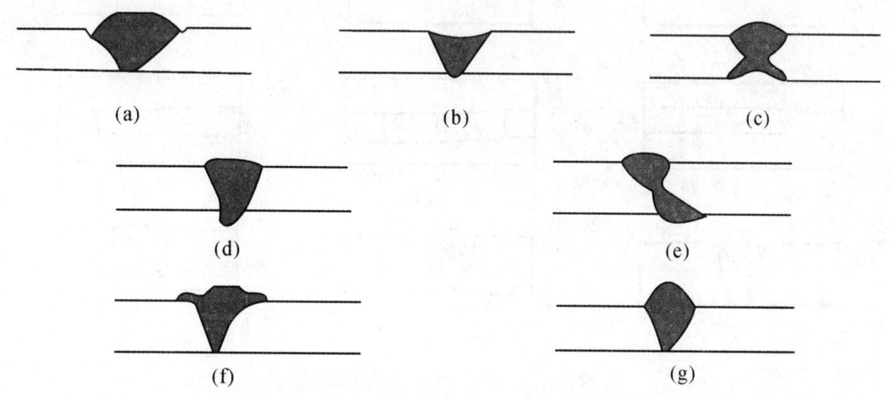

图 6.48　焊接接头的外部缺陷

(a)咬边；(b)外凹；(c)内凹；(d)焊瘤；(e)焊偏；(f)流溢；(g)加强高度过大

1)咬边：焊接电流过大或焊接速度不当、手工焊时操作焊条时运条方法不当等原因，使得金属熔池尺寸过大，填充金属只填入熔池而在熔池边缘形成洼穴，一般在焊缝两侧熔合线沿焊缝长度方法形成长条形的凹陷，尤其在手工电弧焊中容易出现。此处容易形成应力集中区。

2)凹陷：焊缝未被金属填满，以致焊缝截面高度低于母材金属表面的情况，包括外凹和内凹。凹陷主要是由于焊接电流大小与焊接速度不当、熔渣太稠以致影响熔池注入金属的成形、坡口尺寸不合适等原因造成的。它减小了焊缝截面而使焊接强度下降。

3)焊瘤：焊接时热量过大，熔池温度过高，熔化的金属凝固太慢，因其自身重力而下坠，形成正常焊缝截面外多余的附着金属。多出现在单面焊的根部，在用氩弧焊打底的手工电弧焊中容易产生，在手工电弧焊中电流过大、焊条停留时间过长或运条速度不当等情况下也容易产生。

4)焊偏：若两块金属对接时存在错位或错边，焊接时容易出现焊偏，此时焊缝截面偏离正常位置,超声检测时容易把焊缝中的缺陷误判为母材中的缺陷,或者把母材中的缺陷误判为焊缝中的缺陷。

5)加强高度过大:也称为焊冠,在焊接最后完成时的“盖面”操作中填充金属过多,以致焊缝截面高出母材表面太多。此处焊缝与母材过渡的交界面处截面突变,容易形成应力集中区,因此对加强高度要有一定的限制。

焊接接头的外部缺陷通常采用目视检测、磁粉检测、渗透检测等方法进行。

(2)内部缺陷。如图6.49所示,金属熔化焊焊缝内部缺陷主要有气孔、夹渣、未焊透、未熔合和裂纹等。焊缝超声检测的目的就是要发现焊缝中的内部缺陷。

1)气孔:指焊接冶金反应过程中生成的气体或外界侵入的气体在熔池金属凝固之前来不及逸出而残留在焊缝金属内形成的空穴,其气体成分有氮气、氧气、一氧化碳和水蒸气等,焊缝中的气孔最常见的是氢气气孔和一氧化碳气孔。气孔的成因主要是焊接时环境空气湿度太大、坡口不干燥、焊条未按规定条件烘干,或焊条变质、焊接电弧过长、焊接电压波动太大,以及气体保护焊过程中保护气体纯度不够或电弧太长使得保护气体因浓度不够而不能完全封闭焊接部位引起外界空气侵入等。

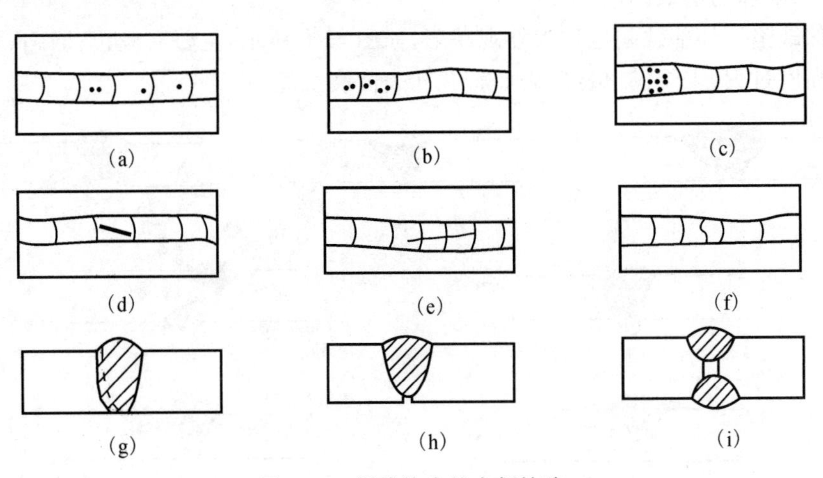

图6.49　焊接接头的内部缺陷

(a)分散气孔;(b)链状气孔;(c)密集气孔;(d)夹渣;(e)纵向裂纹;(f)横向裂纹;(g)未熔合;(h)根部未焊透;(i)层间未焊透

2)夹渣:指焊后残留在焊缝金属内的熔渣、焊剂或焊剂夹渣、氧化物夹杂以及金属夹杂物等。产生夹渣的主要原因是焊接电流过小、焊接速度过快、输入热量不够、清理不干净而导致熔渣或非金属夹杂物来不及浮起等。

3)裂纹:在焊接过程中或焊后,由于焊接应力或与其他致脆因素共同作用下,焊缝或母材热影响区局部破裂而形成的缝隙,称为焊接裂纹。焊接裂纹是面积型缺陷,它降低了焊接接头的强度,而且承载时会在裂纹末端引起应力集中而形成结构性断裂源,因此焊缝裂纹是危害性最大的缺陷,在焊缝中不允许存在。按其分布的位置不同可以分为熔合区裂纹、热影响区裂纹、根部裂纹、焊趾裂纹、弧坑裂纹(龟裂或辐射状,多产生于手工电弧焊的起弧与熄弧处)等。按其取向不同可分为纵向裂纹(平行于焊缝)、横向裂纹(垂直于焊缝)和八字裂纹(电渣焊中在电源电压不稳定时容易产生)等。按其成因可以分为热裂纹、冷裂纹(室温下形成的裂纹,如延迟裂纹、淬火裂纹)和再热裂纹。

4)未熔合:焊缝金属与母材之间或焊道金属和焊道金属之间未完全熔化结合的现象,称为未熔合,主要分为侧壁未熔合、层间未熔合和根部未熔合。未熔合产生的原因主要是焊接电流过小或不稳、焊接速度过快、焊条角度不当或电弧偏吹、坡口不干净或层间清渣不彻底等。

5)未焊透:实际熔深小于公称熔深而形成沿焊缝方向的长条形空隙的现象,称为未焊透,主要分为根部未焊透和层间未焊透,根部未焊透多出现在单面焊V形坡口接头的根部,层间未焊透是指双面焊对接焊缝中间钝边处未完全熔合在一起,如X形坡口、T形接头的K形坡口。未焊透的主要成因有焊接电流过小、焊条的运条速度过快或运条角度不当、坡口形状不当、根部间隙过小或钝边过大等,从而导致熔深浅。未焊透是面积型缺陷,承载时在其缺口和端部会形成应力集中区而容易产生扩展裂纹,危险性较大。

焊缝中气孔、夹渣是体积型缺陷,危害小。而裂纹、未焊透、未熔合是面积型缺陷,危害最大。在焊缝检测中由于加强高的影响及焊缝中裂纹、未焊透、未熔合等危害性大的缺陷往往与检测面垂直或成一定的角度,因此焊缝检测一般采用横波检测。

6.4.2　焊接接头超声检测技术等级

NB/T 47013.3—2015标准中规定,超声检测技术等级为A,B,C级。超声检测技术等级的选择应符合制造、安装等有关规范、标准及设计图样规定。承压设备的焊接接头的制造、安装时的超声检测,一般应采用B级超声检测技术等级进行检测。对重要设备的焊接接头,可采用C级超声检测技术等级进行检测。

1. A级检测

A级检测适用于工件厚度为6～40 mm的焊接接头的检测。可用一种折射角(K值)斜探头采用直射波法和一次反射波法在焊接接头的单面双侧进行检测。如受条件限制,也可以选择双面单侧或单面单侧进行检测。一般不要求进行横向缺陷的检测。

2. B级检测

(1)B级检测适用于工件厚度为6～200 mm焊接接头的检测。

(2)对于表6.12要求进行双面双侧检测的焊接接头,如受几何条件限制或由于堆焊层(或复合层)的存在而选择单面双侧检测时,还应补充斜探头作近表面缺陷检测。

(3)焊接接头一般应进行横向缺陷的检测。

3. C级检测

(1)C级检测适用于工件厚度为6～500 mm焊接接头的检测。

(2)采用C级检测时应将焊接接头的余高磨平。对接接头斜探头扫查经过的母材区域要用直探头进行检测,检测方法参阅6.4.3节的内容"6. 母材检测"。

(3)工件厚度大于15 mm的焊接接头一般应在双面双侧进行检测,如受几何条件限制或由于堆焊层(或复合层)的存在而选择单面双侧检测时,还应补充斜探头作近表面缺陷检测。

(4)对于单侧坡口角度小于5°的窄间隙焊缝,如有可能应增加检测与坡口表面平行缺陷的有效方法。

(5)工件厚度大于40 mm的对接接头,还应增加直探头检测。

(6)焊接接头应进行横向缺陷的检测。

对于平板对接接头,其超声检测的具体要求见表6.12。

表 6.12 平板对接接头超声检测的具体要求

检测技术等级	工件厚度 t/mm	纵向缺陷检测				横向缺陷检测	
		斜探头检测			直探头检测	斜探头横向扫查	
		不同 K 值探头数量	检测面(侧)	探头移动区宽度	探头位置	不同 K 值探头数量	检测面
A	$6\leqslant t\leqslant 40$	1	单面双侧或单面单侧或双面双侧	$1.25P$	—	—	—
B	$6\leqslant t\leqslant 40$	1	单面双侧	$1.25P$	—	1	单面
	$40< t\leqslant 100$	1 或	双面双侧	$1.25P$	—	1	单面
		2	单面双侧或双面单侧				
	$100< t\leqslant 200$	2	双面双侧	$0.75P$	—	2	单面
C	$6\leqslant t\leqslant 15$	1 或	单面双侧	$1.25P$	—	1	单面
		2	单面单侧或双面单侧				
	$15< t\leqslant 40$	2	双面双侧	$1.25P$	—	2	单面
	$40< t\leqslant 100$	2	双面双侧	$1.25P$	单面	2	单面
	$100< t\leqslant 500$	2	双面双侧	$0.75P$	单面	2	单面

对于平板对接接头，焊缝两侧母材厚度相等时，工件厚度 t 为母材公称厚度；焊缝两侧母材厚度不相等时，工件厚度 t 为薄侧母材公称厚度。

6.4.3 焊接接头检测方法

1. 检测区

检测区用焊接接头检测区宽度和检测区厚度来表征。检测区宽度应是焊缝本身加上焊缝熔合线两侧各 10 mm 确定。V 形坡口对接接头检测区如图 6.50 所示。检测区厚度应为工件厚度加上焊缝余高。超声检测应覆盖整个检测区。

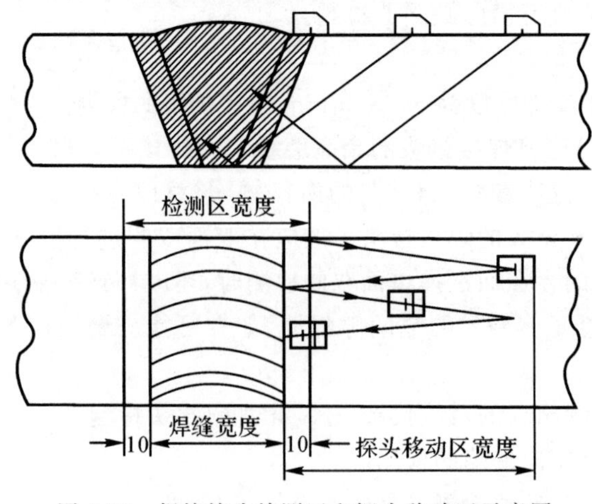

图 6.50 焊接接头检测区和探头移动区示意图

2. 检测面的准备

(1)检测面状态。检测面应清除焊接飞溅、铁屑、油漆及其他异物，以免影响超声波耦合和缺陷判断。检测面应平整，检测面与探头楔块底面或保护膜的间隙不应大于 0.5 mm，其表面粗糙度 $R_a \leqslant 25\ \mu m$。检测面一般应进行打磨，以保证良好的声学接触。

对于去除余高的焊缝，应将余高打磨到与邻近母材平齐。保留余高的焊缝，如果焊缝表面有咬边、较大的隆起和凹陷等也应进行适当的修磨，并作圆滑过渡以免影响检测结果的评定。

(2)探头移动区宽度。如图 6.50 所示，探头移动区宽度应能满足检测到整个检测区，它与检测方法和母材的厚度有关。

当采用一次反射法检测时，探头移动区应大于或等于 $1.25P$，其中

$$P = 2Kt \tag{6.6}$$

式中　P——跨距，mm；

K——探头折射角的正切值，$K = \tan\beta$，β 为探头折射角；

t——工件厚度，mm。

当采用直射法检测时，探头移动区应大于或等于 $0.75P$。

3. 探头频率和 K 值的选择

在焊缝超声检测中，由于 A，B 级焊缝余高的存在和斜探头前沿的影响，一次波只能检测到焊缝中下部。当焊缝宽度较大时，若斜探头的折射角(K 值)选择较小，则一次波可能无法检测到焊缝中下部。因此斜探头折射角(K 值)的选择应考虑以下三方面：

(1)斜探头的声束应能扫查到整个检测区；

(2)斜探头的声束中心应尽量与该焊缝可能出现的危险性缺陷垂直；

(3)尽量使用一次波判断缺陷，减少误判并保证有足够的检测灵敏度。

图 6.51 所示为用一次波和二次波单面检测双面焊焊缝时声束覆盖情况，由图可知：

$$d_1 = \frac{a + l_0}{K},\quad d_2 = \frac{b}{K}$$

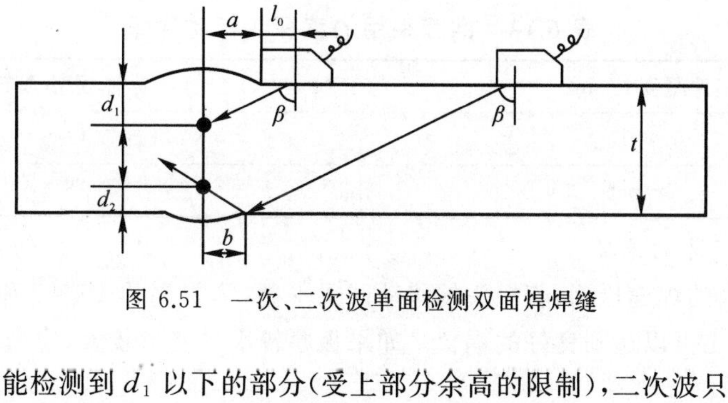

图 6.51　一次、二次波单面检测双面焊焊缝

其中一次波只能检测到 d_1 以下的部分(受上部分余高的限制)，二次波只能检测到 d_2 以上的部分(受下部分余高的限制)。为保证能检测到整个检测区，必须满足 $d_1 + d_2 \leqslant t$，可得

$$K \geqslant \frac{a + b + l_0}{t} \tag{6.7}$$

式中　a——上焊缝宽度的一半，mm；

b——下焊缝宽度的一半，mm；

l_0——探头的前沿长度，mm；

t——焊缝母材厚度,mm。

对于单面焊缝,b 可忽略,此时有

$$K \geqslant \frac{a+l_0}{t}$$

注:以上公式只有当 $l_0 \geqslant$ 焊缝的热影响区(10 mm)时使用。当 $l_0 \leqslant$ 焊缝的热影响区(10 mm)时,公式中的 l_0 应直接代入焊缝热影响区的数值 10 mm。

一般折射角(K 值)可根据母材的板厚来选取。板厚较薄时采用大 K 值,以避免近场区检测,提高定位、定量精度。板厚较厚时采用小 K 值,以便缩短声程、减小衰减、提高精度,还可减小探头移动区、减小打磨宽度。根据 NB/T 47013.3—2015 标准,斜探头的折射角(K 值)、标称频率的选取,可参照表 6.13。条件允许时,应尽可能采用较大折射角(K 值)探头。用两种或两种以上不同折射角(K 值)斜探头时,探头折射角相差不应小于 10°。

表 6.13 推荐采用的斜探头折射角(K 值)和标称频率

工件厚度 t/mm	折射角(K 值)	标称频率/MHz
6~25	63°~72°(2.0~3.0)	4~5
25~40	56°~68°(1.5~2.5)	2~5
>40	45°~63°(1.0~2.0)	2~2.5

采用一次反射法检测时,斜探头折射角(K 值)的选择应尽可能使声束与检测面相对的底波法线夹角在 35°~70°之间,当使用两种或两种以上不同折射角(K 值)斜探头检测时,应至少有一种探头折射角(K 值)满足这一要求。

斜探头折射角(K 值)因焊缝及母材的声速、温度的变化而变化,随使用中前面有机玻璃斜楔的磨损而改变,因此,检测前必须在试块上实测入射点(前沿长度)和折射角(K 值),并在检测中经常校准。

直探头标称频率的选取原则可参照表 6.14。

表 6.14 推荐采用的直探头标称频率

工件厚度 t/mm	标称频率/MHz
6~40	4~5
>40	2~5

4. 探头晶片尺寸的选择

对于板厚较大的焊缝检测,若探头的移动区很平整,为提高检测速度和效率,应选用晶片尺寸较大的探头,也可以达到良好的耦合。如果板厚较小且变形较大,应选用晶片尺寸较大的探头。

5. 耦合剂的选择

耦合的好坏决定着超声能量传入工件的声强透射率的高低。在焊缝检测中,常用的耦合剂有水、甘油、机油、变压器油、化学糨糊和润滑脂等。

(1)由于水的流动性好,传输方便,价格便宜,在焊缝自动检测系统中常常采用水作为耦合剂,使用时可加入润湿剂和防锈剂等。

(2)在较小工作量的情况下,焊缝检测可采用甘油作为耦合剂。它的优点是声阻抗大,耦合效果好，缺点是易吸收空气中的水分，容易对工件形成腐蚀坑，价格较贵。

(3)机油和变压器油的附着力、黏度、润湿性都较合适，也无腐蚀性，价格也不贵，因此是最常用的耦合剂。

(4)化学糨糊的耦合效果与机油差别不大，而且具有较好的水洗性，也是一种最常用的耦合剂。

6. 母材检测

当焊缝边缘母材内部存在分层或夹层缺陷时，它会影响声束传播路径，从而使焊缝区域内的缺陷漏检或误判，如图 6.52 所示。

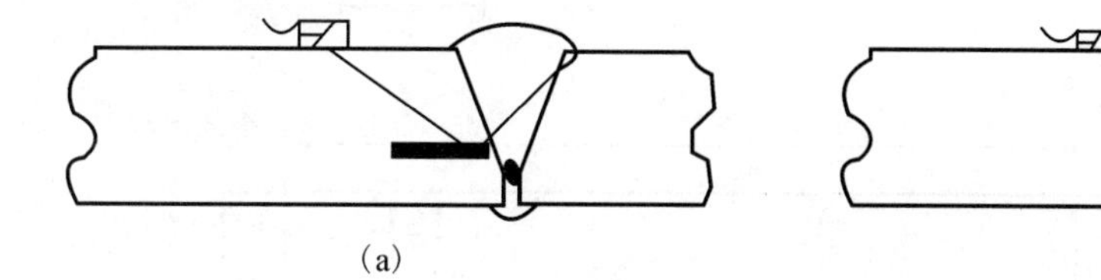

图 6.52　母材缺陷的影响

(a)母材内部存在分层可能造成漏检；(b)母材内部存在分层可能造成误判

因此，对于C级检测或必要时，斜探头扫查声束通过的母材区域，应先用直探头检测，以便检测是否有影响斜探头检测结果的分层或其他类型的缺陷存在。直探头扫查时，应确保超声波声束能扫查到焊接接头的整个被检区域。该项检测仅作记录，不属于对母材的验收检测。母材检测的要点如下：

(1)检测灵敏度：将无缺陷处第二次底波调整为示波屏满刻度的100%。

(2)记录要求：凡缺陷信号幅度超过示波屏满刻度20%的部位，应在工件表面做出标记，并予以记录。

7. 试块

NB/T47013.3—2015 标准规定，焊接接头检测用的标准试块为 CSK-ⅠA，其形状和尺寸符合图 4.21 的规定。焊接接头检测用的对比试块为 CSK-ⅡA，CSK-ⅢA 和 CSK-ⅣA。CSK-ⅡA 的形状和尺寸符合图 6.53 和表 6.15 的规定。CSK-ⅢA 的形状和尺寸符合图 6.54 的规定。CSK-ⅣA 的形状和尺寸符合图 6.55 和表 6.16 的规定。

表 6.15　CSK-ⅡA 试块尺寸　　(单位：mm)

试块编号	适用工件厚度 t	试块厚度 T	横孔位置	横孔直径 d
CSK-ⅡA-1	6～40	45	5,15,25,35	ϕ2.0
CSK-ⅡA-2	40～100	110	10,30,50,70,90	ϕ2.0
CSK-ⅡA-3	40～200	210	10,30,50,70,90,110,140,170,200	ϕ2.0

注 1：孔径误差不大于±0.02 mm，其他尺寸误差不大于±0.05 mm。

注 2：试块长度 L 由使用的声程等确定。

注 3：如声学特性相同或相近，试块也可用厚代薄。

注 4：可以在试块全厚度范围增加横孔数量。

注 5：也可使用其他直径的横孔，灵敏度应与此相当。

注 6：开孔垂直度偏差不大于 0.1°。

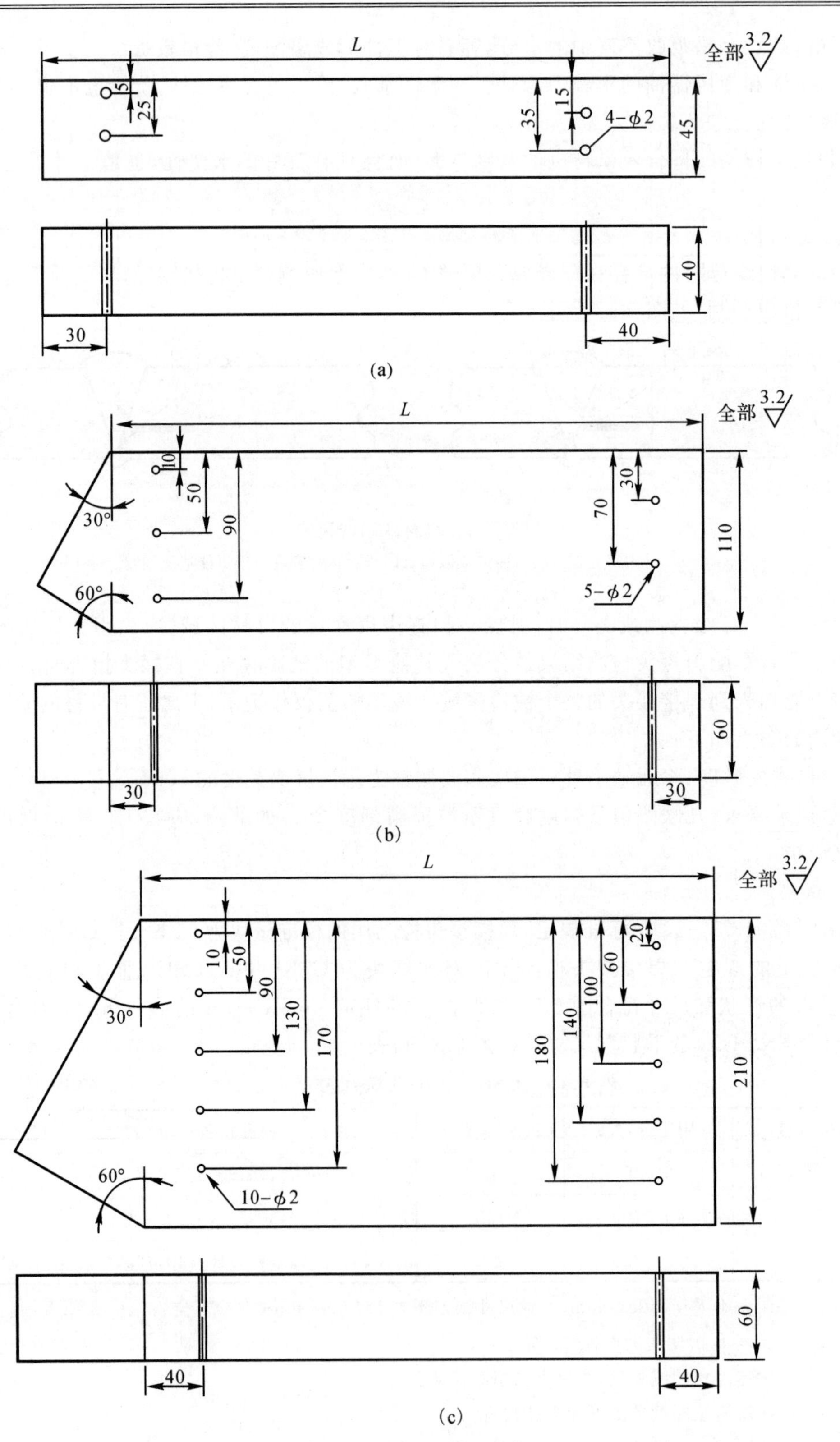

图 6.53　CSK－ⅡA 试块

(a)CSK－ⅡA－1 试块；(b)CSK－ⅡA－2 试块；(c)CSK－ⅡA－3 试块

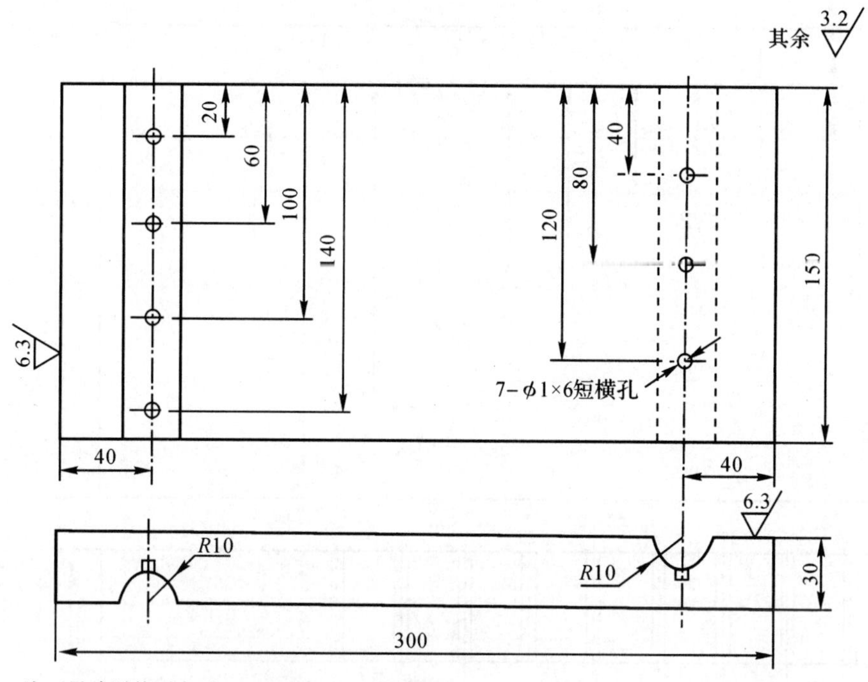

注：尺寸误差不大于±0.05 mm。

图 6.54　CSK -ⅢA 试块

表 6.16　CSK -ⅥA 试块尺寸　　(单位:mm)

试块编号	适用工件厚度 t	试块厚度 T	横孔位置	横孔直径 d
CSK -ⅣA - 1	200～300	310	10,30,50,80,110,150,190,240,290	ϕ6
CSK -ⅣA - 2	300～400	410	10,30,50,80,110,150, 190,240,290,340,390	ϕ6
CSK -ⅣA - 3	400～500	510	10,30,50,80,110,150,190, 240,290,340,390,440,490	ϕ6

注 1:孔径误差不大于±0.02 mm,其他尺寸误差不大于±0.05 mm。

注 2:试块长度 L 由使用的声程等确定。

注 3:如声学特性相同或相近,试块也可用厚代薄。

注 4:可以在试块全厚度范围增加横孔数量。

注 5:也可使用其他直径的横孔,灵敏度应与此相当。

注 6:开孔垂直度偏差不大于 0.1°。

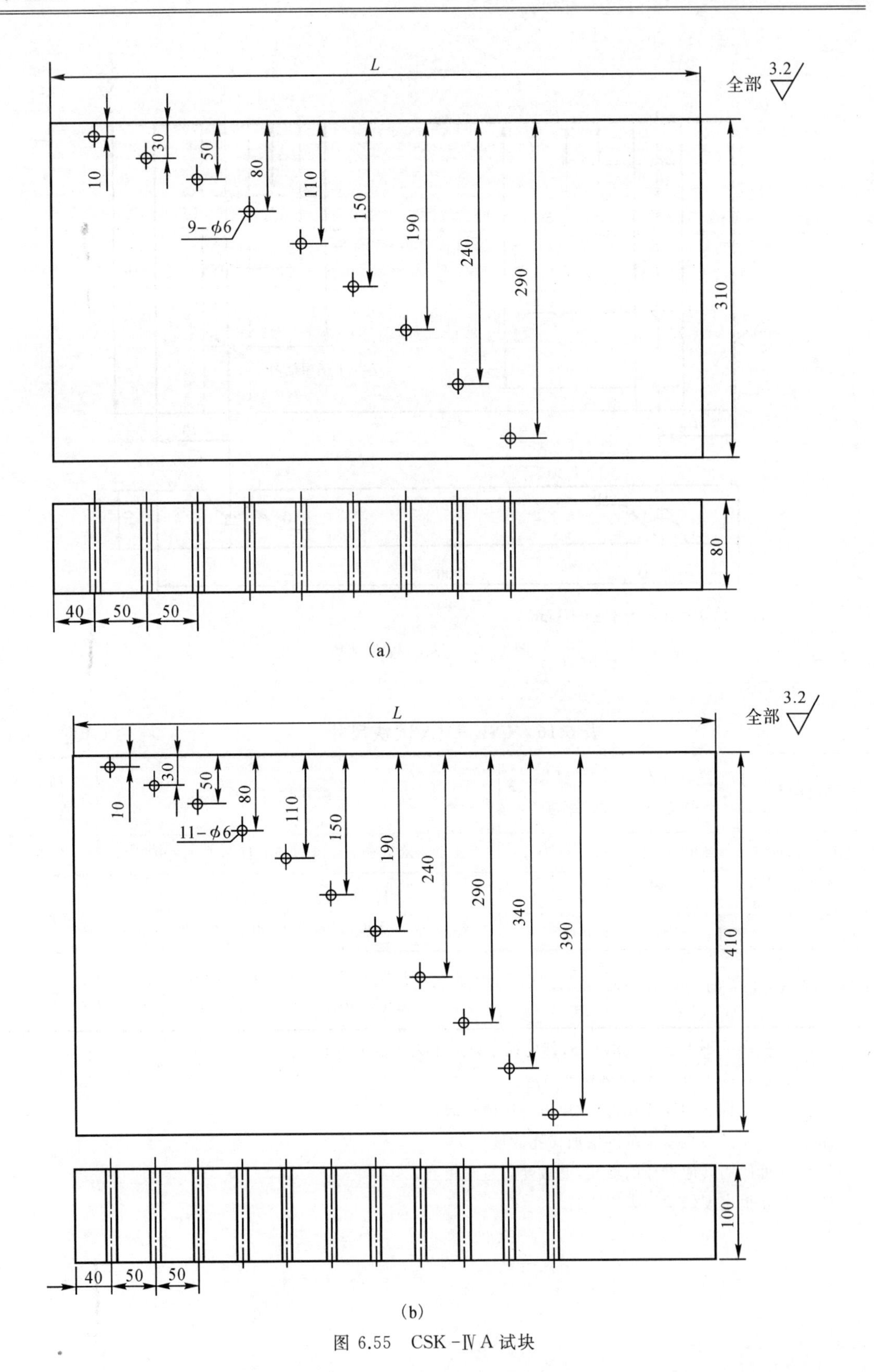

图 6.55 CSK-ⅣA 试块

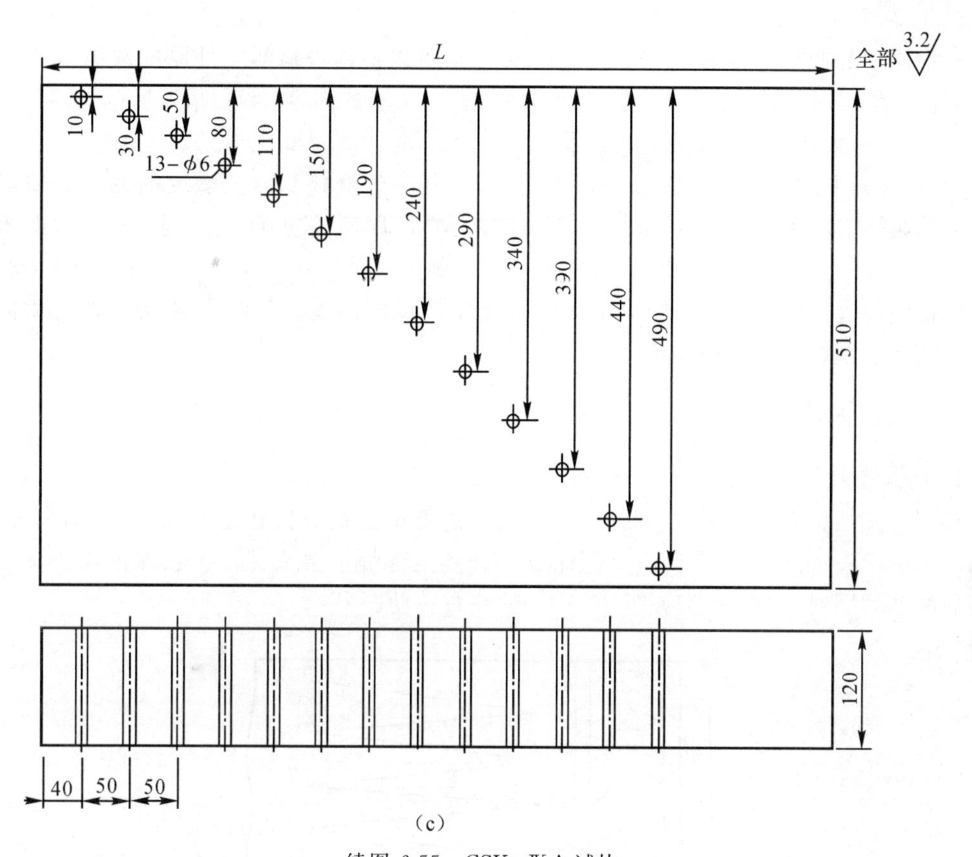

(c)

续图 6.55　CSK -ⅣA 试块

(a)CSK -ⅣA -1 试块;(b)CSK -ⅣA -2 试块;(c)CSK -ⅥA -3 试块

试块的使用原则应按标准规定执行。

(1)CSK -ⅠA,CSK -ⅡA,CSK -ⅢA 和 CSK -ⅣA 试块适用于检测面曲率半径大于等于 250 mm 的焊接接头的超声检测。

(2)CSK -ⅠA,CSK -ⅡA 和 CSK -ⅣA 试块适用于壁厚范围为 6～500 mm 的焊接接头超声检测,其中 CSK -ⅡA 适用于壁厚范围为 6～200 mm 的焊接接头,CSK -ⅣA 系列试块适用于壁厚范围为 200～500 mm 的焊接接头。

(3)对于工件壁厚范围为 8～120 mm 的焊接接头超声检测,也可以采用 CSK -ⅢA 试块,但应对灵敏度进行适当调整以与 CSK -ⅡA 保持一致。

(4)对不同工件厚度对接接头进行检测时,试块厚度的选择应由较大工件厚度确定,扫查灵敏度和质量分级由薄侧工件厚度确定。

6.4.4　检测设备的调整

1. 斜探头入射点、折射角(*K* 值)的测定

斜探头入射点的测定一般采用 CSK -ⅠA 试块,具体测试方法见 4.4.2 节的内容“3. 斜探头入射点和前沿长度”,也可以根据被检测工件厚度选择 CSK -ⅡA,CSK -ⅢA 或 CSK -ⅣA 试块。

2. 扫描速度的调整

扫描速度的调整一般采用 CSK - ⅠA 试块,也可以根据被检测工件厚度选择 CSK - ⅡA, CSK - ⅢA 或 CSK - ⅣA 试块。具体调整方法见 5.4.1 节的内容“2. 扫描速度的调整”。

3. 距离波幅曲线制作及灵敏度调整

距离-波幅曲线主要用于横波斜探头检测,尤其是焊缝检测时灵敏度的调节和缺陷的评定。具体制作方法和使用规则详见 5.4.1 节的内容“3. 距离-波幅曲线的制作和灵敏度调整”。

NB/T 47013.3—2015 标准规定,焊接接头检测扫查灵敏度不应低于评定线灵敏度,此时在检测范围最大声程处的评定线高度不应低于示波屏满刻度的 20%。检测和评定横向缺陷时,应将各线灵敏度均提高 6 dB。

6.4.5 扫查方法

1. 单探头扫查

检测焊接接头纵向缺陷时,斜探头应垂直于焊缝中心线放置在检测面上,作锯齿形扫查,如图 6.56 所示。探头前后移动的范围保证扫查到全部焊接接头截面。在保证探头垂直焊缝做前后移动的同时,扫查时还应做 10°～15°的左右转动。

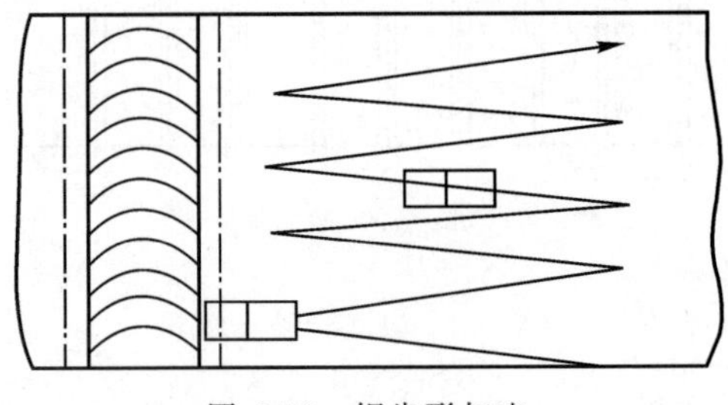

图 6.56 锯齿形扫查

为观察缺陷动态波形和区分缺陷信号或伪缺陷信号,确定缺陷的位置、方向和形状,可采用前后、左右、转角、环绕等 4 种基本扫查方式,如图 6.57 所示。前后扫查便于查找缺陷的最大回波,确定缺陷的水平距离和埋藏深度;左右扫查便于测定缺陷沿焊缝方向的延伸长度;转角扫查用来推断缺陷的取向,寻找缺陷最大回波高度;环绕扫查可以大致推断缺陷的形状。

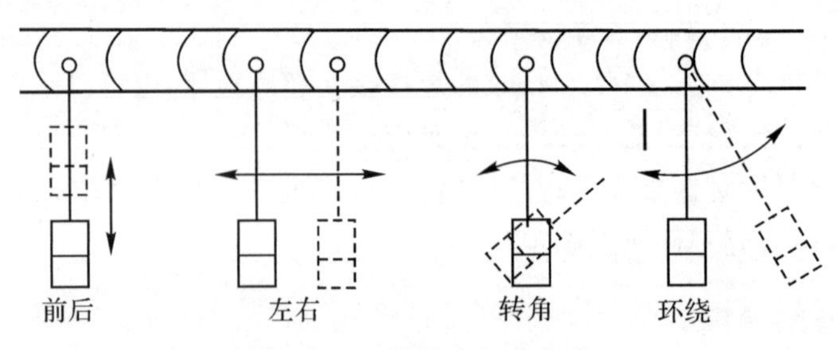

图 6.57 4 种基本扫查方式

检测焊接接头的横向缺陷时,可在焊接接头两侧边缘使探头与焊接接头中心线成不大于 10°角的两个方向作斜平行扫查,如图 6.58 所示。如焊接接头余高磨平,探头应在焊接接头及热影响区作两个方向的平行扫查,如图 6.59 所示。

对电渣焊焊接接头还应增加与焊缝中心线成45°角的斜向扫查。

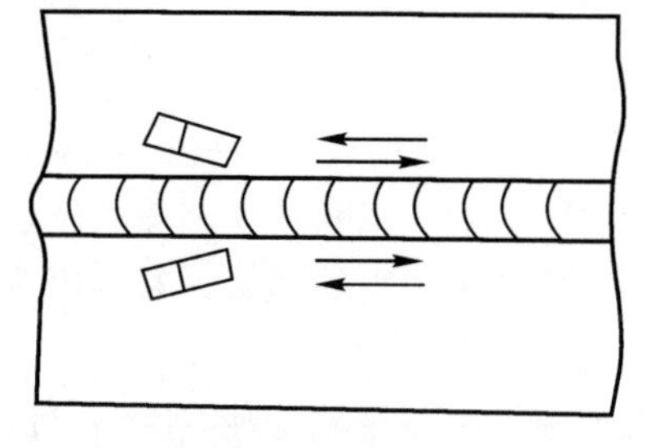
图 6.58　斜平行扫查

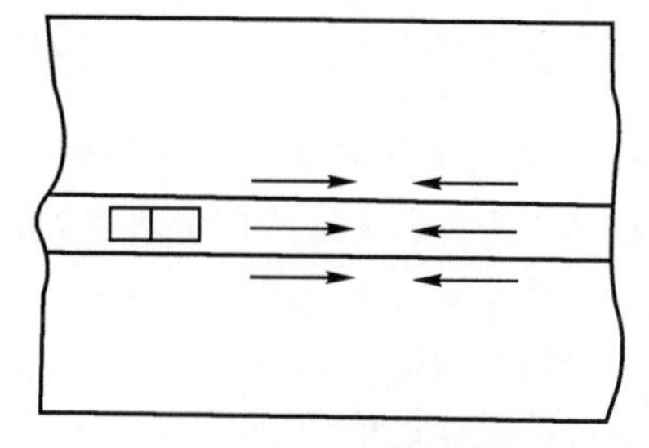
图 6.59　平行扫查

2. 双探头扫查

串列扫查：对厚壁焊缝检测时，在焊缝的一侧，将一发一收两个斜探头同方向一前一后放置，作等间隔移动，以检测垂直检测面的缺陷，如图 6.60 所示。检测中，焊缝深度方向任何部分的缺陷，其反射波均出现在示波屏上同一位置。

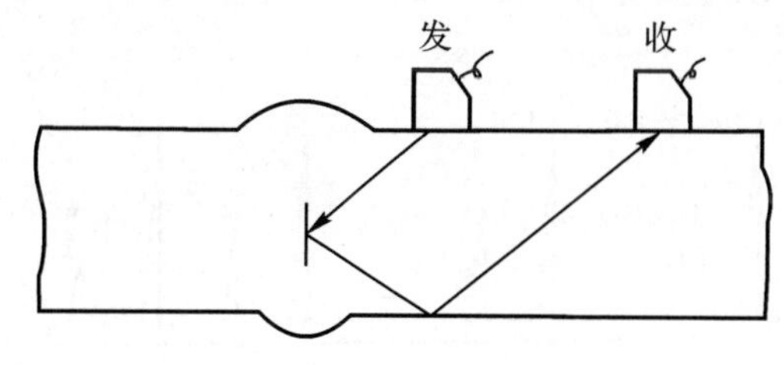

图 6.60　串列扫查

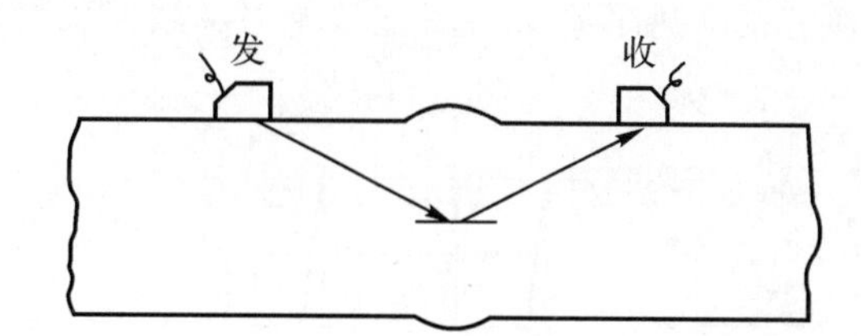

图 6.61　V形扫查

V形扫查：对平板对接焊缝检测时，在焊缝的两侧各放置一个探头，两个探头一发一收，作垂直于焊缝中心线的相向移动，以检测平行于检测面的缺陷，如图 6.61 所示。

交叉扫查：对平板对接焊缝检测时，在焊缝的两侧各放置一个探头，使两个探头的声束轴线相交于要检测的部位，两个探头一发一收，在焊缝两侧作平行于焊缝中心线的相向移动，以检测横向缺陷，如图 6.62 所示。

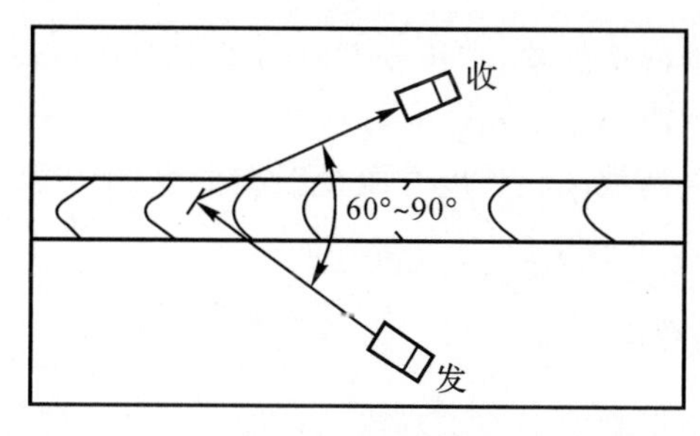

图 6.62　交叉扫查

3. 扫查速度和扫查间距

焊缝手工检测的扫查速度不应大于 150 mm/s。

扫查间距指相邻扫查线（探头移动的路线）之间的距离（锯齿扫查为齿距）。探头移动齿距宽度不应大于晶片宽度，保证声束全体积覆盖，探头的每次扫查覆盖率应大于探头晶片直径或宽度的15%。

6.4.6 缺陷的评定

1. 缺陷定量和定位

移动探头以获得缺陷的最大反射波作为缺陷波幅。缺陷位置应以获得缺陷最大反射波幅的位置为准。此时测定缺陷的波幅大小,并确定它在距离-波幅曲线中的区域。对波幅达到或超过评定线的缺陷,应确定缺陷的位置、波幅和指示长度。

超过评定线的信号应注意是否具有裂纹、未熔合、未焊透等类型缺陷特征,如有怀疑时,应采取改变探头折射角(*K* 值)、增加检测面、观察动态波形并结合结构工艺特征作判断,如对波形不能判断时,应辅以其他检测方法作综合判定。

2. 缺陷指示长度的测定

当缺陷反射波只有一个高点,且位于Ⅱ区或Ⅱ区以上时,用−6 dB法测量其指示长度,如图6.63所示。当缺陷反射波峰值起伏变化,有多个高点,且位于Ⅱ区或Ⅱ区以上时,应以端点−6 dB法测量其指示长度,如图6.64所示。当缺陷反射波波幅位于Ⅰ区时,将探头左右移动,使波幅降到评定线,用评定线绝对灵敏度法测量其指示长度。

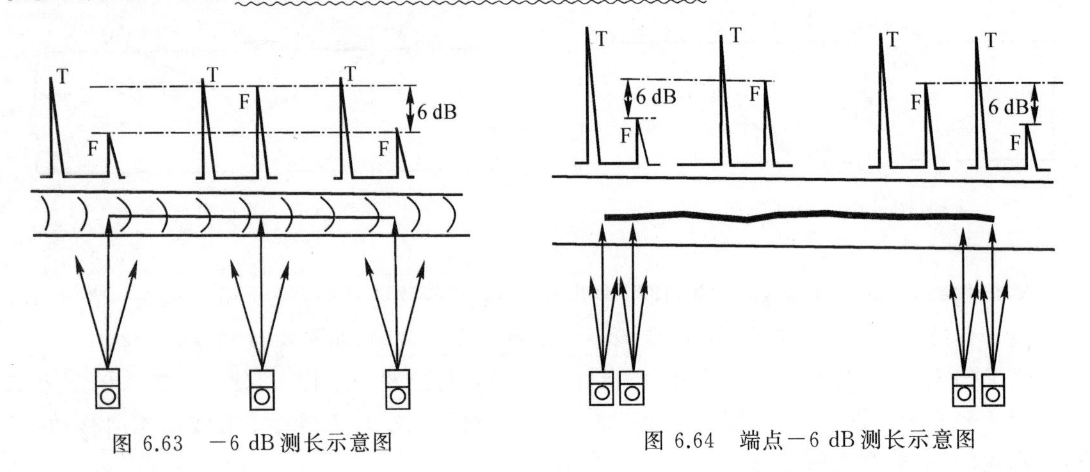

图6.63 −6 dB测长示意图

图6.64 端点−6 dB测长示意图

沿缺陷长度方向相邻的两个缺陷,其长度方向间距小于其中较小的缺陷长度且两缺陷在与缺陷长度相垂直方向的间距小于5 mm时,应作为一条缺陷处理,以两缺陷长度之和作为其指示长度(间距计入)。如果两缺陷在长度方向投影有重叠,则以两缺陷在长度方向上投影的左、右端点间距离作为其指示长度。

6.4.7 焊接接头质量分级

缺陷定位、定量后,要根据缺陷的当量和指示长度结合有关标准的规定评定焊接接头的质量级别。本节内容适用于锅炉、压力容器本体焊接接头质量分级,包括筒体(或封头)对接接头、接管与筒体(或封头)对接接头以及T形对接接头。

NB/T 47013.3—2015标准将锅炉、压力容器本体焊接接头超声检测质量级别分为Ⅰ,Ⅱ,Ⅲ三级,其中Ⅰ级质量最高,Ⅲ级质量最低。锅炉、压力容器本体焊接接头不允许存在裂纹、未熔合和未焊透等危害性缺陷。评定线以下的缺陷均评为Ⅰ级。具体分级规定见表6.17。

表 6.17 锅炉、压力容器本体焊接接头超声检测质量分级 （单位：mm）

等级	工件厚度 t	反射波幅所在区域	允许的单个缺陷指示长度 L	多个缺陷累计长度最大允许值 L'
Ⅰ	6～100	Ⅰ	≤50	—
	＞100		≤75	—
	6～100	Ⅱ	≤t/3，最小为10，最大不超过30	在任意 $9t$ 焊缝长度范围内 L' 不超过 t
	＞100		≤t/3，最大不超过50	
Ⅱ	6～100	Ⅰ	≤60	—
	＞100		≤90	—
	6～100	Ⅱ	≤$2t$/3，最小为12，最大不超过40	在任意 $4.5t$ 焊缝长度范围内 L' 不超过 t
	＞100		≤$2t$/3，最大不超过75	
Ⅲ	≥6	Ⅱ	超过Ⅱ级者	
		Ⅲ	所有缺陷（任何缺陷指示长度）	
		Ⅰ	超过Ⅱ级者	—

注1：当焊缝长度不足 $9t$（Ⅰ级）或 $4.5t$（Ⅱ级）时，可按比例折算。当折算后的多个缺陷累计长度允许值小于该级别允许的单个缺陷指示长度时，以允许的单个缺陷指示长度作为缺陷累计长度允许值。

注2：检测中，使声束垂直于缺陷的主要方向移动探头测得缺陷指示长度。

【例 6.6】 焊缝母材厚度 $t=40$ mm，在 500 mm 长的焊缝中发现三个位于Ⅱ区的缺陷波，其指示长度分别为 14 mm，7 mm，3 mm，缺陷间距如图 6.65 所示。试根据 NB/T 47013.3—2015 标准评定该焊缝的质量级别。

14 7 3

8 5

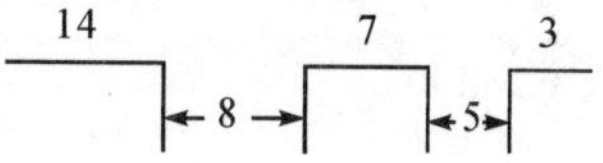

图 6.65

解 （1）缺陷反射波幅位于Ⅱ区，按指示长度评级。

（2）单个缺陷指示长度 $L=14$ mm，先按Ⅰ级判断。

$t/3=40/3$ mm$=13.3$ mm<14 mm，不符合Ⅰ级，按Ⅱ级判断。

$2t/3=26.6$ mm>14 mm，单个缺陷指示长度符合Ⅱ级。

（3）按多个缺陷累计长度值 L' 评级。Ⅱ级焊缝在 $4.5t$（180 mm）焊缝长度范围内，多个缺陷累计长度 L' 应不超过焊缝厚度 t。

$L'=(14+7+3)$mm$=24$ mm<40 mm(t)，符合Ⅱ级规定。

根据 NB/T 47013.3—2015 标准，该缺陷符合Ⅱ级要求，所以该焊缝质量级别为Ⅱ级。

【例 6.7】 焊缝母材厚度 $t=100$ mm，在 1 000 mm 长的焊缝内发现波幅为 $\phi1\times6+2$ dB 的三个缺陷，其指示长分别为 14 mm，7 mm，10 mm，缺陷间距如图 6.66 所示。根据 NB/T 47013.3—2015 标准评定该焊缝的质量级别。

14 7 10

4 12

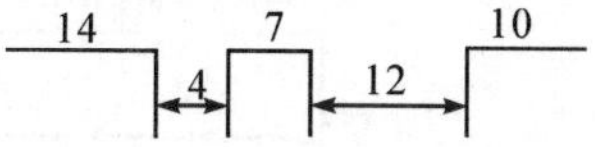

图 6.66

解 根据表 5.3 可得，缺陷当量尺寸为 $\phi1\times6+2$ dB，位于Ⅱ区，按指示长度评级。

（1）先按Ⅰ级判断。单个缺陷指示长度为

$$L=(14+4+7)\text{mm}=25\ \text{mm}$$

$t/3=100/3$ mm$=33.3$ mm>25 mm，单个缺陷符合Ⅰ级。

（2）再按多个缺陷累计长度 L' 评级。Ⅰ级焊缝在 $9t$（900 mm）焊缝长度范围内，多个缺陷

累计长度 L'应不超过焊缝厚度 t。

$L'=(14+4+7+10)\text{mm}=35\ \text{mm}<100\ \text{mm}(t)$，符合Ⅰ级规定。

根据 NB/T 47013.3—2015 标准，该缺陷符合标准Ⅰ级要求，所以该焊缝质量级别为Ⅰ级。

【例 6.8】 检测 $t=40$ mm 的对接接头，发现一个缺陷，其当量为 $\phi2\times40-2$ dB，长为 10 mm，试评定该焊接接头的质量级别。

解 根据表 5.3 可得，$\phi2\times40-2\ \text{dB}>\phi2\times40-4\ \text{dB}$，缺陷在判废线以上，位于Ⅲ区。根据 NB/T 47013.3—2015 标准，该焊接接头的质量级别为Ⅲ级。

6.4.8 缺陷记录

以板板对接焊缝超声检测为例说明焊缝缺陷记录情况。如图 6.67 所示，找到缺陷最高回波，用闸门套住，记录探头中心与焊板基准边线距离 X(图中水平距离为 20 mm)、缺陷深度 H(图中垂直距离为 14.9 mm)、最高波幅值($SL\pm$dB)(图中为 $SL+5.1$ dB)、所在区域；测出探头前沿到焊缝中心的距离 Y(图中 $Y=23$ mm)，结合缺陷的水平距离，计算缺陷偏离焊缝中心距离 q(图中 $q=20\ \text{mm}-23\ \text{mm}=-3\ \text{mm}$)，所测数据填入表 6.18，根据 X，H，q 简单绘出缺陷的平面示意图，并标记缺陷 F1，F2 等，如图 6.68 所示。

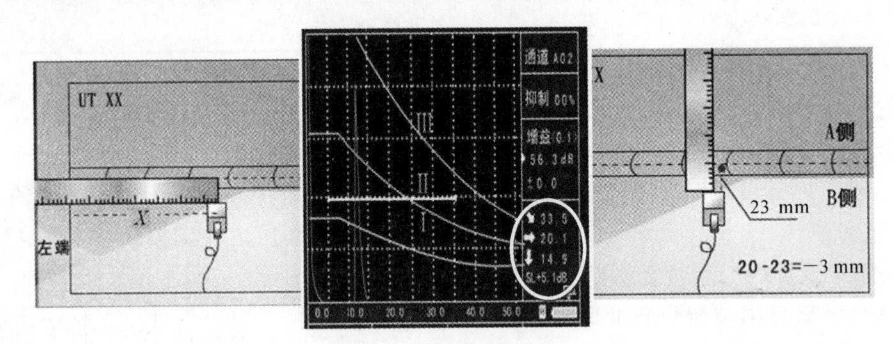

图 6.67 缺陷定位定量

计算缺陷指示长度：Ⅰ区缺陷用绝对灵敏度法，测量其指示长度，Ⅱ区或Ⅱ区以上缺陷用 −6 dB 或端点 −6 dB 法测量其指示长度，记录 X_1，X_2，如图 6.68 所示，则缺陷指示长度 $L=X_2-X_1$。点状缺陷和横向缺陷只记录缺陷回波最高时的位置 X。提高 6 dB 作横向扫查。所测数据填入表 6.18。根据表 6.17 评定缺陷质量级别。

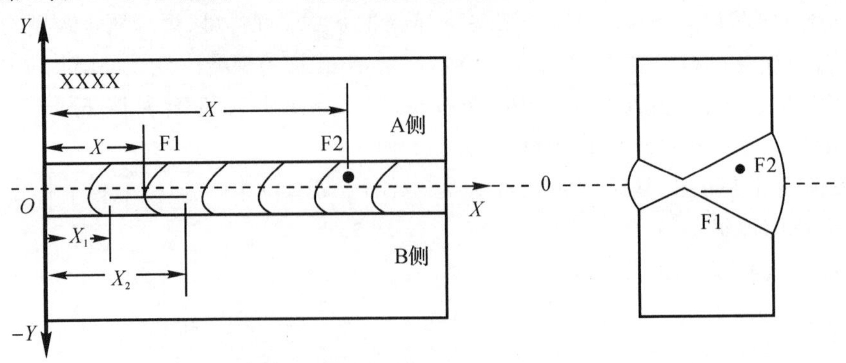

图 6.68 缺陷位置记录

表 6.18　焊缝超声波检测书记记录表

缺陷编号	缺陷定位					缺陷定量		质量评级
	深度 H /mm	缺陷起点 X_1/mm	缺陷终点 X_2/mm	最高波位置 X/mm	缺陷偏离焊缝中心距离 q/mm	缺陷指示长度 L/mm	最高波幅 SL±dB	级别
F1								
F2								

6.4.9　角焊缝超声检测

角焊缝形式多样，常见的有 T 形角焊缝、搭接角焊缝和管座角焊缝。

1. T 形角焊缝检测

T 形角焊缝由翼板和腹板焊接而成，坡口开在腹板上，其基本接头形式有如图 6.69(a)所示的 L 形焊接接头和如图 6.69(b)所示的 T 形焊接接头。

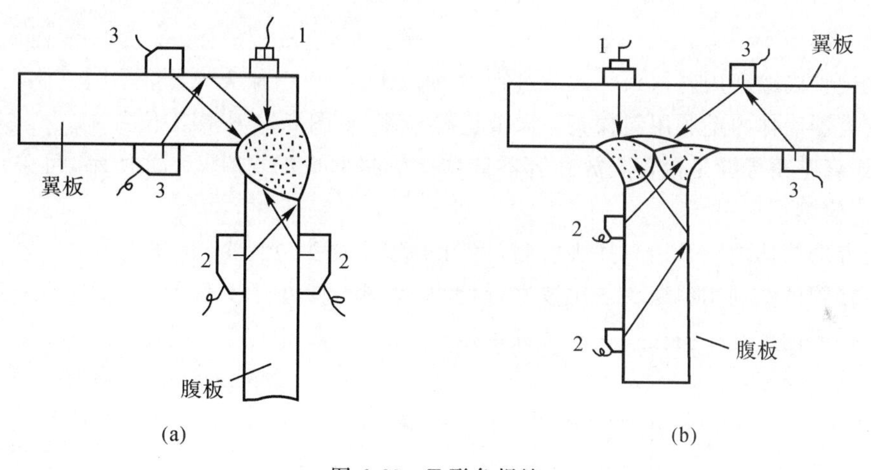

图 6.69　T 形角焊缝

(a)L 形焊接接头；(b)T 形焊接接头

T 形角焊缝常用的超声检测方法有以下几种。

(1)以翼板外侧为检测面的直探头检测。如图 6.69 所示的探头位置 1，此方式用于检测 T 形焊缝中腹板与翼板间的未焊透或翼板一侧焊缝的层状撕裂等缺陷。直探头标称频率根据翼板厚度按表 6.14 的规定进行选择。

(2)以腹板为检测面的斜探头检测。利用一次波或二次波进行检测，如图 6.69 所示的探头位置 2，斜探头折射角(K 值)根据腹板厚度按表 6.13 的规定选择。

(3)以翼板外侧或内侧为检测面的斜探头检测。如图 6.69 中的探头位置 3，探头置于外侧时利用一次波检测，推荐使用折射角为 45°角($K1$)的斜探头；探头置于内侧时，利用二次波检测。相比之下，外侧一次波检测灵敏度高，定位方便，可以检测纵向缺陷，也可以检测横向缺陷。其不足之处在于看不到焊缝，检测前要先测定并标出焊缝的位置。

距离-波幅曲线灵敏度应以腹板厚度为工件厚度按表 5.3 的规定执行。缺陷进行等级评定时，工件厚度以腹板厚度为准。距离-波幅曲线的制作方法、检测等级的选择、扫查方法、缺陷定量、评定以及质量分级均与平板对接焊缝检测类似。

2. 搭接角焊缝检测

如图 6.70 所示，将探头放在 a 位置，可以得到焊脚的反射波。当探头移到 b 处时，得到焊缝根部的反射波。在示波屏上确定这两点的位置，凡是在距离 d 之间出现的反射波均为缺陷波。

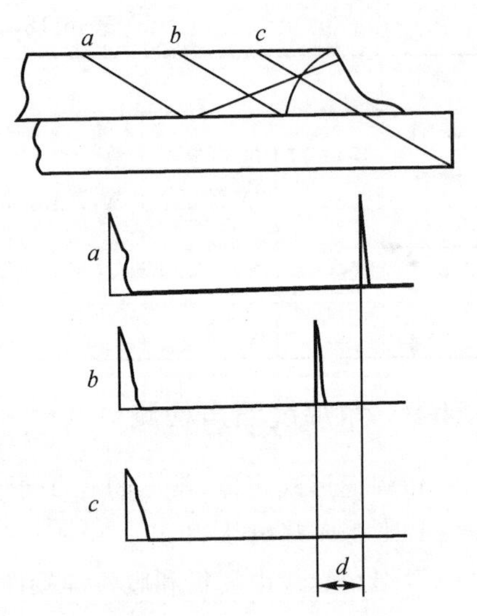

图 6.70　搭接角焊缝检测

3. 管座角焊缝检测

管座角焊缝是指管材与筒体或罐体相接的焊缝，其结构形式有插入式与安放式两种。

插入式管座角焊缝是接管插入容器筒体内焊接而成的，如图 6.71 所示，可采用以下几种方式进行检测。

(1)在接管内壁采用直探头检测，见图 6.71 中探头位置 1；

(2)在容器筒体外壁利用斜探头一次、二次波进行检测，见图 6.71 中探头位置 2；

(3)在接管内壁利用斜探头一次波进行检测，见图 6.71 中探头位置 3；

(4)在容器筒体内壁利用斜探头一次波进行检测，见图 6.71 中探头位置 4。

安放式管座角焊缝是接管安放在容器筒体上焊接而成的，如图 6.72 所示，可采用以下几种方式进行检测：

(1)在容器筒体内壁采用直探头检测，见图 6.72 中探头位置 1；

(2)在接管外壁利用斜探头二次波进行检测，见图 6.72 中探头位置 2；

(3)在接管内壁利用斜探头一次波进行检测，见图 6.72 中探头位置 3。

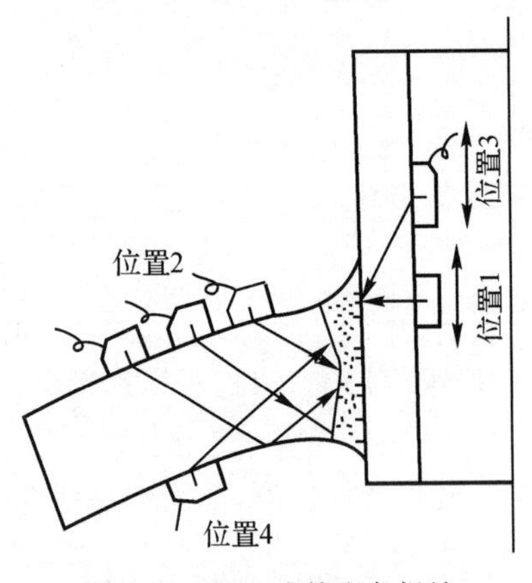

图 6.71　插入式管座角焊缝

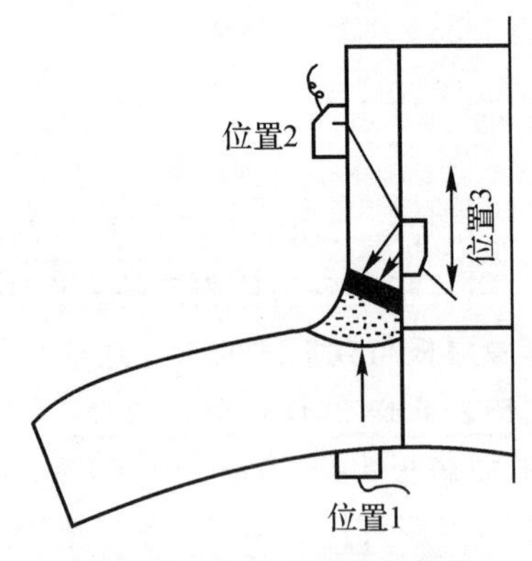

图 6.72　安放式管座角焊缝

由于管座角焊缝中危害最大的缺陷是未熔合和裂纹等纵向缺陷，因此一般以直探头检测为主。对直探头扫查不到的区域，如安放式接管角焊缝根部，需要增加斜探头检测。在选择检测方法时应考虑到各种类型缺陷的可能性，并使声束尽可能垂直于该焊接接头结构中的主要缺陷。

课后习题

1.判断题(对的在后面括弧中画"√",错的画"×")

(1)焊缝横波检测中,裂纹等危害性缺陷的反射波幅一般很高。(　　)

(2)焊缝横波检测中,如采用直射法,可不考虑结构反射、变型波等干扰回波的影响。(　　)

(3)采用双探头串列法扫查焊缝时,位于焊缝深度方向任何部位的缺陷,其反射波均出现在示波屏上同一位置。(　　)

(4)焊缝检测所用斜探头,当楔块底面前部磨损较大时,其 K 值将变小。(　　)

(5)焊缝横波检测时常采用液体耦合剂,说明横波可以通过液体介质薄层。(　　)

(6)当焊缝中的缺陷与声束成一定角度,检测频率较高时,缺陷回波不易被探头接收。(　　)

(7)焊缝横波检测在满足灵敏度要求的情况下,应尽量选用大 K 值探头。(　　)

(8)斜探头环绕扫查时,回波高度几乎不变,则可判断为点状缺陷。(　　)

(9)由于管座角焊缝中危害最大的缺陷是未熔合和裂纹等纵向缺陷,因此一般以纵波直探头检测为主。(　　)

(10)裂缝检测中,裂纹的回波比较尖锐,探头转动时,波很快消失。(　　)

2.单项选择题

(1)通常要求焊缝检测在焊后 48 h 进行的原因为(　　)。

A.让工件充分冷却　　B.焊缝材料组织稳定

C.冷裂纹有延时产生的特点　　D.以上都对

(2)对接焊缝检测时,在 CSK-ⅡA-1 试块上测得数据绘制距离-dB 曲线,现要计入表面补偿 4 dB,则应(　　)。

A.将测长线下移 4 dB　　B.将判废线下移 4 dB

C.将三条线同时上移 4 dB　　D.将三条线同时下移 4 dB

(3)焊缝斜角检测时,正确调整仪器扫描比例是为了(　　)。

A.缺陷定位　　B.缺陷定量

C.判定结构反射波和缺陷波　　D.A 和 C

(4)采用半圆试块调整焊缝检测扫描比例时,如圆弧第一次反射波对准时基刻度 2,则以后各次反射波对应的刻度为(　　)。

A.4,6,8,10　　B.3,5,7,9　　C.6,10　　D.以上都可以

(5)检测出焊缝中与表面成不同角度的缺陷,应采用的方法是(　　)。

A.提高检测频率　　B.用多种角度探头检测

C.修磨检测面　　D.以上都可以

(6)焊缝斜角检测时,焊缝中与表面成一定角度的缺陷,其表面状态对回波高度的影响是(　　)。

A.粗糙表面回波幅度高　　B.无影响

C.光滑表面回波幅度高　　D.以上都可能

(7)焊缝斜角检测时,示波屏上的反射波来自(　　)。

A.焊道　　B.缺陷　　C.结构　　D.以上全部

(8)斜角检测时,焊缝中的近表面缺陷不容易检测出来,其原因是(　　)。

A.近场效应　　B.受分辨力影响　　C.盲区　　D.受反射波影响

(9)厚板焊缝斜角检测时,时常会漏掉(　　)。

A.与表面垂直的裂纹　　B.方向无规律的夹渣

C.根部未焊缝　　D.与表面平行未熔合

(10)焊缝检测中,对一缺陷环绕扫查,其动态波形包络线是方形的,则缺陷性质可估判为(　　)。

A.条状夹渣　　B.气孔或圆形夹渣　　C.裂纹　　D.A 和 C

(11)板厚 100 mm 以上窄间隙焊缝作超声检测时,为检测边缘未熔合缺陷,最有效的扫查方法是(　　)。

A.斜平行扫查　　B.串列扫查　　C.双晶斜探头前后扫查　　D.交叉扫查

(12)对圆筒形工件纵向焊缝检测时,跨距将(　　)。

A.增大　　B.减小　　C.不变　　D.A 和 B

(13)采用双晶直探头检测锅炉大口径管座角焊缝时,调整检测灵敏度应采用(　　)。

A.底波计算法　　B.试块法

C.通过 AVG 曲线法　　D.以上都可以

(14)对有加强高的焊缝作斜平行扫查检测焊缝横向缺陷时,应(　　)。

A.保持灵敏度不变　　B.适当提高灵敏度

C.增加大 K 值探头检测　　D.B 和 C

(15)在厚焊缝单探头检测中,垂直焊缝表面光滑的裂纹可能(　　)。

A.用 45°斜探头探出　　B.用直探头探出

C.用任何探头探出　　D.反射信号很小而导致漏检

(16)在检测对接焊缝时,探头平行于焊缝方向的扫查目的是检测(　　)。

A.横向裂缝　　B.夹渣　　C.纵向缺陷　　D.以上都对

(17)用直探头检测焊缝两侧母材的目的是(　　)。

A.检测热影响区裂缝

B.检测可能影响斜探头检测结果的分层

C.提高焊缝两侧母材验收标准,以保证焊缝质量

D.以上都对

(18)管座角焊缝的检测一般以(　　)检测为主。

A.纵波斜探头　　B.横波斜探头　　C.表面波探头　　D.纵波直探头

(19)以下(　　)方法不适宜于 T 形焊缝。

A.直探头在翼板上扫查检测　　B.斜探头在翼板外侧或内侧扫查检测

C.直探头在腹板上扫查检测　　D.斜探头在腹板上扫查检测

3.简答题

(1)焊缝中常见的缺陷有哪几种? 各是怎么形成的?

(2)焊缝超声检测中,为什么常用横波检测?

(3)横波检测焊缝时,如何选择探头的 K 值?

(4)焊缝检测时,斜探头基本的扫查方式有哪些? 各有什么主要作用?

4.计算题

(1)用K2探头检测厚度分别为30 mm和60 mm的钢板对接焊缝，求两块钢板对接焊缝两侧的打磨宽度各是多少？

(2)用5P10×12K2探头检测厚度t=25 mm的钢板对接焊缝，扫描速度按深度2∶1调整。检测时在水平刻度60处发现一缺陷波，求此缺陷的深度和水平距离。

(3)用5P10×12K2.5探头检测厚度为t=20 mm的钢板对接焊缝，扫描速度按水平1∶1调整。检测时在水平刻度40和70处各发现一缺陷波，分别求这两个缺陷的深度和水平距离。

(4)现检测厚度t=100 mm的板材对接焊缝，仪器按深度1∶1调整扫描速度，用K2探头在CSK-IIA-2试块上作距离-波幅曲线，数据见下表(基准波高为80%)。

孔深d/mm	10	20	30	40	50	60	70	80	90	100
ϕ2×60横孔回波高度/dB	46	44	41	38	35	33	31	29	27	25

1)要求扫查灵敏度为ϕ2×60－14 dB，不考虑表面耦合损失和材质衰减，如何利用d=30 mm处的ϕ2×60横孔来调节灵敏度？

2)检测时在d=30 mm和50 mm处各发现一缺陷波，缺陷波高均为43 dB，求这两个缺陷的当量大小。

(5)上题中，若考虑材质衰减和表面耦合损失，已知工件中衰减系数α_1=0.001 dB/mm，试块衰减系数α_2=0，二者表面耦合差为4 dB。

1)要求扫查灵敏度为ϕ2×60－15 dB，如何利用CSK-IIA-2试块上d=30 mm处的横孔来调节灵敏度？

2)检测时在时基线刻度30处发现一缺陷，其波高为28 dB，求此缺陷的当量大小。

6.5　管材超声检测

6.5.1　管材加工及常见缺陷

1. 管材分类

管材是工程中常用的型材，其种类很多。按材料不同，可分为金属管和非金属管；按加工方法不同，可分为无缝钢管和焊接管；按尺寸不同，可分为小直径管和大直径管、薄壁管和厚壁管。从超声检测的角度，一般将外径大于100 mm的管材称为大直径管，外径小于100 mm的管材称为小直径管。将壁厚与管外径之比不大于0.2的金属管材称为薄壁管，大于0.2的金属管材称为厚壁管。

2. 管材加工及常见缺陷

无缝钢管是用穿孔法和高速挤压法制造而成的。穿孔法是先用穿孔机穿孔，同时用圆钢轧辊滚轧，再通过芯棒轧管机定径压延平整成形。高速挤压法是将表面光滑的原材料在挤压机中直接挤压成形，这种方法加工的管材尺寸精度高。

无缝管中的缺陷主要有裂纹、折叠、分层、重皮(又称翘皮)、夹杂、划伤或拉伤等。由于在管子的制造过程中，壁厚方向的受力变形为沿管轴方向的压延与拔长，因此缺陷通常沿管材轴向延伸，如图6.73所示。

焊接管是先将经检测合格的板材卷成管形后，再用电阻焊或埋弧自动焊焊接而成，主要用于大口径管的加工。由于板材已经检测过，所以焊接管中常见的缺陷为焊缝缺陷，多为裂纹、气孔、夹渣、未焊透、未熔合等。焊缝缺陷的检测方法在 6.4 节已经详细介绍过，故本节主要介绍无缝钢管的超声检测。

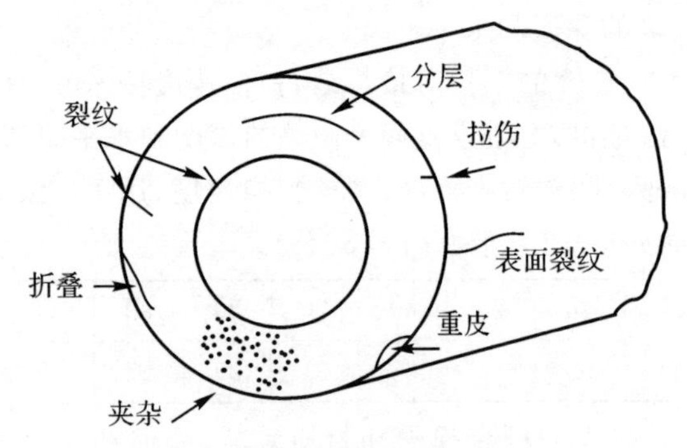

图 6.73　无缝管材中常见缺陷示意图

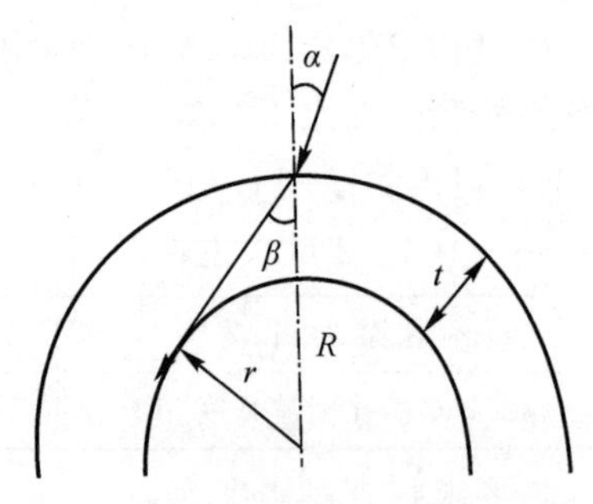

图 6.74　无缝管材的纯横波检测

6.5.2　管材横波检测技术

管材检测的目的是检测到管材内的各种缺陷以及内外壁的纵向裂纹。因此，沿外圆作周向扫查的横波检测是管材检测的主要方式。得到纯横波的条件是声束入射角选择在第一临界角和第二临界角之间。

如图 6.74 所示，在管材中产生纯横波的条件下，使声束到达内壁的条件为

$$\sin\beta < \frac{r}{R} = 1 - \frac{2t}{D}$$

由第一临界角公式可知，产生纯横波的条件为

$$\frac{c_{L_1}}{c_{L_2}} < \sin\alpha = \frac{c_{L_1}}{c_{S_2}}\sin\beta < \frac{c_{L_1}}{c_{S_2}}\left(1 - \frac{2t}{D}\right)$$

由此得管材中纯横波条件下，声束可到达内壁的前提为

$$\left(\frac{t}{D}\right)_{临界} < \frac{1}{2}\left(1 - \frac{c_{S_2}}{c_{L_2}}\right) \tag{6.8}$$

式中　D——管材外径，mm；

t——管材壁厚，mm；

c_{L_2}——管材中的纵波声速，m/s；

c_{S_2}——管材中的横波声速，m/s。

式(6.8)说明，要在管材内实现纯横波检测，且声束能够到达管材的内外壁，管材的壁厚和外径之比必须满足该条件。

对于一般的金属无缝钢管，t/D 值应小于 0.22，铝合金管则应小于 0.25，钛合金管则应小于 0.24。粗略地估计金属管材能否用纯横波检测时，通常用管材壁厚与外径比是否小于 0.2 作为判据，t/D 小于 0.2，则认为可以检测，并称这样的管材为薄壁管。

6.5.3　小直径薄壁管检测

小直径薄壁管一般为无缝管，其主要的缺陷为平行于管材轴线的纵向缺陷，一般利用横波

进行周向扫查检测，如图 6.75 所示。有时也有垂直于管材轴线的横向缺陷，一般利用横波进行轴向扫查检测，如图 6.76 所示。

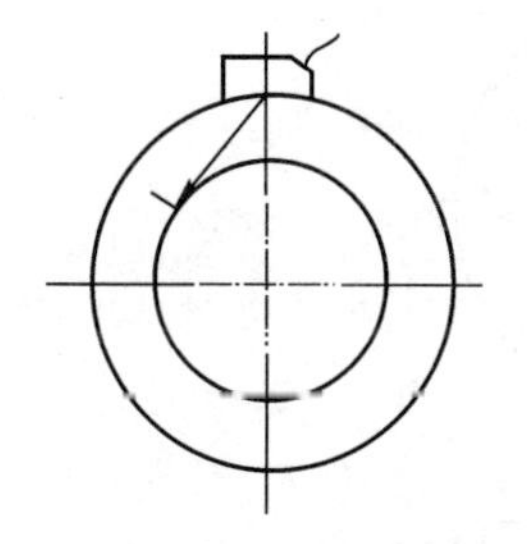

图 6.75　纵向缺陷检测

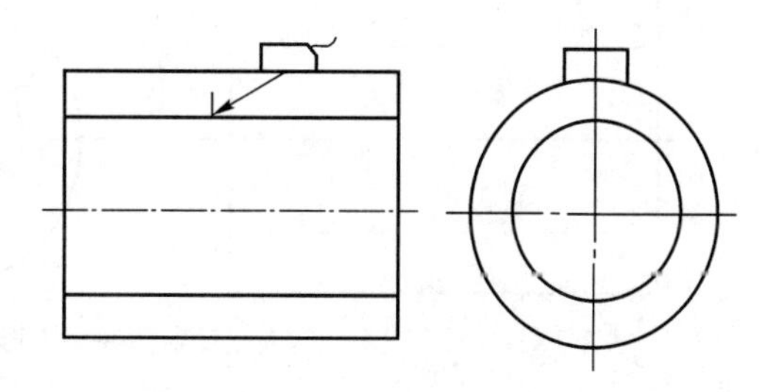

图 6.76　横向缺陷检测

按耦合方式，小直径管检测可分为接触法检测和水浸法检测。

1. 接触法检测

接触法检测是指探头通过薄层耦合介质与钢管直接耦合进行检测的方法。这种方法一般为手工检测，检测效率低，但设备简单，操作方便，机动灵活性强，适用于单件小批量及规格多的情况。

接触法检测小直径管时，由于其管径小，曲率大，常规横波斜探头与管材接触面小、耦合不良，波束严重扩散，灵敏度低。为了实现良好的耦合，将探头修磨为与管材曲率半径相同的曲面，如图 6.77 所示。

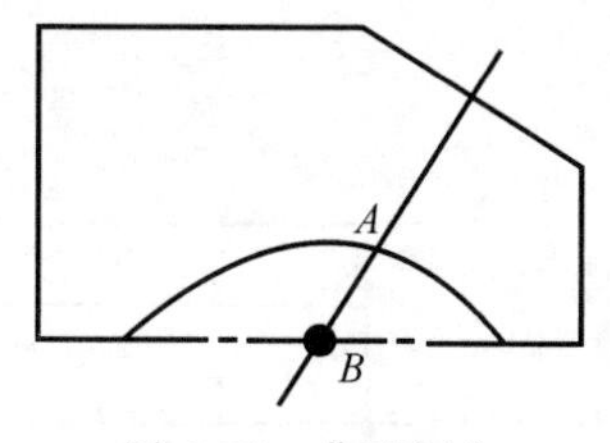

图 6.77　曲面探头

在实际检测中有机玻璃斜楔在检测过程中磨损较大，斜楔磨损后会引起入射角度变化，使检测灵敏度降低，所以应在检测过程中增加检测校准次数。为了提高检测灵敏度，也可以采用接触聚焦探头来检测。

下述分别介绍纵向缺陷和横向缺陷的一般检测方法。

(1)对比试块。检测纵向缺陷和横向缺陷所用的人工反射体应分别为平行于管轴的纵向槽和垂直于管轴的横向槽，其断面形状均可为矩形或 V 形，人工反射体示意图如图 6.78 所示。矩形槽的两个侧面应相互平行且垂直于槽的底面。当采用电蚀法加工时，允许槽的底面和底面角部略呈圆形。V 形槽的夹角应为 60°。

纵向槽应在对比试块的中部外表面和端部区域内、外表面处各加工一个，3 个槽的公称尺寸相同，当钢管内径小于 25 mm 时可不加工内壁纵向槽。横向槽应在试样的中部外表面和端部区域内、外表面处各加工一个，3 个槽的名义尺寸相同，当内径小于 50 mm 时可不加工内壁横向槽。

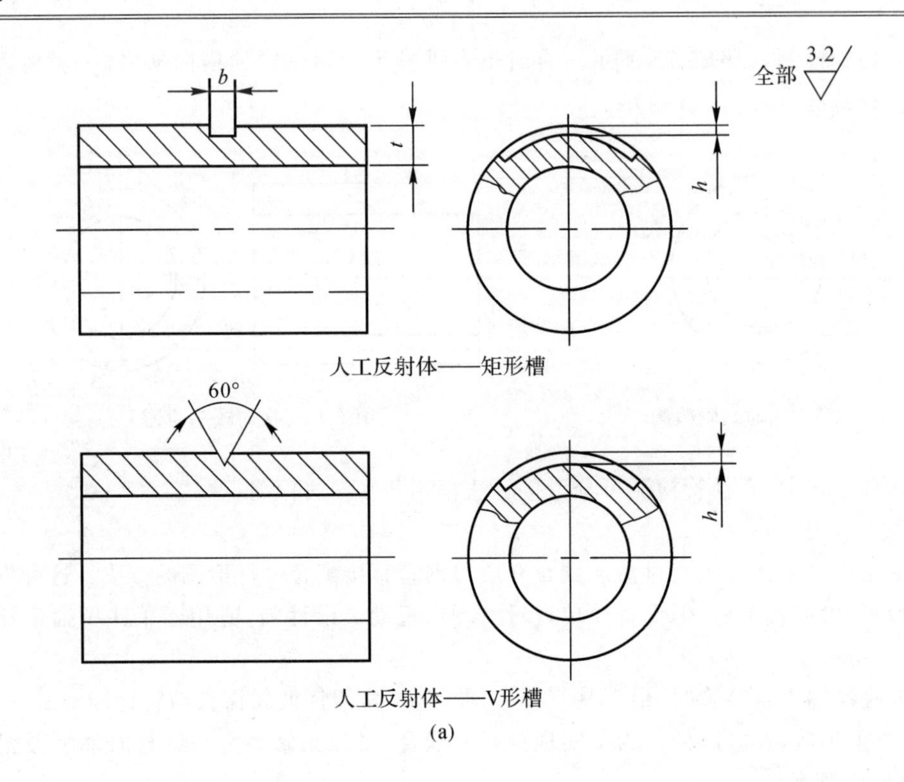

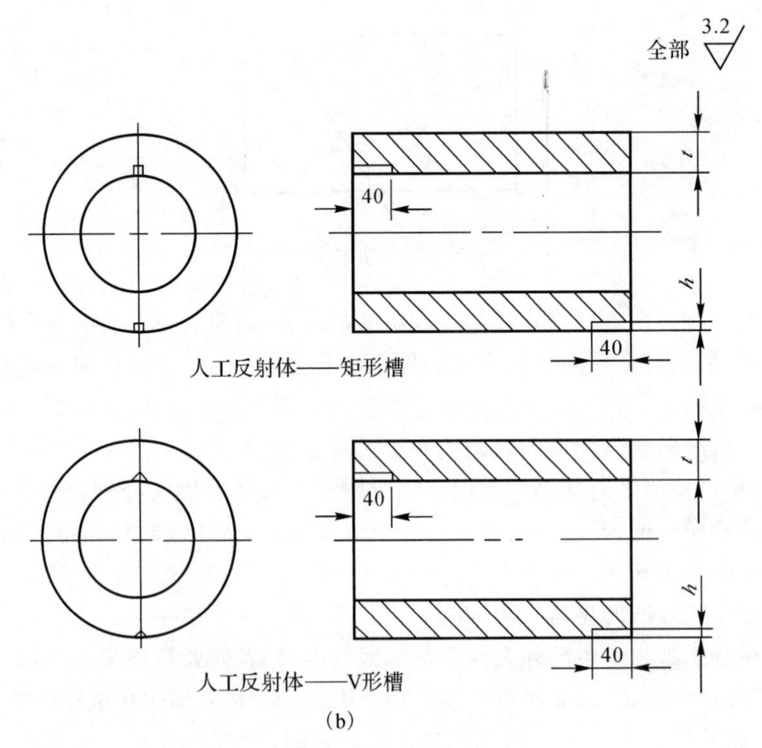

图 6.78　人工反射体示意图

(a)横向人工反射体示意图;(b)纵向人工反射体示意图

说明:h——人工反射体深度,mm;b——人工反射体宽度,mm

对比试块人工反射体的尺寸按表6.19分为Ⅰ,Ⅱ,Ⅲ三级。具体级别按有关的钢管产品标准规定执行。

表6.19　人工反射体尺寸　　(单位:mm)

级别	深度			宽度 b	长度	
	$h/t/(\%)$	最小	允许偏差		纵向	横向
Ⅰ	5	0.20	±15%	不大于深度的两倍,最大为1.5	40	40或周长的50%(最小者)
Ⅱ	8	0.40	±15%			
Ⅲ	10	0.40	±15%			

注:人工反射体最大深度为3.0 mm。

(2)灵敏度的确定。直接接触法检测时,可直接在对比试块上将内壁人工反射体的回波幅度调到示波屏满刻度的80%,再移动探头,找到外壁人工反射体的最大回波,在示波屏上标出,二者连线即为距离-波幅曲线,以此作为检测时的基准灵敏度。由于管径的原因,对比试块上无内壁人工反射体时,可用外壁人工反射体的一次回波和二次回波制作距离-波幅曲线。一般在基准灵敏度的基础上提高6 dB作为扫查灵敏度。

(3)扫查。探头沿径向按螺旋线进行扫查,有四种方式:①探头不动,管材旋转的同时做轴向移动;②探头做轴向移动,管材转动;③管材不动,探头沿螺旋线运动;④探头转动,管材做轴向移动。探头扫查时相对钢管螺旋进给的螺距应保证超声波声束对管材进行100%扫查,并有不小于15%的覆盖率。

检测纵向缺陷时,探头沿周向扫查,以使声束在管壁内沿周向呈锯齿形传播,如图6.79所示。检测横向缺陷时,探头沿轴向按螺旋线进行扫查,以使声束在管壁内沿轴向呈锯齿形传播,如图6.80所示。纵向、横向缺陷的检测均应在钢管的两个相反方向进行。

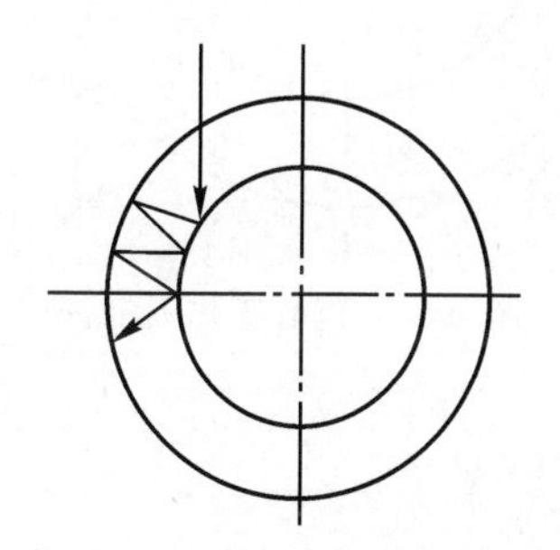

图6.79　管壁内声束周向传播

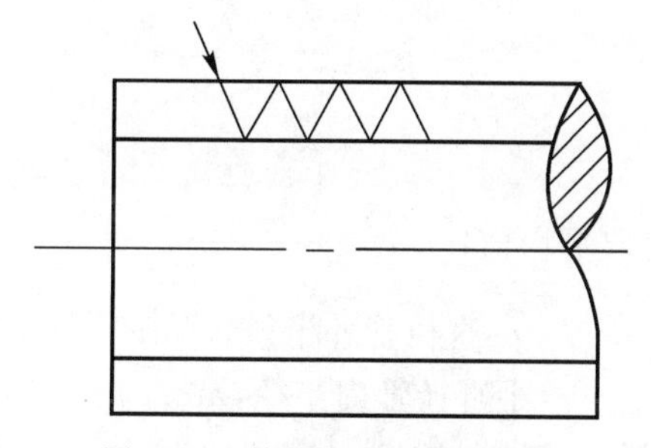

图6.80　管壁内声束轴向传播

(4)缺陷记录。直接接触法检测时,回波幅度大于或等于相应的对比试块人工反射体距离-波幅曲线50%高度的缺陷,应作记录。

2. 水浸法检测

小直径薄壁管由于外径小、曲率大,探头难以与管材直接耦合。同时,管壁薄,声束在管材大曲率内壁上发散较为严重,很难采用直接接触法检测,常采用水浸法检测。

水浸检测是将水浸纵波探头置于水中，利用纵波倾斜入射到水/钢界面，当入射角 $\alpha_{\mathrm{I}} \leqslant \alpha \leqslant \alpha_{\mathrm{II}}$ 时，可在钢管内实现纯横波检测，如图 6.81 所示。

为了增强水对钢管表面的润湿作用，需加入少量活性剂；为了防止钢管生锈，需加入适量的防锈剂。

(1)探头的选择。小直径管水浸检测，一般采用聚焦探头。聚焦探头分为线聚焦和点聚焦两种。钢管一般采用线聚焦探头。对于薄壁管，为了提高检测能力，也可用点聚焦探头。探头的频率为 2.5～5.0 MHz。聚焦探头声透镜的曲率半径 r 应符合下述条件：

$$r = \frac{c_1 - c_2}{c_1} F \tag{6.9}$$

式中 c_1——声透镜中的声速，m/s；

c_2——水中的声速，m/s；

F——水中焦距，mm。

对于有机玻璃声透镜和水，$c_1 = 2\ 730$ m/s，$c_2 = 1\ 480$ m/s，$r = 0.46F$（$F = 2.2r$）。

(2)偏心距的确定。偏心距是指探头声束轴线与管材中心轴线的水平距离，用 x 表示，如图 6.81 所示。

纯横波检测的条件：$\sin\alpha \geqslant \dfrac{c_{L_1}}{c_{L_2}}$

横波检测内壁条件：$\sin\beta_S \leqslant \dfrac{r}{R}$

因为 $\dfrac{\sin\alpha}{c_{L_1}} = \dfrac{\sin\beta_S}{c_{S_2}}$

联立以上三式得 $\dfrac{c_{L_1}}{c_{L_2}} \leqslant \sin\alpha \leqslant \dfrac{c_{L_1}}{c_{S_2}} \dfrac{r}{R}$

又 $\sin\alpha = \dfrac{x}{R}$

故 $\dfrac{c_{L_1}}{c_{L_2}} R \leqslant x \leqslant \dfrac{c_{L_1}}{c_{S_2}} r$

可取平均值：

$$\bar{x} = \frac{\left(\dfrac{c_{L_1}}{c_{L_2}} R + \dfrac{c_{L_1}}{c_{S_2}} r\right)}{2} \tag{6.10}$$

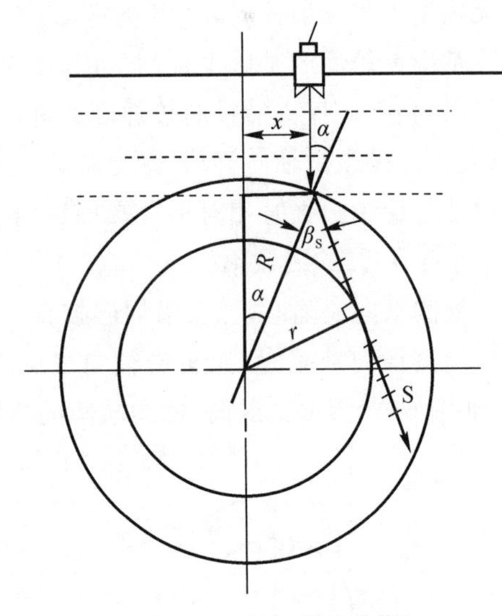

图 6.81 偏心距的确定

式中 R——小直径管外半径，mm；

r——小直径管内半径，mm。

对于水浸检测钢管，$c_{L_1} = 1\ 480$ m/s，$c_{L_2} = 5\ 900$ m/s，$c_{S_2} = 3\ 230$ m/s，所以偏心距为

$$\bar{x} = \frac{\left(\dfrac{1\ 480}{5\ 900} R + \dfrac{1\ 480}{3\ 230} r\right)}{2} = \frac{(0.251R + 0.458r)}{2} \tag{6.11}$$

(3)水层厚度的确定。如图 6.82 所示，在水浸检测中，要求水层厚度 H 大于管中横波全声程的 1/2（即 $H > x_S$），这是因为 $c_水 = 1\ 480$ m/s，钢中 $c_S = 3\ 230$ m/s，$c_水 / c_S = 0.458 \approx 1/2$。当水层厚度 H 大于管中横波全声程的 1/2 时，水/钢界面的第二次回波 S_2 将位于管子的内、外壁缺陷波 $F_内$（一次波）、$F_外$（二次波）之后，这样有利于对缺陷的判别。

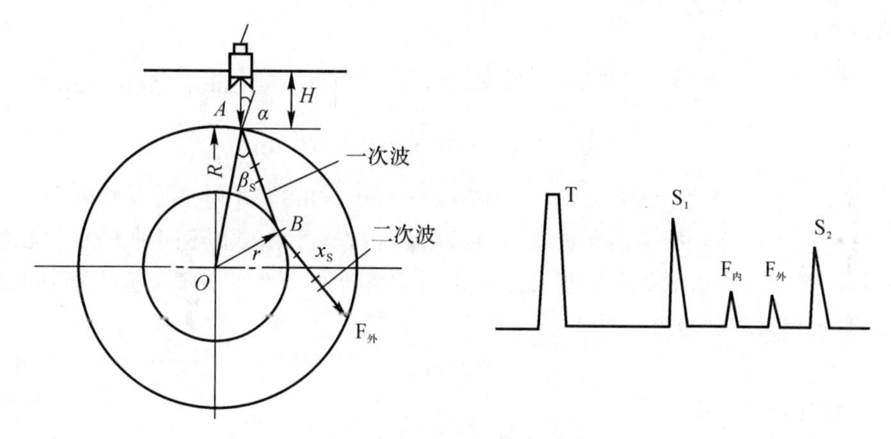

图 6.82　水层厚度的选择

(4)焦距的确定。用水浸聚焦探头检测小径管,应使探头的焦点落在与声束轴线垂直的管心线上,如图 6.83 所示。在三角形 OAB 中,$OA=R$,$OB=F-H$,则

$$F=H+\sqrt{R^2-x^2} \tag{6.12}$$

式中　F——焦距,mm;

H——水层厚度,mm;

R——钢管外半径,mm;

x——偏心距,mm。

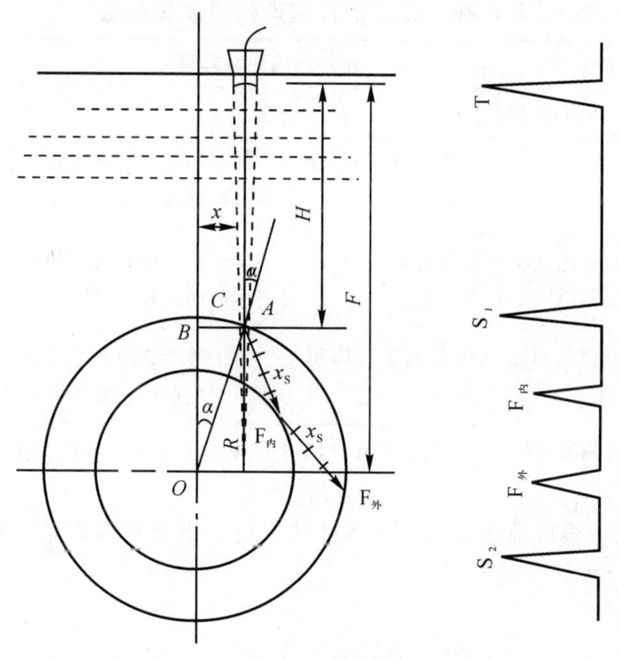

图 6.83　焦距的确定

【例 6.9】　水浸聚焦检测 $\phi 60$ mm×8 mm 小径管,声透镜曲率半径 $r'=36$ mm,求偏心距 x 和水层厚度 H。

解：偏心距：

$$\bar{x}=\frac{(0.251R+0.458r)}{2}=\frac{(0.251\times30+0.458\times22)}{2}\text{mm}=8.8\ \text{mm}$$

焦距：
$$F=2.2r'=2.2\times36\ \text{mm}=79.2\ \text{mm}$$

水层厚度：
$$H=F-\sqrt{R^2-x^2}=(79.2-\sqrt{30^2-8.8^2})\text{mm}=50.5\ \text{mm}$$

(5)扫查。水浸检测时探头沿径向按螺旋线进行扫查，可采取前述四种方式。无论哪种方式，探头相对钢管螺旋进给的螺距应保证超声束对钢管进行100％扫查，应有15％的覆盖率，探头与管材轴向相对移动速度v为

$$v=nt \tag{6.13}$$

式中　n——转速，rad/min；

　　t——螺距，mm。

(6)检测灵敏度调整。水浸法检测时，调整检测灵敏度的对比试块同接触法用对比试块。调整时，用适当的速度转动水中的对比试块，同时将探头慢慢偏心，使内、外壁人工槽回波幅度均达到示波屏满幅度的50％，以此作为基准灵敏度。一般扫查灵敏度比基准灵敏度高6 dB。

(7)缺陷记录。水浸法检测时，回波幅度大于或等于相应的对比试块内、外表面所产生的回波幅度50％的缺陷，应作记录。

3. 质量分级

NB/T 47013.3—2015标准根据缺陷回波高度，将无缝钢管质量分为Ⅰ，Ⅱ，Ⅲ三级，其中Ⅰ级最高，Ⅲ级最低。具体分级按表6.20的规定。

表6.20　无缝钢管超声检测质量分级

等级	允许缺陷回波幅度	
	直接接触法	液浸法
Ⅰ	低于相应的对比试块人工反射体距离-波幅曲线50％，即$H_d<50\%$DAC	低于相应的对比试块内、外表面人工反射体所产生的回波幅度50％，即$H_d<50\%H_r$
Ⅱ	低于相应的对比试块人工反射体距离-波幅曲线，即$50\%\text{DAC}\leqslant H_d<\text{DAC}$	低于相应的对比试块内、外表面人工反射体所产生的回波幅度，即$50\%H_r\leqslant H_d<H_r$
Ⅲ	大于等于相应的对比试块人工反射体距离-波幅曲线，即$H_d\geqslant$DAC	大于等于相应的对比试块内、外表面人工反射体所产生的回波幅度，即$H_d\geqslant H_r$

注：H_d——缺陷回波幅度；H_r——液浸法对比试块内、外表面人工反射体所产生的回波幅度。

4.验收要求

无缝钢管的验收等级要求按相应的技术文件规定。不合格品允许重新处理，然后复检并按表6.20的规定进行质量等级评定。

课后习题

1.是非题(对的在后面括弧中画“√”，错的画“×”)

(1)钢管水浸聚焦法检测时，不宜采用线聚焦探头检测较短缺陷。(　　)

(2)水浸聚焦探头检测钢管时，声透镜的中心部分厚度应为$\lambda/2$的整数倍。(　　)

(3)水浸检测钢管时水中加入适量活性剂是为了调节水的声阻抗,改善透声性。(　　)
(4)钢管水浸检测时,如钢管中无缺陷,示波屏上只有始波和界面波。(　　)
(5)用斜探头对大直径钢管作接触法周向检测时,其跨距比同厚度平板的大。(　　)

2.单项选择题

(1)无缝钢管缺陷分布的方向有(　　)。
A.平行于钢管轴线的径向分布　　B.垂直于钢管轴线的径向分布
C.平行于钢管表面的层状分布　　D.以上都可能
(2)小直径钢管超声检测时探头布置方向为(　　)。
A.使超声沿周向射入工件以检测纵向缺陷　　B.使超声沿轴向射入工件以检测横向缺陷
C.A 和 B 都有　　D.A 和 B 都没有
(3)小直径无缝钢管检测中多用聚焦探头,其主要目的是(　　)。
A.克服表面曲率引起超声散焦　　B.提高检测效率
C.提高检测灵敏度　　D.以上都对
(4)钢管原材料超声检测试样中的参考反射体是(　　)。
A.横材　　B.平底孔　　C.槽　　D.竖孔
(5)管材横波接触法检测时,入射角的允许范围与(　　)有关。
A.探头楔块　　B.管材中的纵、横波声速
C.管子的规格　　D.以上全部
(6)管材周向斜角检测与板材斜角检测显著不同的地方是(　　)。
A.内表面入射角等于折射角　　B.内表面入射角小于折射角
C.内表面入射角大于折射角　　D.以上都可能
(7)管材(内、外半径为 r,R)水浸法检测中偏心距 x 与入射角 α 的关系是(　　)。
A. $\alpha=\arcsin\frac{x}{r}$　　B. $\alpha=\arcsin\frac{x}{R}$　　C. $\alpha=\arcsin\frac{R}{x}$　　D. $\alpha=\arcsin\frac{r}{R}$
(8)管材自动检测设备中,探头与管材相对运动的形式是(　　)。
A.探头旋转,管材直线前进　　B.探头静止,管材螺旋前进
C.管材旋转,探头直线移动　　D.以上均可
(9)下面有关钢管水浸检测的叙述中,错误的是(　　)。
A.使用水浸式纵波探头
B.探头偏离管材中心线
C.无缺陷时,示波屏上只显示始波和1～2次底波
D.水层厚度应大于钢中一次波声程
(10)钢管水浸聚焦法检测中,下面有关点聚焦方法的叙述中,错误的是(　　)。
A.对短缺陷有较高检测灵敏度
B.聚焦方法一般采用圆柱面声透镜
C.缺陷长度达到一定尺寸后,回波幅度不随长度而变化
D.检测较慢
(11)钢管水浸法聚焦检测时,下面有关线聚焦方式的叙述中,正确的是(　　)。
A.检测速度较快

B.在焦线长度内回波幅度随缺陷长度增大而增高

C.聚焦方法一般采用圆柱面透镜或瓦片形晶片

D.以上全部

(12)使用聚焦探头对管材检测,如聚焦点未调到与声束中心线相垂直的管半径上,且偏差较大距离,则会引起(　　)。

A.盲区增大　　B.声束在管中折射发散

C.多种波形传播　　D.回波脉冲变宽

3.简答题

(1)小直径管纵向、横向缺陷的一般检测方法是什么?

(2)小直径钢管水浸检测时,如何调节声束入射角度?

(3)水浸法检测小直径管,确定偏心距的原则是什么?

(4)水浸法检测钢管时,为什么水层厚度要大于钢管中全声程的1/2?

4.计算题

(1)用K1.0斜探头检测外径 $D=500$ mm筒体的最大壁厚为多少?

(2)用K2.0斜探头检测外径 $D=300$ mm,壁厚 $t=15$ mm的钢管,问能否检测到钢管的内壁?如果用K3.0的斜探头检测,能否检测到钢管的内壁?

(3)用接触法检测外径 $D=300$ mm,壁厚 $t=60$ mm的钢管,探头的 K 值最大为多少?

第7章　超声检测新技术

7.1　衍射时差法检测技术

7.1.1　衍射时差法

超声波衍射时差法检测简称为“衍射时差法”(Time of Flight Diffraction，TOFD)，是利用缺陷端部的衍射波信号来检测缺陷并测定缺陷尺寸的一种超声检测方法。

根据惠更斯原理，超声波在传声介质中入射到异质界面时，如裂纹，超声波的振动作用将使裂纹尖端成为新的子波源而产生衍射波，此衍射波为球面波，向四周传播。如图7.1所示，当超声波入射到缺陷上时，一部分超声波被缺陷中间部位反射，一部分超声波在缺陷端点处发生衍射。端点的形状对衍射有一定的影响，端点越尖锐，衍射特性越明显。用适当的方式接收该衍射波，按照超声波的传播时间与几何声学的原理可计算得到该裂纹尖端的埋藏深度。因此，TOFD是一种依靠待检工件内部结构(主要指缺陷)的“端角”和“端点”处的衍射波能量来检测缺陷的方法。

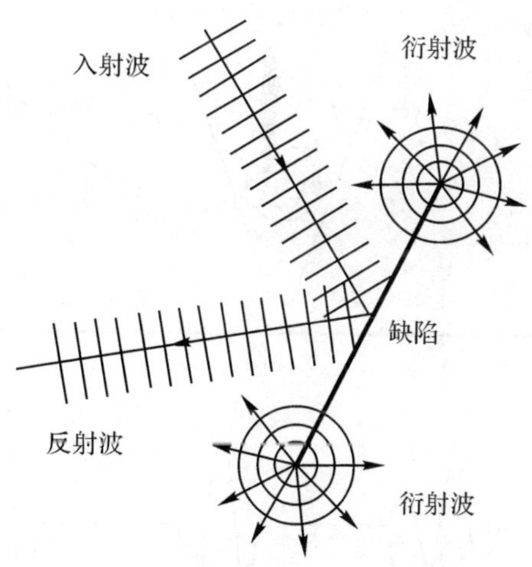

图7.1　缺陷处超声波衍射现象

与反射波相比，衍射波具有以下特点：

(1)衍射波基于惠更斯原理产生，将缺陷端点作为新的次波源，向外辐射球面波；

(2)衍射波向各个方向传播，没有明显的指向性，衍射方向不取决于入射角；

(3)衍射波能量低,其信号比反射波信号弱得多。

TOFD是20世纪70年代由英国原子能管理局国家无损检测研究中心哈威尔实验室的Mauric Silk博士首先提出的。最初,TOFD仅作为一种定量工具,使用常规技术检测到缺陷后,再使用TOFD检测技术进行精确的定量和监测在线设备裂纹的扩展(例如监测压力容器)。许多国家都进行了深入研究,并在大量的实验中证明了TOFD检测在无损检测方面具有高精度和可靠性,直到80年代TOFD才为业界所认同。利用TOFD检测技术检测沿焊缝进行扫查,基本能发现焊缝中的所有缺陷,收集扫查过程中所得到的数据,实时形成B型或D型扫描图像,比单纯看A型扫描波形更易判断缺陷的尺寸和性质。

7.1.2 TOFD检测原理

TOFD方法主要用于焊缝检测,检测中使用纵波斜探头,探头角度为45°~70°,典型角度为45°,60°和70°。其检测原理如图7.2(a)所示。晶片尺寸和频率均相同的一对探头相对于焊缝中心线对称布置。两探头入射点之间的距离,又称探头中心距离,用PCS表示。在工件无缺陷部位,发射探头发射超声脉冲后,首先到达接收探头的是直通波,然后是底面反射波。有缺陷存在时,在直通波和底面反射波之间出现缺陷"上端点"和"下端点"衍射波。接收探头通过接收缺陷上、下端点的衍射信号及其时间差来确定缺陷的位置和自身高度。除上述波外,还有缺陷部位和底面因为波型转换而产生的横波,横波声速小于纵波声速,因而一般会迟于底面反射波到达接收探头。

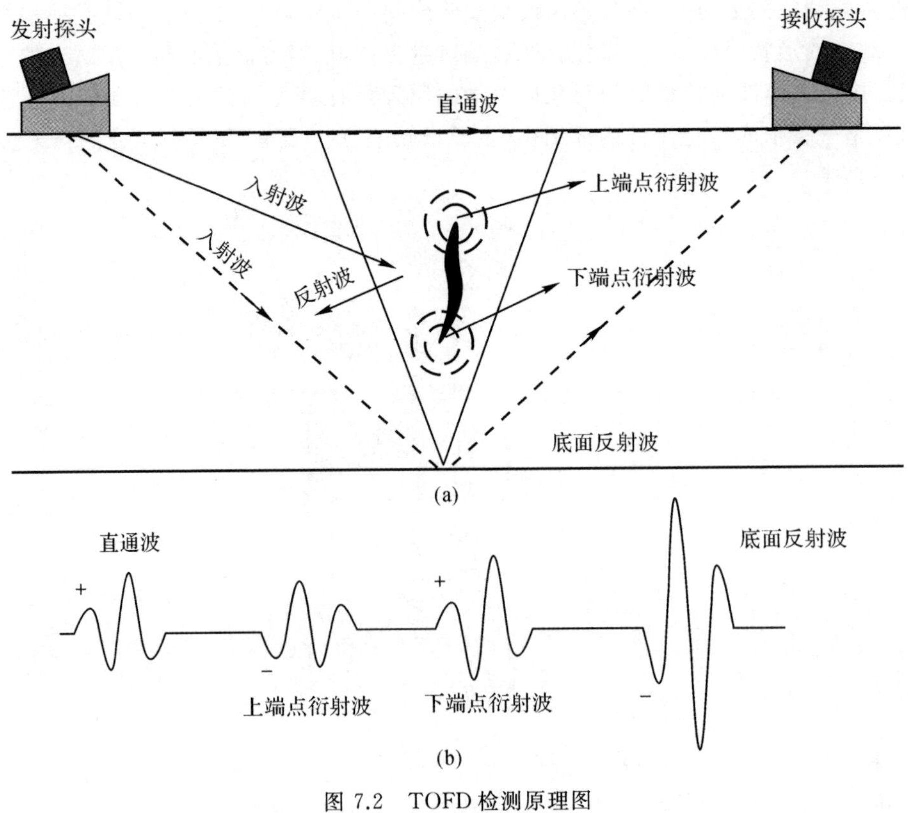

图7.2 TOFD检测原理图

(a)TOFD检测原理图;(b)TOFD检测A扫描信号

TOFD检测显示包括A扫描信号和TOFD图像,其中A扫描信号使用射频波形式,其波形和相位关系如图7.2(b)所示。波束经过上端点和底面时,在异质界面反射,相位发生转变,因此波形相位相似。而波束经过下端点时相当于波束在缺陷底部环绕,相位不发生转变,与直通波相位相似。

理论和实验证明,如果两个衍射信号的相位相反,则在两个信号间一定存在一个连续不间断的缺陷。因此识别相位变化对于评定缺陷尺寸非常重要。

TOFD图像并非是缺陷的实际图像显示,而是扫查过程中探头所接收到的A扫描信号形成的一维图像线条转换为黑白两色的灰度图,沿探头运动方向拼接成二维视图,一个轴代表探头移动距离,另一个轴代表扫查面至底面的深度,这样就形成了TOFD图像,如图7.3所示。扫查过程中形成的连续的灰度阶梯表示振幅,当回波处于0位时用灰色表示,当波形向正半周变化时向白色渐变,当波形向负半周变化时向黑色渐变。图7.3所示为从TOFD图像中提取的一个A扫描信号,其中包括直通波、上端点衍射波、下端点衍射波和底面反射波。图7.4所示为含埋藏缺陷的平板对接焊接接头TOFD检测示意图。

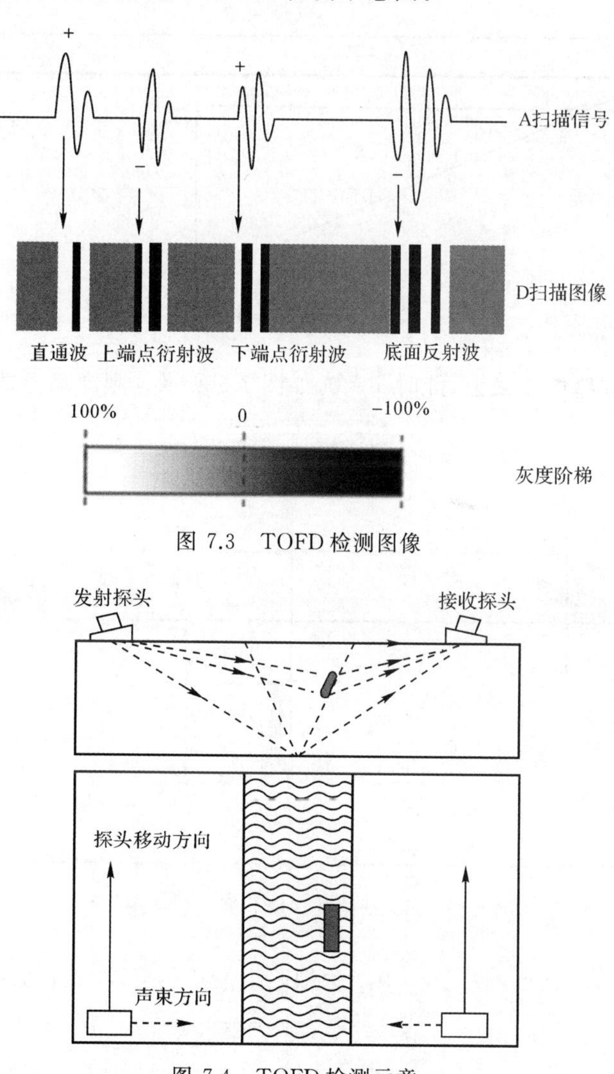

图7.3　TOFD检测图像

图7.4　TOFD检测示意

7.1.3 缺陷定位和定量

利用上、下端点的时间差来计算缺陷深度和自身高度是TOFD检测最重要的部分。在接收探头接收到的各种波中,纵波传播速度最快,几乎是横波的两倍,从而能领先于其他种类的波,在最短时间内到达接收探头。所以使用纵波声速计算缺陷的深度得到的结果是唯一的。以平板对接焊接接头为例,在实际检测中,为了确定缺陷的位置、深度以及缺陷自身高度,可以假定两探头中心间距为$2S$,缺陷深度为d_1,缺陷距焊缝中心线的偏移量为x,如图7.5所示。根据几何关系,有

$$M+L=c(T-2t_0)=\sqrt{d_1^2+(S+x)^2}+\sqrt{d_1^2+(S-x)^2} \tag{7.1}$$

式中 c——声速;

T——超声波传播的总时间;

t_0——超声波在探头楔块中传播的时间。

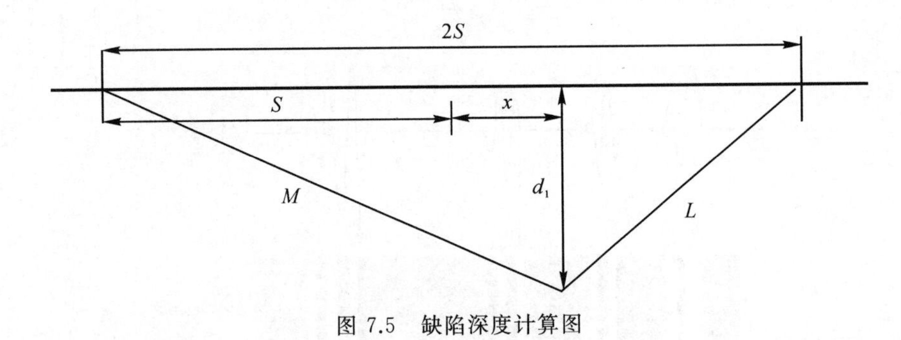

图7.5 缺陷深度计算图

假定缺陷位于焊缝中心线上,此时$x=0$,如图7.6所示。则缺陷上端点的深度为

$$d_1=\sqrt{\frac{c^2(T-2t_0)^2}{4}-S^2} \tag{7.2}$$

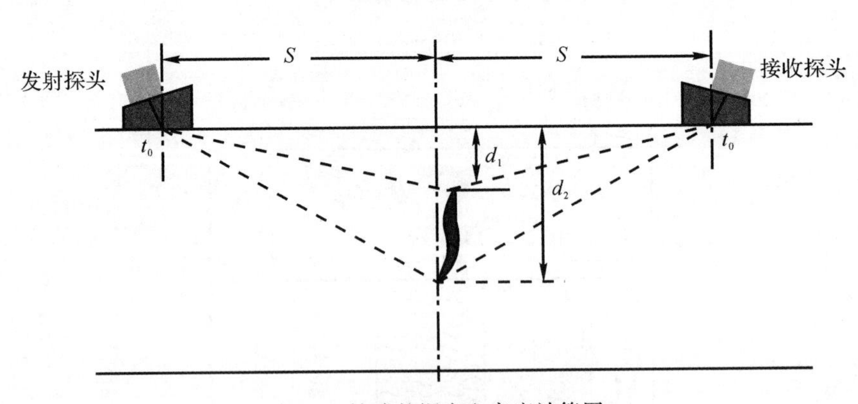

图7.6 缺陷的深度和高度计算图

若以直通波为参考起点,假定$x=0$,t为缺陷上端点衍射波与直通波传播的时间差,则有

$$d_1=\frac{1}{2}\sqrt{c^2t^2+4ctS} \tag{7.3}$$

同理可计算出缺陷下端点的深度 d_2。由此可得缺陷的自身高度为

$$h = d_2 - d_1 \tag{7.4}$$

7.1.4　TOFD 扫查方式

TOFD 检测扫查方式主要有平行扫查和非平行扫查两种。以检测平板对接焊缝为例，假设焊缝中有一个具有一定长度和高度的未熔合缺陷，其常用的是非平行扫查方式，又称为纵向扫查。非平行扫查时，探头移动的方向垂直于超声波声束方向，如图 7.7 所示。扫查结果称为 D 扫描(D - Scan)，所得结果主要是 X 轴和 Z 轴方向的值。一般采用探头对称布置于焊缝中心两侧，沿焊缝长度方向扫查，扫查结果显示的图像是沿着焊缝中心剖开的截面。这种扫查方式方便快捷，适用于焊缝的快速检测，由于两个探头置于焊缝的两侧，焊缝余高不影响扫查，扫查效率高，速度快，成本低，操作方便，只需一个人便可以完成。

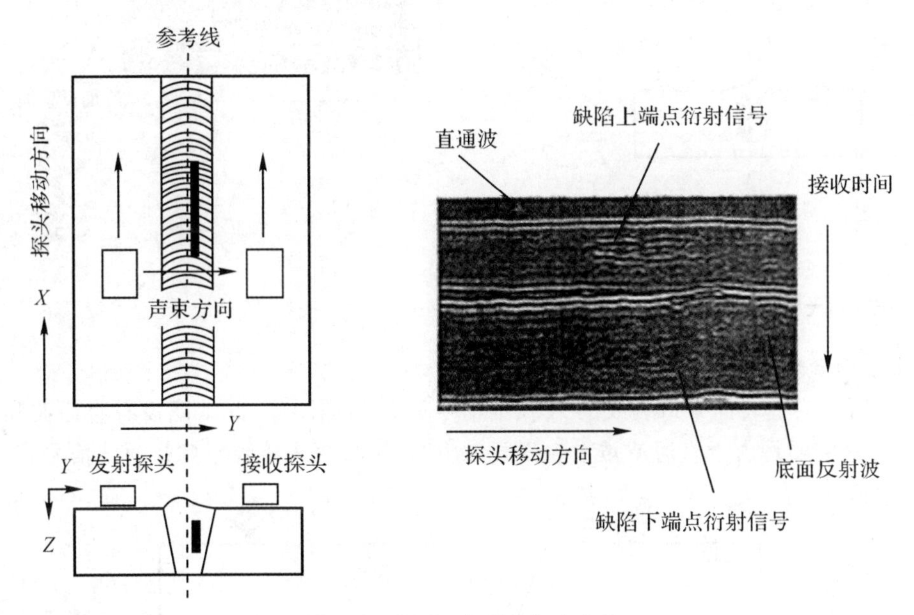

图 7.7　TOFD 非平行扫查方式

为详细分析检测结果，有时必须进行所谓的平行扫查，又称横向扫查。平行扫查时，将探头放置在检测面的指定位置，垂直于焊缝中心线移动探头，此时扫查方向平行于超声波声束方向，如图 7.8 所示。扫查结果称为 B 扫描(B - Scan)，所得结果主要是 Y 轴和 Z 轴方向的值。该扫查方式能提供很准确的缺陷深度结果，但因扫查时探头须越过焊缝，焊缝的余高会明显阻碍探头的移动，从而降低扫查效率，所以大多数情况下都将焊缝的余高打磨平之后再进行扫查。平行扫查方式是在非平行扫查无法得出满意的结果时进行的一种补充扫查。

由图 7.7 和图 7.8 可以看出，不同的 TOFD 扫查方式得到的缺陷衍射信号也有明显不同。在非平行扫查的 D 扫描结果中，可以得到缺陷的长度信息。而平行扫查时，声束并没有扫过缺陷的全长，因此在 B 扫描的结果显示中没有缺陷长度的信息，但可以得到更精确的缺陷高度数据以及缺陷距离焊缝中心的距离。

平行扫查时，扩散声束作用于缺陷时的衍射信号传播时间较长，而当缺陷位于主声束中心

时传播时间最短。因此会形成一个抛物线，在抛物线的顶点处所计算的深度为缺陷实际深度。

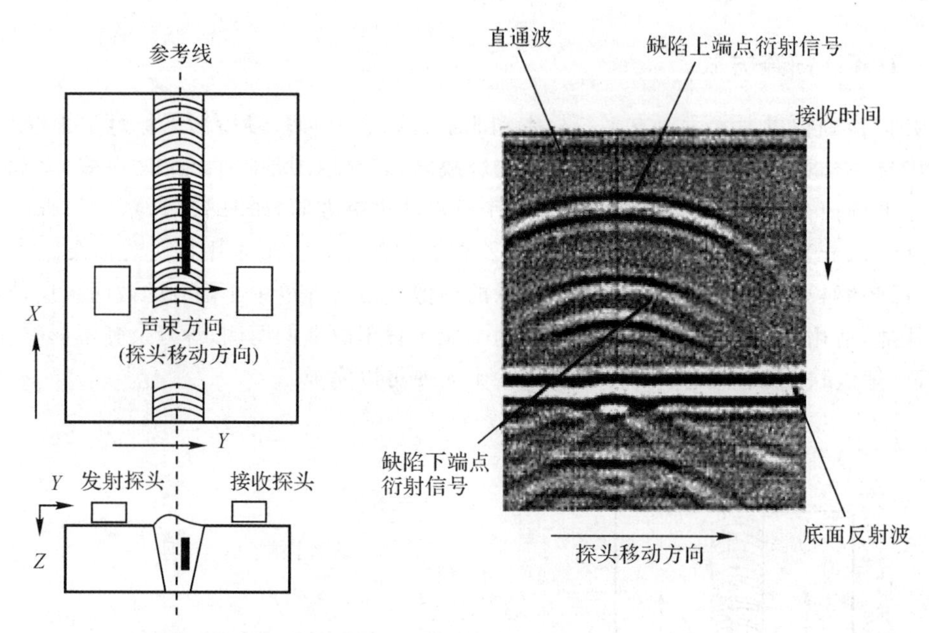

图 7.8　TOFD 平行扫查方式

7.1.5　特殊缺陷的特征

1. 上表面开口裂纹

图 7.9 所示为上表面开口裂纹的 A 扫描信号和 D 扫描图像，此缺陷没有直通波和上端点衍射信号。这主要是由于直通波被上表面开口阻断，接收探头接收不到直通波信号。

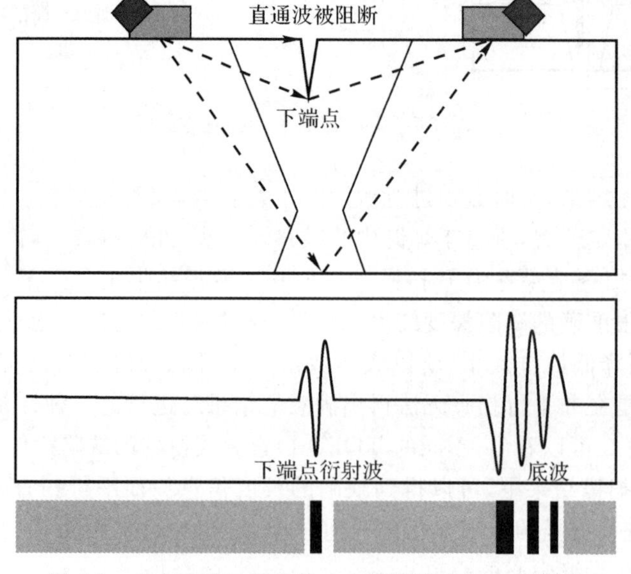

图 7.9　上表面开口裂纹的 A 扫描信号和 D 扫描图像

当缺陷沿扫查方向有一定长度时，连续扫查，扫查结果的 D 扫描图像如图 7.10 所示。

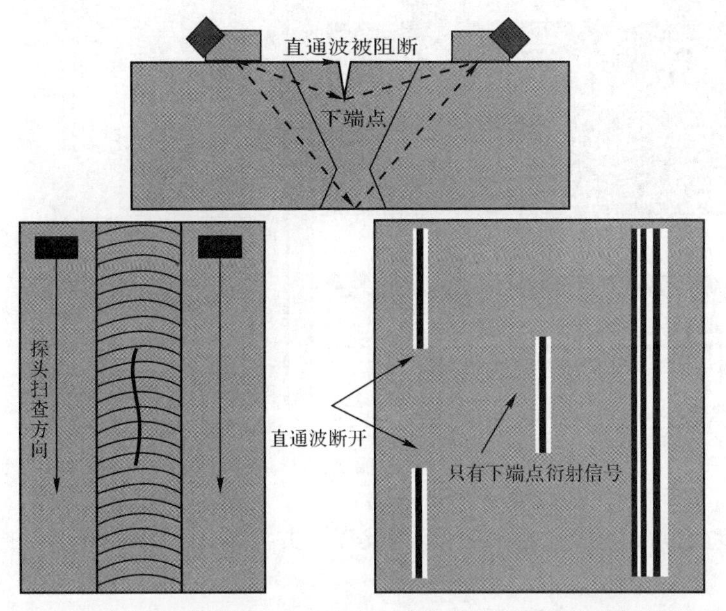

图 7.10　缺陷沿扫查方向有一定长度时的 D 扫描图像

当表面开口深度非常小时，直通波并没有断开，但明显滞后，扫查结果的 D 扫描图像如图 7.11 所示。

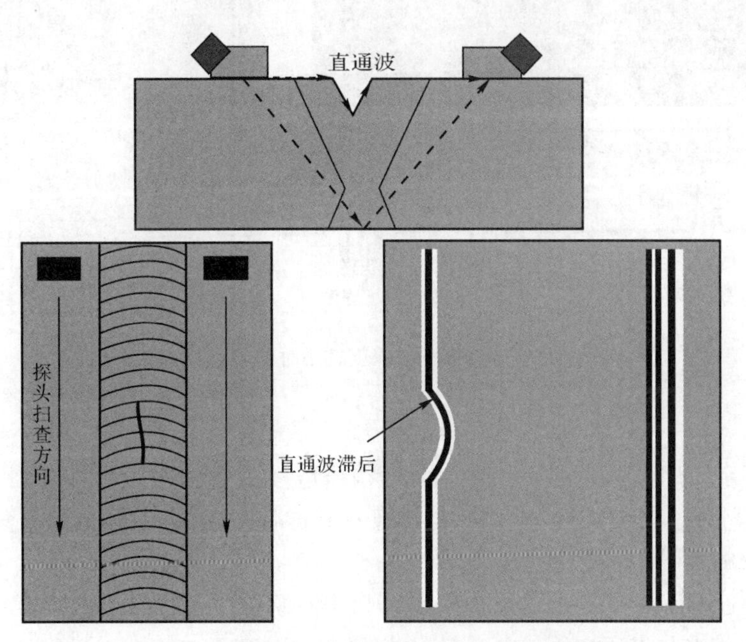

图 7.11　表面开口深度非常小时的 D 扫描图像

2. 下表面开口裂纹

图 7.12 所示为下表面开口裂纹的 A 扫描信号和 D 扫描图像，此缺陷没有下端点和底波信号，这主要是由于底波被下表面开口阻断，接收探头接收不到底波信号。

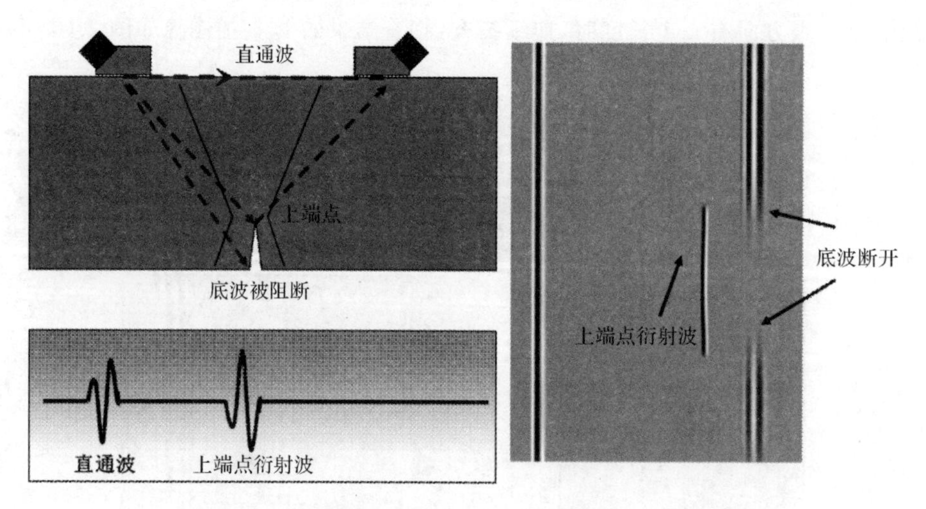

图 7.12　下表面开口裂纹的 A 扫描信号和 D 扫描图像

若开口深度较小，无法完全阻挡底波，因此底波并未消失，但明显滞后，扫查结果的 D 扫描图像如图 7.13 所示。

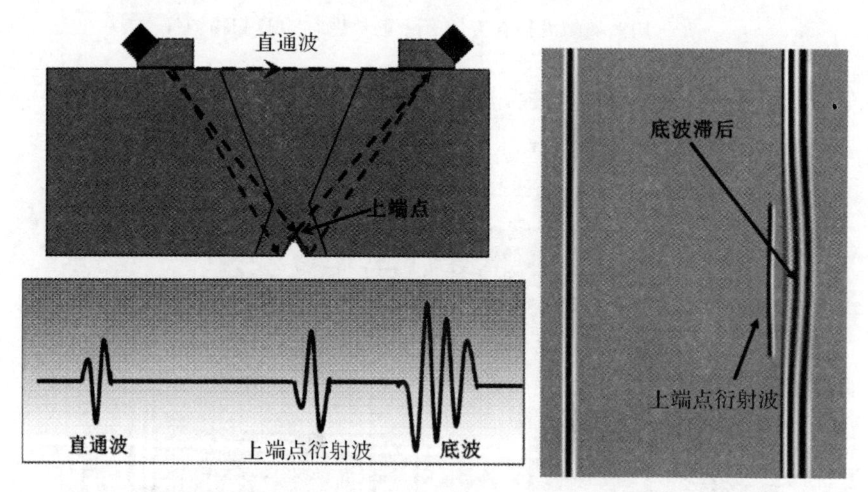

图 7.13　下表面开口深度较小时的 D 扫描图像

3. 短小缺陷

图 7.14 所示为焊缝中出现短小缺陷的 A 扫描信号和 D 扫描图像，由于上下端点距离很近，没有明显区分的上下端点衍射，因此会出现一个非常明显的不规则多次振荡信号。

4. 近表面缺陷

图 7.15 为近表面缺陷的 A 扫描信号和 D 扫描图像，在近表面发现的缺陷，由于与直通波距离近，因此上端点与直通波叠加在一起，难以区分。

5. 单个气孔

图 7.16 所示为单个气孔的 A 扫描信号和 D 扫描图像。由于单个气孔几何尺寸小，没有明显分离的上下端衍射，因此形成一个独立的小月牙状，相位无法分辨，受扩散声束影响比较大，会有较长的弧形拖尾。

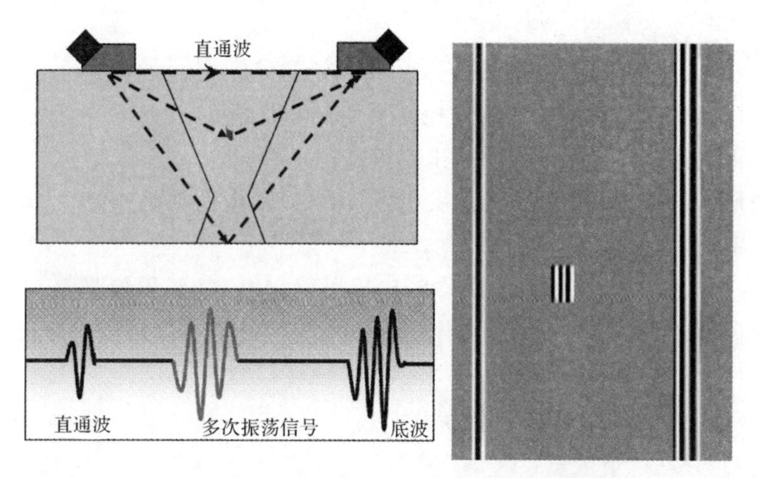

图 7.14　短小缺陷的 A 扫描信号和 D 扫描图像

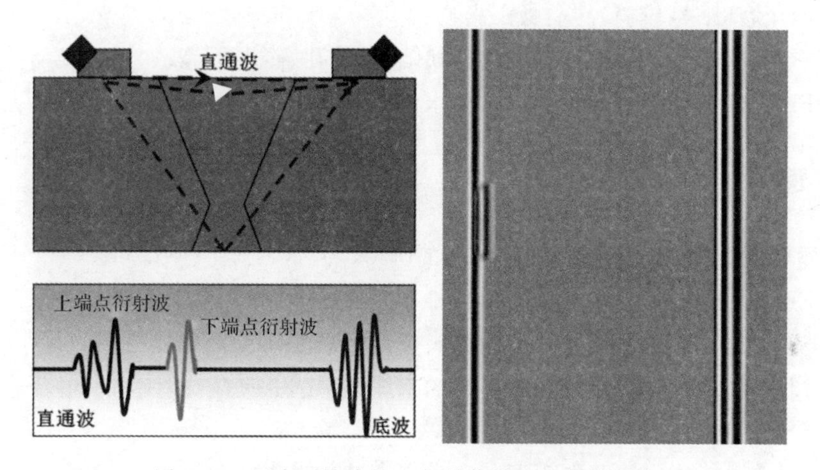

图 7.15　近表面缺陷的 A 扫描信号和 D 扫描图像

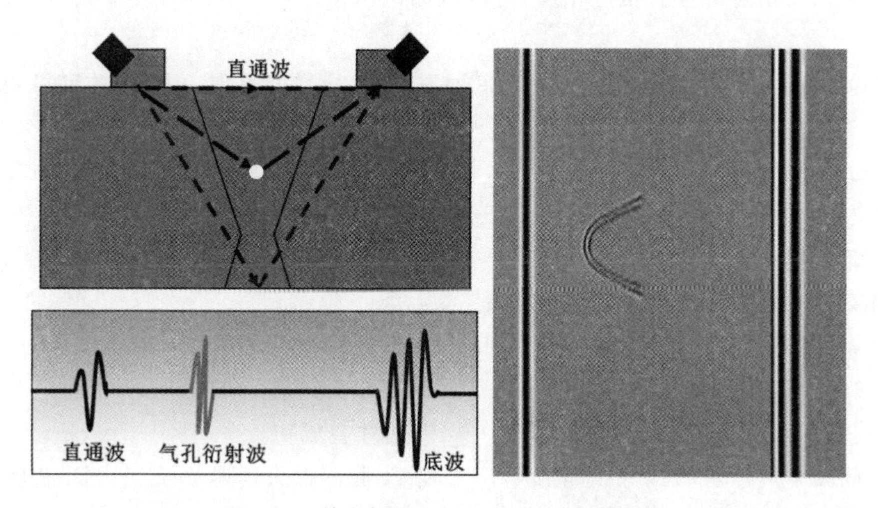

图 7.16　单个气孔的 A 扫描和 D 扫描图像

7.1.6 TOFD检测的特点

与脉冲反射法超声检测相比，TOFD检测主要有以下优点：

(1)对于平板或对接焊缝中部缺陷检出率很高；

(2)缺陷的衍射信号与缺陷的方向无关，可检出任意取向的缺陷；

(3)可以识别向表面延伸的缺陷；

(4)采用TOFD检测技术和脉冲回波相结合，可以实现100%焊缝覆盖；

(5)缺陷定位精度高，缺陷定量不依赖于其回波高度，缺陷高度测量精确；

(6)实时成像，快速分析；

(7)根据TOFD检测技术可进行寿命评估。

TOFD检测也存在以下缺点：

(1)在被检工件上、下表面存在盲区；

(2)TOFD检测信号较弱，易受噪声影响；

(3)过分夸大了中下部缺陷和一些良性缺陷，如气孔、冷夹层等；

(4)TOFD检测数据分析对检测人员要求高。

课后习题

1.是非题(对的在后面括弧中画"√"，错的画"×")

(1)TOFD检测利用的是超声的衍射特性。(　　)

(2)超声波衍射时差技术通常采用的探头类型为纵波斜探头。(　　)

(3)衍射时差法能检出对接接头中存在的未焊透、气孔、夹渣、裂纹和未熔合等缺陷且检出率高。(　　)

(4)衍射时差法能确定缺陷的深度和自身高度。(　　)

(5)如果两个衍射信号的相位相反，可以判断两个信号间一定存在一个连续不间断的缺陷。(　　)

(6)TOFD检测中，波束经过上端点和底面时，在异质界面反射，相位发生转变，因此波形相位相似。(　　)

(7)TOFD检测中，波束经过下端点时，相当于波束在缺陷底部环绕，相位不发生转变，与直通波相位相似。(　　)

2. 单项选择题

(1)用单探头完成TOFD检测的困难是(　　)。

A. 波束扩展太小　　B. 传播时间太短

C. 反射波会掩盖衍射波　　D. 探头频率低

(2)在进行TOFD检测时，两探头具有(　　)时才会成功。

A. 相同频率　　B. 相同角度　　C. 相同探头延迟　　D. 相同入射点

(3)TOFD探头典型的角度是(　　)。

A. 45°，60°和80°　　B. 30°，60°和70°　　C. 45°，55°和70°　　D. 45°，60°和70°

(4)TOFD技术采用纵波检测的原因是(　　)。

A. 纵波传播速度快　B. 纵波的能量高　C. 纵波的波长短　D. 纵波的衰减小

(5)关于直通波与缺陷上端点衍射波、缺陷下端点衍射波以及底面反射波信号相位关系的叙述,正确的是(　　)。

A. 直通波和缺陷上端点信号相位相同　B. 直通波和缺陷下端点信号相位相同

C. 直通波和底面反射信号相位相同　D. 以上都对

(6)衍射点位于两探头连线的中心线上,已知两探头中心距为100 mm,衍射点深度为37.5 mm,声波速度为6 mm/μs,两个探头楔块中的总延时为1.8 μs,则从发射到接收超声信号总的传播时间为(　　)。

A. 16.9 μs　B. 19.0 μs　C. 20.8 μs　D. 22.6 μs

(7)已知声波速度为6 mm/μs,工件厚度为56 mm,衍射超声信号总的传播时间为22.5 μs,两个探头楔块中的总延时为1.8 μs,两探头中心距为100 mm,则直通波出现的时间为(　　)。

A. 15.3 μs　B. 18.5 μs　C. 19.6 μs　D. 22.5 μs

(8)已知声波速度为6 mm/μs,工件厚度为56mm,衍射超声信号总的传播时间为22.5 μs,两个探头楔块中的总延时为1.8 μs,两探头中心距为100 mm,则底面反射波出现的时间为(　　)。

A. 23.3 μs　B. 24.9 μs　C.26.8 μs　D. 29.8 μs

(9)非平行扫查设置PCS,选择超声波束中心聚焦在工件厚度的2/3处,已知探头折射角$\beta=60°$,工件厚度为60 mm,则PCS值为(　　)。

A.120 mm　B. 138 mm　C.148 mm　D. 156 mm

(10)已知声波速度为6 mm/μs,工件厚度为45 mm,两个探头楔块中的总延时为1.6 μs,两探头中心距为80 mm,仪器显示的信号A时间为15.9 μs,信号B时间为21.7 μs,则可以确认(　　)。

A. 信号A是直通波,信号B是底面反射波

B. 信号A不是直通波,信号B是底面反射波

C. 信号A是直通波,信号B不是底面反射波

D. 信号A不是直通波,信号B不是底面反射波

7.2　超声相控阵检测技术

7.2.1　超声相控阵技术

超声相控阵是指按照一定的规则和时序激发一组探头晶片阵列,通过调整激发晶片的序列、数量以及控制激励脉冲的时间延迟,以改变由各振元发射超声波到达物体内某点时的相位关系,从而实现声束聚焦和声束偏转的声成像技术。

超声相控阵是基于电子雷达相控阵技术发展起来的。在相控阵雷达(Phased Array Radar)中,大量的子天线按一定形状排列起来,通过控制每个子天线发射电磁波束的延时,就

能在一定空间范围内合成灵活聚焦扫描的雷达波束。受到电子雷达相控阵技术的启发，Brand Fiald 于 1954 年提出将相控阵技术用于无损检测的设想。初期主要应用于医用超声成像(B 超)与诊断。医学超声成像中用相控阵换能器快速移动使超声波对被检器官进行成像，精确测量人体各器官位置及尺寸变化;也可以利用相控阵探头可控聚焦特性局部升温热疗治癌,使目标组织升温并减少非目标组织的功率吸收。到了 20 世纪 90 年代,随着电子技术和计算机的快速发展,超声相控阵技术逐渐应用于无损检测领域。超声相控阵技术将给无损检测行业带来新纪元,有着非常广泛的应用前景。

7.2.2 超声相控阵基本原理

1. 相控阵探头

常规的超声检测通常采用一个压电晶片来产生超声波,只能产生一个固定的波束,其波形是预先设计且不能更改的。相控阵探头由多个小的压电晶片按照一定序列组成,使用时相控阵仪器按照预定的规则和时序对探头中的一组或全部晶片分别进行激发,每个激活晶片发射的超声波束相互干涉形成新的波束,波束的形状、偏转角度等可以通过调整激发晶片的数量、时间延时来控制。实际中的相控阵探头就像是将许多小的常规超声波探头集成在一个大的探头中,如图 7.17 所示。相控阵探头晶片阵列中每一个阵元都由一独立的激励电路控制,单个阵元的损坏不影响整个换能器的使用。

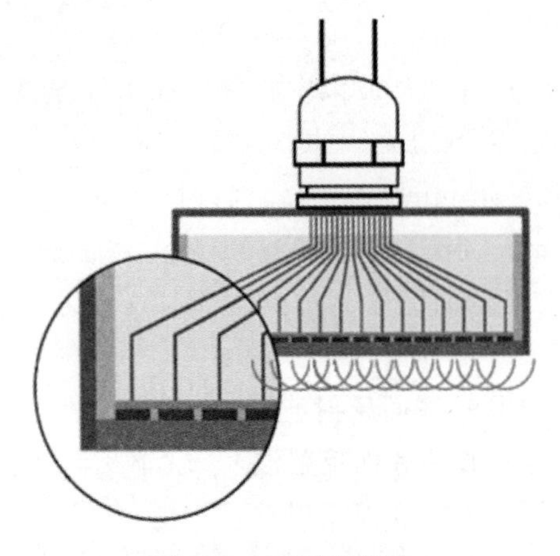

图 7.17 相控阵探头

相控阵探头的维度参数定义如图 7.18 所示。

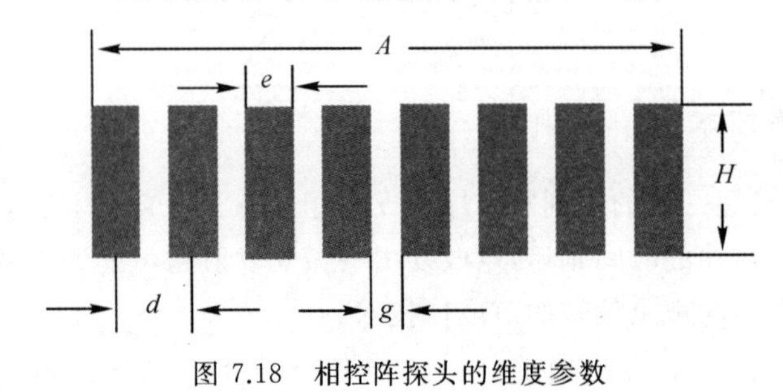

图 7.18 相控阵探头的维度参数

图 7.18 中：

A——主动偏转方向上的总孔径；

H——晶片高度或长度，这个尺寸是固定的维度，故常将其与超声轴组成的平面称为被动面；

d——晶片间距，即两个相邻晶片中心之间的距离；

e——单个晶片的宽度；

g——晶片之间的距离。

目前超声相控阵探头的一般特性如下：

工作频率：1.0～7.5 MHz，最高可达 10 MHz；

晶片材料：多为复合压电材料(如 1～3 复合压电材料)，也有采用有机高分子压电材料，晶体尺寸为 0.8 mm×0.8 mm 或更小；

晶片数量：16～256 个单元，目前常见的为 16，32，64 和 128 个单元。

常用的相控阵探头晶片有线形、矩形、环形(圆形)等三种基本阵列形式，如图 7.19 所示，图 7.20 所示为相控阵探头的各种形式。一维线形阵列应用最为成熟，从控制的角度来说，它们最容易编程控制，并且费用明显少于更复杂的阵列，目前已经有含 256 个晶片的相控阵探头，可满足多数情况下的应用，但一维线形阵元数少，阵元大，功能单一。二维阵列的阵元数大，阵元小，可在三维方向实现聚焦，能大幅提高超声成像质量。随着新型便携式相控阵仪器的发展，采用复杂的二维阵列将具有更高的检测速度、更小的扫查接触面积、更强的数据储存和显示能力以及更大的适应性。

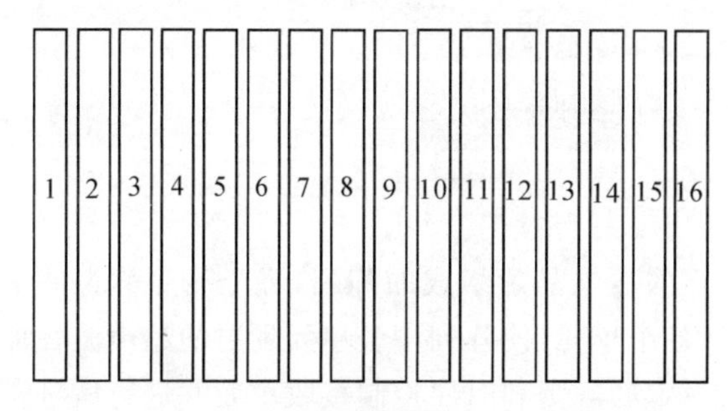

一维线形阵列

3 7 11 15 19 23 27 31

2 6 10 14 18 22 26 30

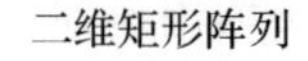
二维矩形阵列

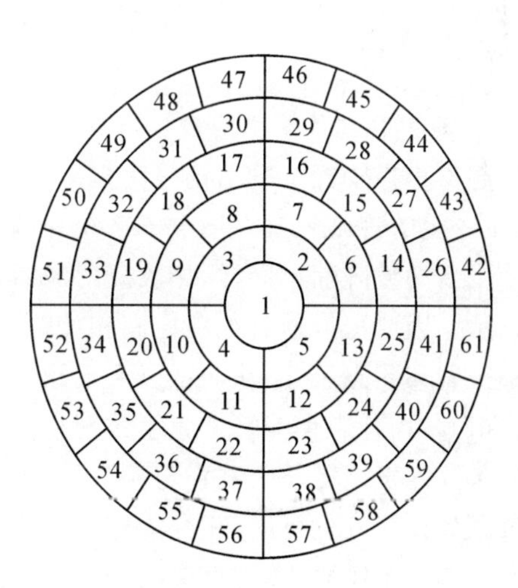

二维圆形（环形）阵列

图 7.19　相控阵探头晶片的三种基本阵列形式

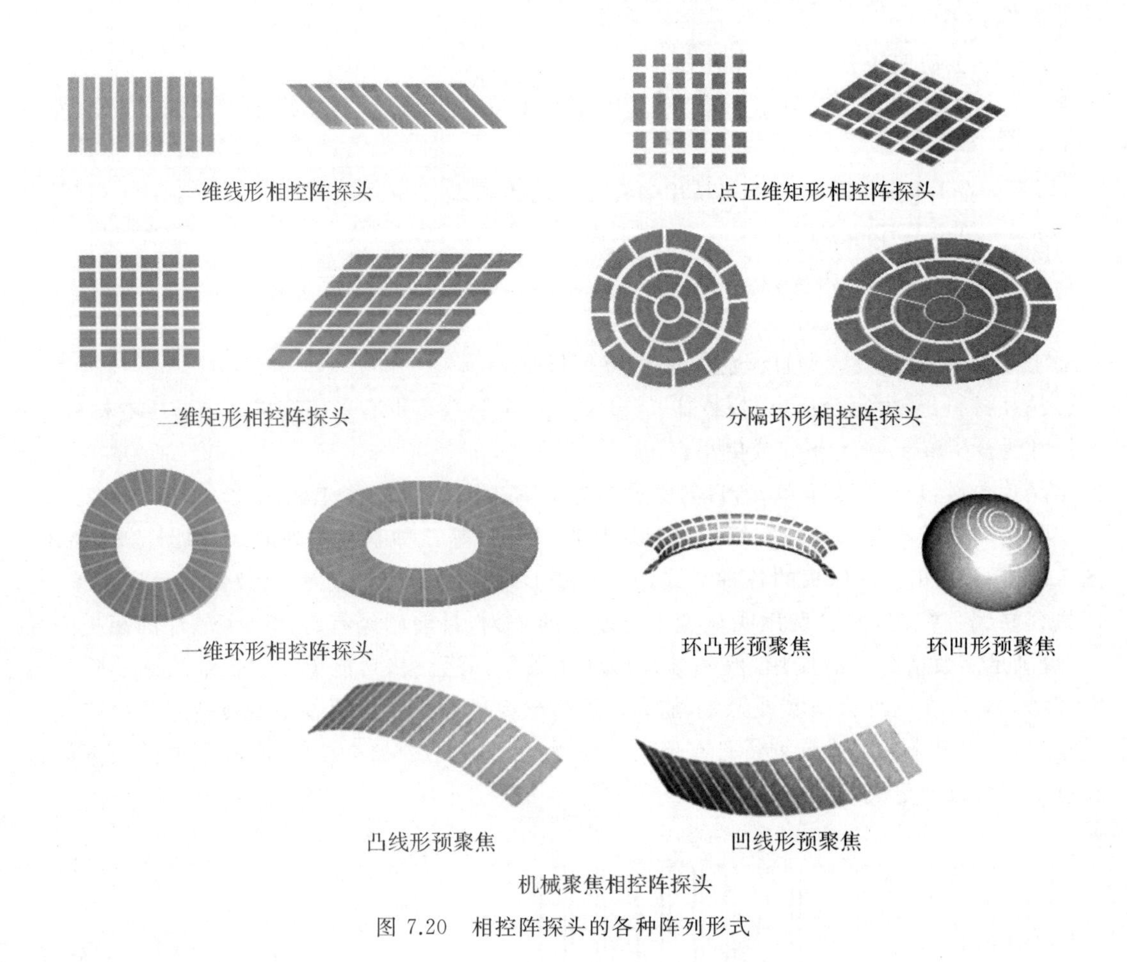

图 7.20 相控阵探头的各种阵列形式

2. 超声相控阵基本原理

超声相控阵探头的结构是由多个相互独立的压电晶片组成的阵列，每个晶片称为一个单元，按一定的规则和时序用电子系统控制激发各个单元，使阵列中各单元发射的超声波叠加形成一个新的波阵面。同样，接收反射波时，按一定的规则和时序控制接收单元并进行信号合成和显示。因此可以通过单独控制相控阵探头中每个晶片的激发时间来控制产生波束的角度、聚集位置和焦点尺寸，从而可以实现相探阵声束偏转和声速聚焦。

(1)相控阵声束偏转。为了实现超声波声束的偏转，就要使波阵面以一定的角度倾斜，即要使各阵元发出的超声波在与探头成一定角度的平面上具有相同的相位，如图 7.21(a)所示。通过预先计算好的延时，相控阵探头各阵元的激励脉冲从左到右等间隔增加延迟时间，使各波阵面具有一个倾角，实现声束的偏转。通过改变延时间隔，可以调整声束角度。

(2)相控阵声束聚焦。为了实现超声波声束聚焦，如图 7.22(b)所示，探头两端阵元先激励，逐渐向中间加大延迟时间，使合成波阵面形成具有一定曲率的圆弧面，声束指向曲面圆心。通过改变延时间隔，可以调整焦距长度。

3. 声聚焦法则

所谓聚焦法则，是指通过控制激发晶片数量，以及施加到每个晶片上的发射和接收的时间延时，实现波束的偏转方向和聚焦点的程序，亦即时间延迟与晶片位置的关系。

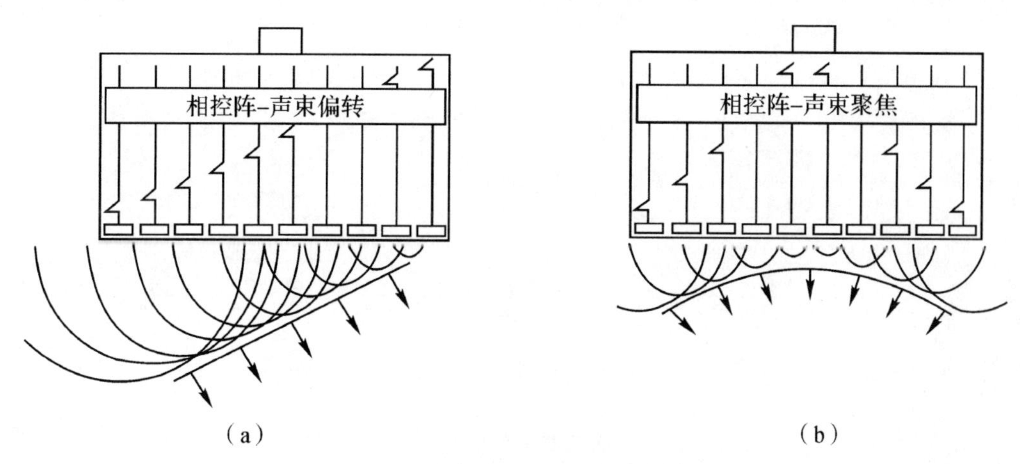

图 7.21　相控阵声束偏转和聚焦原理

相控阵检测的核心内容是通过改变单个晶片或晶片组的脉冲激励延迟时间，以电子方式控制超声波声束偏转的方向（折射角度）和聚焦情况。利用声束的这种电子偏转特点，使用单个探头在不改变探头位置的情况下，就可进行多角度检测和（或）多点检测，如图 7.22 所示。

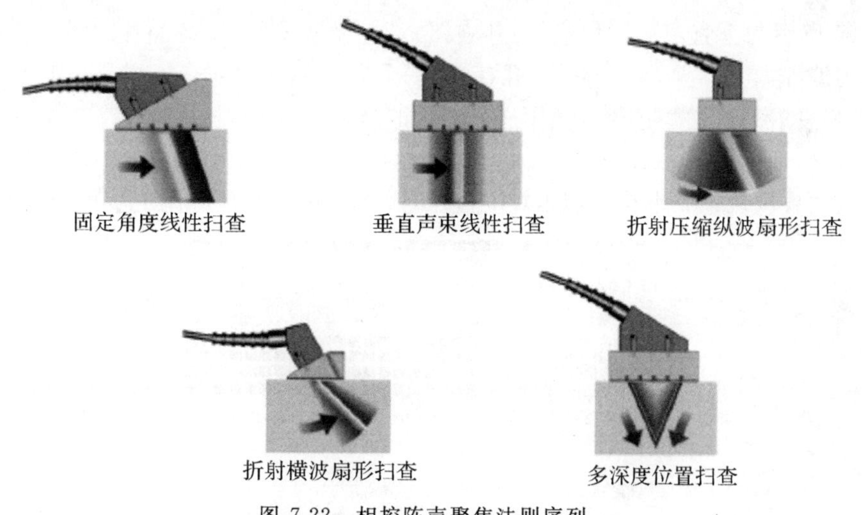

图 7.22　相控阵声聚焦法则序列

4. 有效孔径

在相控阵探头中，若干晶片被编成一组同时激发，形成有效孔径，如图 7.23 所示。

5. 扫描成像方式

相控阵扫查方式有电子扫描和机械扫查两种。电子扫描是以电子方式实现对工件的扫查，即通过聚焦法则实现波束的移动或角度偏转，使之扫过工件中被检测区域，有线性扫描和扇扫描（简称 S 扫描）两种方式。机械扫查是以机械方式实现对工件的扫查，即通过移动探头实现波束的移动，使之扫过工件中被检测区域。相控阵可实现 B，C，D 和 S 扫描等多种扫描成像方式，其中 S 扫描是相控阵所特有的成像方式，用户可根据需要在仪器扫描方式界面选择所需扫描方式。

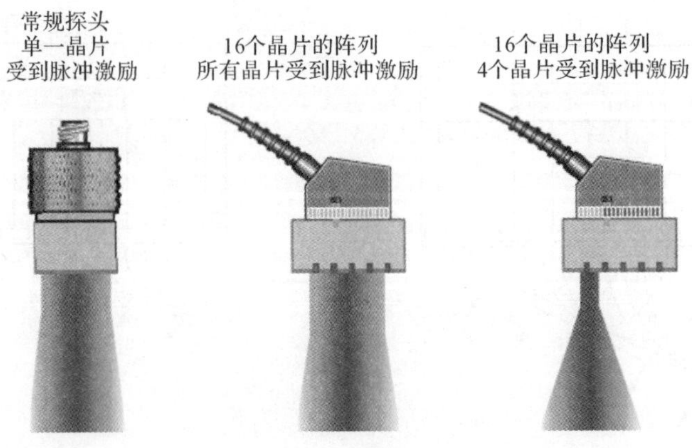

图 7.23　有效孔径

(1)线性扫描。线性扫描是指电子线性扫描，在线性扫描中相控阵系统通过沿线形阵列探头的长边所进行的电子扫查，在无需移动探头的情况下，可创建一个横截剖面图。当以序列方式应用每个聚焦法则时，相关的 A 扫描被数字化并被绘制成图。相继的孔径被“排列”在一起，生成一幅实时横截面图像，图中显示工件中反射体的真实深度和相对于探头组合件前沿的实际位置。

图 7.24 所示为垂直声束线性扫描，其中图 7.24(a)所示为一 32 晶片的线形相控阵探头，将聚焦法则编程如下：8 个晶片为一个孔径，下一个孔径包含向前错一个晶片的 8 个晶片，依此类推，序列发射是对这些孔径按顺序连续触发的过程。这样会生成 25 个单个波形，这些波形排列在一起，即可得到一个在探头长边方向上的实时横截面图像，如图 7.24(b)所示，图中可清晰显示扫查区域内 4 个孔径的相对位置，A 扫描波形是其中一个所选孔径生成的波形图。

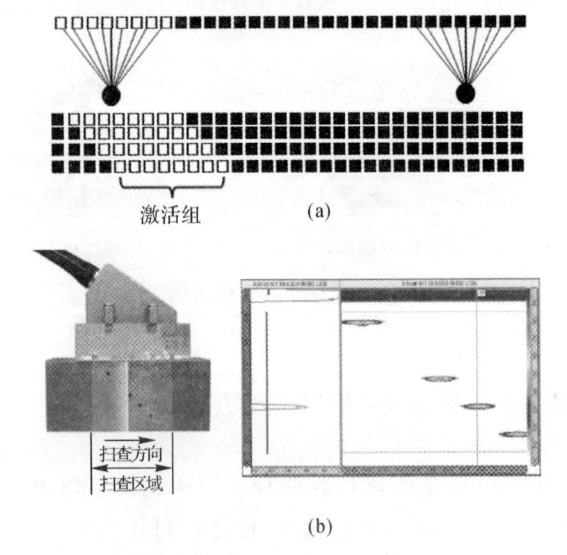

图 7.24　垂直声束线性扫查

(a)晶片激励序列；(b)扫查方式及图像显示

线性扫描中还可以使用某一固定角度声束进行扫查。如图 7.25(a)所示，声束以一固定角度沿探头长边进行扫查，在不移动探头的情况下，可检测到工件中更大的体积范围。这种扫查模式可以节省时间，在自动焊缝检测中非常有用。如图 7.25(b)所示，用 64 晶片线形相控阵探头使声束以 45°角对被检测工件进行扫查，扫查过程中声束逐一与 3 个孔径相交。在进行每个序列的扫查时，声束入射点也会从左向右移动。图中可清晰显示扫查区域内 3 个孔径的相对位置，A 扫描波形是在任一时刻当前孔径的回波情况。

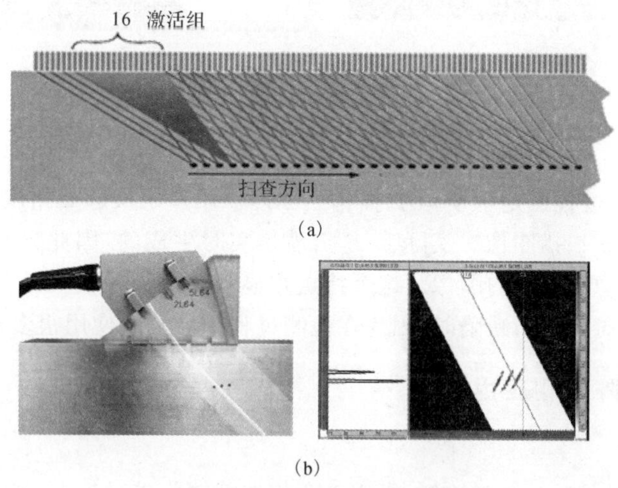

(a)

(b)

图 7.25　角度声束线性扫查

(a)晶片激励序列；(b)扫查方式及图像显示

(2)S 扫描。S 扫描是在某入射点形成一定角度的扇形扫查范围，又称为扇形扫描成像。S 扫描使用固定孔径，在序列变换的不同角度下，以电子方式偏转声束。这种扫描一般使用两种主要形式。第一种形式使用零度界面楔块，以电子方式在不同角度上偏转纵波，生成一个扇形图像，以显示分层缺陷和稍微偏斜的缺陷，如图 7.26(a)所示。在医学成像中最常用的就是这种形式。

第二种形式使用塑料楔块增加入射声束的角度，以生成横波。最常见的折射角度范围在 35°～70°之间。这种技术与常规角度声束检测相似，不同的是声束以一系列不同的角度扫射，而不是以通过楔块形成的单一固定角度传播。其图像显示与线性扫查图像相同，也是被测工件的检测区域的横截面图，如图 7.26(b)所示。

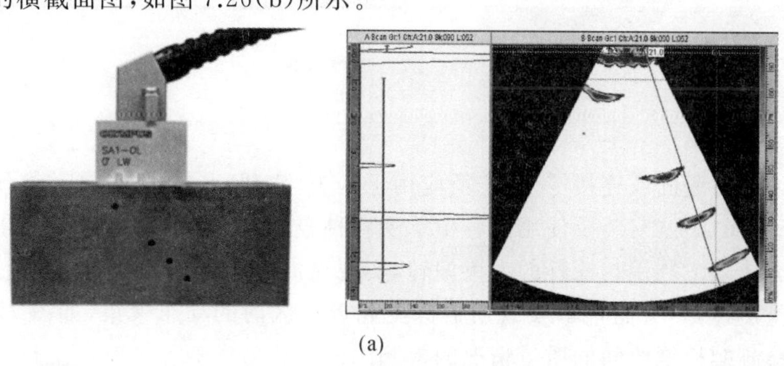

(a)

图 7.26　S 扫描图像

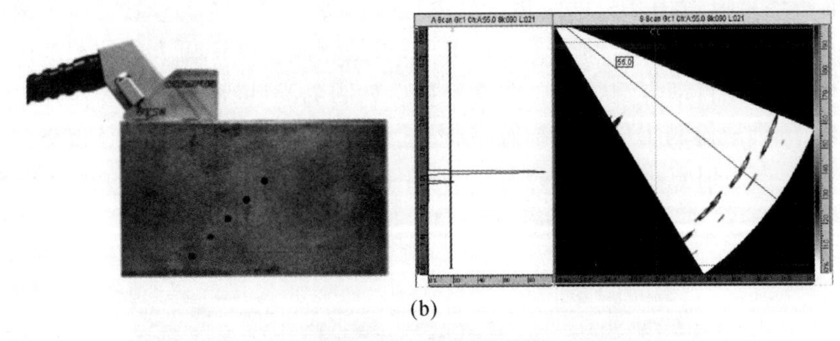

(b)

续图 7.26　S扫描图像

(a)−30°～+30°范围内扫查;(b)+35°～+70°范围内扫查

生成图像的实际过程也是基于A扫描排列原理。用户定义起始角度、终止角度以及角度步进分辨率,以生成S扫描图像。实际上,S扫描是实时生成的,因此S扫描是一个会随着探头的移动,持续发生动态变化的图像。这个特点在显示缺陷以及提高缺陷检出率方面非常有用,特别是在探测方向杂乱的缺陷时,因为在检测过程中会同时使用很多检测角度。

7.2.3　超声相控阵检测应用

1. 焊缝检测

超声相控阵检测板板对接焊缝时,采用单个相控阵探头进行扫查,移动探头至焊缝中心一定的位置,使得二次波完全覆盖焊缝及热影响区,从而实现对焊缝上下区域所有缺陷的检测,如图 7.27 所示。

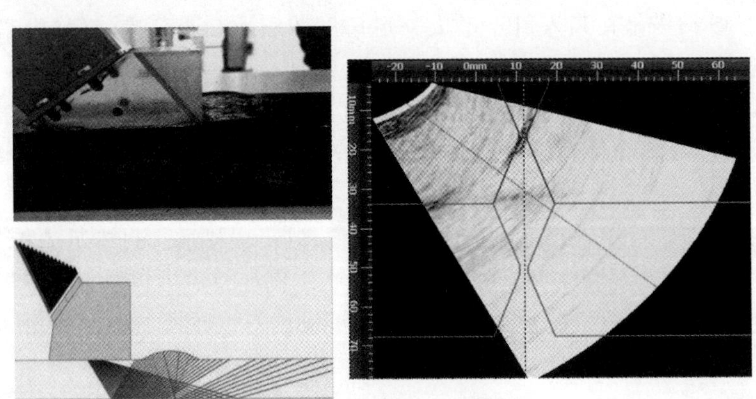

图 7.27　焊缝检测

2. 螺栓检测

螺栓作为一种紧固或连接零件,广泛应用于锅炉、汽机、压力管道阀门和石油钻等各种关键部位,由于其在加工、安装及使用过程中承受各种复杂应力及温度等作用,在螺丝口部位容易发生裂纹类缺陷。利用相探阵的声束偏转,实现纵波垂直和小角度倾斜入射使声场能够覆盖整个所需检测区域,并且能够实现所需深度和近场区内的动态聚集,如图 7.28 所示为利用相控阵技术检测螺栓螺纹间的质量情况的检测图像。

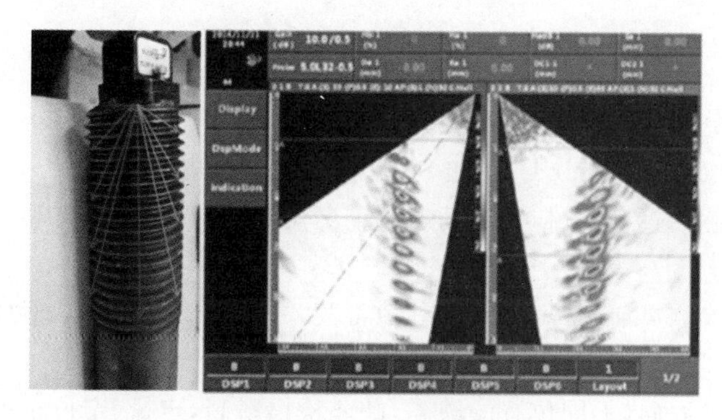

图 7.28　螺栓检测

3. 铸件检测

铸造方法因具有成本低廉、一次成型等优点而广泛应用于汽车制造业以及航空航天制造业中，因此对铸件质量监测具有重要的意义。铸件最大的特点是组织不均匀、不致密，晶粒粗大，表面粗糙，存在弹性各向异性，超声波穿透性差，组织反射或结构反射造成的杂波干扰严重，因此铸件常规超声波检测存在一定的困难。相控阵超声检测技术能够很好地检测复杂几何形状的铸件内部及表面缺陷，而且对缺陷的定位、定量比较准确，精度较高。图 7.29 所示为利用相控阵检测技术对铸件表面缺陷进行定量的实例，从图中可以看出，对于缺陷的横向尺寸(33.10 mm)和纵向尺寸(19.25 mm)，相控阵检测结果和实测值几乎相等。

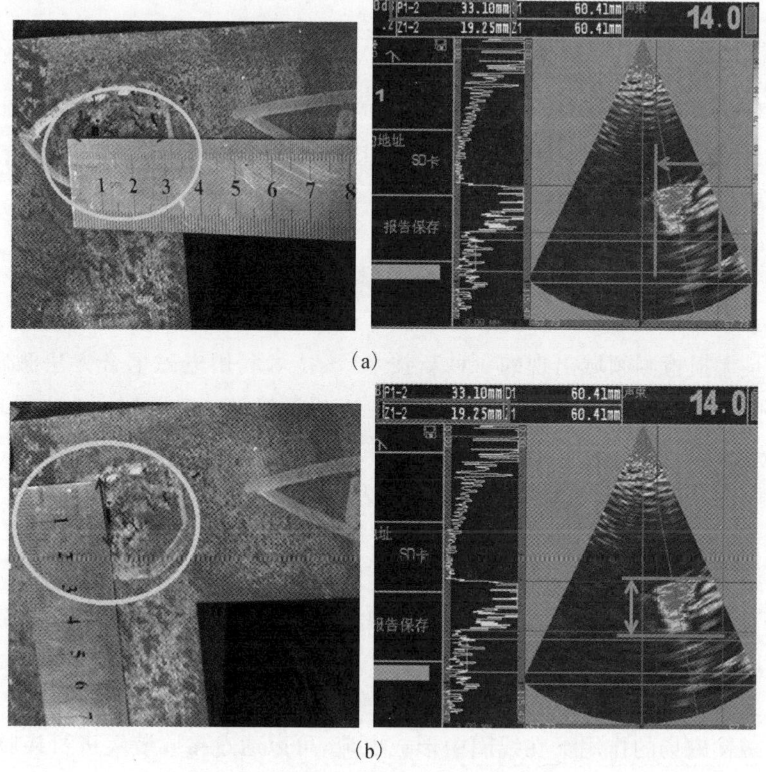

图 7.29　铸件检测

(a)缺陷横向长度测量；(b)缺陷纵向长度测量

7.2.4 超声相控阵检测的特点

超声相控阵检测主要有以下优势：

(1)实时彩色成像,包括 A,B,C,D 和 S 扫描显示,便于缺陷判断；

(2)可以实现线性扫查、扇形扫查和动态深度聚焦,同时具备宽波束和多焦点的特点,检测速度可以更快；

(3)具有更高的检测灵活性,可以实现其他常规检测技术所不能实现的功能,尤其是针对复杂工件的检测；

(4)容易检出各种取向、不同位置的缺陷,缺陷检出率高,定量、定位精度高；

(5)扫查装置简单,便于操作和维护；

(6)检测结果受人为因素影响小,数据便于存储、管理和调用。

超声相控阵检测也存在以下缺点：

(1)检测对象、检测范围以及检测能力受其应用软件的限制；

(2)受相控阵阵列的频率、压电元件的尺寸和间距以及加工精度的限制；

(3)与常规超声波检测一样受到诸如工件表面粗糙度、耦合质量、被检材料冶金状态、检测面选择等工艺因素的影响,仍然需要用对比试块来校准；

(4)仪器的调节过程较复杂,调节准确性对检测结果影响大。

简答题

(1)简述超声相控阵探头与普通超声波探头的区别。

(2)超声相控阵基本原理是什么?

(3)简述超声相控阵检测的技术优势。

7.3 电磁超声检测技术

电磁超声是无损检测领域出现的一种新技术,该技术利用电磁耦合方法激励和接收超声波。在此过程中,探头与工件之间不需耦合剂,也不相互接触。电磁超声技术已逐步进入工业应用阶段,应用范围从最初的中厚板、火车轮检测、高温测厚等领域逐步发展到焊缝检测、钢棒检测、钢管检测、铁路钢轨检测、复合材料检测等众多领域,也可实现在线检测。

7.3.1 电磁超声检测基本原理

1. 电磁超声的产生机理

高频电流通过线圈时产生高频磁场,在检测工件的趋肤层形成涡流,涡流在磁铁磁场的作用下产生洛伦兹力,洛伦兹力作用于晶格并在工件内部产生振动,形成超声波。反之,超声波产生的振动在磁铁磁场的作用下在线圈中形成电流,可以通过接收装置进行接收并放大显示。把用这种方法激发和接收的超声波称为电磁超声。

在上述方法中,电磁超声换能器(Electromagnetic Acoustic Transducer,EMAT)已经不

单单是通交变电流的涡流线圈以及外部固定磁场的组合体，被检测金属表面也是换能器的一个重要组成部分，电和声的转换是靠金属表面来完成的。电磁超声只能在导电介质上产生，因此电磁超声只能在导电介质上获得应用。

由上述内容可知，电磁超声检测装置由高频线圈、外加磁场和检测工件三部分构成。产生电磁超声的有两种效应，即洛伦兹力效应和磁致伸缩效应。两种效应具体是哪种起主要作用，由外加磁场的大小和激励电流的频率决定。

洛伦兹力和磁致伸缩应变的方向与试件中偏置磁场和动态磁场的分布有关。动态磁场非常容易理解，线圈中电流发生变化，感应出的涡流就会随之变化。静态偏置磁场虽然在时间上不发生变化，但空间上可以有多种分布，进而与动态磁场复合作用，产生不同方向的洛伦兹力或磁致伸缩应变，从而激励出不同类型的超声场。根据试件中静态偏置磁场和动态磁场复合作用区域的静态磁场分布特点，下面从均匀静态磁场和非均匀静态磁场角度分析不同类型的电磁超声结构中电磁超声产生的过程。

(1)均匀静态磁场电磁超声结构。衔铁、永久磁铁和被测试件组成的闭合磁回路，在线圈正下方的被测试件表面会产生均匀的水平静态磁场。静态偏置磁场和动态磁场的复合作用主要表现为洛伦兹力或磁致伸缩应变。在均匀水平静态磁场的电磁超声结构中，质点所受洛伦兹力和试件磁致伸缩应变的方向分别如图 7.30 和图 7.31 所示。图 7.30 中，洛伦兹力使质点垂直于试件表面振动并在试件中传播，产生横波(剪切波)。图 7.31 中，质点的磁致伸缩应变与试件表面平行，从而在试件中激励出水平剪切波。

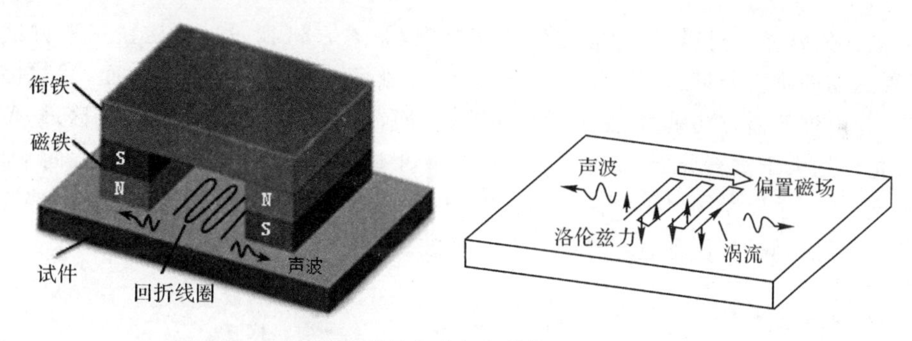

图 7.30 均匀静态磁场电磁超声结构中的洛伦兹力机理

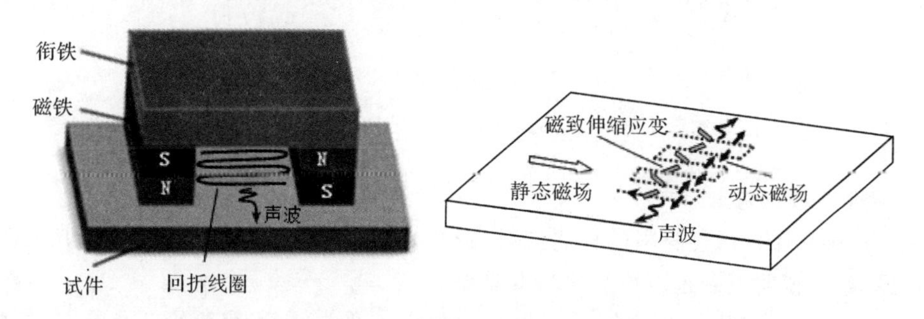

图 7.31 均匀静态磁场电磁超声结构中的磁致伸缩机理

(2)非均匀静态磁场电磁超声结构。磁力线始终是闭合的，这一特点决定了在N极附近，磁力线总是发散的，而S极附近的磁力线总是汇聚的，因此磁场的空间分布是非均匀的。空间中不同位置偏置磁场的方向不同,一般既有水平分量也有垂直分量(相对试件表面),而且在不同位置,水平分量和垂直分量的强度也是变化的。因此,非均匀偏置磁场中产生的超声波波型成分比较复杂,以图 7.32 所示的洛伦兹力机理为例,圆柱磁铁在试件周围产生的偏置磁场是非均匀的。在磁铁正下方试件趋肤层中,偏置磁场垂直分量远远大于水平分量;而在磁铁正下方以外的附近区域,偏置磁场水平分量则大于垂直分量。被测试件中感应出的涡流呈环形,与试件表面平行,在磁铁正下方试件趋肤层中,质点振动方向垂直于涡流方向且与试件表面平行,与声波传播方向垂直,主要激励出横波;而在磁铁正下方以外的附近区域,质点振动方向垂直于涡流方向且与试件表面垂直,与声波传播方向平行,主要激励出纵波。在偏置磁场水平分量与垂直分量相当的区域,偏置磁场的水平分量会激励出纵波,而垂直分量则会产生横波。由于声波传播方向不仅有垂直试件表面的方向,还有平行于试件表面的方向,因此在试件表面还会激励出表面波。

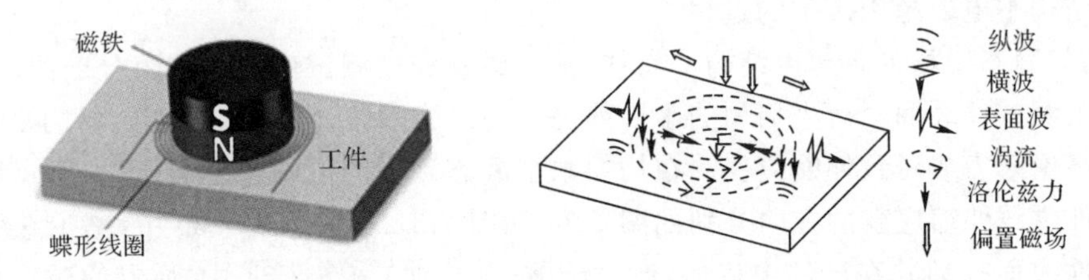

图 7.32 非均匀静态磁场电磁超声结构的洛伦兹力机理

如果试件为铁磁性材料,需考虑磁致伸缩机理,如图 7.33 所示。在磁铁正下方试件趋肤层中,偏置磁场的垂直分量远远大于水平分量,动态磁场方向平行于试件表面,并与偏置磁场方向垂直,与声波传播方向垂直,主要激励出横波;而在磁铁正下方以外的附近区域,偏置磁场的水平分量远远大于垂直分量,动态磁场方向平行于试件表面,并与偏置磁场方向平行,与声波传播方向平行,主要激励出纵波。在偏置磁场水平分量与垂直分量相当的区域,偏置磁场的水平分量会激励出纵波,而垂直分量则会产生横波。

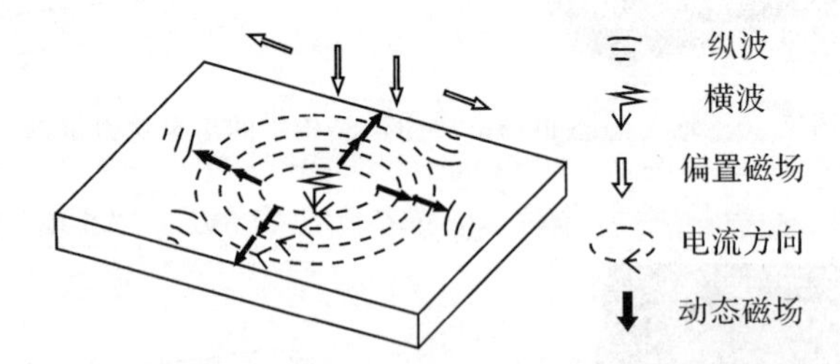

图 7.33 非均匀静态磁场电磁超声结构中的磁致伸缩机理

2. 电磁超声检测基本原理

电磁超声能用于铁磁性材料的检测,在铁磁性材料中激发电磁超声,又能接收电磁超声。以钢板测厚为例,说明电磁超声检测的基本原理。

如图 7.34 所示,采用永久磁体在钢板表面建立一垂直于钢板表面的磁场 B,B 值可达 5 000 Gs 以上。在永久磁体与钢板之间布置线圈,线圈匝数为 50~100,线圈平面垂直于磁场。

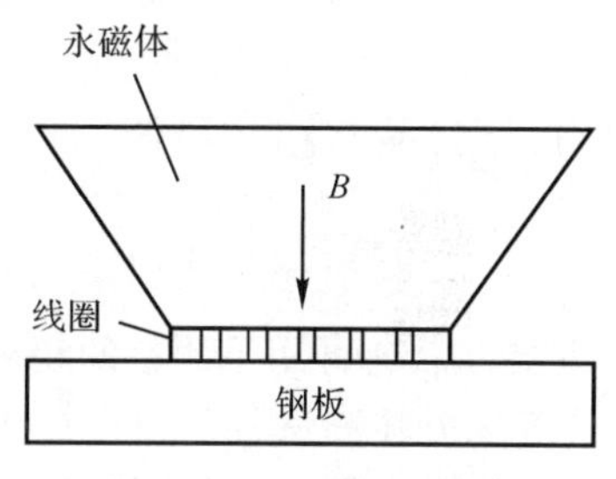

图 7.34 电磁超声模型

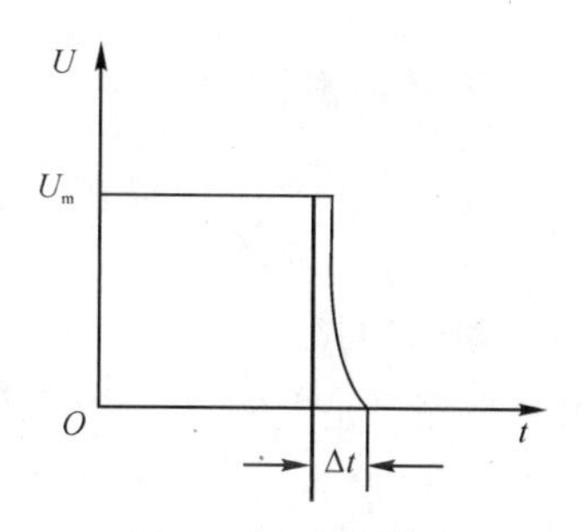

图 7.35 脉冲信号

某时刻在线圈中加一高压窄脉冲，如图 7.35 所示，其电压幅度 U 为 500～1 000 V，脉宽 Δt 为 0.1 μs 左右。强大的脉冲电压在线圈中产生一定的脉冲电流，并在周围产生很强的磁场。辐射到钢板表面的电磁场，会在钢板表面产生垂直于永磁体产生的恒磁场 B 的涡旋电流 I。磁场 B、涡旋电流 I 及钢板三者之间满足如图 7.36 所示的右手螺旋关系。

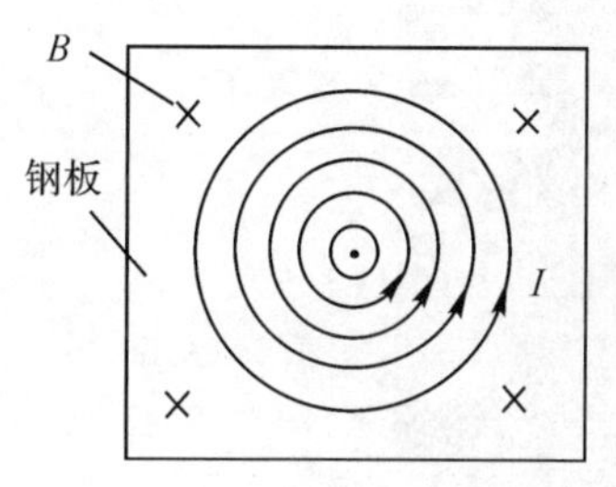

图 7.36 磁场与涡流的关系

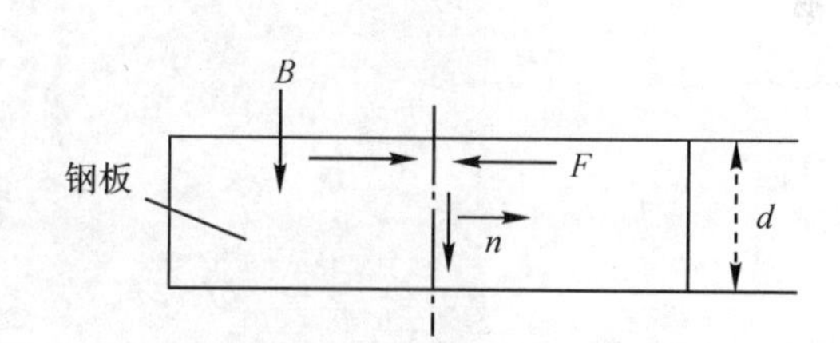

图 7.37 钢板内 F 与 B 的关系

根据电磁学知识，此涡旋电流 I 必然受到磁场 B 的作用而产生作用力 F。作用力 F 的方向平行于钢板表面，指向涡流中心，如图 7.37 所示。这一作用力持续时间非常短暂，大约等于脉冲电压的脉宽，作用力引起的电磁振动向钢板内传播，方向如图 7.37 所示。从图 7.37 中可以看出，作用力 F 与传播方向相互垂直，此电磁振动是横波。此波到达钢板底面后，有部分透出钢板底面，但大部分被反射回来到达钢板表面，这部分波称为回波。回波所携带的磁场被线圈接收到。由于电磁超声在钢板表面的透射比较弱，钢板中的电磁超声可以多次在钢板内来回反射，因此线圈中接收的回波信号将是一系列脉冲串。若采用 1 000 倍的脉冲放大器对回波信号进行放大，10 mm 厚钢板的回波信号如图 7.38(a)所示，其中 S_1 为一次回波，S_2 为二次回波，S_n 为 n 次回波，S_n 与 S_{n+1} 之间的时间差可反映钢板的厚度。图 7.38(b)所示是回波信号经电压比较器后，获得的对应脉冲序列信号。

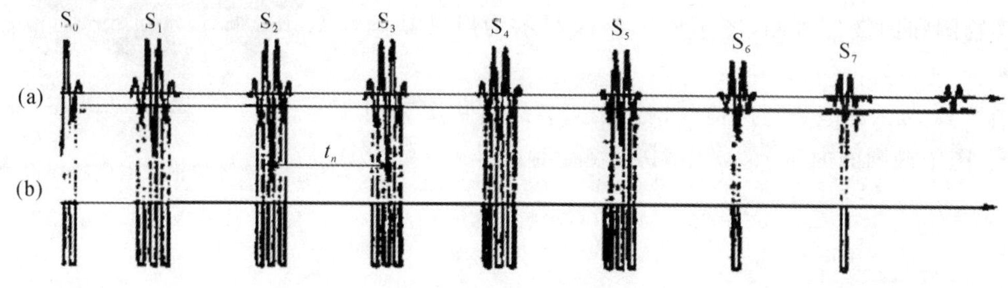

图 7.38 回波信号

7.3.2 电磁超声检测应用

电磁超声检测工业应用很多，主要应用于测厚、探伤、材料晶格结构检测、材料应力检测等。

1. 电磁超声测厚

电磁超声测厚是电磁超声检测技术工业应用的一个重要方面。可用于测厚的超声波有体波和SV波，通过检测超声波在试件中的传播时间差可以折算出检测试件的厚度。无缝钢管是由钢锭控制成形的，因此钢管壁厚的均匀程度是评定钢管质量的重要指标。传统的检测方法是利用尺规测量钢管的头尾尺寸，而无法得知中间部分的数据，因而无法有效控制产品的质量。采用电磁超声技术，通过测量钢管上不同位置的壁厚，得知其壁厚的均匀程度，从而为控制钢管质量提供了一种可靠的检测手段，如图7.39所示。

图7.39　无缝钢管电磁超声测厚

2. 电磁超声检测

电磁超声技术通过观察缺陷的回波与物体底面的回波来确定物体中缺陷的位置和大小。应用电磁超声的原理在被测物体(导体)中激发超声波。此超声波在被测物体中传播，当遇到声阻抗不同的界面时发生反射，利用涡流线圈来接收这个反射波，通过计量此超声波在物体中的传播时间，就可以计算出被测物体的厚度及缺陷所在位置。

图7.40所示为无缝钢管电磁超声检测模型。对线圈通以强大的脉冲电流时，会在钢管表层产生感应涡流，涡流在外加磁场中产生超声波。图7.41所示为长距离电磁超声检测管道腐蚀实物图和回波信号图，图中椭圆圈内所示为腐蚀缺陷反射信号。

图7.42所示为电磁超声检测钢棒表面裂纹实物图和回波信号图，图中椭圆圈内所示为钢棒中裂纹反射信号。

图7.40　无缝钢管电磁超声检测模型

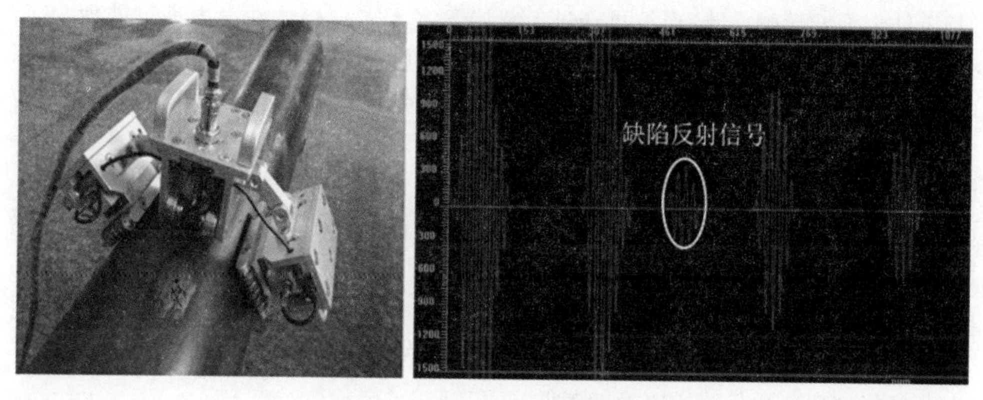

图 7.41　电磁超声检测管道腐蚀

(图片来源：http://www.phaserise.com/index.php? m=home&c=show&a=show_product&cid=31&id=72)

图 7.42　电磁超声检测钢棒表面裂纹

(图片来源：http://www.phaserise.com/index.php? m=home&c=show&a=show_product&cid=31&id=72)

7.3.3　电磁超声检测的特点

图 7.43 是电磁超声与常规超声检测的对比图。相对于常规超声检测，电磁超声具有以下优点：

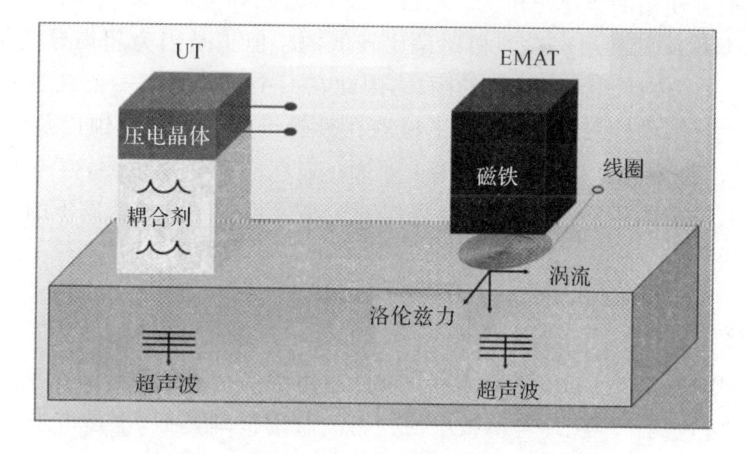

图 7.43　电磁超声与常规超声检测的对比图

(1)工件表面非接触检测,声波可透过包覆层等。无需对检测件表面进行处理,允许工件表面有油漆、包皮、粗糙等凹凸不平,大大减少了辅助性的工作量。

(2)不需要耦合剂。可以进行高、低温检测,检测速度快,对人体没有危害,探头重复利用率高,适用于连续生产线的自动检测。

(3)激发导波模式多。可产生横波、纵波、表面波(瑞利波)和导波(兰姆波)等。

(4)发现自然缺陷的能力强,电磁超声对于钢管表面存在的折叠、重皮、孔洞等不易检出的缺陷都能准确发现。

电磁超声检测也存在以下缺点:

(1)它只能用于导电金属材料的检测,不能用于非金属的检测;

(2)其换能效率要比传统压电换能器低;

(3)高频线圈与工件间隙不能太大。热体在空间辐射的温度场是按指数衰减的,线圈从工件表面每提高一个绕线波长的距离,声信号幅度就会有大幅下降(接近 100 dB)。

简答题

(1)什么叫作电磁超声?简述电磁超声产生过程。

(2)电磁超声检测技术适用于哪种材料的检测?

(3)电磁超声换能器由哪几部分组成?

7.4 超声导波检测技术

超声导波检测是一种特殊的在线管道检测技术,又称为长距离超声遥探法。利用低频导波可对管路、管道进行长距离检测,包括对地下埋管不开挖状态下的长距离检测。该技术能够检出管道中的外部腐蚀、内部腐蚀或冲蚀、环向裂纹、焊接缺陷、疲劳裂纹、焊缝错边等缺陷。

对于管道检测,在一般管壁厚度下要产生适当的波型,则需要使用比常规超声波检测低得多的频率,导波通常使用的频率范围为 5~100 kHz,因此导波对单个缺陷的检出灵敏度与通常使用频率在 MHz 级别的超声检测相比是比较低的。但正是因为超声导波频率低、衰减小的优点而能在管道中传播长达 200 m 的距离,因此在一个位置固定一个或多个脉冲回波阵列就可做长距离、大范围的检测,特别适合于检测在役管道的内外壁腐蚀以及焊缝的危险性缺陷。低频超声导波长距离检测法特别适用于管道在役状态的快速检测,内外壁腐蚀可一次探测到,也能检出管子端面的平面状缺陷,特别是对于地下埋管不开挖状态下的长距离检测更有优势。

7.4.1 超声导波

超声导波(Ultrasonic Guide Wave)是一种以超声频率在波导中传播并受其边界形状约束的弹性波。超声导波的产生机理与薄板中的兰姆波激励机理类似,也是由于在空间有限的介质内多次往复反射并进一步产生复杂的叠加干涉以及几何弥散形成的,导波的相速度会随着探头频率和工件几何尺寸的变化而变化。超声导波应用的主要波型包括扭曲波(Torsional

Wave)和纵波(Longitudinal Wave),如图 7.44 所示。

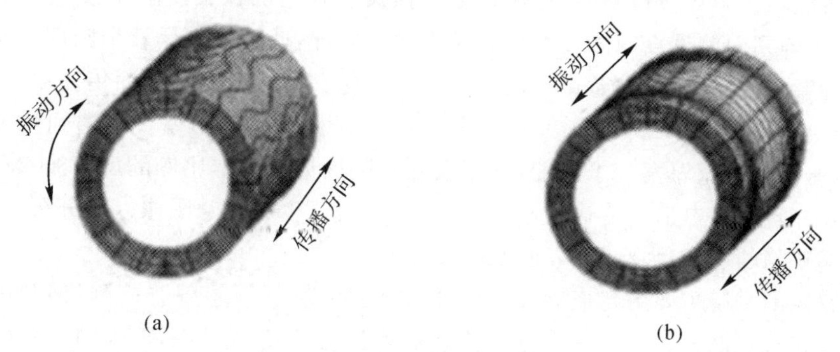

图 7.44　超声导波的主要应用波型

(a)扭曲波;(b)纵波

扭曲波是质点沿管子周向振动,波动方向沿管子轴向传播,声波受管道内部液体影响较小(在超声导波检测时,由于管内液体介质产生的扩散效应较小,允许液体在管道中流动),可以在较宽频率范围内使用,回波信号包含管轴方向的缺陷信息,通常能得到清晰的回波信号,信号识别较容易,在应用中所需换能器数量少、质量轻、费用省,因管内液体介质产生的扩散效应较小,波型转换较少,检测距离较长,对轴向缺陷检测灵敏度高。

纵波是质点沿管子轴向振动,波动沿管子轴向传播,回波幅度与缺陷形状关系不大,回波信号幅度不如扭曲波清晰,仅能在较窄的频率范围内使用,受被检测管内液体流动和探头接触面的表面状态影响很大,而对管道上横截面积损失的灵敏度很高,易发现小口径管道上纵向焊接的支撑物上的焊缝缺陷。

这两种模式的波型各有其特点,可在实际应用中互相补充。

7.4.2　超声导波检测工作原理

图 7.45 所示为管道腐蚀的常规超声波检测与长距离超声导波检测原理对比图。在管道腐蚀检测中,常规超声检测的方法只能是对经过表面清理的管道外表面进行局部逐点扫查或

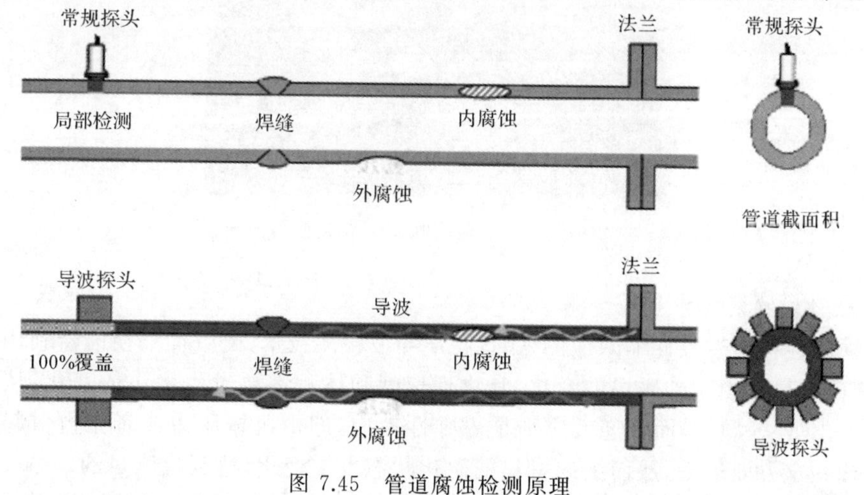

图 7.45　管道腐蚀检测原理

抽检进行超声测厚，检测过程中必须涂覆耦合剂，在抽检时，还可能存在许多位置难以到达或无法到达的情况。超声导波检测时，把超声导波探头套环上的探头矩阵架设在一个探测位置(测试点)，探头阵列向测试点两侧发射低频超声导波脉冲，此脉冲充斥整个圆周方向和整个管壁厚度并沿着管线向远处传播，超声导波甚至可以在保护层或保温层下面传播，一次就能在一定范围内 100%检测(即超声导波覆盖整个管道壁厚)长距离的管道壁。当遇到管内外壁的腐蚀或缺陷时，由于管道壁厚发生了改变，导波会在缺陷处返回一定比例的反射波。反射回波由探头阵列接收并转换为电信号传送到超声导波检测仪器，生成检测图像以供分析，由此可检测管道的内外部缺陷的位置、大小和腐蚀状况。

超声导波检测系统主要由超声导波传感器、检测装置(低频超声波检测仪)和用于控制和采集数据的计算机三部分组成。超声导波传感器如耦合不良、安装不正确、频率选择不当、电缆不匹配等，均将影响检测和最终结果。按与被检构件的接触方式不同可将传感器分为接触式和非接触式传感器；按产生超声波的原理不同可将传感器分为压电式、电磁超声式、磁致伸缩式和激光超声式传感器；按激励与接收导波的模式不同可将传感器分为纵向导波传感器、扭转导波传感器、弯曲导波传感器和复合导波传感器。不同类型的传感器在被检结构件上的安装方式不同，例如接触式传感器要求被检结构件表面清理干净、平整，以提高耦合效率；压电式传感器的安装与传统超声检测方法相似；非接触式传感器则应尽可能包围被检结构件，以减小外界电磁波及振动等的干扰。

7.4.3 超声导波检测应用

1. 管道超声导波检测

传统的管道检测技术大部分采用逐点检测，而对于长距离管道的检测比较难。导波技术发展起来后，就采用导波检测技术来检测蒸汽管道、压力管道和燃气管道等。图 7.46 所示为管道超声导波检测图，图 7.47 所示为检测回波信号。

图 7.46 管道腐蚀超声导波检测

2. 磁致伸缩换能超声导波检测

基于铁磁性材料磁致伸缩效应的 MsS 超声导波检测技术，磁致伸缩换能器利用磁致伸缩效应，即铁磁性材料由于外磁场的变化，其物理长度和体积都要发生微小的变化，从而在被检物体中激发出 MsS 导波，而其逆效应则是磁弹性效应，即由机械压力或者张力引起铁磁性材料的磁畴按一定方向运动，从而引起材料的磁化状态发生变化，达到检测目的。

磁致伸缩换能器与相应的仪器在铁磁性钢管中产生检测用的低频制导波(4～250 kHz)，

能沿着结构件有限的边界形状传播，并被结构件边界所约束、导向，MsS 技术可激发纵波、扭转波、弯曲波、兰姆波、水平剪切波和表面波等多种模态形式的导波，已能应用于 3.81～203.2 cm 甚至更大直径，壁厚可达 3.81 cm 的钢管，能实现管道的长距离检测，能在高温下工作。图 7.48 所示为基于 MsS 导波技术对高温管道腐蚀的监测的示意图，将监测线从高空拉到地面上合适的位置，只需要定期把 MsS 仪器和监测线连接进行数据采集，并通过上下两次采集数据的对比，即可得出管道有效距离内结构的腐蚀状态，检测波形如图 7.49 所示。

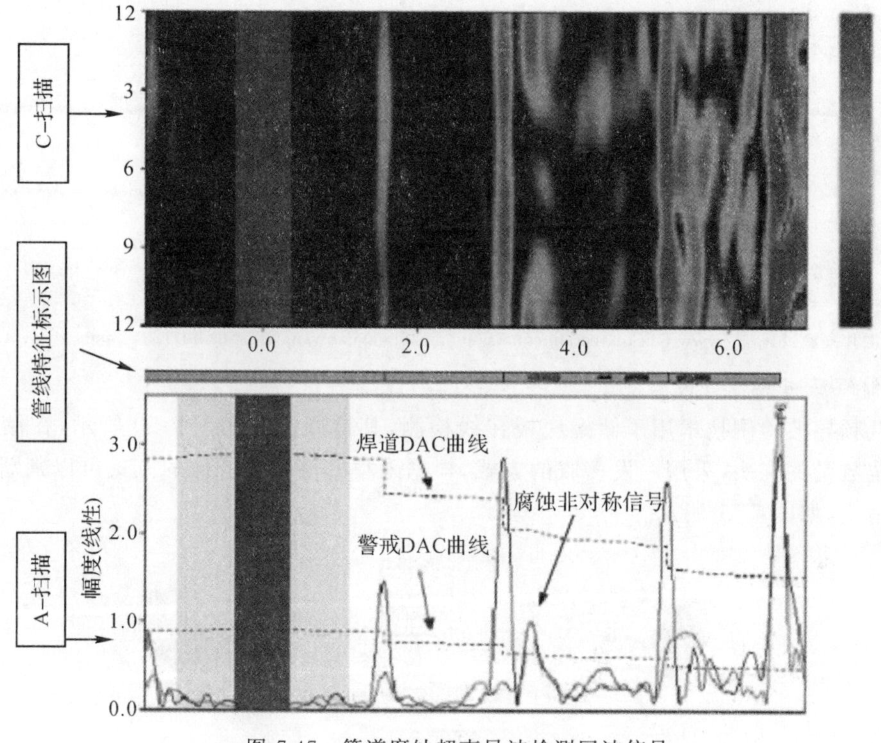

图 7.47　管道腐蚀超声导波检测回波信号

（图片来源：https://wenku.baidu.com/view/58200c00581b6bd97f19ead1.html）

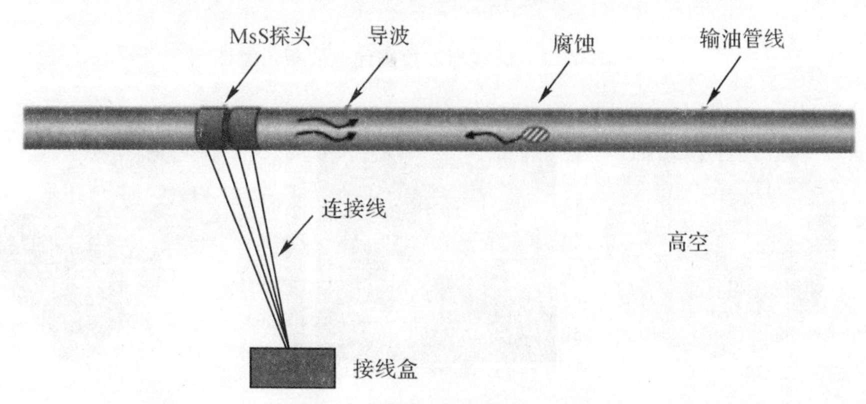

图 7.48　MsS 导波监测示意图

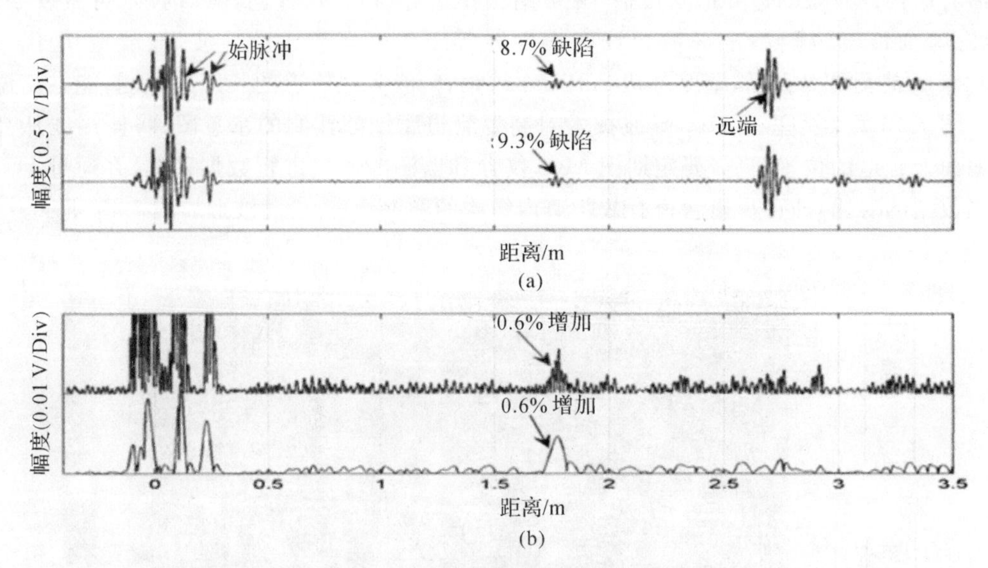

图 7.49 MsS 导波检测波形图

(图片来源:http://www.quickdetection.com/a/zuopin/dixiaguanwangGISshuzihua/2017/0605/631.html)

3. 储罐底板腐蚀导波检测

将低频导波检测技术用于储罐底板在线检测,其检测方式如图 7.50 所示,在储罐外均匀布置一定数量的探头,采用一发多收的方式,根据采集的信号以成像的方式可以判断储罐底板的腐蚀情况,如图 7.51 所示。

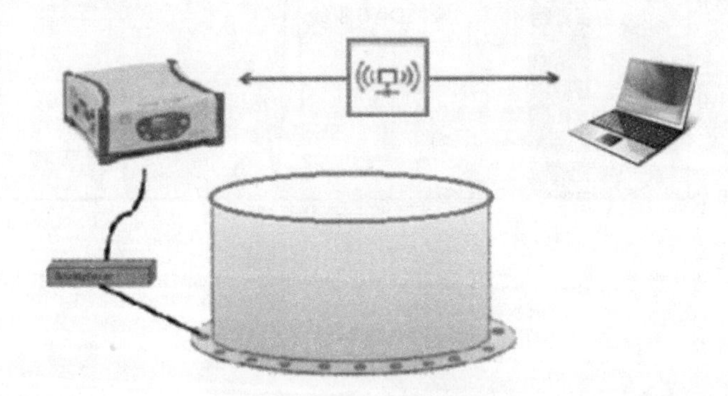

图 7.50 低频导波检测储罐底板示意图

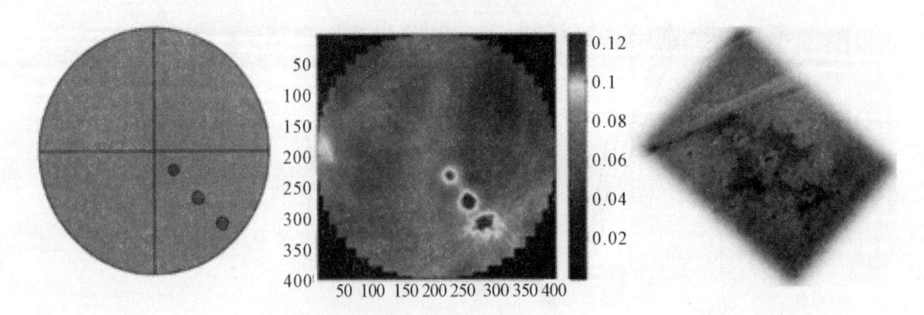

图 7.51 低频导波检测储罐底板成像图

(图片来源:http://www.cstndt.com/product.aspx? pid=4&ppid=31&id=88)

7.4.4　超声导波检测的特点

超声导波检测主要有以下优势：

(1)操作较为方便，检测点只要选取得当，长距离检测的距离就大大增加；

(2)检测迅速，在管道360°安装好探头后打开导波检测仪，几分钟即可对管道的正负方向完成检测；

(3)检测能力强，对管道结构特征和缺陷特征分辨能力强；

(4)能够检测某些人员无法达到的区域，如海平面以下管道、埋地管道等；

(5)灵敏度高，界面损失率超过2%的缺陷都可以被检测出来；

(6)一次安装后，进行预处理的检测点可以保留，便于以后定期复查，如果是重要管段，可安放导波检测仪器全天候监测。

超声导波检测虽然相对于传统常规的检测方法有很明显的优势，但也有自身的缺陷和不足：如导波技术不能检测出壁厚的直接测量值；对管壁深度和环向宽度的缺陷都十分敏感，只能在一定范围内能测得缺陷的轴向长度，这是因为沿管壁传播的圆周导波会在每一点与环状界面相互作用，即界面的减小比较灵敏。

超声导波检测存在以下局限性：

(1)管道内如果存在较大面积的腐蚀或有严重缺陷时会造成信号衰减，检测的距离大大减小；

(2)扭曲波模式受管道内气体或液体的影响很小，但纵波模式受其影响却很大；

(3)超声导波检测需要实验确定最佳频率，并采用模拟管壁减薄的对比试样管，这对检测造成一定的时间和精力的损失；

(4)超声导波检测采用的是低频超声波，缺陷检测的灵敏度和精度较低，因而无法发现总横截面损失量没有超过检测灵敏度的细小裂纹、纵向缺陷、小而孤立的腐蚀坑或腐蚀穿孔；

(5)管道内若存在多重缺陷时，会产生叠加效应而影响评价的准确性；

(6)受外界环境和边界条件影响大，如环境噪声、构件承载和外带包覆层材料等。如果管道外有外覆层(如防腐带或沥青层防腐)，它们对导波的回波信号影响很大，能引起超声导波较大的衰减，使导波检测距离大大减短；

(7)对于具有多种形貌的管段，如在较短的区段有多个“T”字头(三通接头)，就不可能进行可靠的检验；

(8)检测中通常以法兰、焊缝回波做基准，因此焊缝余高不均匀会影响评价的准确程度；

(9)超声导波检测对检测人员的要求很高，必须具有训练有素、对复杂形状的管道有丰富经验的专业技术人员来检测。

思考题

简答题

(1)什么叫作超声导波？超声导波应用的主要波型有哪些？各有什么特点？

(2)超声导波为什么能够在管道中长距离传播？

(3)超声导波检测在役管道腐蚀具有什么优势？

第8章　超声检测工艺文件的编制

超声检测工艺文件包括工艺规程和操作指导书。超声检测工艺规程和操作指导书是进行超声检测的指导性文件。超声检测工艺规程是依据企业内部使用的行业间的检测标准，针对某种或某一类产品编制的通用检测程序要求，一般在企业内部使用。超声检测操作指导书是针对某一产品的详细检测要求。要对产品进行超声检测，必须掌握这类产品的超声检测工艺规程和制订详细的超声检测操作指导书。

8.1　工艺规程的编制

超声检测工艺规程是检测单位根据委托单位的要求，结合工件的结构特点及有关法规、标准等编制的。因此，检测工艺规程必须对委托方的要求一一明确回答。如有疑问，应向委托方询问清楚，最后征得委托方的认可。

在实际生产中，超声检测工艺规程通常由取得超声检测Ⅲ级资质的人员会同相关技术人员组织编写。

超声检测工艺规程是超声检测质量保证体系中非常重要的技术文件。超声检测技术的选择与检测对象的具体情况关系十分密切，而工艺规程恰恰是根据企业实际情况，针对具体工件编制的，对检测工作的实施具有最直接的指导意义。

8.1.1　超声检测工艺规程的内容与编制要求

超声检测工艺规程至少应包含以下内容：

(1)工艺规程版本号。

(2)适用范围。

(3)依据的标准、法规或其他技术文件。

(4)检测人员资格要求。

(5)检测实施要求：检测时机、检测前的表面准备要求等。

(6)设备与器材：超声检测仪的型号；探头的类型、频率、尺寸、斜探头的 K 值等；耦合剂的名称、牌号等；标准试块和对比试块的代号和名称等。

(7)超声检测技术和检测工艺的选择，以及对操作指导书的要求。

(8)校准方法，包括仪器、设备的各项调整要求。

(9)检测结果的评定和质量分级。

(10)检测标记和原始数据的记录要求。

(11)检测报告的要求。

(12)规程编制者(Ⅲ级人员)、审核者(级别)和批准者。

(13)编制日期。

超声检测工艺规程的编制、审核及批准应符合有关法规或标准的规定。

8.1.2　超声检测工艺规程示例

1. 适用范围

(1)本规程适用于造船、修船、海洋工程及军工产品的船舶焊接焊缝的超声检测。

(2)本规程适用于材料厚度不小于6 mm的铁素体钢全焊透熔焊对接焊缝脉冲反射法手工超声检测。

(3)本规程不适用于铸钢及奥氏体不锈钢焊缝、外径小于ϕ159 mm的钢管对接焊缝、内径小于ϕ200 mm的管座角焊缝及外径小于ϕ250 mm和内外径比小于80%的纵向焊缝。

2. 引用标准

NB/T 47013—2015　承压设备无损检测

JB/T 10062—1999　超声探伤用探头性能测试方法

JB/T 9214—2010　无损检测 A型脉冲反射式超声检测系统工作性能测试方法

JB/T 19799.1—2015　无损检测　超声检测　1号校准试块

CB/T3559—2011　船舶钢焊缝手工超声波检测工艺和质量分级

GB/T 11345—2013　焊缝无损检测　超声检测　技术、检测等级和评定

JIS Z3060—2002　钢焊缝超声波探伤试验方法

GJB A 64.1—1997　舰船船体规范　水面舰艇

AWS D1.1—2001　美国焊接协会无损检验标准

3. 检测人员

(1)从事焊缝检测的检验者,应具有焊缝超声检测实践经验,并掌握一定的材料、焊接基础知识;

(2)超声检测人员应具有国内外船级社相互认可的Ⅱ级以上资格证书;

(3)持有Ⅱ级以上资格证书的超声检测者,才能进行实际检测并签发检测报告,其资格证书必须在有效期内。

4. 检测仪器、探头和系统性能

(1)检测仪。使用A型脉冲反射式超声检测仪,工作频率范围为1～5 MHz,仪器配备增益或衰减器控制旋钮,其精度为任意连续20 dB范围内,衰减器累计误差不大于1.7 dB,步进每挡不大于2 dB,总调节量应大于60 dB。水平线性误差不大于1%,垂直线性误差不大于5%。

(2)探头。探头参数选择如下:

1)探头规格型号应按NB/T 47013.3—2015标准的规定做出标志;

2)斜探头的公称折射角β为45°,60°,70°或K值为1.0,1.5,2,2.5;

3)折射角的实测值与公称值的偏差不大于2°;

4)探头频率通常选用2.5 MHz或5 MHz。

(3)系统性能。

1)系统有效灵敏度余量不小于 10 dB;

2)斜探头远场分辨率不小于 12 dB;

3)检测仪、探头的系统性能,除灵敏度余量外,均按 JB/T 9214—2010 标准规定的方法进行;

4)每年至少对超声检测仪器和探头组合性能中的水平线性、垂直线性、组合频率、盲区(仅限直探头)、灵敏度余量、远场分辨力以及仪器的衰减器精度进行一次校准并记录,测试要求应满足 NB/T 47013.3—2015 标准的规定。

5. 检测用试块

(1)对比试块应采用与被检工件相同或声学性能相近的材料制成,当采用直探头检测时,不得有大于或等于 $\phi 2$ mm 平底孔直径的缺陷;

(2)试块的制作应符合 GB/T 19799.1—2015 标准的规定;

(3)试块一般采用 IIW,IIW-2,CSK-ⅠA 标准试块以及与标准规定相对应的对比试块;

(4)现场检测时,也可采用其他形式的等效试块;

(5)每年至少对超声检测用标准试块与对比试块的表面腐蚀与机械损伤送计量部门进行一次核查。

6. 耦合与补偿

(1)通常采用全损耗系统用油、糨糊、甘油和水等透声性能好,且不损伤检测工件表面的耦合剂;

(2)在现场检测和缺陷定量时,应对由工件表面粗糙度引起的能量损耗进行补偿(一般为 4～6 dB);

(3)在现场检测和缺陷定量时,应对材料衰减引起的检测灵敏度降低和缺陷定量误差进行实测补偿。

7. 检测前的准备

(1)检测面。

1)检测面应清除油漆、焊接飞溅、铁屑、油污及其他异物。检测面应平整光滑,便于探头移动扫查,检测面与探头楔块底面或保护膜间的间隙不应大于 0.5 mm,其表面粗糙度 R_a 值应小于或等于 25 μm。检测面一般应进行打磨。

2)检测区宽度为焊缝本身宽度加上焊缝熔合线两侧各 10 mm 的热影响区;检测区厚度为工件厚度加上焊缝余高。

3)斜探头检测时,通常使用一次反射波在焊缝的单面双侧进行检测。当材料厚度大于 50 mm 时,可采用双面双侧进行。探头移动宽度应大于或等于 1.25P。

4)去除余高的焊缝,应将余高打磨到与焊缝邻近母材平齐。保留余高的焊缝,如果焊缝表面有咬边、较大的隆起或凹陷等也应进行适当的修磨,并作圆滑过渡。

(2)仪器调整。

1)检测前应在 CSK-ⅠA 或 IIW 标准试块的 R100 mm 圆弧面测定斜探头的前沿长度 l_0;

2)探测范围调节。最大深度范围应调至示波屏时基线满刻度的 2/3 以上,并根据委托通知单的被检材料厚度,选择合适的 K 值探头,在 CSK-ⅠA 或 IIW 标准试块进行实际扫查比例调节；

3)检测前应在 CSK－IA 或 IIW 标准试块的 ϕ50 mm 圆弧面和 ϕ1.5 mm 横孔实测斜探头的折射角或 K 值。

(3)绘制距离-波幅曲线。利用 CSK－IIA 对比试块测试距离-波幅曲线，评定线、定量线、判废线满足 NB/T 47013.3—2015 标准的相关规定。

(4)检测灵敏度。扫查灵敏度不低于评定线灵敏度，此时在检测范围内最大声程处的评定线高度不应低于示波屏满刻度的 20%。检测和评定横向缺陷时，应将各灵敏度均提高 6 dB。

(5)检测时机。检测面经打磨，外观检测合格后方可进行。

(6)校验。每天检测工作前，应在对比试块上进行扫描时基线比例和距离-波幅曲线校验，校验点不少于 2 点。当发现与原测定曲线的误差超过±2 dB 时，应重新绘制距离-波幅曲线。

8. 检测要点

(1)检测前的准备。根据驻生产车间检验员提出的超声检测申请单，检测人员应了解被检工件材质、结构、曲率、厚度、焊接方法、坡口形式、焊缝余高及背后衬垫沟槽等情况，做好检测前的技术准备。

(2)扫查。检测扫查速度应不超过 150 mm/s。应保证检测时超声束能扫到整个被检测区域，探头的每次扫查覆盖率应大于探头直径或宽度的 15%。

(3)扫查方式。

1)检测纵向缺陷时，斜探头应垂直于焊缝中心线放置在检测面上，作锯齿形扫查。探头前后移动的范围应保证扫查到全部焊接接头截面。在保持探头垂直焊缝作前后移动的同时，扫查时还应作 10°～15°的左右转动。为观察缺陷动态波形和区分缺陷信号或伪缺陷信号，确定缺陷的位置、方向和形状，可采用前后、左右、转角、环绕等 4 种基本扫查方式。

2)检测横向缺陷时，可在焊接接头两侧边缘使斜探头与焊缝中心线成不大于 10°，作两个方向的斜平行扫查。

(4)T 形接头检测要求如下：

1)腹板厚度不同时，选用不同 K 值的探头；

2)采用折射角为 45°(K1.0)的探头在腹板一侧采用直射法和一次反射法，可检测焊缝及腹板测热影响区的裂纹；

3)采用直探头或斜探头在翼板外侧检测腹板和翼板间未焊透或翼板侧焊缝下层撕裂状缺陷。

9. 缺陷的测定

(1)对反射波幅位丁Ⅰ区或Ⅰ区以上的缺陷，均应对缺陷位置和缺陷最人反射波幅和缺陷指示长度等进行测定。缺陷位置应以缺陷最大反射波的位置为准。

(2)当缺陷反射波只有一个高点，且位于Ⅱ区或Ⅱ区以上时，用－6 dB 法测量其指示长度。

(3)当缺陷反射波峰起伏变化，有多个高点，且均位于Ⅱ区或Ⅱ区以上时，应用端点－6 dB 法测量其指示长度。

(4)当缺陷最大反射波位于Ⅰ区，将探头左右移动，使波幅降到评定线，以用评定线绝对灵敏度法测量缺陷指示长度。

(5)当判定缺陷反射波可能是裂纹、未熔合、未焊透等危害缺陷时,应采取改变探头折射角(K 值)、增加检测面、观察动态波形并结合工艺特征作判定,两种探头折射角相差不小于 10°。如对波形不能判断时,应辅以其他检测方法作综合判定。

10. 产品质量等级

(1)按各产品船东与验船师认可的检测位置布置图,提供的检测标准Ⅱ级验收。船用管系、压力容器参照实行。

(2)在检测过程中,若发现危险性缺陷,应扩大检测扫查范围,直至缺陷波消失为止。

(3)检测人员判定为危险性缺陷时,无论其缺陷反射波幅高低或尺寸大小,均作判废处理。

(4)判定为超标的缺陷均应返修。修复后区域及热影响区,必须按原检测条件进行重复检测和评级。

(5)在检测过程中,应做好现场原始记录,必要时应绘制草图,并详细标记缺陷部位。

11. 检测记录和报告

(1)检测记录卡应包括施工单位、工件名称、工件编号、焊缝种类、坡口形式、材质、厚度、表面状况、执行规程、验收标准、仪器型号、探头频率、尺寸和角度、耦合剂、标准试块、对比试块、检测灵敏度、超标缺陷和评定记录、检测人员和日期等。

(2)检测报告内容应包括工件名称、部件名称、工件编号、焊缝编号、检测方法、坡口形式、检测部位、检测仪器、探测灵敏度、探测范围、检测标准、缺陷状况、检测结论、检测人员及审核人员签字、检测日期及检测人员资质等。

(3)检测记录和报告内容应全面明确,字迹清楚、整洁,并应及时发放检测报告。

(4)检测报告、原始记录整理后存档,保存期不少于 7 年。

8.2 超声检测操作指导书的编制

超声检测操作指导书是叙述超声检测方法(或超声检测技术)对某一具体零件或一组类似零件实施检测所遵循的详细要求的指导性文件,一般用表、卡的形式给出。超声检测操作指导书由相关法规的Ⅱ级以上资格人员根据超声检测规程或相关标准编制,其主要用途是为该具体零件检测的实施提供准确的工艺指导,以保证检测实施的正确性,以及检测结果的一致性和可重复性。对于超声检测来说,针对零件的不同规格和外形,需考虑选择不同的检测工艺,因此,对于不同规格的同类工件,仍需编制各自的操作指导书。操作指导书,也叫工艺卡,二者区别在于操作指导书文字叙述较工艺卡多,比工艺卡更加详细。

8.2.1 超声检测操作指导书的内容及编制要求

操作指导书一般包括以下内容:

(1)操作指导书编号;

(2)依据的工艺规程及其版本号;

(3)检测技术要求:执行标准、检测时机、检测比例、合格级别和检测前的表面准备;

(4)检测对象：承压设备类别，检测对象的名称、编号、规格尺寸、材质和热处理状态、检测部位(包括检测范围)；

(5)检测设备和器材：名称和规格型号，工作性能检查的项目、时间和性能指标；

(6)检测工艺参数；

(7)检测程序；

(8)检测示意图；

(9)数据记录的规定；

(10)编制者(级别)和审核者(级别)；

(11)编制日期。

超声检测操作指导书的编制、审核应符合相关法规、安全技术规范或技术标准的规定。实施超声检测的人员应按检测操作指导书进行操作。

8.2.2　超声检测操作指导书示例

1. 钢板超声检测

现有一块用于制造压力容器的Q345的钢板，厚度为20 mm，按固容规要求进行超声检测(合同规定需进行横波检测)。执行NB/T 47013.3—2015标准，验收等级为Ⅱ级。请制定该钢板的超声检测工艺。

可提供的检测设备和器材有：HS600；2.5P20FG10，5P20FG10，2.5P20FG20，5P20FG20，2.5P6×6K2，2.5P15×15K1，2.5P6×6K1；水、机油、化学糨糊。

请将钢板超声检测工艺参数填写在提供的操作指导书(工艺卡)中，并将探头及试块的选择、基准灵敏度的确定、扫查方式、缺陷的判定等技术要求填写在操作指导书(工艺卡)说明栏中，见表8.1。

表8.1　钢板超声检测操作指导书(工艺卡)

工艺规程版本号：×××　　　　编号：×××

<table>
<tr><td colspan="2">工件名称</td><td>容器用钢板</td><td>材　质</td><td>Q345</td></tr>
<tr><td colspan="2">厚度/mm</td><td>20</td><td>表面状态</td><td>轧制面</td></tr>
<tr><td colspan="2">仪器型号</td><td>HS600</td><td>耦合剂</td><td>水</td></tr>
<tr><td colspan="2">检测标准</td><td>NB/T 47013.3—2015</td><td>合格级别</td><td>Ⅱ级</td></tr>
<tr><td colspan="2">扫查速度</td><td>≤150 mm/s</td><td>检测比例</td><td>100%</td></tr>
<tr><td rowspan="4">纵波检测</td><td>探头型号</td><td>5P20FG10</td><td>对比试块</td><td>工件大平底</td></tr>
<tr><td>表面补偿/dB</td><td>0 dB</td><td>检测灵敏度</td><td>将被检钢板无缺陷完好部位第一次底波调整到满刻度的50%，再提高10 dB作为基准灵敏度</td></tr>
<tr><td>扫查方式</td><td colspan="3">1.在钢板边缘或剖口预定线两侧各50 mm区域宽度范围内做100%扫查；
2.在钢板中部区域，探头沿垂直于板材压延方向，间距不大于50 mm的平行线扫查，或探头沿垂直和平行板材压延方向且间距不大于100 mm格子线进行扫查</td></tr>
<tr><td>缺陷判定</td><td colspan="3">1.$F_1 \geqslant 50\%$；2. $B_1 < 50\%$</td></tr>
</table>

续 表

<table>
<tr><td rowspan="3">横波检测</td><td>探头型号</td><td>2.5P15×15K1</td><td>对比试块</td><td>60°V形槽</td></tr>
<tr><td>表面补偿</td><td>0 dB</td><td>人工反射体尺寸</td><td>槽深为 0.6 mm，槽长至少为 25 mm</td></tr>
<tr><td>距离-波幅曲线的确定</td><td colspan="3">1.将探头置于有槽的一面，使声束对准槽的宽边，找出第一个全跨距反射的最大波幅，调整仪器，使该反射波的最大波幅为满刻度的 80%，在示波屏上记录下该信号的位置。
2.不改变仪器的调整状态，移动探头，得到第二个全跨距信号，并找出信号最大反射波幅，在示波屏上记录下该信号的位置。
3.在示波屏上将上述内容所确定的点连成一直线，此线即为距离-波幅曲线</td></tr>
<tr><td colspan="2">不允许缺陷</td><td colspan="3">1.白点、裂纹等危害性缺陷。
2.板材中部检测区域：①最大单个缺陷指示面积 $S>100\ mm^2$；②在任一 1 m×1 m 检测面积内，单个缺陷指示面积为 $50<S\leqslant 100\ mm^2$ 评定范围的缺陷个数>10 个。
3.板材边缘或剖口预定线两侧检测区域：①最大单个缺陷指示长度 $L_{max}>30$ mm；②最大单个缺陷指示面积 $S>100\ mm^2$；③在任一 1 m 检测长度内，单个缺陷指示长度为 $15<L\leqslant 30$ mm 评定范围的缺陷个数>3 个</td></tr>
<tr><td colspan="3">编制人(资质)：××× UT-Ⅱ级
×××年××月××日</td><td colspan="2">审核人(资质)：××× UT-Ⅲ级
×××年××月××日</td></tr>
</table>

对关键参数的说明：

(1)基本参数。

1)HS600 为数字式超声波检测仪。

2)耦合剂选择：检测钢板常用水作为耦合剂，成本低，操作方便。

3)扫查速度：按 NB/T 47013.3—2015 标准第 4.5.3 条规定，探头的扫查速度一般不应超过150 mm/s。

4)不允许缺陷：验收等级为Ⅱ级，按 NB/T 47013.3—2015 标准第 5.3.9.2 条及表 6、表 7 的相关规定。

(2)纵波检测。

1)探头型号选择：钢板厚度为 20 mm，按 NB/T 47013.3—2015 标准第 5.3.3.1.1 条表 3 规定，应选用双晶直探头 5P20FG10。

2)对比试块选择：按 NB/T 47013.3—2015 标准第 5.3.4.1 条、第 5.3.5.1 条规定，可采用阶梯平底试块，也可采用被检测钢板无缺陷完好部位。由于钢板厚度为 20 mm，且阶梯平底试块上没有与工件等厚部位，故优先选用工件大平底。(注：若阶梯平底试块上有与工件等厚部位，两者皆可。)

3)基准灵敏度的确定：钢板厚度为 20 mm，按 NB/T 47013.3—2015 标准第 5.3.5.1 条规定，可将钢板无缺陷完好部位第一次底波调整到满刻度的 50%，再提高 10 dB 作为基准灵敏度。

4)缺陷的判断：钢板厚度为 20 mm，按 NB/T 47013.3—2015 标准第 5.3.7.1 条规定，在检测基准灵敏度条件下，发现下列两种情况之一作为缺陷：F1≥50%；B1<50%。

(3)横波检测。

1)探头型号选择：按 NB/T 47013.3—2015 标准附录 D.2 规定，应选用 2.515×15K1。

2)对比试块选择：按 NB/T 47013.3—2015 标准附录 D.3 规定，应制作 60°V 形槽对比试块，槽深为板厚的 3%(20 mm×3%=0.6 mm)，槽长至少为 25 mm。

3)距离-波幅曲线的确定：钢板厚度为 20 mm，按 NB/T 47013.3—2015 标准附录 D.4.1.1，D.4.1.2，D.4.1.3 规定，确定钢板横波检测距离-波幅曲线。

2. *锻件超声检测*

有一实心圆柱体钢锻件，规格为 ϕ1 000 mm×500 mm。现要求对其进行超声检测。执行 NB/T 47013.3—2015 标准，验收等级为Ⅱ级。请制定该钢锻件超声检测工艺。

可提供的检测设备和器材有 CTS-22；2.5P20Z、5P30Z；CS-2 系列对比试块、CS-3 对比试块、CS-4 对比试块；水、机油、化学糨糊。

请将锻件超声检测工艺参数填写在提供的操作指导书(工艺卡)中，并将探头及试块的选择、基准灵敏度的确定、扫查方式、缺陷的判定等技术要求填写在操作指导书(工艺卡)说明栏中，见表 8.2。

表 8.2　锻件超声检测操作指导书(工艺卡)

工艺规程版本号：×××　　　　编号：×××

工件名称	锻件	规格	ϕ1 000 mm×500 mm
表面状态	机加工 $R_a \leqslant 6.3\ \mu m$	检测比例	100%
仪器型号	CTS-22	耦合剂	化学糨糊或机油
检测标准	NB/T 47013.3—2015	合格级别	Ⅱ级
探头型号	2.5P20Z	衰减系数	$\alpha=[(B_1-B_2)-6]/2t$
检测面	检测方向		参考检测方向
	相对两端面 100%		径向 100%
对比试块	CS-2 系列		CS-2-31
表面补偿/dB	4 或实测		4 或实测
扫查比例	1∶6		1∶12
基准灵敏度	500/ϕ2 mm		1 000/ϕ2 mm
基准灵敏度调整说明	使用 CS-2-1，7，13，19，25，31 试块，依次测试检测距离分为 25 mm，75 mm，125 mm，200 mm，300 mm，500 mm 的 ϕ2 mm 平底孔，制作距离-波幅曲线，并以此作为基准灵敏度		使用 CS-2-31(500/ϕ2)与 1 000/ϕ2 mm回波的分贝差为 12 dB，将 500/ϕ2 mm 的回波调整到基准波高，再提高 12 dB

续 表

扫查方式	移动探头从相互垂直的方向在检测面上作 100%扫查，探头的每次扫查覆盖率应大于探头直径的 15%
缺陷当量的确定	1.当被检缺陷的深度大于或等于探头的 3 倍近场区时，可采用 AVG 曲线或计算法确定缺陷的当量。对于 3 倍近场区内的缺陷，可采用距离-波幅曲线(制作 ϕ3，ϕ4 平底孔)来确定缺陷的当量。 2.当采用计算法确定缺陷的当量时，若材质衰减系数超过 4 dB/m，应进行修正。 3.当采用距离-波幅曲线来确定缺陷当量时，若对比试块与工件材质衰减系数差值超过 4 dB/m，应进行修正
不允许缺陷	1.白点、裂纹等危害性缺陷。 2.单个缺陷当量平底孔直径＞ϕ4＋6 dB。 3.由缺陷引起的底波降低量 B_G/B_F＞12 dB。 4.密集区缺陷当量直径＞ϕ3。 5.密集区缺陷占检测总面积的百分比＞5%
扫查示意图	※ ※ 说明：↑——应检测方向；※——参考检测方向
编制人(资质)：××× UT-Ⅱ级 ×××年××月××日	审核人(资质)：××× UT-Ⅲ级 ×××年××月××日

对关键参数的说明：

(1)基本参数。

1)CTS-22 为模拟式超声检测仪。

2)探头型号选择：2.5P20Z 和 2.5P30Z 的近场区长度分别为 42.4 mm 和 95.3 mm，按 NB/T 47013.3—2015 标准第 5.5.2.2 条、第 5.5.2.3 条、第 5.5.3.1 条规定，可选用近场区长度较小的 2.5P20Z。

3)衰减系数测定：探头选用 2.5P20Z，锻件厚度为 500 mm＞3N，按 NB/T 47013.3—2015 第 5.5.6.3 条规定，衰减系数的计算公式为 $\alpha=[(B_1-B_2)-6]/2t$。

4)扫查方式：按 NB/T 47013.3—2015 标准第 5.5.6.4.1 条、第 4.5.2 条规定。

5)缺陷当量的确定：按 NB/T 47013.3—2015 标准第 5.5.7 条规定。(注：对于 3 倍近场区内的缺陷，可采用制作 ϕ3 mm，ϕ4 mm 平底孔距离-波幅曲线来确定缺陷的当量。)

6)不允许缺陷:验收等级为Ⅱ级,按NB/T 47013.3—2015标准第5.5.8.2条及表11的相关规定。

(2)主要检测方向。

1)检测面选择:锻件厚度为500 mm,按NB/T 47013.3—2015标准第5.5.2.4条规定,锻件检测方向厚度超过400 mm时,应从相对两端面进行检测。

2)对比试块选择:按NB/T 47013.3—2015标准第5.5.4.3条单晶探头检测采用CS-2试块。

3)扫描速度调节:基本原则是在示波屏内至少能看到锻件完好部位第一次底面回波,并保证充分利用示波屏,若使第一次底波在第10格,则比例为1∶5,故可按1∶6调节。

4)基准灵敏度的确定:按NB/T 47013.3—2015标准第5.5.5.1条规定,使用CS-2-1,7,13,19,25,31试块,依次测试检测距离分别为25 mm,75 mm,125 mm,200 mm,300 mm,500 mm的ϕ2 mm平底孔,制作距离-波幅曲线,并以此作为基准灵敏度。(注:制作距离-波幅曲线,3N内测试点密一些,3N外测试点可以疏一些。)

(3)参考方向。

1)检测面选择:外圆径向100%检测。

2)对比试块选择:锻件直径为1 000 mm,按NB/T 47013.3—2015标准第5.5.4.3条规定,可采用CS-2-31试块(500/ϕ2 mm)。

3)扫描比例调节:基本原则是在示波屏内至少能看到锻件完好部位第一次底面回波,并保证充分利用示波屏,若使第一次底波在第10格,则比例为1∶10,故可按1∶12调节。

4)按NB/T 47013.3—2015标准第5.5.5.1条规定,当被检部位的厚度≥3N,可采用底波计算法确定基准灵敏度。方法如下:先计算CS-2-31试块(500/ϕ2 mm)与1 000/ϕ2 mm回波的分贝差为12 dB,故将500/ϕ2 mm的回波调整到基准波高,再提高12 dB即可。

3. 对接焊接接头超声检测

如图8.1所示,对一台承压设备——低温储罐进行检测,设备编号R201818。其筒体由单层钢板卷焊而成,筒体材质为16 MnR,规格为ϕ2 400 mm×4 000 mm×24 mm。焊接方法为双面埋弧自动焊,坡口形式为X形,焊缝宽度为30 mm,双面余高均为2 mm。设计规定要求对B2,B3环向焊接接头进行100%超声检测,执行NB/T 47013.3—2015标准,检测技术级别B级,Ⅱ级合格。由于外保温层未去除,本储罐只能从内部进行检验。请制定该储罐对接焊接接头的超声检测工艺。

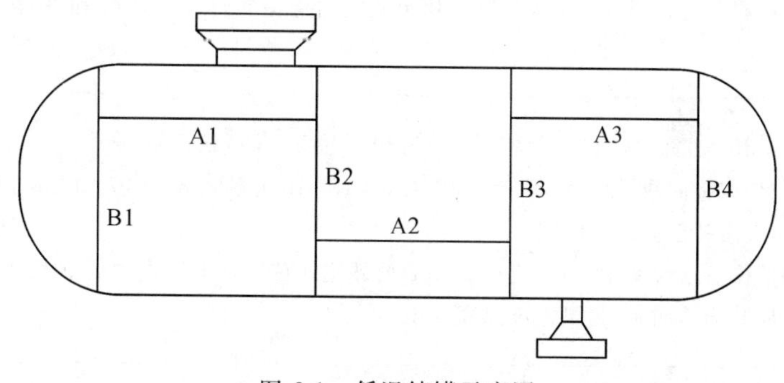

图8.1 低温储罐示意图

可提供的检测设备和器材有：HS700；2.5P13×13K1，2.5P13×13K2，5P13×13K1，5P13×13K2；水、机油、化学糨糊。

请将环向焊接接头超声检测工艺参数填写在提供的操作指导书(工艺卡)中，并将探头及试块的选择、检测面的选择、扫查灵敏度的确定、灵敏度校验、扫查方式、缺陷的判定等技术要求填写在操作指导书(工艺卡)说明栏中，见表 8.3。

表 8.3　对接焊接接头超声教检测操作指导书(工艺卡)

工艺规程版本号：×××　　　　编号：×××

<table>
<tr><td rowspan="5">工　件</td><td>工件名称</td><td>储　罐</td><td>工件编号</td><td>R201018</td></tr>
<tr><td>规格/mm</td><td>ϕ2 400×4 000×24</td><td>材料牌号</td><td>16MnDR</td></tr>
<tr><td>检测部位编号</td><td>B2，B3 环向焊接接头</td><td>坡口形式</td><td>X 形</td></tr>
<tr><td>检测时机</td><td colspan="3">焊后，外观修磨合格</td></tr>
<tr><td>表面状态</td><td>打磨</td><td>焊接方法</td><td>埋弧自动焊</td></tr>
<tr><td rowspan="3">检测
设备
器材</td><td>仪器型号</td><td>SH700</td><td>耦合剂</td><td>化学糨糊或机油</td></tr>
<tr><td>探头型号</td><td colspan="3">5P13×13K2</td></tr>
<tr><td>标准试块</td><td>CSK－ⅠA</td><td>对比试块</td><td>CSK－ⅡA－1</td></tr>
<tr><td rowspan="7">检测
技术
要求</td><td>执行标准</td><td>NB/T47013.3—2015</td><td>检测技术等级</td><td>B 级</td></tr>
<tr><td>合格级别</td><td>Ⅱ级</td><td>检测比例</td><td>100%</td></tr>
<tr><td>检测面</td><td>纵向缺陷：单面双侧
横向缺陷：单面</td><td>检测波形</td><td>横波检测</td></tr>
<tr><td>扫查速度</td><td>≤150 m/s</td><td>表面补偿/dB</td><td>4 或实测</td></tr>
<tr><td>扫查灵敏度</td><td>纵向缺陷：ϕ2×40－18 dB
横向缺陷：ϕ2×40－24 dB</td><td>探头移动区宽度</td><td>在焊缝两侧各不小于 150 mm 范围进行扫查</td></tr>
<tr><td>检测区</td><td>宽：50 mm；厚：28 mm</td><td>母材检测</td><td>不需要</td></tr>
<tr><td></td><td></td><td></td><td></td></tr>
<tr><td>探头测试
及扫描
速度调整</td><td colspan="4">每次检测前应在 CSK－ⅠA 标准试块上测定斜探头的前沿长度 l_0 和 K 值，调整扫描速度</td></tr>
<tr><td>灵敏度校
准及说明</td><td colspan="4">用 CSK－ⅡA－1 对比试块制作 ϕ2×40 基准线，至少测 5 点。
距离-波幅曲线灵敏度：评定线 ϕ2×40－18 dB，定量线 ϕ2×40－12 dB，判废线 ϕ2×40－4 dB，表面补偿应计入曲线。
调节仪器增益使 50 mm($2t$+2 mm)处评定线位于示波屏高度的 20%或以上。
横向缺陷检测时，将灵敏度提高 6 dB</td></tr>
</table>

续 表

扫查方式及说明	1.纵向缺陷检测：斜探头应垂直于焊缝中心线放置在检测面上，作锯齿型扫查。探头前后移动的范围应保证扫查到全部焊接接头截面。在保持探头垂直焊缝作前后移动的同时，扫查时还应做10°～15°的左右转动。为观察缺陷动态波形和区分缺陷信号或伪缺陷信号，确定缺陷的位置、方向和形状，可采用前后、左右、转角、环绕等4种基本扫查方式； 2.横向缺陷检测：可在焊接接头两侧边缘使斜探头与焊缝中心线成不大于10°作两个方向的斜平行扫查； 3.探头的每次扫查覆盖应大于探头直径或宽度的15%
缺陷指示长度的记录	1.对反射波幅位于Ⅰ区或Ⅰ区以上的缺陷，均应对缺陷位置和缺陷最大反射波幅和缺陷指示长度等进行测定。缺陷位置应以缺陷最大反射波的位置为准； 2.当缺陷反射波只有一个高点，且位于Ⅱ区或Ⅱ区以上时，用－6 dB法测量其指示长度； 3.当缺陷反射波峰起伏变化，有多个高点，且均位于Ⅱ区或Ⅱ区以上时，应用端点－6 dB法测量其指示长度； 4.当缺陷最大反射波位于Ⅰ区，将探头左右移动，使波幅降到评定线，以用评定线绝对灵敏度法测量缺陷指示长度
不允许缺陷	1.裂纹、未熔合、未焊透等缺陷； 2.波幅在Ⅲ区的所有缺陷； 3.波幅在Ⅰ区且指示长度＞60 mm的单个缺陷； 4.波幅在Ⅱ区且指示长度＞12 mm的单个缺陷； 5.在任意108 mm(4.5t)焊缝长度范围内，波幅位于Ⅱ区的多个缺陷累计长度大于24 mm
扫查示意图	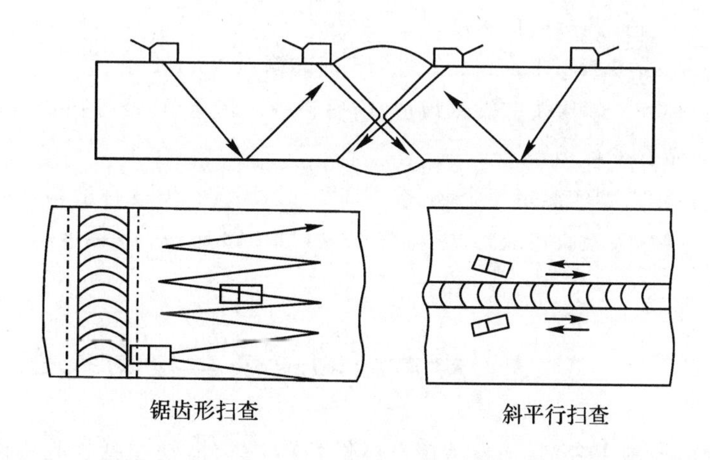 锯齿形扫查　　斜平行扫查

编制人(资质)：×××　UT－Ⅱ级 ×××年××月××日	审核人(资质)：×××　UT－Ⅲ级 ×××年××月××日

对关键参数的说明：

(1)基本参数。

1)SH700为数字式超声波检测仪。

2)探头型号选择：按NB/T 47013.3—2015标准附录N.1规定，检测技术为B级，工件厚度为24 mm，对于纵向缺陷和横向缺陷，均采用1种K值斜探头进行检测。再按NB/T 47013.3—2015标准第6.3.6.1条表25规定，应选用5P13×13K2。

3)对比试块选择：按NB/T 47013.3—2015标准第6.3.3.1.2条规定，标准试块选用CSK-ⅠA，再按NB/T 47013.3—2015标准第6.3.3.2.2条及表23规定，工件厚度为24 mm，对比试块选用CSK-ⅡA-1。

(2)检测技术要求。

1)检测面选择：按NB/T 47013.3—2015标准附录N.1规定，检测技术为B级，工件厚度为24 mm，对于纵向缺陷用1种K值斜探头单面双侧检测；对于横向缺陷，用1种K值斜探头单面检测。

2)扫描速度：按NB/T 47013.3—2015标准第4.5.3条规定，探头的扫描速度一般不应超过150 mm/s。

3)探头移动区宽度：按NB/T 47013.3—2015标准第6.3.5.1条及附录N.1的规定，检测技术等级为B级，工件厚度为24 mm，探头移动区宽度应$\geqslant 1.25P = 1.25\times 2Kt = 1.25\times 2\times 2.5\times 24$ mm$=150$ mm。故探头应在焊缝两侧各不小于150 mm范围内进行扫查。

4)扫描速度的调整：按NB/T 47013.3—2015标准第6.3.8.4.1条表27、第6.3.8.4.5条、第6.3.8.4.6条的规定，扫查灵敏度不应低于评定线灵敏度，检测和评定横向缺陷时，应将灵敏度提高6 dB。故：检测纵向缺陷的扫查灵敏度为$\phi 2\times 40-18$ dB，检测横向缺陷的扫查灵敏度为$\phi 2\times 40-24$ dB。

5)探头测试及扫描线调整：利用数字机SH700在CSK-ⅠA标准试块上测定探头的前沿长度l_0、实测K值，调节扫描速度。

6)扫查方式：按NB/T 47013.3—2015标准第6.3.9.1.1条、第6.3.9.1.2条的规定，检测焊接接头纵向缺陷时，斜探头应做锯齿形、前后、左右、转角、环绕等扫查；检测焊接接头横向缺陷时，斜探头应做斜平行扫查。

7)缺陷指示长度的测定与记录：按NB/T 47013.3—2015标准第6.4.7条规定进行。

8)不允许缺陷：验收等级为Ⅱ级，按NB/T 47013.3—2015标准第6.5.1条和表33的相关规定进行。

8.3 超声检测记录与检测报告

超声检测资料、档案除了包括超声检测工艺文件外，还包括检验检测合同、超声检测记录和检测报告。

8.3.1 超声检测记录

超声检测记录至少应包含以下内容：

(1)记录编号;

(2)依据的操作指导书名称或编号;

(3)检测技术要求:执行标准和合格级别;

(4)检测对象:承压设备类别,检测对象的名称、编号、规格尺寸、材质和热处理状态,检测部位和检测比例,检测时的表面状态,检测时机;

(5)检测设备和器材:名称、规格型号和编号;

(6)检测工艺参数;

(7)检测示意图;

(8)原始检测数据;

(9)检测数据的评定结果;

(10)检测人员;

(11)检测日期和地点。

超声检测记录应真实、准确、完整、有效,并经相应责任人员签字认可。超声检测检测记录的保存期应符合相关法规的要求,且不得少于7年。7年后,若用户需要,可将原始检测数据转交用户保管。

8.3.2　超声检测报告

1. 超声检测报告内容

超声检测报告内容至少应包含以下内容:

(1)报告编号;

(2)检测技术要求:执行标准和合格级别;

(3)检测对象:承压设备类别,检测对象的名称、编号、规格尺寸、材质和热处理状态,检测部位和检测比例,检测时的表面状态,检测时机;

(4)检测设备和器材:名称和规格型号;

(5)检测工艺参数;

(6)检测部位示意图;

(7)检测结果和检测结论;

(8)编制者(级别)和审核者(级别);

(9)编制日期。

超声检测报告还应符合相关标准的有关要求。超声检测报告的编制、审核应符合相关法规或标准的规定。超声检测报告的保存期应符合相关法规标准的要求,且不得少于7年。

2. 超声检测报告示例

(1)钢板超声检测。钢板超声检测报告见表8.4。

(2)锻件超声检测。锻件超声检测报告见表8.5。

(3)焊缝超声检测。焊缝超声检测报告见表8.6。

表 8.4　钢板超声检测报告　　　　**编号**:×××

钢板材质	20#	板厚/mm	24	试件编号	U2B24-4
仪器型号	HS700	探头型号	2.5P14Z	试　块	板材超声 1# 对比试块
耦合剂	机油	耦合补偿	0 dB	验收级别	—
检测标准	NB/T 47013.3—2015	探伤比例	100%		
基准灵敏度	ϕ5 平底孔当量	扫查灵敏度	ϕ5+6 dB		

检测结果

缺陷序号	X/mm	Y/mm	H/mm	ϕ5± dB	L/mm	S/mm²	评定级别	
钢板边缘								
1	171	39	16	+6.4	10	100	Ⅰ级	综合评为Ⅰ级
2	260	129	16	−3.6	—	—	Ⅰ级	
钢板中心部分								
3	87	153	17	+2.7	6	36	Ⅰ级	综合评为Ⅱ级
4	213	216	18	+8.3	12	144	Ⅱ级	

示意图:

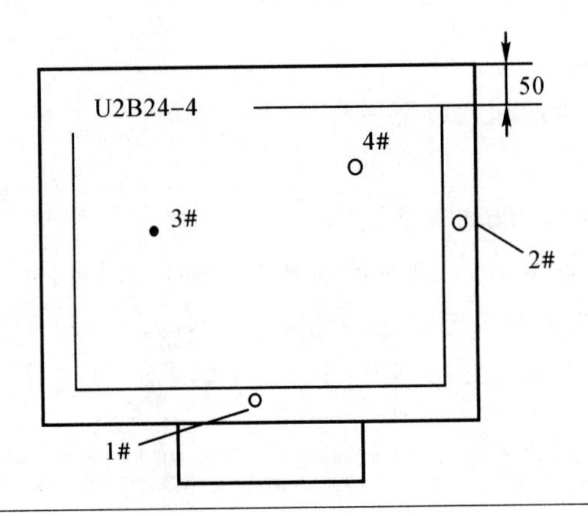

结　论	—
检测员(级别):×××(级别)	日期:××年××月××日
编制人(资质):×××　UT-Ⅱ级 ×××年××月××日	审核人(资质):×××　UT-Ⅲ级 ×××年××月××日
备　注	1.X—缺陷中心到试板左边缘的距离; 2.Y—缺陷中心到试板下边缘的距离; 3.H—缺陷距探测面的距离; 4.ϕ5± dB—缺陷波幅; 5.L—缺陷指示长度; 6.S—缺陷指示面积; 7.评定钢板质量级别时,不考虑最大允许的缺陷个数

表8.5　锻件超声检测报告

编号：×××

试件材质	×××	厚度/mm	70	试件编号	×××
仪器型号	HS700	探头型号	2.5P14Z	试　块	CS-2试块
耦合剂	机油	表面补偿	4 dB	基准灵敏度	$\phi 2$
检测比例	100%			扫查灵敏度	$\phi 2+6$ dB
探伤标准	NB/T 47013.3—2015				

检测结果

缺陷序号	X/mm	Y/mm	H/mm	B_G/B_F/dB	A_{max}($\phi 4\pm$dB)	评定级别
1	35	35	50		+6	Ⅱ
				+14		Ⅲ
2	60	60	50		+8	Ⅲ
				+9		Ⅱ

示意图：

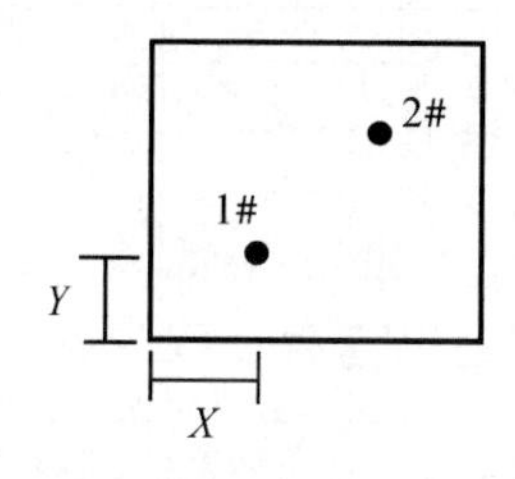

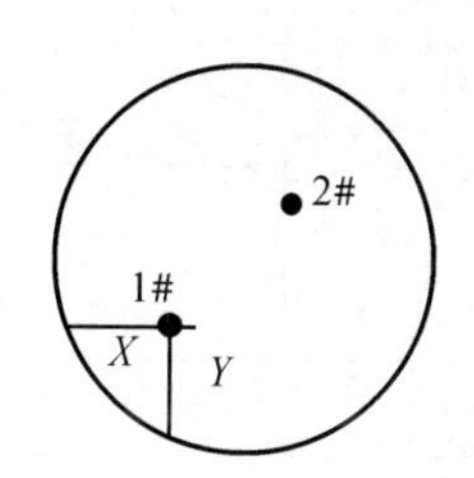

结　论	—		
检测员	××(级别)	日　期	××年××月××日
编制人(资质)：×××　UT-Ⅱ级 ×××年××月××日		审核人(资质)：×××　UT-Ⅲ级 ×××年××月××日	
备　注	1.X—缺陷至左端面的距离； 2.Y—缺陷至后端面的距离； 3.H—缺陷至探测面的距离； 4.B_G/B_F—缺陷引起的底波降低量； 5.A_{max}—缺陷最大反射波幅度		

表 8.6　焊缝超声检测报告　　　　**编号:×××**

试板材质	×××	板厚/mm	×××	试件编号	××
仪器型号	HS700	探头型号	5P9×9K2	试　　块	CSK－ⅠA CSK－ⅡA－1
耦合剂	机油	耦合补偿	4 dB	探伤比例	100%
探伤标准	NB/T 47013.3—2015		扫查灵敏度	ϕ2×40－18 dB	
探头前沿测量:l_0=10 mm			K 值测量:$K_{平均}$=1.95		

检测结果

缺陷编号	始点位置 S_1/mm	始点位置 S_2/mm	缺陷指示长度 $L=S_2-S_1$ /mm	缺陷波幅最大时					评定级别
				最大波幅位置 S_3/mm	缺陷深度 H/mm	偏离焊缝中心 q/±mm	缺陷波幅值 A_{max} S_L(±dB)	缺陷所在区域	
1	46	85	39	55	5	－2	＋15	Ⅲ	Ⅲ
2	203	243	40	210	7	＋2	＋13	Ⅲ	Ⅲ

示意图:

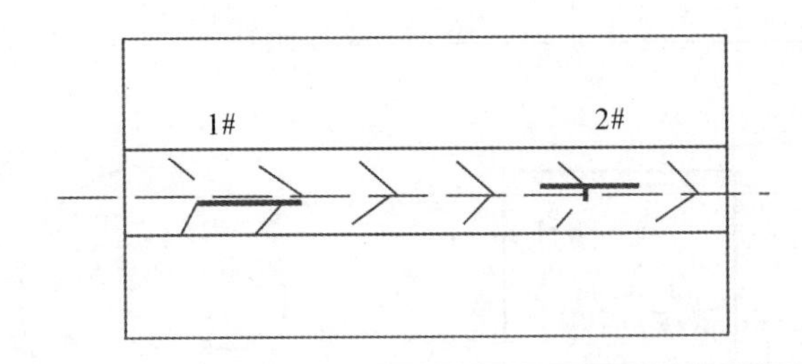

结　论	—
检测员(级别):×××(级别)	日　期:××年××月××日
编制人(资质):×××　UT－Ⅱ级 ×××年××月××日	审核人(资质):×××　UT－Ⅲ级 ×××年××月××日
备　注	1.S_1—缺陷左端至试板左端的距离; 2.S_2—缺陷右端至试板左端的距离; 3.S_3—缺陷最大反射点至试板左端的距离; 4.H—缺陷至探测面的距离; 5.q—缺陷距焊缝中心线的距离,上方为正,下方为负; 6.A_{max}—缺陷最大反射波幅,以定量线 S_L 为基准表示

第9章　超声检测标准

9.1　标准的定义

按国际标准化组织(International Standardization Organization,ISO)和GB/T 20000.1—2002的定义,标准是指“为了在一定的范围内获得最佳秩序,经协商一致制定并由公认机构批准,共同使用和重复使用的一种规范性文件”。而规范性文件的实质就是“条款”。标准宜以科学、技术和经验的综合为基础,以促进最佳社会效益为目的。

9.2　标准的级别

按照《中华人民共和国标准化法》的规定,我国标准大致可分为国家标准、行业标准、地方标准和企业标准。

(1)国家标准(GB)。由国家质量监督检验检疫总局/国家标准化管理委员会领导下的全国无损检测标准化技术委员会超声检测技术要求而制定的需要在全国范围内统一的技术要求。

(2)行业标准。由各行业根据本行业特殊产品或特殊要求而制定的标准,仅在本行业范围内应用,如机械行业标准(JB)、国家军用标准(GJB)、航空工业标准(HB)、航天工业标准(QJ)、兵器工业标准(WJ)、船舶工业标准(CB)、核工业标准(EJ)等。

(3)地方标准。没有国家标准和行业标准又需要在省、自治区、直辖市范围内统一工业产品的安全、卫生要求,由省、自治区、直辖市标准化行政主管部门制定并报国务院标准化行政主管部门和国务院有关行业行政主管部门备案的标准。

(4)企业标准。企业标准是由企业根据国家、行业标准的要求,或者是由于国家尚无相关技术标准,结合自身情况而制定的标准,只适用于本企业内部。

上述级别仅仅是适用范围不同而已,不存在标准技术水平高低的分级。

9.3　标准的分类

按标准的用途,可分为基础标准、产品标准和方法标准三大类。

(1)基础标准。在一定范围内作为其他标准的基础并普遍使用,具有广泛指导意义的标准。基础标准按其性质和作用的不同,一般分为以下几种:

1)概念和符号标准；

2)精度和互换性标准；

3)实现系列化和保障配套关系的标准；

4)结构要素标准；

5)产品质量保证和环境条件标准；

6)安全、卫生和环境保护标准；

7)管理标准；

8)量和单位。

(2)产品标准。对产品结构、规格、质量和检验方法所做的技术规定。产品标准按其适用范围，分别由国家、部门和企业制定；它是一定时期和一定范围内具有约束力的产品技术准则，是产品生产、质量检验、选购验收、使用维护、洽谈维护和洽谈贸易的技术依据。标准的重要内容包括以下几项：

1)产品的适用范围；

2)产品的品种、规格和结构形式；

3)产品的主要性能；

4)产品的试验、检验方法和验收规则；

5)产品的包装、储存和运输等方面的要求。

(3)方法标准。以试验、检查、分析、抽样、统计、计算、测定、作业等方法为对象制定的标准。例如试验方法、检查方法、分析方法、测定方法、抽样方法、设计规范、计算方法、工艺规程、作业指导书、生产方法、操作方法及包装、运输方法等。

当前我国应用较为广泛的有关特种设备超声检测的标准主要有以下几种：

GB/T 11259—2015　无损检测　超声检测用钢参考试块的制作和控制方法

GB/T 11343—2008　无损检测　接触式超声斜射检测方法

GB/T 11345—2013　焊缝无损检测　超声检测　技术、检测等级和评定

GB/T 5777—2008　无缝钢管超声波探伤检验方法

GB/T 18694—2002　无损检测　超声检验　探头及其声场的表征

GB/T 12604.1—2005　无损检测　术语　超声检测

GB/T 15830—2008　无损检测　钢制管道环向焊缝对接接头超声检测方法

GB/T 19799.1—2015　无损检测　超声检测　1 号校准试块

GB/T 19799.2—2012　无损检测　超声检测　2 号校准试块

GB/T 1264.1—2005　无损检测　术语　超声检测

GB/T 20737—2006　无损检测　通用术语和定义

GB/T 27664.1—2011　无损检测　超声检测设备的性能与检验　第 1 部分：仪器

GB/T 27664.2—2011　无损检测　超声检测设备的性能与检验　第 2 部分：探头

GB/T 27664.1—2012　无损检测　超声检测设备的性能与检验　第 3 部分：组合设备

GB/T 29712—2013　焊缝无损检测　超声检测　验收等级

GB/T 23908—2009　无损检测　接触式超声脉冲回波直射检测方法

GB/T 23912—2009　无损检测　液浸式超声纵波脉冲反射检测方法

GB/T 23902—2009　无损检测　超声检测　超声衍射声技术检测和评价方法

GB/T 23905—2009 无损检测 超声检测用试块
JB/T 4008—1999 液浸式超声纵波直射探伤方法
JB/T 4009—1999 接触式超声纵波直射探伤方法
JB/T 7522—2004 无损检测 材料超声速度测量方法
JB/T 8428—2015 无损检测 超声试块通用规范
JB/T 9214—2010 A型脉冲反射式超声波系统工作性能测试方法
JB/T 10061—1999 A型脉冲反射式超声波探伤仪通用技术条件
JB/T 10062—1999 超声探伤用探头性能测试方法
JB/T 10063—1999 超声探伤用1号标准试块技术条件
NB/T 47013.3—2015 承压设备无损检测 第3部分:超声检测
JB/T 11276—2012 无损检测仪器 超声波探头命名方法

第9章习题

1.简答题

(1)标准是如何定义的?

(2)我国标准分为几个级别?

(3)按标准的用途分类,可将标准分为哪几类?各有什么特点?

2.判断题(对的在后面括弧中画"√",错的画"×")

(1)NB/T 47013.3—2015标准规定,当采用一种无损检测方法按不同检测工艺进行检测时,如果检测结果不一致,应以危险度大的级别为准。( )

(2)NB/T 47013.3—2015标准规定,当采用两种或两种以上的检测方法对承压设备的同一部位进行检测时,应按各自的方法评定级别。( )

(3)NB/T 47013.3—2015标准规定,超声检测中,对不同工件厚度对接接头进行检测时,试块厚度的选择应由较大工件厚度确定,扫查灵敏度和质量分级由薄侧工件厚度确定。( )

(4)NB/T 47013.3—2015标准规定,对于平板对接接头,焊缝两侧母材厚度相等时,工件厚度t为母材公称厚度;焊缝两侧母材厚度不相等时,工件厚度t为薄侧母材公称厚度。( )

(5)NB/T 47013.3—2015标准规定,超声检测中,对比试块的外形尺寸应能代表被检工件的特征,试块厚度应与被检工件的厚度相对应。如涉及不同工件厚度对接接头的检测,试块厚度的选择应由较大工件厚度确定。( )

(6)按照NB/T 47013.3—2015标准规定,当母材厚度为130 mm时,B级检测可选用K1.5和K2.0两种K值探头,采用直射法在焊接接头的双面双侧进行检测。( )

(7)NB/T 47013.3—2015标准规定,某钢锻件经超声检测,其单个缺陷当量为Ⅱ级、底波降低量为Ⅰ级,密集区缺陷为Ⅲ级,则按照NB/T 47013.3—2015标准规定,该锻件质量等级应评为Ⅲ级。( )

(8)NB/T 47013.3—2015标准规定,复合板检测时,若第一次底波高度低于示波屏满刻度的5%,且明显有未接合缺陷反射波(≥5%),该部位称为未结合区。( )

(9)NB/T 47013.3—2015标准规定,钢制承压设备对接焊接接头超声检测技术等级分为A,B,C三级,A级要求最低,C级要求最高。( )

(10)NB/T 47013.3—2015 标准规定，对于B级检测，当母材厚度大于120～400 mm时，一般用两种K值探头采用直射波法在焊接接头的双面双侧进行检测。两种探头的折射角相差应大于等于10°。(　　)

(11)NB/T 47013.3—2015 标准规定，对于C级检测，斜探头扫查声束通过的母材区域应先用直探头检测，该项检测仅作记录，不属于对母材的验收检测。(　　)

(12)NB/T 47013.3—2015 标准规定，对于板厚为6 mm的钢对接焊接接头超声检测，可采用CSKⅠA和CSKⅢA试块。(　　)

(13)NB/T 47013.3—2015 标准规定，如果距离-波幅曲线绘制在示波屏上，则在检测范围内不低于示波屏满刻度的20%。(　　)

(14)NB/T 47013.3—2015 标准规定，对电渣焊焊接接头还应增加与焊缝中心线成45°的斜向扫查。其目的是为了检测焊缝中的横向裂纹。(　　)

(15)按照NB/T 47013.3—2015 标准规定，标准试块CSKⅠA、CSKⅡA不适用于直径小于等于500 mm工件对接焊接接头的超声检测。(　　)

(16)NB/T 47013.3—2015 标准规定，钢制对接焊接接头超声检测时，对位于定量线和定量线以上的超标缺陷，均应进行回波幅度、埋藏深度、指示长度、缺陷取向、缺陷位置和自身高度的测定。(　　)

(17)NB/T 47013.3—2015 标准规定，采用液浸法检测无缝钢管时，应使对比试样管内、外表面人工反射体所产生的回波幅度均达到示波屏满刻度的50%，以此作为扫查灵敏度。(　　)

(18) NB/T 47013.3—2015 标准规定，钢锻件超声检测时，由缺陷引起底波降低量的质量等级评定仅适用于声程大于近场区长度的缺陷。(　　)

(19)NB/T 47013.3—2015 标准规定，对在用承压设备对接焊接接头超声检测时，一般采用直射波，扫查灵敏度可根据需要确定，但不得使噪声回波高度超过满刻度的20%。(　　)

(20)NB/T 47013.3—2015 标准规定，对于厚度小于45 mm的锻件超声检测，可采用双晶直探头的距离-波幅曲线来确定缺陷当量。(　　)

(21)NB/T 47013.3—2015 标准规定，超声检测时，扫查灵敏度应比基准灵敏度提高6 dB。(　　)

(22)NB/T 47013.3—2015 标准规定，每次检测结束前应对基准灵敏度进行复核，如曲线上任何一点幅度变化≥2 dB，则应对上次复核以来所有检测部位进行复验。(　　)

(23)NB/T 47013.3—2015 标准规定，如果涉及两种或两种以上不同厚度部件焊接接头的检测，对比试块厚度应由其平均厚度来确定。(　　)

(24)按照NB/T 47013.3—2015 标准规定，钢板超声检测时，确定缺陷边界或指示长度采用的是绝对灵敏度法。(　　)

(25)NB/T 47013.3—2015 标准规定，钢锻件超声检测原则上应安排在热处理后、孔、台阶等结构加工前进行。(　　)

3.单项选择题

(1)确定脉冲在时基线上的位置应根据(　　)。

A.脉冲波峰　　B.脉冲前沿　　C.脉冲后沿　　D.以上都可以

(2)超声波衍射时差技术通常采用的探头类型为(　　)。

A.纵波直探头　　B.纵波斜探头　　C.横波斜探头　　D.横波直探头

(3)有关对比试块叙述,不正确的是(　　)。

A.对比试块是指用于检测的校准试块

B.对比试块的外形尺寸应能代表被检工件的特征

C.对比试块厚度应与被检工件的厚度相对应

D.对比试块是指用于仪器探头系统性能校准的试块

(4)按 NB/T 47013.3—2015 标准规定,下列试块中,属于标准试块的是(　　)。

A.CSK-ⅠA　　B.CSK-ⅡA　　C.CS-3　　D.GS-1

(5)按 NB/T 47013.3—2015 标准规定,在承压设备对接焊接接头超声检测进行缺陷定量时,不包括以下哪个参数?(　　)

A.缺陷当量直径　　B.缺陷指示长度　　C.缺陷自身高度　　D.缺陷性质

(6)NB/T 47013.3—2015 标准规定,缺陷自身高度的测定不包括(　　)。

A.6 dB 法　　B.端部最大回波法　　C.10 dB 法　　D.端点衍射波法

(7)根据 NB/T 47013.3—2015 标准规定,对 $\phi127\times28$ mm 的压力管道环向对接焊接接头进行超声检测,在深度 22 mm 处发现一缺陷,其波幅为 $\phi2\times20-5$ dB,检测面上测出的长度为 12 mm,则该缺陷应评为(　　)。

A.Ⅰ级　　B.Ⅱ级　　C.Ⅲ级　　D.不确定

(8)超声检测厚度为 20 mm 的钢板,在钢板中部面接为 1 m×1 m 检测区域内发现以下缺陷,1个 120 mm^2 的缺陷,10个 100 mm^2 的缺陷,根据 NB/T47013.3—2015 标准规定,该钢板应评为(　　)。

A.Ⅱ级　　B.Ⅲ级　　C.Ⅳ级　　D.Ⅴ级

(9)根据 NB/T 47013.3—2015 标准规定,对于在用承压设备焊接接头超声检测,缺陷类型通常应确定(　　)。

A.裂纹、未熔合、未焊透　　B.点状缺陷、线状缺陷或面状缺陷

C.缩孔、疏松和裂纹　　D.白点、折叠和夹杂

(10)壁厚为 60 mm 的钢制压力容器对接焊接接头进行超声检测时,发现两条当量位于Ⅱ区的非危害缺陷在一条直线上,长度分别为 15 mm 和 17 mm,间距为 10 mm,按 NB/T 47013.3—2015 标准规定,该焊缝应评为(　　)。

A.Ⅰ级　　B.Ⅱ级　　C.Ⅲ级　　D.不确定

(11)根据 NB/T 47013.3—2015 标准规定,以下属于标准试块的是(　　)。

A.锻件用试块 CS-2,CS-3,CS-4

B.堆焊层用试块 T1,T2,T3

C.承压设备Ⅰ型焊接接头用试块 CSK-ⅠA

D.承压设备Ⅱ型焊接接头用试块 GS

附录　SD 试 块

SD 试块是依据 GB/T 11345—2013《焊缝无损检测　超声检测　技术、检测等级和评定》标准中技术 1 和附录 E 的要求而设计的对比试块，试块的反射体为 40 mm 长 3 mm 直径的横孔，适用于设定直探头纵波和斜探头横波检测灵敏度、制作距离幅度曲线（DAC）。

依据检测范围的不同，SD 试块共有五块，具体参数见附表 1，尺寸和形状如附图 1 所示。

附表 1　SD 试 块

试块型	试块外形尺寸/mm	反射体数目	适用检测的工件厚度 t/mm
SD-1	160×60×15	1	8 ≤ t ≤ 15
SD-2	200×60×20	2	15 < t ≤ 20
SD-3	320×60×40	3	20 < t ≤ 40
SD-4	350×60×110	5	40 < t ≤ 100
SD-5	500×60×150	7	T > 100

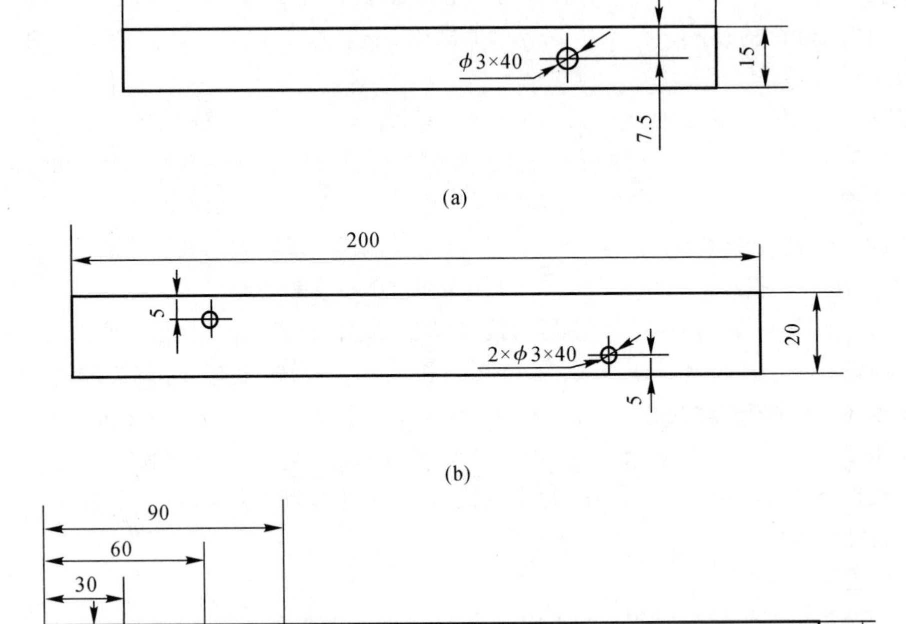

附图 1　SD 试块

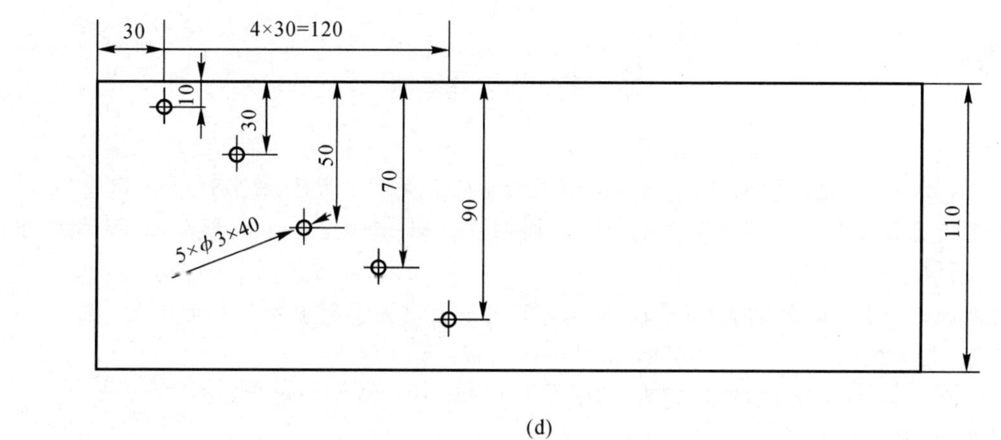

(d)

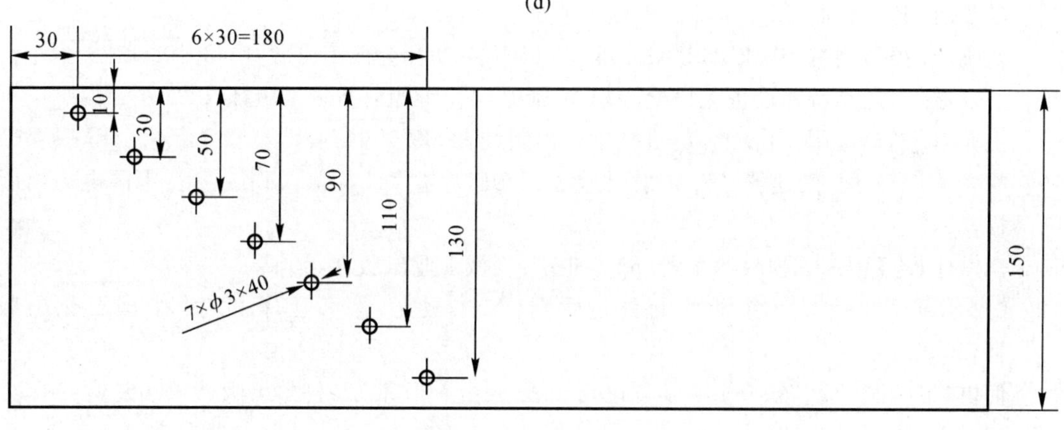

(e)

续附图 1 SD 试块

(a)SD－1 试块;(b)SD－2 试块;(c)SD－3 试块;(d)SD－4 试块;(e)SD－5 试块

参 考 文 献

[1] 郑辉，林树青. 超声检测[M]. 北京：中国劳动社会保障出版社，2008.

[2] 克劳特克罗漠 J,克劳特克罗漠 H. 声学检测技术[M].李靖,马羽宽,蔡清福,等译.广州：广东科技出版社,1984.

[3] 杜功焕，朱哲民，龚秀芬. 声学基础[M]. 南京：南京大学出版社，2001.

[4] 郭伟. 超声检测[M]. 2 版. 北京：机械工业出版社，2014.

[5] 夏纪真. 工业无损检测技术:超声检测[M]. 广州：中山大学出版社，2017.

[6] 晏荣明. 超声检测[M]. 北京：机械工业出版社，2016.

[7] 刘康. 无损检测员:基础知识[M]. 北京：中国劳动社会保障出版社，2010.

[8] 王晓雷. 承压类特种设备无损检测相关知识[M]. 北京：新华出版社，2015.

[9] 史亦韦. 超声检测[M]. 北京:机械工业出版社,2005.

[10] 胡先龙,季昌国,刘建屏,等. 衍射时差法(TOFD)超声波检测[M]. 北京:中国电力出版社,2015.

[11] 李家伟,陈积懋. 无损检测手册[M]. 北京:机械工业出版社,2002.

[12] Charles Hellier J. 无损检测与评价手册[M]. 戴光,徐彦廷译.北京:中国石化出版社,2006.

[13] 何琳,朱海潮,邱小军,等. 声学理论与工程应用[M]. 北京:科学出版社,2006.